SERMONS AU PEUPLE

SOURCES CHRÉTIENNES

Fondateurs : H. de Lubac, s.j., et † J. Daniélou, s.j.

Directeur : C. Mondésert, s.j.

N° 243

CÉSAIRE D'ARLES

SERMONS AU PEUPLE

TOME II
(Sermons 21-55)

TRADUCTION ET NOTES

PAR

Marie-José DELAGE

Professeur à Smith College (U.S.A.)

*Ouvrage publié avec le concours
du Centre National des Lettres*

LES ÉDITIONS DU CERF, 29, Bᴅ ᴅᴇ Lᴀᴛᴏᴜʀ-Mᴀᴜʙᴏᴜʀɢ, PARIS
1978

*Cette publication a été préparée avec le concours
de l'Institut des Sources Chrétiennes (E.R.A. 645
du Centre National de la Recherche Scientifique)*

© *Les Éditions du Cerf*, 1978
ISBN 2-204-01232-7

ABRÉVIATIONS ET SIGLES
utilisés dans le tome II

Travaux déjà cités dans le t. I :

GAUDEMET = J. GAUDEMET, *L'Église dans l'Empire romain* (IVe-Ve siècles), Paris 1958.

MORIN (13) = G. MORIN, « Quelques raretés philologiques dans les écrits de Césaire d'Arles », dans *Archivum Latinitatis Medii Aevi*, XI (1937), p. 5-14.

Autres abréviations bibliographiques :

CCL	*Corpus Christianorum, series latina*, Turnhout.
CSEL	*Corpus Scriptorum Ecclesiasticorum Latinorum*, Vienne.
MGH	*Monumenta Germaniae Historica*, Hanovre-Berlin.
	SSrerMer. Scriptores rerum Merovingicarum
NBP	*Nova Patrum Bibliotheca*, éd. A. MAÏ, I, Romae, 1852.
PG	*Patrologia graeca*, éd. MIGNE, Paris.
PL	*Patrologia latina*, éd. MIGNE, Paris.
PLS	*Patrologiae latinae supplementum*, éd. A. HAMMAN, Paris.
RAC	*Reallexicon für Antike und Christentum*, Stuttgart.
RB	*Revue bénédictine*, Maredsous.
SC	*Sources Chrétiennes*, Paris.

Sigles des collections manuscrites et des éditions anciennes :

Collections

L. Collectio Admonitionum XXV.
V. Collectio Veneta Admonitionum XIX.
M. Collectio Homiliarum ad monachos X.
C. Collectio Clichtovea Homiliarum XXII.
W. Collectio Wirceburgensis.
A. Collectio Homiliarum XLII, dite Liber S. Caesarii.
P. Collectio Lemovicensis.
T. Collectio Theodericensis.
B. Collectio biblica de mysteriis Veteris Testamenti.
O. Collectio biblica altera de mysteriis Veteris Testamenti.
G. Collectio praedicationum de anni circulo.
Z. Collectio Zwifaltensis.
D. Collectio Durlacensis.
Q. Collectio Homiliarum L sancti Augustini.
Lg. Collectio tripertita Longipontana.

Éditions

v. Editio Veneta, 1508.
k. Editio Parisiensis, 1511.
f. Editio Coloniensis, 1531.
a. Editio Basileensis, 1558.
s. Editio Caralitana, 1577.
l. Editio Vincentii Barrali, 1613.
e. Editio Baluziana, 1669.
m. *PL* 39, Appendix Operum Augustini, 1683.

Apparat critique :

A l'exemple du *CCL*, nous avons reproduit la pagination de l'édition Morin, et indiqué la répartition en lignes du texte dans cette édition — au moyen de demi-traits verticaux et de chiffres placés dans le cours du texte latin. A la demande des utilisateurs du tome I, nous rappelons désormais en marge, pour plus de clarté, cette distribution de l'édition Morin. C'est à elle que se réfère l'apparat critique.

*
* *

Au moment de livrer à l'impression la suite de ma traduction, je me fais un devoir de remercier tous ceux qui m'ont rendu le service d'en relire une partie et de m'apporter leurs critiques amicales, en particulier mes collègues, Mme M. Harris et Mlle A. Pelletier, ainsi que le Père B. de Vregille, de l'Institut des « Sources Chrétiennes ». M. l'abbé R. Étaix m'a fourni en outre de précieuses indications concernant les collections manuscrites. Quant à Mlle M.-L. Guillaumin, elle a assuré la révision de l'ensemble. Je lui suis tout spécialement reconnaissante d'avoir poursuivi la mise au point de l'apparat critique et de m'avoir aidée à établir et à présenter le texte inédit qui termine ce volume.

M.-J. Delage.

Ammonitio ista sancti Augustini ostendit multos gradus
15 ¹⁵esse in caritate perfecta et dilectione utiles et valde
necessarios   ††

1. Non solum in novo, sed etiam in veteri testamento
admonemur, fratres dile|ctissimi, qualiter perfectam cari-
tatem tenere debeamus. Sic enim ipse Dominus in |evangelio
dixit : « Diliges proximum tuum tamquam teipsum[a]. »
20 Tractemus ergo ali²⁰quantum de amore hominis in homi-
nem : quia sunt amores hominum perversi. |Ipse perverse
amat alterum, qui et se perverse amat : qui autem recte
se amat, et alterum |recte amat. Verbi gratia, sunt amores
flagitiosi, detestabiles : amores adulterorum, |amores
corruptorum, inmundi amores. Malos amores detestantur
omnes leges huma|nae et leges divinae. Remove ergo istos
inlicitos, quaeramus licitos.

Sermo XXI : Q³ *Berolinensis, Phillipps* 1677 (Rose 30)   s. X
          Q⁴ *Parisinus lat.* 2721   s. X
          Q⁵ *Parisinus lat.* 3799   s. XIII
          Q⁸ *Monacensis lat.* 6323 (*Frising.* 123)   s. XI
          Q¹¹ *Monacensis lat.* 7947 (*Kaisheim* 47)   s. XII
          Q¹⁵ *Monacensis lat.* 22266ᵃ (*Windberg* 66ᵃ)   s. XI/XII

90,14 gradus : grados Q⁴·⁵ ‖ 19 aliquantum : aliquantulum Q⁸·¹¹·¹⁵.

---

1 [a] Matth. 22, 39.

---

1. Ce sermon appartient à la collection arlésienne la plus répandue,

SERMON XXI

Cette monition de saint Augustin montre qu'il y a beaucoup de degrés utiles et tout à fait nécessaires dans la charité parfaite et dans l'amour[1]

1. Non seulement dans le Nouveau, mais aussi dans l'Ancien Testament, on nous rappelle, frères bien-aimés, de quelle manière nous devons garder la parfaite charité. Voici, en effet, ce que le Seigneur lui-même a dit dans l'Évangile : « Tu aimeras ton prochain comme toi-même[a]. » Occupons-nous donc un moment de l'amour de l'homme pour l'homme ; il y a, bien sûr, de mauvaises amours humaines. Celui-là aime mal autrui qui s'aime mal lui-même ; mais celui qui s'aime avec rectitude, aime aussi autrui avec rectitude. Il y a, par exemple, des amours honteuses, détestables ; des amours adultères, des amours corrompues, des amours impures. Toutes les lois humaines et les lois divines détestent les amours mauvaises. Laisse donc ces amours illicites, cherchons celles qui sont licites.

la collection Q — *Collectio Homiliarum L sancti Augustini* — que les Mauristes considéraient déjà ne pouvoir être antérieure à l'époque de Césaire et qui lui a été attribuée par Malnory. Cf. t. I, Introd., p. 72.

Dom Morin a incorporé dans son édition de Césaire une vingtaine de ces homélies, les unes apparemment originales, les autres plus ou moins tributaires d'Augustin. Le *Sermon* 21 n'est très certainement pour l'essentiel que le remaniement d'une œuvre perdue de l'évêque d'Hippone.

91   (91) **2.** Incipit licitus amor a coniugio ; sed adhuc carnalis
est. Videtis quia communis |est cum pecoribus : et passeres
illi, qui personant, habent coniugia, et nidos faciunt,
|simul ova confovent, simul pullos nutriunt. Licitus
quidem amor iste in hominibus, |sed videtis quia carnalis
est. Secundus amor filiorum est, sed adhuc et ipse carnalis
5 ⁵est : non enim laudandus est qui amat filios, sed detestandus
qui non amat. Pro magno |enim laudaturus sum in homine,
quod video in tigride? Serpentes amant filios suos, |leones
et lupi amant filios suos. Noli ergo magnum putare, quod
amas filios tuos : |adhuc in hoc amore serpentibus conpa-
raris ; si non amaveris, a serpentibus vinceris. |Honestos
amores iam dico : illos enim flagitiosos exclusi.

10   Alius amor, qui est propin¹⁰quorum, iam iste videtur
proprius hominum, si non sit consuetudinis. Nam maior
|est amor qui extenditur ultra propinquos, quam qui
tenetur inter propinquos. Qui |amat propinquos suos,
adhuc sanguinem suum amat. Amet alios, qui non sunt
pro|pinqui, suscipiat peregrinum : iam multum dilatatus
est amor iste. Tantum autem |crescit, ut a coniuge ad
filios, a filiis ad propinquos, a propinquis ad extraneos,
15 ¹⁵ab extraneis ad inimicos perveniat. Sed ut perveniat illuc,
multos habet gradus

    3. De amicitia ergo videte quid dicam. Sunt amici —
excepta amicitia, quae nec |amicitia dicenda est, quam
facit mala conscientia : sunt enim homines qui pariter

91,2 personant : sonant Q³·⁸·¹¹·¹⁵

2. Licite est, en premier lieu, l'amour conjugal ; mais il est encore charnel. Vous voyez que nous l'avons en commun avec les bêtes ; ces passereaux qui gazouillent, s'épousent, font des nids, couvent ensemble des œufs, nourrissent ensemble les tout petits, l'ont aussi. En vérité, cet amour est licite chez les hommes, mais vous voyez qu'il est charnel. Vient ensuite l'amour des enfants, mais cet amour est encore charnel. Il n'y a pas lieu de louer, en effet, celui qui aime ses enfants, mais de détester celui qui ne les aime pas. Me faudra-t-il louer hautement dans l'homme ce que je vois dans le tigre ? Les serpents aiment leurs petits ; les lions et les loups aiment leurs petits. Ne t'estime donc pas hautement parce que tu aimes tes enfants ; dans cet amour tu es encore comparable aux serpents ; si tu n'as pas cet amour, tu seras inférieur aux serpents. — Je parle maintenant d'amours honnêtes ; j'ai exclu en effet celles qui sont honteuses.

Un autre amour, celui de ses proches, semble maintenant être le propre de l'homme, à moins qu'il ne vienne de l'habitude. De fait, l'amour qui s'étend au-delà des proches est plus grand que celui qui se restreint à nos proches. Celui qui aime ses proches, c'est encore son propre sang qu'il aime. Qu'il aime les autres, ceux qui ne sont pas ses proches, qu'il accueille l'étranger : cet amour est déjà bien plus vaste. Or il grandit tant, qu'il parvient de l'amour conjugal à celui des enfants, de celui des enfants à celui des proches, de celui des proches à celui des étrangers, de celui des étrangers à celui des ennemis. Mais pour parvenir jusque là, il a beaucoup de degrés à gravir.

3. Voyez donc ce que j'ai à dire de l'amitié. Sont amis — je mets à part cette amitié qu'on ne devrait pas appeler ainsi, celle qui est le fait d'une mauvaise conscience : en effet, il y a des hommes qui s'unissent pour faire le

ᴵmala committunt, et ideo videntur sibi iuncti, quia
conscientia mala ligati sunt — exᴵcepta ergo ista nefaria
amicitia, est quaedam amicitia adhuc carnalis per consue-
20 tudinem ²⁰cohabitandi, conloquendi, simul conversandi;
ut contristetur homo, quando deseritur ᴵab amico, cum
quo solet conloqui et habere coniunctiones. Conveniunt
duo homines, ᴵambulant secum triduo, et iam nolunt a se
recedere. Et ista quaedam amicitiae dulᴵcedo est honesta
quidem : sed adhuc discutiamus illam, quia gradus amoris
huius ᴵquaerimus; et videamus quo usque pervenerimus
25 usque ad amicitiam talem, qualem ²⁵dixi.

Est ergo ista amicitia consuetudinis, non rationis :
habent illam et pecora. Duo ᴵequi manducent simul,
desiderant se : si alia die praecedat unus, festinat alter,
desiᴵderans quasi amicum suum; vix regitur a sessore, et
tam diu impetu suo provocat, ᴵquo usque perveniat. Cum
pervenerit ad eum qui praecessit, sedatur : pondus illum
ᴵferebat, pondere amoris urgebatur; venit tamquam ad
30 locum suum, et conquievit. ³⁰Adhuc et ista amicitia
consuetudinis est in pecoribus : surgamus adhuc et ab ista.

ᴵEst alia superior amicitia, non consuetudinis, sed
rationis, qua diligimus hominem ᴵpropter fidem et mutuam
benivolentiam in ista vita mortali. Hac superius quicquid
ᴵinvenerimus, divinum est. Incipiat homo amare Deum,
et non amabit in homine ᴵnisi Deum.

35 ³⁵4. Videat enim caritas vestra primum, amicitiae amor
qualiter debeat esse graᴵtuitus. Non enim proptera debes
habere amicum vel amare, ut aliquid tibi praestet : ᴵsi

28-29 sedatur — urgebatur : sedatur pondus illud, ferebatur
pondere amoris, urgebatur *codd. nonnulli* ‖ 35 qualiter : qualis
Q³·⁸·¹¹·¹⁵

1. Cette belle comparaison semble bien le fait de Césaire ; les
allusions aux chevaux sont très rares dans l'œuvre d'Augustin.

mal de concert et ils semblent liés entre eux parce qu'ils sont unis par leur mauvaise conscience — mise à part, donc, cette amitié criminelle, il est une amitié encore charnelle, née de l'habitude et de la cohabitation, des conversations, de la vie commune, qui fait qu'un homme est attristé quand le délaisse l'ami avec lequel il a coutume de parler et d'être en relation. Deux hommes se rencontrent, marchent ensemble pendant trois jours, et ils ne veulent plus se séparer. Une telle douceur d'amitié est honnête en vérité ; mais analysons-la encore, puisque nous cherchons le degré de cet amour, et voyons jusqu'où nous sommes parvenus, avec une amitié telle que celle dont je viens de parler.

C'est donc là une amitié d'habitude, non de raison ; les bêtes l'ont aussi. Que deux chevaux mangent ensemble, ils se recherchent ; si un jour l'un vient à précéder l'autre, ce dernier se hâte comme à la recherche de son ami ; à peine son cavalier peut-il le diriger, et jusqu'à ce que le cheval y parvienne, il l'y pousse par ses bonds. Lorsqu'il est arrivé auprès de celui qui l'a précédé, il se calme. Un poids l'entraînait, il était pressé par le poids de l'amour ; parvenu pour ainsi dire en son lieu, il s'est apaisé[1]. Cette amitié d'habitude aussi, nous la trouvons également chez les bêtes. Élevons-nous encore au-dessus d'elle.

Il est une autre forme d'amitié supérieure à celle-ci, non d'habitude mais de raison, dans laquelle nous aimons un homme pour sa fidélité et parce que nous sommes dévoués l'un à l'autre dans cette vie mortelle. Tout ce que nous trouverons de supérieur à elle est d'ordre divin. Que l'homme commence à aimer Dieu et il n'aimera en l'homme que Dieu.

L'amour doit être gratuit **4.** Que votre charité voie d'abord comment l'amour d'amitié doit être gratuit. En effet, tu ne dois pas avoir un ami ou l'aimer pour qu'il te rende un service ;

propterea illum amas, ut praestet tibi vel pecuniam, vel aliquod commodum |temporale, non illum amas, sed illud quod praestat. Amicus gratis amandus est, propter |sese, non propter aliud. Si hominem te hortatur amicitiae regula
40 ut gratis diligas, quam ⁴⁰gratis amandus est Deus, qui iubet ut hominem diligas! Nihil delectabilius Deo. Nam in |homine sunt quae offendant : per amicitiam tamen cogis te, ut etiam illa quae offendunt in |homine toleres propter amicitiam. Si ergo non debes propter quaedam toleranda |dissolvere hominis amicitiam, Dei amicitia quibus rebus debet cogi, ut dissolvatur |a te? Nihil invenis delectabilius Deo : Deus non est unde te offendat, si tu
45 eum non ⁴⁵offendas; nihil illo pulchrius, nihil illo dulcius.

Sed dicturus es mihi : Non illum |video : quomodo sum amaturus quem non video? Ecce quomodo discis amare
92 quem (92) non vides : modo ostendo unde coneris videre quod istis oculis non potes videre. |Ecce amicum amas : quid in illo amas? Gratis eum amas. Sed forte amicus iste tuus, |ut alia omittam, senex homo est : fieri enim potest ut habeas amicum senem. Quid |amas in sene? Incurvum corpus, album caput, rugas in fronte, contractam
5 maxillam? ⁵Si corpus quod vides, nihil deformius prae senectute : et tamen amas aliquid, et |corpus quod vides non amas, quia deforme est. Unde vides quod amas? Si enim |quaeram a te, Quare amas? responsurus es mihi : Homo est fidelis. Ergo fidem amas. |Si fidem amas, quibus oculis videtur fides, ipsis oculis videtur Deus. Incipe ergo |amare Deum, et amabis hominem propter Deum.

39 sese : se Q³·⁸·¹¹·¹⁵.

si tu l'aimes pour qu'il te procure de l'argent ou quelque avantage matériel, ce n'est pas lui que tu aimes, mais ce qu'il te procure. Un ami doit être aimé gratuitement pour lui-même et non pour autre chose. Si la règle de l'amitié t'exhorte à aimer un homme avec désintéressement, avec quel désintéressement doit-on aimer Dieu, qui t'ordonne d'aimer l'homme ! Rien n'est plus délectable que Dieu. Il y a en effet dans l'homme des choses qui offensent. Cependant, par amitié, tu t'efforces de tolérer au nom de l'amitié même ce qui t'offense dans un homme. Si donc tu ne dois pas dénouer une amitié humaine à cause de ce qu'il te faut tolérer, par quoi pourrais-tu être amené à dénouer ton amitié avec Dieu? Tu ne rencontres rien de plus délectable que Dieu ; il n'est rien en Dieu par quoi il puisse t'offenser, si toi tu ne l'offenses pas ; rien n'est plus beau que lui, rien n'est plus doux que lui.

Mais me diras-tu : Je ne le vois pas ; comment vais-je aimer quelqu'un que je ne vois pas? Voici comment tu apprends à aimer celui que tu ne vois pas : je vais te montrer tout de suite comment essayer de voir ce que tu ne peux voir de tes yeux. Voici que tu aimes un ami : qu'aimes-tu en lui? Tu l'aimes gratuitement. Mais peut-être que cet ami, pour ne pas parler du reste, est un homme âgé ; il peut en effet arriver que tu aies un ami âgé. Qu'aimes-tu dans un vieillard? le corps voûté, la tête blanche, les rides sur le front, la mâchoire contractée? Si c'est le corps que tu vois, rien n'est plus difforme à cause de la vieillesse ; et cependant tu aimes quelque chose et tu n'aimes pas le corps que tu vois parce qu'il est difforme. Où vois-tu ce que tu aimes? Car si je te demande : Pourquoi l'aimes-tu? tu me réponds : C'est un homme fidèle. Donc tu aimes sa fidélité. Si tu aimes sa fidélité, ces mêmes yeux qui te font voir sa fidélité te font voir aussi Dieu. Commence donc à aimer Dieu et tu aimeras l'homme à cause de Dieu.

10   ¹⁰**5**. Audite magnum testimonium. Diabolus certe accu-
sator sanctorum est : et ¹quia non apud talem iudicem
cogit quem fallat, non potest in nos falsa crimina dicere.
¹Novit apud quem dicat. Quia ergo falsa contra nos non
potest dicere, quaerit vera ¹quae dicat. Ideo temptat, ut
habeat quod dicat. Hic ergo adversarius noster, qui nobis
¹invidet regnum caelorum, qui non vult ut ibi simus unde
15   ipse deiectus est : « Numquid, ¹⁵inquit, gratis colit Iob
Deumᵃ? » Ad hoc provocamur ab adversario ut gratis
Deum ¹colamus, quando ille quaerens quod obiciat, pro
magno se putavit invenisse, quia ¹dixit : « Numquid gratis
colit Iob Deum? » Non quia viderat cor ipsius, sed quia
videbat ¹divitias eius.

Cavere debemus, ne ad praemium diligamus Deum.
Quid enim, propter ¹praemium dilecturus es Deum? Quale
20   praemium est, quod tibi daturus est Deus? ²⁰Quicquid
tibi aliud dederit, minus est quam ipse. Colis non gratis,
ut aliquid ab ipso ¹accipias. Gratis cole, et ipsum accipies :
se enim servat tibi Deus, quo fruaris. Et si ¹amas quae
fecit, qualis est ille qui fecit? Si pulcher est mundus, qualis
artifex mundi? ¹Evelle ergo cor tuum ab amore creaturae,
ut inhaereas creatori, et dicas quod in psalmo ¹scriptum
est : « Mihi autem adhaerere Deo bonum estᵇ. »

25   ²⁵**6**. Si autem deseris eum qui te fecit, et amas illa quae
fecit, deserto illo qui fecit, ¹adulter es. Sic clamat epistola
Iacobi, adulteros appellans : « Adulteri! » Et unde adulteri?

5 ᵃ Job 1, 9   ᵇ Ps. 72, 28.

1. Césaire cite ce verset comme Augustin, d'après une traduction
faite sur le texte grec : μὴ δωρεὰν Ἰὼβ σέϐεται τὸν Κύριον. Avant
le vIIᵉ siècle, le texte de la Vulgate n'apparaît guère que chez
JULIEN D'ÉCLANE : *Commentarius in Job*, I. 9, *PLS* I, col. 1576, et
chez le prêtre PHILIPPE : *Commentarius in Job*, *PL* 26, col. 621 A.

2. Le mot grec μοιχαλίδες est au féminin dans le texte biblique,
rappelant l'image fréquente chez les prophètes, en particulier chez
Osée (3, 1), d'Israël, épouse infidèle. Plusieurs manuscrits grecs

5. Écoutez un grand témoignage : le diable est à coup sûr l'accusateur des saints ; et parce qu'il ne force pas à comparaître devant un juge qu'il puisse tromper, il ne peut prononcer contre nous de fausses accusations. Il sait devant qui il parle. Donc, parce qu'il ne peut dire de mensonges contre nous, il cherche ce qu'il peut dire de vrai. C'est pourquoi il tente, afin d'avoir quelque chose à dire. Donc, notre adversaire, qui nous envie le royaume des cieux, qui ne veut pas que nous soyons dans un lieu d'où il a été lui-même chassé, dit : « Est-ce vraiment gratuitement que Job honore Dieu[a][1] ? » Nous sommes défiés par l'Adversaire d'aimer Dieu gratuitement quand, cherchant que nous reprocher, il a pensé avoir trouvé un grief d'importance en disant : « Est-ce vraiment gratuitement que Job honore Dieu ? » Non parce qu'il avait vu son cœur, mais parce qu'il voyait ses richesses.

Nous devons prendre garde à ne pas aimer Dieu en vue d'une récompense. Eh quoi ? Tu vas aimer Dieu en vue d'une récompense ? Quelle est la récompense que Dieu te donnera ? Quoi qu'il te donne d'autre, cela est moins que lui. Tu l'honores, non pas gratuitement, mais pour recevoir quelque chose de lui. Honore-le gratuitement et tu le recevras lui-même ; Dieu se réserve à toi pour que tu jouisses de lui. Et si tu aimes ce qu'il a fait, quelle n'est pas la grandeur de celui qui l'a fait ? Si le monde est beau, combien doit l'être l'artisan du monde ? Arrache donc ton cœur à l'amour de la créature pour t'attacher au créateur et tu pourras dire ce qui est écrit dans le psaume : « Quant à moi, il est bon de m'attacher à Dieu[b]. »

6. Mais si tu abandonnes celui qui t'a fait et que tu aimes ce qu'il a fait, en abandonnant le créateur, tu es adultère. Ainsi le crie l'épître de Jacques, nous appelant adultères : « Adultères[2] ! ». En quoi adultères ? Tu cherches

présentent cependant μοιχοὶ καὶ μοιχαλίδες, justifiant la traduction latine par un masculin d'espèce.

¹Quaeris unde? « Nescitis, inquit, quia amicitia huius mundi inimica est Dei? Qui¹cumque ergo voluerit amicus esse saeculi huius, inimicus Dei constituitur*. » ¹Expressit quid dixerit, « adulteri ». Anima deserto creatore amans
30 creaturam adultera ³⁰est. Illius enim amore nihil castius, nihil delectabilius : illo deserto, hoc amplectendo, ¹efficeris inmunda. O anima, ut illius amplexu digna sis, dimitte ista, et illi inhaere ¹gratis. Nam inde dixit psalmus : « Mihi autem adhaerere Deo bonum est⁵. » Versu ¹priore sic dixit : « Perdidisti omnes qui fornicantur abs te°. » Et quasi ostenderet quae ¹sit fornicatio, subiecit : « Mihi
35 autem adhaerere Deo bonum est. » Nihil aliud volo, ³⁵sed ipsum : adhaerere illi, hoc est bonum meum, hoc gratuitum bonum meum; ideo ¹et gratia dicitur, quia gratis constat. Cum ergo coeperis Deum amare gratis, securitas ¹est : quia et amicum gratis amas, et ad hoc eum amas, ut tecum amet Deum.

Adtendite ¹enim ipsam amicitiam vulgarem, unde coepimus, per quam gradus fecimus, adtendite ¹illam. Amat maritus uxorem, et uxor maritum; sine dubio et
40 ille illam, et illa illum ⁴⁰salvum vult. Vult illum habere incolomem, vult illum habere felicem. Ad hoc amat, ¹quia ipsa vult incolomis esse et felix : quod sibi vult, hoc et illi vult. Amat filios : ¹quisnam vult nisi salvos habere filios suos? Amat amicum : quis nisi incolomem habere ¹vult? Adeo, si forte contingat illi aliquid, contremescit, contristatur, conturbatur, ¹currit, ne accidat : cum acciderit,
93 plangit. Quid ergo vult? Salvum habere. Si ergo (93) omnis,

---

92,27 Dei : Deo Q⁸·¹¹·¹⁵ ‖ 31 efficeris : efficieris Q⁸·¹¹ ‖ 44 ne accidat
Q³ : accedit *cett.* ‖ acciderit Q³ : accesserit *cett.*

---

6 ᵃ Jac. 4, 4   ᵇ Ps. 72, 28   ᶜ Ps. 72, 27.

en quoi? « Vous ne savez pas, dit-il, que l'amitié de ce
monde est ennemie de Dieu ? Donc, quiconque aura voulu
être l'ami de ce siècle se dresse en ennemi de Dieu[a]. » Il a
expliqué pourquoi il avait dit « adultères » : l'âme qui
abandonne le créateur pour aimer la créature est adultère.
Car il n'est rien de plus pur, de plus délectable que l'amour
de Dieu ; si tu l'abandonnes pour refermer tes bras sur
une créature, ton âme devient impure. Ô âme, pour être
digne des embrassements de Dieu, rejette tes liens et
attache-toi à lui gratuitement. Le psaume a dit, en effet,
à ce sujet : « Quant à moi, il est bon de m'attacher à
Dieu[b]. » Au verset précédent il a parlé ainsi : « Tu as perdu
tous ceux qui forniquent loin de toi[c]. » Et comme pour
montrer ce qu'est la fornication, il a ajouté à la suite :
« Quant à moi, il est bon de m'attacher à Dieu. » Je ne veux
rien d'autre que lui-même ; m'attacher à lui, c'est mon bien,
c'est mon bien gratuit ; c'est aussi pourquoi on l'appelle
grâce, parce qu'il est gratuit. Donc, lorsque tu commences
à aimer Dieu gratuitement, tu trouves la sécurité ; car tu
aimes aussi ton ami gratuitement, et si tu l'aimes, c'est
pour qu'il aime Dieu avec toi.

Le vrai salut   Observez, en effet, l'amitié ordinaire
de laquelle nous sommes partis et
à travers laquelle nous avons progressé : observez-la.
Un mari aime sa femme et une femme son mari ; sans
aucun doute il veut qu'elle se porte bien, et réciproquement.
Elle veut le voir en bonne santé, elle veut le voir heureux.
Elle l'aime ainsi, parce qu'elle veut être elle-même en
bonne santé et heureuse ; ce qu'elle veut pour elle, elle le
veut aussi pour lui. On aime ses enfants : qui ne veut voir
ses enfants sains ? On aime son ami : qui veut le voir
autrement qu'en bonne santé ? C'est au point que, si par
hasard il lui arrive quelque chose, on commence à trembler,
on s'attriste, on est bouleversé, on court de peur d'un
accident ; lorsqu'un accident est arrivé, on se lamente.
Que veut-on donc ? Le voir sain et sauf. Si donc tout

qui amat, salvum vult habere quod amat, si intellegat
quae sit vera salus, |incipit illam amare in se, et ipsam
cogitur veram amare et in amico.

7. Si oculis carneis quaeris Deum, vide tres pueros de
igne liberatos : si fide quaeris |Deum, vide Machabaeos
in igne coronatos. Salus ergo illa amanda est, ista utenda :
5 ⁵haec enim ad usum necessaria est, nam transitura est.
Non enim vera salus est, fratres, |quam dicunt medici.
Paregorizamur quodam modo : nam aegritudo perpetua
est |in ista fragilitate carnis.

Putatis enim tunc hominem aegrotare quando febrit,
et sanum |esse quando esurit? Sanus est, dicitur. Vis
videre, quantum malum est esurire? |Dimitte illum sine
medicamento septem diebus, occiditur; sed quia apponis
10 cotidie ¹⁰medicamentum, vivit. Medicamentum autem
famis, cibus est; medicamentum sitis, |potus est; medica-
mentum lassitudinis, somnus est; medicamentum sessionis,
deam|bulatio est; medicamentum deambulationis, sessio
est; medicamentum fatigationis, |dormitio est; medica-
mentum dormitionis, vigilatio est. Et vide quam inbecille
sit |corpus humanum : hoc ipsum adiutorium, quod dixi,

93,6 quam *m.* : quomodo Q³·⁸·¹¹·¹⁵ ‖ Paregorizamur *Mor. e loco
consimili Augustini, Enarr. in Ps.* 122, *n.* 11 : aegrotamur Q³ pere-
grizamur Q⁸·¹¹ *cum hac glossa* : Peregrizor derivatur a verbo *peragro*,
et interpretatur teutonice *rlungaro*. ‖ 9 apponis Q¹⁵ : ponis *cett.* ‖
13 sit : est Q³·⁸·¹¹·¹⁵

---

1. Cf. *Dan.* 3, 24 et 49-50.
2. Cf. *II Macc.* 7, 1-41.
3. *Paregorizare* recouvre un terme grec, παρηγορεῖν, dont
Du Cange note l'emploi dans le domaine médical, au sens de « malum
lenire, mitigare ». Selon un médecin anonyme : « Paregorica sunt
quae paregorisant, ne malum crescat, non sanant. » — On comprend
que ce terme technique ait fait hésiter les scribes, et dom Morin
soulignait déjà les leçons divergentes des manuscrits, cf. MORIN (13),

homme qui aime veut voir sain et sauf ce qu'il aime,
lorsqu'il comprend quel est le vrai salut, il commence à
l'aimer en lui-même et il se sent tenu de l'aimer aussi
en son ami.

7. Si tu cherches Dieu avec des yeux de chair, vois
les trois enfants délivrés du feu[1] ; si tu cherches Dieu
par la foi, vois les Maccabées couronnés dans le feu[2].
Il faut donc aimer le salut de l'âme et utiliser celui du
corps ; ce dernier, en effet, n'est bon qu'à être utilisé,
car il est passager. Le vrai salut, en effet, n'est pas, frères,
celui dont parlent les médecins. Nous ne bénéficions guère
que d'une accalmie[3], car la maladie est chronique dans
cette chair fragile.

Pensez-vous, en effet, qu'un homme est malade au
moment où il a de la fièvre, et qu'il est en bonne santé
quand il a faim ? Il est en bonne santé, dit-on. Tu veux
voir combien il est mauvais d'avoir faim ? Laisse-le sept
jours sans remède, il meurt ; mais parce que tu lui pré-
sentes chaque jour un remède, il vit. Or, le remède à la
faim, c'est la nourriture ; le remède à la soif, la boisson ;
le remède à la lassitude, le repos ; le remède à la station
assise, la marche ; le remède à la marche, la station assise ;
le remède à la fatigue, le sommeil ; le remède au sommeil,
la veille. Et vois la faiblesse du corps humain ; celui qui
accepte ce secours dont je viens de parler, s'il en abuse,

---

p. 13-14. Le mot est suffisamment rare pour que les Mauristes aient
cru devoir accompagner le texte d'Augustin où il apparaît d'une
note explicative (*PL* 37, col. 1638). C'est sur ce texte d'*Enarr. in
Ps.*, 122, 11 : « Paregorizamur quotidie medicamentis Dei, quia
manducamus et bibimus : medicamenta ipsa sunt, quae nobis appo-
nuntur... », que s'appuie dom Morin pour justifier, à bon droit
semble-t-il, le choix de sa leçon. Le fait qu'Augustin utilise ce verbe
dans les *Enarrationes* et dans le *De Trinitate,* alors qu'il n'apparaît
qu'ici chez Césaire, est un indice supplémentaire du caractère d'emprunt de notre passage.

15 qui adsumit, si in eo perseve[15]raverit, deficit. Esuriendo
cibi quaerebas adiutorium : ecce adiutorium cibi : man-
|ducas, reficeris; si plus refeceris, plus deficis. Adiutorium
sitis quaerebas potum : |multum bibendo offocaris, qui
sitiendo urgebaris. Lassasti ambulando, sedere vis : |sede
perpetuo, vide si non lassabis. Quicquid ergo adsumpserit
ut aliud pellat, in |eo ipso si perseveraverit, deficit.

20   [20]8. Qualis est ergo ista salus, fratres, transitura, fragilis,
peritura, vana? Vere |quomodo dictum est : « Quae enim
est vita vestra? Vapor est ad modicum parens[a]. » |Qui ergo
in vita ista « amat animam suam, perdet illam. Qui autem
in hoc saeculo |odio habuerit animam suam, in vitam
aeternam custodit eam[b] ». Quae est vita aeterna? |Vera
salus. Et si amicum tuum videris, quem amabas in hoc
25 saeculo ut salvus esset, [25]quia tu iam talem salutem
desideras quae aeterna est, ad ipsam salutem diligis
ami|cum tuum; et totum quicquid vis amico tuo praestare,
ad hoc vis praestare, ut illam |tecum teneat salutem. Amas
enim iustitiam, vis illum iustum esse : amas sub Deo |esse,
vis et illum esse sub Deo : amas vitam aeternam, illic
eum vis tecum regnare |in aeternum. Inimicum tuum
30 illum vides persequi te : iniquitas est, quae te perse[30]quitur.
In illo irasci misericordia debes : febrit in anima.

Quomodo ergo amicus |huius saeculi, secundum saeculum
amans velut animam suam, febrem vult expellere de
|amico suo, quem similiter amat ut se propter praesentem
salutem, sic tu, quemcumque |diligis, propter vitam
aeternam dilige : cum inveneris iram, indignationem,

---

15 ecce : adest *add.* Q[15] ‖ 16 refeceris Q[15] : feceris *cett.* ‖ 17 offo-
caris : effocaris Q[8.11] ‖ 24 videris : voluisti Q[15] ‖ 25 diligis *edd.* :
dilexisti Q[3.8.11.15].

---

8 [a] Jac. 4, 14   [b] Jn 12, 25

il s'affaiblit. Quand tu avais faim, tu cherchais le secours de la nourriture ; voici le secours de la nourriture ; tu manges, tu es restauré ; si tu t'es restauré à l'excès, tu t'affaiblis davantage. Tu cherchais une boisson pour soulager ta soif ; quand tu bois beaucoup, tu suffoques, toi qui étais accablé par la soif. A force de marcher, tu es fatigué, tu veux t'asseoir ; reste perpétuellement assis, vois si tu ne te lasseras pas. Donc, quel que soit le moyen dont on s'est assuré pour chasser un mal, si l'on en abuse on s'affaiblit.

8. Quel est donc ce salut, frères, passager, fragile, périssable, vain ? Comme il est dit en vérité : « Qu'est-ce donc que votre vie ? Une vapeur qui apparaît un instant[a]. » Celui donc qui dans cette vie « aime son âme la perdra ; mais celui qui dans ce siècle aura haï son âme, la garde pour la vie éternelle[b]. » Qu'est-ce donc que la vie éternelle ? Le salut véritable. Si tu considères ton ami, celui que tu aimais dans ce siècle en souhaitant son salut présent, du fait que tu désires maintenant pour toi le salut qui est éternel, tu aimes ton ami en lui souhaitant ce vrai salut ; et, tout ce que tu veux procurer à ton ami, tu veux le lui procurer pour qu'il obtienne ce salut avec toi. En effet, tu aimes la justice, tu veux qu'il soit juste ; tu aimes être auprès de Dieu, tu veux qu'il y soit lui aussi ; tu aimes la vie éternelle, tu veux qu'il règne avec toi pour l'éternité. Tu vois là ton ennemi qui te persécute ; c'est l'iniquité qui te persécute. Contre lui, tu dois te mettre en colère avec miséricorde ; son âme à la fièvre.

La charité parfaite De même, donc, qu'un ami de ce monde, aimant quelqu'un comme son âme selon le monde, veut chasser la fièvre de son ami qu'il aime comme lui-même en pensant au salut présent, ainsi, toi, quel que soit celui que tu aimes, aime-le pour l'amour de la vie éternelle. Lorsque tu rencontres en lui la

odium, |iniquitatem, sic coneris expellere morbum animi,
35 quomodo amicus saeculi morbum ³⁵corporis. Ad hoc enim
ama, ut facias quod et tu es, et erit in te perfecta caritas.
Hoc |si inveneris, ad hoc ama coniugem, ad hoc ama
filium, ad hoc ama propinquum, ad |hoc ama vicinum,
ad hoc ama ignotum, ad hoc ama inimicum, et erit in te
perfecta |caritas.

Quae si fuerit, vincis mundum, et pellitur foras princeps
94 mundi. Audistis (94) enim quod ait Dominus : « Princeps
huius mundi missus est foras^c »; quia ipse passurus |erat,
et per passionem suam facturus in hominibus dilectionem.
« Maiorem hac dile|ctionem nemo habet, quam ut animam
suam ponat pro amicis suis^d. » Ut ergo amaretur, |prior
amavit; ut in nomine eius nemo mori timeret, prior pro
5 omnibus mortuus ⁵est. Ad hoc ergo ut aedificaret in
cordibus hominum caritatem, misit diabolum foras. |Quo
foras? De cordibus hominum. Cupiditas intro illum mittit,
caritas cum foras |mittit.

9. Nos vero, fratres, supra scriptos caritatis gradus cum
grandi diligentia cogi|tantes, non reddamus Domino mala
10 pro bonis. Et quia ille veniens alligavit fortem, ¹⁰id est,
diabolum, et nos omnes, qui vasa eius fuimus, de potestate
illius abstulit, per |gratiam ipsius evacuati omnibus malis,
studeamus repleri abundantibus bonis, timentes |illud
quod ipse Dominus dixit : « Cum inmundus spiritus exierit
ab homine, ambulat |per loca arida, quaerens requiem,
et non invenit ; post haec reversus inveniens |domum
unde exiit vacuam, adduxit secum septem spiritus

94,13 quaerens : quaerit Q³·⁸·¹¹.

^c Jn 12, 31   ^d Jn 15, 13.

colère, l'indignation, la haine, l'iniquité, efforce-toi de chasser la maladie de son âme, comme un ami du siècle essaierait de chasser la maladie de son corps. Aime-le, en effet, de façon à le rendre semblable à toi, et il y aura en toi une parfaite charité. Si tu découvres cette fin, aime ta femme ainsi, ton fils ainsi, ton proche ainsi, ton voisin ainsi, l'inconnu ainsi, ton ennemi ainsi, et il y aura en toi une parfaite charité.

Si elle est en toi, tu es vainqueur du monde et le prince de ce monde est chassé dehors. Vous avez entendu, en effet, ce que dit le Seigneur : « Le prince de ce monde a été mis dehors[c] » ; c'est que lui-même allait avoir à souffrir et devait apporter par sa Passion l'amour chez les hommes. « Il n'y a pas de plus grand amour que de donner sa vie pour ses amis[d]. » Donc, afin d'être aimé, il a aimé le premier ; pour que personne ne craignît de mourir en son nom, il est mort le premier pour tous. Pour cela donc, pour édifier la charité dans le cœur des hommes, il a chassé le diable. D'où ? Du cœur des hommes. La convoitise l'introduit à l'intérieur, la charité le met dehors.

9. Quant à nous, frères, méditant avec grand soin sur les degrés de la charité mentionnés plus haut, ne rendons pas au Seigneur le mal pour le bien. En venant, il a enchaîné le Fort[1], c'est-à-dire le diable, et nous tous, qui étions ses réceptacles, il nous a retirés de son pouvoir ; aussi, nettoyés de tout vice par sa grâce, appliquons-nous à nous remplir de vertus abondantes, craignant ce que le Seigneur lui-même a dit : « Lorsque l'esprit immonde est sorti d'un homme, il s'en va par les lieux arides, cherchant le repos, et il ne le trouve pas ; revenant ensuite et trouvant vide la maison d'où il est sorti, il a amené avec lui sept esprits plus méchants que lui ; et la nouvelle

1. Cf. *Matth.* 12, 29.

15 nequiores se ; et facta ¹⁶sunt hominis illius posteriora
peiora prioribusᵃ. » Ne ergo et nos tale aliquid patiamur,
ˡquantum possumus, elaboremus in locis vitiorum virtutes
inducere, ut possimus ˡad Dei misericordiam pervenire.

9 ᵃ Lc 11, 24.25.26.

─────────

1. Cette citation revient à plusieurs reprises dans les sermons de

situation de cet homme est devenue pire que la première[a][1]. »
De peur, donc, de subir nous aussi quelque chose de
semblable, travaillons avec soin, autant que nous le
pouvons, à introduire des vertus à la place des vices,
afin de pouvoir parvenir à la miséricorde de Dieu.

Césaire, sous une forme toujours proche de celle-ci et jamais exactement semblable au texte de la Vulgate. Nous n'avons trouvé aucun
exemple chez les Pères de cette version.

SERMO XXII

De caritate

1. Si caritati vestrae nos possemus frequentius praesen-
20 tare, ²⁰fratres carissimi, Christo adiuvante de sanctarum
scripturarum ᴵcopiosis fontibus, etsi non abundantes
rivulos, certe vel qualescumque ᴵguttulas poteramus
sanctis animabus vestris infundere : ut uberrima ᴵatque
fructifera cordis vestri terra accepta verbi Dei pluvia
copiosam ᴵmessem bonorum operum germinaret; ut veniens
25 Dominus in agro ²⁵cordis vestri, non solum tricesimum,
95 sed et sexagesimum et centesi(95)mum fructum se invenire
congaudeat, quibus fructibus horreum ᴵpraeparet in caelo,
non incendium in inferno. Sed quia multis occuᴵpationibus
inpedimur, humilitatem nostram vobis secundum desiᴵde-
rium vestrum si praesentare non possumus, aliquid
5 breve in sermone ⁵sed satis magnum in animarum utilitate
Deo donante insinuare vobis ᴵvolumus : in qua brevitate,
si diligenter adtenditis, potestis quod ᴵanimae vestrae
conveniat invenire.

Sermo XXII : T¹ *Remensis* 394 (E. 295)   s. XI
      H¹² Chicago, *Newberry Library*, 1 (*olim*
           Cheltenhamensis 1326)   s. IX
      H⁴⁰ *Monacensis lat.* 16106 (*S. Nicolai Patav.*
           106)   s. XI/XII

94,18 De caritate : omelia s. Augustini de caritate T¹ ‖ 19 nos *m.* :
non *codd.* ‖ possemus *vet. edd.* : possimus T¹*m.* possumus H¹².⁴⁰ ‖
praesentare *Mor.* : praesentari *codd.* ‖ 22 poteramus : poterimus T¹ ‖
24 germinaret : germinet T¹.

SERMON XXII

Sur la charité

1. Si nous pouvions nous présenter plus fréquemment à votre charité, frères très chers, nous pourrions, avec l'aide du Christ, répandre dans vos saintes âmes sinon des ruisseaux abondants, à coup sûr au moins quelques gouttelettes puisées aux riches sources des saintes Écritures ; de cette manière la terre si fertile et féconde de votre cœur, ayant reçu la pluie de la parole divine, ferait pousser une riche moisson de bonnes œuvres ; lors de sa venue, le Seigneur se réjouirait de trouver dans le champ de votre cœur trente et soixante et cent fois le fruit de sa semence[1] ; et à ces fruits il préparerait un grenier dans le ciel, non le feu de l'enfer. Mais puisque de nombreuses occupations nous empêchent de vous présenter notre humble personne selon votre désir, nous voulons dans ce sermon vous adresser quelques mots brefs, mais, avec la grâce de Dieu, de très grande utilité pour vos âmes. Dans ce bref message, si vous faites bien attention, vous pouvez trouver ce qui convient à votre âme.

95,1 invenire congaudeat : inveniri gaudiat H¹² ‖ 3 vobis *om.* H⁴⁰ ‖ 4 vestrum : nostrum T¹ ‖ praesentare : praesentari H¹² repraesentare H⁴⁰ ‖ non *om.* T¹H¹² ‖ in sermone *om.* H¹²·⁴⁰ ‖ 5 in animarum utilitate *om.* H¹²·⁴⁰ ‖ 6 quod : quid T¹H¹² ‖ 7 conveniat : conveniet T¹H⁴⁰

1. Cf. *Matth.* 13, 8.

Quod ergo est illud breve et ita ˡmagnum, ut possit
generi humano sufficere? Apostolus dicit : « Finis ˡpraecepti
10 est caritas de corde puro et conscientia bona et fide ¹⁰non
fictaᵃ. » Adtendite, fratres : quid in verbis brevius, et quid
in ˡrebus magnificentius poterit inveniri, quam caritas de
corde puro ˡet conscientia bona et fide non ficta? Ista
brevitas, et ut teneatur ˡmemoriter est suavis, et ut
custodiatur fideliter dulcis. Quid dulcius ˡcaritate, fratres
15 carissimi? Qui nescit, gustet et videat. Quid ergo ¹⁵gustare
debet, qui vult ut illi dulcedo sapiat caritatis? Audite,
fratres, ˡApostolum dicentem : « Deus caritas estᵇ. » Quid
dulcius, fratres? ˡQui nescit, audiat psalmistam dicentem :
« Gustate et videte, quam ˡsuavis est Dominusᶜ. » « Deus
ergo caritas est; et qui habet caritatem, ˡDeus in illo
manet, et ille in Deoᵈ. »

20   ²⁰2. Si caritatem habes, Deum habes : et si Deum habes,
quid non ˡhabes? Dives si caritatem non habet, quid
habet? Pauper si cariˡtatem habet, quid non habet? Tu
forte putas quod ille sit dives, ˡcuius arca plena est auro,
et ille non sit dives, cuius conscientia ˡplena est Deo. Non
25 ita est, fratres : ille vere dives esse videtur, in quo ²⁵Deus
habitare dignatur. Quid enim de scripturis poteris ignorare,
si te ˡcaritas, hoc est, Deus coeperit possidere? Quid enim
de bonis operibus ˡnon poteris inplere, si fontem bonorum
operum merueris in corde ˡportare? Quem adversarium
timebis, si regem Deum in te habere ˡmerueris?

Tenete ergo et custodite, fratres dilectissimi, dulce ac
30 ³⁰salubre vinculum caritatis. Sed ante omnia veram

---

8 sufficere : sicut *add.* H¹² ‖ 13 fideliter : est *add.* H¹² ‖ 24 vere
vet. edd. : vero *codd. m.*

---

1 ᵃ I Tim. 1, 5   ᵇ I Jn 4, 8   ᶜ Ps. 33, 9   ᵈ I Jn 4, 16.

---

1. Cf. Augustin, *Serm.* 85, 3, *PL* 38, col. 521 : « Quid habet
dives, si Deum non habet? Quid non habet pauper, si Deum habet? »

Dieu est charité   Quel est donc ce message bref et si important qu'il peut suffire au genre humain ? L'Apôtre dit : « La fin du commandement, c'est la charité qui vient d'un cœur pur, d'une bonne conscience et d'une foi qui n'est pas feinte[a]. » Faites attention, frères : que pourra-t-on trouver de plus bref en paroles et de plus magnifique en réalité que la charité d'un cœur pur, d'une conscience bonne et d'une foi qui n'est pas feinte ? Ce mot bref est suave pour qui le retient par cœur et doux pour qui le garde fidèlement. Quoi de plus doux que la charité, frères très chers ? Que celui qui ne la connaît pas, goûte et voie. Que doit-il donc goûter, celui qui veut savourer la douceur de la charité ? Écoutez, frères, la parole de l'Apôtre : « Dieu est charité[b]. » Quoi de plus doux, frères ? Que celui qui ne sait pas écoute ce que dit le psalmiste : « Goûtez et voyez combien le Seigneur est doux[c]. » Or, « Dieu est charité ; et celui qui possède la charité, Dieu demeure en lui et lui en Dieu[d]. »

2. Si tu possèdes la charité, tu possèdes Dieu ; et si tu possèdes Dieu, que ne possèdes-tu pas ? Le riche, s'il ne possède pas la charité, que possède-t-il ? Le pauvre, s'il possède la charité, que ne possède-t-il pas[1] ? Tu penses peut-être qu'est riche celui dont le coffre est plein d'or et que n'est pas riche celui dont la conscience est pleine de Dieu. Il n'en est pas ainsi, frères ; celui-là est vraiment riche en qui Dieu daigne habiter. En effet, que pourras-tu ignorer des Écritures, si la charité, c'est-à-dire Dieu, a commencé à te posséder ? Quelle bonne œuvre ne pourras-tu accomplir si tu mérites de porter dans ton cœur la source des bonnes œuvres ? Quel adversaire craindras-tu, si tu mérites d'avoir en toi Dieu comme roi ?

Maintenez donc et gardez, frères bien-aimés, le lien doux et salutaire de la charité. Mais avant tout, gardez

caritatem tenete : ˡnon illam quae tantum promittitur in
ore, et non servatur in corde, ˡsed illam quae sic ex ore
96 profertur, ut tamen in corde iugiter teneatur; (96) ut
impleatur in nobis illud quod Apostolus dicit : « In caritate
radiˡcati atque fundati[a]. » Radix enim omnium bonorum
est caritas, ˡsicut et « radix omnium malorum cupiditas[b] » :
sicut in caritate nihil ˡumquam aliquid mali, ita in cupi-
5 ditate nihil umquam boni poterit ⁵inveniri.

3. Istae duae radices, fratres dilectissimi, in duobus
agris a ˡduobus plantantur agricolis : unam in cordibus
bonorum plantat ˡChristus, aliam in cordibus malorum
plantat diabolus. Nec de caritatis ˡradice nascitur aliquid
10 mali, nec de cupiditatis aliquid boni; non ¹⁰enim mentitur
veritas, quae in evangelio, cum de istis duabus radiˡcibus
loqueretur, ita definivit dicens : « Arbor bona fructus bonos
facit, ˡmala autem arbor malos fructus facit[a] », et iterum :
« Non potest ˡarbor bona malos fructus facere, neque arbor
mala bonos fructus ˡfacere[b]. » Haec sententia non est mea,
15 fratres, sed Domini. Tanta ergo ¹⁵in vobis sit abundantia
caritatis, quae non solum usque ad amicos, ˡsed etiam
usque ad ipsos perveniat inimicos; ipse enim vere caritas
ˡest filius, qui iuxta praeceptum Domini dilexerit etiam
inimicos.

ˡEt ideo, quia audistis et laudem caritatis et vitupera-
tionem cupiˡditatis, adtendat unusquisque et consideret
20 agrum cordis sui : et qui ²⁰in se caritatem viderit, gaudeat,
et tota cordis vigilantia germina ˡin se sancta custodiat;

31 in¹ *om.* T¹H⁴⁰.
96,1 nobis : vobis H⁴⁰ ‖ 4 aliquid *om.* H⁴⁰ ‖ 7+8 in cordibus *Mor.*
ex in corda H¹² ‖ 10-25 quae — dicit *om.* T¹ ‖ 12 mala — facit *om.* H⁴⁰ ‖
16-17 ipse — inimicos *om.* H⁴⁰

2 [a] Éphés. 3, 17   [b] I Tim. 6, 10.
3 [a] Matth. 7, 17   [b] Matth. 7, 18

la vraie charité, non celle que l'on promet seulement de
bouche et que l'on n'observe pas dans son cœur[1], mais
celle qui s'exprime par notre bouche en demeurant
pourtant sans cesse présente à notre cœur ; ainsi s'accomplira en nous la parole de l'Apôtre : « Enracinés dans la
charité et fondés sur elle[a]. » Car la racine de tous biens,
c'est la charité, comme aussi « la racine de tous les maux,
c'est la convoitise[b]. » De même que dans la charité il n'y
aura jamais aucun mal, de même dans la convoitise on
ne pourra jamais trouver aucun bien.

3. Ces deux racines, frères bien-
Des deux racines aimés, sont plantées dans deux champs
de la convoitise
et de la charité par deux cultivateurs : le Christ
plante l'une dans les cœurs des bons,
le diable plante l'autre dans les cœurs des mauvais. Et de
la racine de la charité ne provient aucun mal, et de la
racine de la convoitise aucun bien ; car la vérité ne ment
pas, elle qui dans l'Évangile, parlant de ces deux racines,
les a définies ainsi en disant : « Un bon arbre produit de
bons fruits, mais un mauvais arbre produit de mauvais
fruits[a] » ; et encore : « Un bon arbre ne peut produire de
mauvais fruits ni un mauvais arbre produire de bons
fruits[b]. » Cette phrase n'est pas de moi, frères, mais du
Seigneur. Que la charité soit donc si abondante en vous,
qu'elle parvienne non seulement jusqu'à vos amis, mais
encore jusqu'à vos ennemis mêmes ; car celui-là est
vraiment fils de la charité, qui aura aimé même ses
ennemis, conformément au commandement du Seigneur.

Aussi, puisque vous avez entendu louer la charité et
vitupérer la convoitise, que chacun prenne garde et
considère le champ de son cœur ; et celui qui aura vu en
lui la charité, qu'il se réjouisse et qu'il garde en lui avec
une vigilance de cœur sans défaut ces germes saints ;

1. Cf. *I Jn* 3, 18.

qui vero in agro cordis sui qualemcumque ˡstirpem cupiditatis inspexerit, Christo adiuvante extirpet cupiditatem,
ˡet plantet caritatem. Nam quamdiu hoc facere noluerit,
fructus bonos ˡadferre non poterit; et cum bonos fructus
25 non adtulerit, de eo Dominus ²⁵in evangelio dicit : « Omnis
arbor quae non facit fructum bonum ˡexcidetur, et in
ignem mitteturᶜ. » Si te non delectat dulces fructus ˡcaritatis adferre, vel spinis peccatorum tuorum ignem non
debes ˡtimere? « Omnis, inquid, arbor quae non facit
fructum bonum ˡexcidetur, et in ignem mittetur. » Quamdiu
30 radicem non mutaveris, ³⁰fructus legitimos adferre non
poteris; et sine causa quod bonum ˡest promittis in ore,
97   cum hoc inplere non possis, quamdiu radix (97) bonitatis
non tenetur in corde. Istas ergo duas radices, sicut supra
ˡdixi, duo agricolae plantare consueverunt : unam plantat
Christus ˡin cordibus fidelium, alteram plantat diabolus in
pectoribus superˡborum; ac sic una plantatur in caelo,
altera in inferno.

5   ⁵4. Sed dicit aliquis : Si in cordibus fidelium plantatur,
utique ˡfideles adhuc in mundo esse videntur : quomodo
ergo radix illa in ˡcaelo plantatur? Vis scire quomodo?
Quia corda fidelium caelum ˡsunt, quae in caelo cotidie
eriguntur dicente sacerdote « Sursum ˡcorda », et respondent
10 omnes : « Habemus ad Dominum. » Et Apostolus : « ¹⁰Nostra

22-23 extirpet — caritatem : se emundet et caritatem in se plantet H¹² ‖ 23 nam : si add. H¹² ‖ 24-25 de — dicit : dicit de ipso
dominus caeli et terrae H⁴⁰ ‖ 25 Omnis om. H⁴⁰ ‖ 26 et — mittetur :
et reliqua H⁴⁰ ‖ 26-29 Si — mittetur om. T¹ ‖ 27 vel : iam H¹² ‖ 28
timere : metuere H⁴⁰ ‖ 31 cum : quum T¹ quia H⁴⁰ ‖ possis : potes
H⁴⁰.

97,3 plantat om. H¹² ‖ 6 ergo m. : enim H¹²⁴⁰ ‖ 7 quomodo] reliqua
translata sunt ad finem sermonis 71 in T¹ ‖ 8 quae in caelo : quae in
caelum T¹ quia in caelo H⁴⁰ ‖ eriguntur : nam add. T¹ et add. H⁴⁰ ‖
9 et respondent omnes : securi respondent T¹H⁴⁰ ‖ Et : quia ut T¹ ‖
Apostolus : ait praem. T¹ dicit add. H⁴⁰

mais celui qui aura discerné dans le champ de son cœur quelque souche de convoitise, qu'il l'extirpe avec l'aide du Christ et plante la charité. Car aussi longtemps qu'il n'aura pas voulu le faire, il ne pourra produire de bons fruits ; et comme il ne porte pas de bons fruits, le Seigneur dit de lui dans l'Évangile : « Tout arbre qui ne produit pas de bon fruit sera retranché et jeté au feu[c]. » S'il ne te plaît pas de porter les doux fruits de la charité, au moins ne dois-tu pas craindre le feu pour les épines de tes péchés ? « Tout arbre, est-il dit, qui ne porte pas de bon fruit sera retranché et jeté au feu. » Aussi longtemps que tu n'auras pas changé la racine, tu ne pourras porter de fruits authentiques ; et tu promets vainement le bien en paroles, alors que tu ne peux l'accomplir, aussi longtemps qu'une racine de bonté n'est pas fixée dans ton cœur. Ces deux racines, donc, comme je l'ai dit plus haut, deux cultivateurs ont coutume de les planter ; le Christ plante l'une dans le cœur des fidèles, le diable plante l'autre dans le cœur des orgueilleux ; ainsi l'une est plantée dans le ciel, l'autre en enfer.

4. Mais quelqu'un dit : Si elle est plantée dans le cœur des fidèles, dans tous les cas, il est visible que les fidèles sont encore dans le monde ; comment donc cette racine est-elle plantée dans le ciel ? Tu veux savoir comment ? parce que les cœurs des fidèles sont célestes, eux qui s'élèvent chaque jour dans le ciel, quand le prêtre dit : « Haut les cœurs » et que tous répondent : « Ils sont tout au Seigneur[1]. » Et l'Apôtre : « Notre vie est dans les

[c] Matth. 7, 19.

1. Cette formule liturgique laisse supposer la pratique de la messe quotidienne à l'époque de Césaire, même en dehors du siège épiscopal d'Arles, puisque ce sermon est prononcé au cours d'une tournée de l'évêque dans les paroisses de son diocèse.

autem conversatio in caelis est[a]. » Si ergo fidelium conver-
|satio in caelis est, quia vera caritas in eis est, radix
caritatis in caelo |plantata est. E contrario radix cupiditatis,
quae in cordibus super|borum est, quia semper terram
cupiunt, terram sapiunt, terram |diligunt, et omnem spem
15 suam in terra constituunt, in inferno plantata [15]est.

5. Et licet haec ita sint, attamen nec peccatores superbi
debent |desperare, nec humiles iusti in aliquo quasi de suis
meritis superbire : |quia et iusti si de se praesumpserint,
cito perdunt radicem caritatis; |et peccatores si ad paeni-
20 tentiam convertuntur, evulsa cupiditate [20]cito plantam
recipiunt caritatis. Et ideo qui boni sunt, custodiant |quod
Dei munere perceperunt; et qui mali sunt, studeant
reparare |quod infeliciter perdiderunt. Nemo se ad illud
tempus reservet |tunc paenitentiam vel caritatis dulce-
dinem retinere, quando coeperit |de hac luce migrare; non
25 se ad hoc reservet, ut quasi in senectute [25]ad paenitentiae
medicamenta confugiat : quia nescit « quid superven|tura
pariat dies[a]. » Qua fronte salutem suam in tempore
senectutis |dissimulat, cum unius diei spatio certus esse
non possit?

Et ideo |si mortem timere nolumus, semper parati esse
debemus; ut cum |Dominus de hoc saeculo nos iusserit
98 evocare, cum secura et libera (98) conscientia, et non cum
desperatione, sed cum gaudio ante con|spectum aeterni

---

10 autem *om.* T[1] || 12 plantata est. E contrario : plantata hoc est
in cordibus bonorum. et contrario H[12] || quae *om.* T[1]H[12] || 13 est *om.*
T[1]H[12] || 14-15 in inferno plantata est *om.* T[1]H[12] || 16 superbi *om.* H[40]
18 caritatis : ita *add.* H[12] || 24-25 reservet... confugiat *m.* : reservent...
confugiant *codd.* || 24 quasi : quandoque H[40] *om.* T[1] || 25 nescit :
nesciunt H[12,40] || 27 spatio : spatium T[1]H[12] || 29 et libera *om.* T[1]H[40].

98,2 aeterni *om.* H[40]

cieux[a]. » Donc, si la vie des fidèles est dans les cieux parce que la vraie charité est en eux, c'est que la racine de la charité a été plantée dans le ciel. Au contraire la racine de la convoitise, qui est dans le cœur des orgueilleux, a été plantée en enfer, parce qu'ils convoitent toujours la terre, savourent la terre, aiment la terre et placent tout leur espoir dans la terre.

5. Et il a beau en être ainsi, les pécheurs orgueilleux ne doivent pas pour autant désespérer, ni les justes humbles s'enorgueillir de rien comme venant de leurs mérites ; car si les justes présument d'eux-mêmes, ils perdent bientôt la racine de la charité ; et si les pécheurs se tournent vers la pénitence, la cupidité une fois arrachée, ils reçoivent bientôt le plant de la charité. Aussi, que ceux qui sont bons gardent ce qu'ils ont reçu par un don de Dieu et que ceux qui sont mauvais s'appliquent à retrouver ce qu'ils ont malheureusement perdu. Que personne ne diffère le moment de se rappeler la pénitence et la douceur de la charité jusqu'au moment où il sera sur le point de quitter cette lumière. Qu'il ne diffère pas jusqu'à l'approche de la vieillesse pour chercher refuge dans les remèdes de la pénitence ; car il ne sait pas « ce que peut engendrer le jour qui vient[a]. » De quel front remet-il son salut au temps de sa vieillesse, alors qu'il ne peut être assuré de l'espace d'un seul jour ?

Et c'est pourquoi, si nous ne voulons pas craindre la mort, nous devons toujours être prêts ; ainsi, lorsque le Seigneur nous aura ordonné de sortir de ce siècle, c'est avec une conscience tranquille et libre, et non avec désespoir, mais avec joie que nous viendrons à la vue du

4 [a] Phil. 3, 20.
5 [a] Prov. 27, 1

iudicis veniamus, et ibi feliciter audire possimus : [4]« Euge, serve bone et fidelis, quia supra pauca fuisti fidelis, supra [multa te constituam : intra in gaudium Domini tui[b]. » 5 Ad quod [5]gaudium nos Dominus pro sua pietate perducat, qui vivit et regnat...

2 et : ut T[1] ‖ feliciter : vocem domini *add.* H[12].

---

[b] Matth. 25, 21.

Juge éternel, et que là, nous pourrons avoir le bonheur d'entendre : « C'est bien, serviteur bon et fidèle ; parce que tu as été fidèle en peu de choses, je t'établirai sur beaucoup. Entre dans la joie de ton maître[b]. » Puisse le Seigneur dans sa bonté nous conduire à cette joie, lui qui vit et règne...

**Exhortatio sancti Caesarii ad tenendam vel custo-
diendam caritatem. Ostendit etiam ammonitio ista
quod nullus se umquam in veritate poterit excusare
quod veram caritatem habere non possit. Aliquas
10 ¹⁰etiam sententias de homilia sancti Augustini quam
de caritate scripsit, prout nobis oportunum visum
est, huic sermoni credidimus inserendas**

1. Quod vobis verae caritatis bonum tam frequenter
insinuamus, ¦fratres carissimi, illa vel maxime res facit,
15 quia praecipuum ac pecu¹⁵liare ipsius Domini mandatum
est, et nihil est quod dulcius haberi, ¦ et cum Dei adiutorio
facilius vel felicius possit impleri. In animo ¦enim nostro
res agitur, in quo si aliquid mali non intromittat voluntas,
¦locum invenire nescit iniquitas; et ubi si « radix omnium
malorum ¦cupiditas^a » non fuerit, radix bonorum omnium
20 caritas deesse non ²⁰poterit.

Prima et singularis divinae misericordiae causa est,
quod ¦per Spiritum sanctum ita ipsa caritas diffunditur in

Sermo XXIII : L¹ *Laudunensis* 121   s. IX
        L² *Berolinensis theol. fol.* 355 (Rose 307)   s. IX
        L⁶ *Trecensis* 710   s. XII
        M¹ *Bruxellensis* 9850-52 (Cat. 1221)   s. VII
        C⁷ *Vaticanus lat.* 9882   s. IX/X

98,6 sancti Caesari *om.* L¹·²·⁶ ‖ 15 quod *om.* M¹C⁷ ‖ haberi : habere
L²M¹C⁷.

---

1 ^a I Tim. 6, 10.

SERMON XXIII

Exhortation de saint Césaire à avoir en soi et à garder la charité. Cette monition montre aussi que nul ne pourra jamais s'excuser légitimement de ne pouvoir posséder la vraie charité. Nous avons cru devoir insérer dans ce sermon quelques phrases tirées d'une homélie que saint Augustin avait écrite sur la charité, dans la mesure où cela nous a semblé opportun

1. Si nous vous enseignons aussi fréquemment, frères très chers, le bien de la vraie charité, la raison essentielle en est que c'est le commandement principal et particulier du Seigneur, et qu'il n'est rien de plus doux à posséder et, avec l'aide de Dieu, rien qu'on puisse accomplir plus facilement et avec plus de bonheur. C'est, en effet, dans notre âme que ces choses se passent : si la volonté n'y introduit pas quelque mal, l'iniquité ne sait où y trouver place ; et si « la racine de tous les maux, la convoitise[a] » y fait défaut, la charité, racine de tous biens, ne pourra manquer.

Le premier et éminent bienfait[1] de la miséricorde divine est que, par l'Esprit saint, la charité se répand dans le

---

1. *Causa* est employé ici dans un sens très particulier dont nous ne connaissons pas d'autre exemple. Dans le sermon précédent, Césaire utilise l'expression *sine causa* au sens de « en vain », « sans profit » (96, 30) ; nous trouvons aussi chez Augustin une expression identique, mais seulement en ce sens négatif.

cordibus omnium ¹christianorum, ut eam, si velint, possint
iugiter custodire, et dulce¹dine illius incessabiliter satiari.
Et quia contrariis solent sanari ¹contraria, et nihil ita est
25 adversum vel contrarium caritati, quae ²⁵fundamentum est
99 omnium bonorum, quam cupiditas, quae radix (99) est
omnium malorum, et istae duae simul esse nullatenus
possunt ¹— quia revera dulcedini non convenit cum
amaritudine, nec luci ¹cum tenebris, nec vitae cum morte —,
quicumque in se radicem ¹cupiditatis dominari cognoscit,
5 inploret Dei adiutorium, ut possit ⁵stirpare cupiditatem,
et plantare caritatem.

Hoc enim qui fideliter ¹fecerit, omnia Dei praecepta cum
gaudio et exultatione com¹plebit : quia, quotiens ei aliqua
amaritudo saeculi supervenerit, ¹praevalere eam in illo
caritatis dulcedo paenitus non permittit; et ¹sic ei vera
caritas insinuat dulcedinem omnium bonorum caelestium,
10 ¹⁰ut eum patienter faciat tolerare amaritudinem terrenorum.

Secunda ¹causa est, quia tam levis est sarcina caritatis,
ut non premere sed ¹levare consueverit. Qui enim illam,
quomodo a Christo accepit, ¹cum ipsius adiutorio servare
voluerit, nec pedibus currendo nec ¹manibus operando
15 fatigationem sentire, nec in umeros suos aliquas ¹⁵graves
sarcinas portando poterit laborare : quia et quamdiu se in
¹aliquibus duris operibus pro amore caritatis exercet, dulcedo amoris ¹ipsius eum laborare non sinit; quia quicquid
non amanti grave ¹est, amanti suave ac leve est.

2. Teneat ergo unusquisque bonam voluntatem, et
20 omnes homines ²⁰sicut seipsum diligat; et quod sibi ab

99,14 in umeros suos : in umeris suis L¹ᴰᶜ ‖ 15 quamdiu : quando
L¹·² ‖ 17 quicquid : quicquam M¹ ‖ 18 leve : lene L¹·²M¹

cœur de tous les chrétiens de telle sorte que, s'ils le veulent, ils peuvent la garder continuellement et être sans cesse rassasiés de sa douceur. On a coutume de soigner les contraires par les contraires, et il n'est rien de si hostile et de si contraire à la charité, qui est le fondement de tous les biens, que la convoitise, qui est la racine de tous les maux ; ces deux ne peuvent en aucune manière coexister, car, en vérité, la douceur est incompatible avec l'amertume, la lumière avec les ténèbres, la vie avec la mort. Aussi, que tout homme sachant que la racine de la convoitise domine en lui implore l'aide de Dieu pour pouvoir extirper la convoitise et planter la charité.

La douceur de la charité Celui qui le fait fidèlement remplira avec joie et allégresse tous les commandements de Dieu ; en effet, chaque fois que ce monde lui cause quelque amertume, la douceur de la charité ne permet pas que celle-ci l'emporte tout à fait en lui ; et ainsi la vraie charité lui enseigne la douceur de tous les biens célestes, pour lui faire supporter patiemment l'amertume des choses de la terre.

Le deuxième bienfait est que le fardeau de la charité est si léger qu'il a coutume non d'alourdir mais d'alléger. En effet, celui qui aura voulu la garder, avec l'aide du Christ, comme il l'a reçue de lui, ne pourra sentir en courant la fatigue de ses pieds, ni en travaillant la fatigue de ses mains, et il ne pourra peiner en portant sur ses épaules de lourds fardeaux ; car aussi longtemps qu'il s'exerce pour l'amour de la charité à des tâches pénibles, la douceur de l'amour même ne lui permet pas de sentir sa peine ; car tout ce qui est lourd pour celui qui n'aime pas est doux et léger pour celui qui aime.

Détestons le péché, non le pécheur **2.** Que chacun garde donc sa volonté tournée vers le bien et aime tous les hommes comme lui-même ; et ce qu'il désire que les autres lui fassent, qu'il veuille

aliis fieri optat, hoc aliis fieri ˡvelit. Pro bonis oret, ut a
Domino custodiantur : pro mediocribus, ˡut meliores fiant :
pro malis, ut cito se corrigant; et in omnibus ˡpeccatoribus
vitia potius quam ipsos homines odio habeat, et ad ˡvicem
bonorum medicorum morbum oderit, non aegrotum. Nam
25 ²⁵qui in peccatoribus vel quibuscumque inimicis suis magis
ipsos ˡquam vitia eorum odio habet, aut in praesenti eos
desiderat puniri, ˡaut in futuro aeterno incendio concremari.
Quae res quam execranda ˡet abominabilis sit, evidenter
sancta caritas vestra cognoscit.

Boni ˡchristiani vero omnes inimicos suos magis corrigi
30 quam perire desi³⁰derant, et pro ineffabili bonitate student
nec illis nec aliis maledicere, ˡpropter illud quod scriptum
est : « Neque maledici regnum Dei possiˡdebuntᵃ. »
Numquam iurare, quia scriptum est : « Vir multum iurans
ˡinplebitur iniquitate, et non discedet de domo illius
plagaᵇ. » ˡQuod autem dicit de domo illius non discedere
35 plagam, non de domo ³⁵terrena, sed de anima eius intelle-
100 gendum est, quae templum est Dei. (100) Studeat etiam
numquam mentiri, quia scriptum est : « Os quod menˡtitur
occidit animamᶜ », et « Perdes eos qui loquuntur menda-
ciumᵈ. » ˡIustitiam tenere contendat propter illud : « Beati
qui custodiunt ˡiudicium, et faciunt iustitiam in omni
5 temporeᵉ. » Castitatem tenere ⁵toto corde festinet, quia
castitas angelis facit consimiles. Haec ergo ˡomnia quae
suggessi, et brevia sunt ut possint memoriter retineri ˡet
tam suavia vel dulcia ut debeant Deo auxiliante operibus
adimpleri.

23 peccatoribus : peccatores L²ᵖᶜM¹ peccatoris L¹ peccatorum C⁷ ‖
26 puniri : puni L¹M¹.

100,1 quod : qui L¹·²ᵖᶜ

2 ᵃ I Cor. 6, 10   ᵇ Sir. 23, 12   ᶜ Sag. 1, 11   ᵈ Ps. 5, 7   ᵉ Ps.
105, 3.

qu'on le fasse aux autres[1]. Qu'il prie pour les bons, afin
que le Seigneur les garde ; pour les médiocres, afin qu'ils
deviennent meilleurs ; pour les mauvais, afin qu'ils se
corrigent vite ; et qu'en ce qui concerne tous les pécheurs,
sa haine ne se dirige pas sur eux, mais plutôt sur leurs
vices, et qu'à la façon des bons médecins il haïsse la
maladie, non le malade. Car celui qui a plus de haine contre
les pécheurs eux-mêmes ou contre tous ses ennemis que
contre leurs vices désire qu'ils soient punis dans le temps
présent ou qu'ils soient consumés à l'avenir dans le feu
éternel. Combien une pareille attitude est abominable
et détestable, votre sainte charité le sait avec évidence.

Les bons chrétiens, eux, désirent que tous leurs ennemis
se corrigent plutôt que de se perdre et ils s'appliquent,
en considération de la Bonté ineffable, à ne les maudire
ni eux ni d'autres, à cause de ce qui est écrit : « Ceux qui
maudissent ne posséderont pas non plus le royaume de
Dieu[a]. » Ils s'appliquent à ne jamais jurer, parce qu'il
est écrit : « L'homme qui jure beaucoup sera rempli
d'iniquités et le malheur ne s'éloignera pas de sa maison[b]. »
Or, ce que dit l'Écriture, à savoir que « le malheur ne
s'éloignera pas de sa maison », il faut le comprendre non
pas de sa maison terrestre mais de son âme, qui est le
temple de Dieu. Que l'on veille aussi à ne jamais mentir,
car il est écrit : « La bouche qui ment tue l'âme[c] », et :
« Tu perdras ceux qui disent des mensonges[d]. » Qu'on
s'efforce d'être juste à cause de cette parole : « Bienheureux
ceux qui gardent le droit et qui pratiquent la justice en
tout temps[e]. » Qu'on se hâte d'observer la chasteté de tout
son cœur, parce que la chasteté nous rend semblables
aux anges. Tous ces conseils donc, que je viens de vous
donner, sont à la fois courts, afin de pouvoir être retenus
de mémoire, et si suaves et si doux qu'ils doivent être
mis en pratique avec l'aide de Dieu.

1. Cf. *Matth.* 7, 12.

3. Ecce in his omnibus verae ac perfectae caritatis
operibus |sicut iam dictum est nihil aut manibus aut
10 pedibus agitur ut se [10]aliquis per inpossibilitatem aut
infirmitatem excusare conetur. Cum |enim et cupiditas
omni amaritudine amarior et caritas omni dulce|dine
dulcior sit quare durum et asperum iugum avaritiae cum
tantis |periculis ac laboribus homines portare volunt, et
dulce honus Christi |et suave iugum ipsius de cervicibus
suis excutiunt?

15 Contra ista [15]quae caritati vestrae suggessi, nullus
qualemcumque vel verisimilem |poterit excusationem
praetendere, ut se dicat aliquis ea non posse |perficere.
Non enim ei dicitur : Ieiuna plus quam potes, vigila plus
|quam praevales; nec hoc ei inponitur, ut a vino vel a
carnibus absti|neat, si hoc infirmitas corporis sui non
20 tolerat. Et si forte non praevalet [20]esse perfectus, non
cogitur vendere omnia sua et dare pauperibus; |et si virgo
non potest esse, non ad hoc premitur ut uxorem non
|permittatur accipere. In his omnibus enim quae ad corporis
fatiga|tionem pertinent, nullus christianorum invitus
cogitur : sed qui |potest inplere, Deo gratias agat; qui vero
25 non potest inplere, cari[25]tatem veram teneat, et in ipsa
habebit omnia : quia sine istis bonis |operibus quae supra
commemorata sunt, caritas sufficit sibi; illa |vero bona
opera sine caritate prodesse omnino non poterunt.

Hoc |totum ideo iterum atque iterum dico vobis, fratres
carissimi, ut plenius |possitis agnoscere, quia nullus se
30 poterit excusare quod Dei praecepta [30]non possit inplere :
quia quando se de illis in quibus corpus laborat |excusare
temptaverit, ab illis quae in animi virtute consistunt, et

---

16 aliquis *om.* L[1.2] || 24 inplere[2] *om.* L[1.2] || 25 bonis *om.* M[1] || 28
vobis *om.* M[1]

---

1. Cf. *Matth.* 11, 30.

3. Et voyez : dans toutes ces

œuvres de vraie et parfaite charité, comme je l'ai déjà dit, rien n'est à faire avec les mains ou les pieds ; ainsi personne ne peut alléguer une incapacité ou une infirmité. Puisque la convoitise est plus amère que toute amertume et la charité plus douce que toute douceur, pourquoi les hommes veulent-ils porter le joug dur et âpre de la cupidité au prix de tant de périls et de souffrances, et secouent-ils de leur nuque le doux fardeau du Christ et son joug suave[1] ?

A ces conseils que j'ai donnés à votre charité, nul ne pourra opposer de façon plausible une excuse quelconque, comme de dire qu'il ne peut les mettre en pratique. Car on ne lui dit pas : Jeûne plus que tu ne peux, veille plus que tu n'en as la force ; on ne lui impose pas de s'abstenir de vin ou de viandes si la faiblesse de son corps ne le supporte pas. Et s'il se trouve qu'il n'a pas la force d'être parfait, on ne l'oblige pas à vendre tout son bien et à le donner aux pauvres ; et s'il ne peut rester vierge, on ne l'y force pas en ne lui permettant pas de prendre femme. Car dans tout ce qui entraîne une fatigue physique, aucun chrétien n'est contraint malgré lui ; mais que celui qui peut accomplir tout cela rende grâces à Dieu ; et que celui qui ne le peut pas conserve la vraie charité, et en elle il possédera tout : car la charité se suffit sans les bonnes œuvres qui ont été mentionnées plus haut ; mais ces bonnes œuvres sans la charité ne pourront servir à rien du tout.

C'est pourquoi je vous dis et vous redis encore tout cela, frères très chers, pour que vous puissiez comprendre plus pleinement que nul ne pourra s'excuser de ne pouvoir accomplir les commandements de Dieu ; il pourra à la rigueur s'excuser à propos des commandements qui mortifient le corps ; mais à l'égard de ceux qui consistent en la vertu de l'âme et tout d'abord en la charité, qui

ᴵpraecipue a caritate, in qua continentur omnia bona, nihil
poterit ᴵpraetendere, quod ea non possit Deo auxiliante
perficere. Et ideo ᴵqui veram caritatem noluerit retinere,
35 non invenit quod in veritate ³⁵aliis, sed quod sibi debeat
inputare.

101   (101) **4.** Tenete ergo, fratres carissimi, dulce ac salubre
vinculum ᴵcaritatis, sine qua dives pauper est, et cum qua
pauper dives est. ᴵDives si caritatem non habeat, quid
habet? Pauper si caritatem ᴵhabeat, quid non habet?
5 Et quia, sicut dicit Iohannes evangelista, ⁵« caritas Deus
estᵃ », quid pauperi deesse poterit, si per caritatem Deum
ᴵhabere meruerit? et e contra quid diviti terrena facultas
proderit, si ᴵDeum habere non meruerit? Amate ergo et
tenete caritatem, fratres ᴵcarissimi, sine qua nullus umquam
Deum videbit.

Nolite vobis sine ᴵcaritate blandiri, etiam si reliqua bona
10 opera perfeceritis; sed timete ¹⁰illud quod scriptum est :
« Qui universam legem servaverit, offendat ᴵautem in uno,
factus est omnium reusᵇ. » Quod est hoc unum, nisi ᴵvera
et perfecta caritas? De qua iterum Apostolus dixit :
« Omnis lex ᴵin uno sermone impletur in vobis : diliges
proximum tuum sicut ᴵteipsumᶜ. » Nam in tantum reliqua
15 opera sine caritate nihil prosunt, ¹⁵ut libera voce clamet
Apostolus : « Si distribuero in cibos pauperum ᴵomnes
facultates meas, et tradidero corpus meum ut ardeam,
ᴵcaritatem autem non habeam, nihil mihi prodestᵈ. »

33 ea : eam Lᵉ.
101,11 in *om.* M¹ ‖ 13 in vobis *om.* M¹C⁷

4 ᵃ I Jn 4, 8   ᵇ Jac. 2, 10   ᶜ Gal. 5, 14   ᵈ I Cor. 13, 3

1. Cette phrase est empruntée, presque sans changement, à
Aᴜɢᴜsᴛɪɴ, *Serm.* 350, 3, *PL* 39, col. 1534 : « Quapropter, fratres,

contient tous les biens, il ne pourra en rien prétendre qu'il ne peut les exécuter, avec l'aide de Dieu. Et c'est pourquoi, celui qui n'a pas voulu conserver la vraie charité, n'a rien de fondé à reprocher aux autres, mais doit s'en prendre à lui.

4. Gardez donc, frères très chers, le lien doux et salutaire de la charité,

La charité, racine de tout bien

sans laquelle le riche est pauvre et avec laquelle le pauvre est riche[1]. Le riche, s'il ne possède pas la charité, que possède-t-il ? Le pauvre, s'il possède la charité, que ne possède-t-il pas[2] ? Et puisque, selon la parole de l'évangéliste Jean, « Dieu est charité[a] », que pourra-t-il manquer au pauvre, s'il mérite par la charité de posséder Dieu ? Et au contraire, en quoi un avantage terrestre sera-t-il utile au riche, s'il ne mérite pas de posséder Dieu ? Aimez donc et gardez la charité, frères très chers, sans laquelle nul ne verra jamais Dieu.

Si vous n'avez pas la charité, soyez sans illusion sur vous, même si vous avez mené à bien tout le reste des bonnes œuvres ; craignez plutôt ce qui est écrit : « Si quelqu'un a observé toute la Loi mais qu'il enfreigne un seul précepte, il est devenu coupable à l'égard de tous[b]. » Quel est donc cet unique précepte, sinon la vraie et parfaite charité ? C'est d'elle que l'Apôtre a dit aussi : « Vous accomplissez toute la Loi en accomplissant un seul commandement : tu aimeras ton prochain comme toi-même[c]. » En effet, toutes les autres œuvres sans la charité sont si complètement inutiles que l'Apôtre s'écrie avec assurance : « Si je distribue tous mes biens pour la nourriture des pauvres et si je livre mon corps pour être brûlé, mais que je n'aie pas la charité, cela ne me sert à rien[d]. »

sectamini caritatem, dulce ac salubre vinculum mentium, sine qua dives pauper est, et cum qua pauper dives est. »

2. Cf. *supra*, Serm. 22, 2 et la note 1 de la 32.

Et ideo, quia ¦ipsa est vera caritas quae omnes homines
diligit, qui se cognoscit ¦vel unum hominem odio habere,
20 festinet amaritudinem fellis evomere, ²⁰ut dulcedinem in
se caritatis mereatur excipere : quia sine illa nec ¦ieiunia,
nec vigiliae, nec orationes, nec elymosinae, nec fides atque
¦virginitas ullum hominem adiuvare poterit. Et quia de
caritate ¦nos admonens Apostolus dixit « in caritate radicati
et fundati⁰ », ¦et radix omnium bonorum est caritas,
25 evidentissime constat quod ²⁵quomodo quaelibet arbor
pulchra et amoena et floribus ac fructibus ¦plena, si in ea
radix viva non fuerit, omnis eius pulchritudo marcescit,
¦ita et quilibet christianus, si reliqua bona opera tamquam
in ramis se ¦habere monstraverit, et de ipsis sine caritate
praesumens radicem ¦ipsius caritatis habere noluerit, sine
ullis fructibus sterelis remanebit.

30 ³⁰**5.** Vera enim caritas in adversitatibus tolerat, in
prosperitatibus ¦temperat : in duris passionibus fortis, in
bonis operibus hilaris, in ¦temptatione tutissima, inter veros
102 fratres dulcissima, inter falsos (102) patientissima, inter
insidias innocens, inter iniquitates gemens, in ¦veritate
respirans : casta in Susanna in virum, in Anna post virum,
¦in Maria praeter virum : humilis in Petro ad oboediendum,
libera ¦in Paulo ad arguendum : humana in christianis ad
5 confitendum, ⁵divina in Christo ad ignoscendum. Vera enim
caritas, fratres carissimi, ¦anima est omnium scripturarum,
prophetiae virtus, scientiae solida¦mentum, fidei fructus,
divitiae pauperum, vita morientium.

Hanc ¦ergo fideliter retinete, hanc toto corde et tota
animi virtute diligite, ¦huic iugiter adhaerete : suavis enim

---

22 adiuvare : adiuvabunt L¹ᵖᶜ ‖ poterit C⁷ : valet L².

⁰ Éphés. 3, 17.

Et puisque la vraie charité est celle qui aime tous les
hommes, que celui qui reconnaît éprouver de la haine,
même pour un seul homme, se hâte de vomir ce fiel amer
pour mériter de recevoir en lui la douceur de la charité ;
car sans elle, ni jeûnes, ni veilles, ni prières, ni aumônes,
ni la foi ou la virginité ne pourront aider aucun homme.
L'Apôtre, nous exhortant à la charité, a dit que « nous
sommes enracinés dans la charité et fondés sur elle[e] » ;
or, la charité est la racine de tous les biens ; il est donc
parfaitement évident que comme tout arbre beau et
charmant, plein de fleurs et de fruits, mais sans racine
vivante, voit toute sa beauté se flétrir, ainsi tout chrétien
restera stérile, sans aucun fruit, s'il fait étalage de toutes
les autres bonnes œuvres comme si elles se trouvaient
sur des branches, et que, présumant de ces œuvres à
l'exclusion de la charité, il n'ait pas voulu posséder la
racine de la charité même.

5. Car la vraie charité est patiente dans l'adversité,
modérée dans la prospérité ; elle est forte dans les dures
souffrances, joyeuse dans les bonnes œuvres, très en sûreté
dans la tentation, très douce entre vrais frères, très patiente
parmi les faux ; innocente au milieu des embûches,
gémissant au milieu des iniquités, elle respire dans la
vérité ; elle est chaste en Suzanne mariée, en Anne veuve,
en Marie vierge ; humble dans l'obéissance de Pierre, libre
dans l'argumentation de Paul, humaine dans la confession
des chrétiens, divine dans le pardon du Christ. Car la
vraie charité, frères très chers, est l'âme de toutes les
Écritures, la force de la prophétie, l'armature de la science,
le fruit de la foi, la richesse des pauvres, la vie des mourants[1].

Gardez-la donc fidèlement, chérissez-la de tout votre
cœur et de toute la force de votre esprit, attachez-vous

---

1. Tout ce paragraphe reproduit avec quelques coupures AUGUSTIN,
Serm. 350, 3, *PL* 39, col. 1534-35.

10 est, et omni dulcedine dulcior. ¹⁰Societas ipsius non habet
amaritudinem, conversatio ipsius non habet ¹dolum. Si
illam volueritis ex integro corde tenere, et in hoc saeculo
¹vos faciet cum gaudio Dei praecepta perficere, et in futuro
ad praemia ¹aeterna pervenire. Quod ipse praestare dignetur, qui cum Patre ¹et Spiritu sancto vivit et regnat in
saecula saeculorum. Amen.

102,9 est C⁷ : dominus *add. cett.*

constamment à elle ; car elle est suave, elle est plus douce que toute douceur. Sa société est sans amertume, son entretien sans tromperie. Si vous voulez l'observer d'un cœur sans partage, elle vous fera dans ce siècle exécuter avec joie les commandements de Dieu et dans le siècle à venir parvenir aux récompenses éternelles. Que daigne l'accorder celui qui avec le Père et l'Esprit saint vit et règne pour les siècles des siècles. Amen.

SERMO XXIV

15   [15]Excerpta de libro sancti Augustini. Qualiter vera et
perfecta dilectio debeat custodiri. Et de dilectione
membrorum. Et quomodo omnia membra serviant
quando spina calcatur   †

1. Qualiter nos invicem diligere debeamus, fratres
20 carissimi, etiam [20]de sanitate vel infirmitate membrorum
corporalium possumus evi|denter agnoscere : si enim sic
nos amare voluerimus quomodo se |invicem amant membra
corporis nostri, perfecta in nobis caritas |poterit custodiri.
Considerate et videte quid fiat carnaliter in nobis :
103 (103) quando sanum est caput, quomodo congaudent omnia
membra, et |placent sibi de illis singulis cetera membra ;
e contrario autem, |quando aliquid mali patitur unum
membrum, conpatiuntur omnia |membra.

Ecce spinam habet pes : quid tam longe ab oculis, quam
5 [5]pes? Longe est loco, proximus caritatis affectu. Modicum

Sermo XXIV : Q³ *Berolinensis, Phillipps* 1677 (Rose 30)   s. X
               Q⁸ *Monacensis lat.* 6323 (*Frising.* 123)   s. XI
               Q¹¹ *Monacensis lat.* 7947 (*Kaisheim* 47)   s. XII
               Q¹⁵ *Monacensis lat.* 22266ª (*Windberg* 66ª) s. XI/XII
               H²⁴ *Trecensis* 1430   s. XII

102,15-18 Excerpta — calcatur : sermo sancti Augustini episcopi
quomodo vera et perfecta caritas debeat custodiri H²⁴ ‖ 15 Excerpta :
excerptum Q¹⁵ ‖ 20 de : in Q³.

103,4 habet *Mor. ex aliis codd. Maurinorum* : calcat Q¹⁵ cavet
Q³·⁸·¹¹ capit H²⁴

SERMON XXIV

Extraits d'un livre de saint Augustin[1]. Comment on doit garder le vrai et parfait amour ; de l'amour entre les membres du corps ; et comment tous les membres se dévouent si on marche sur une épine

1. De quelle façon nous devons nous aimer les uns les autres, frères très chers, nous pouvons aussi l'apprendre avec évidence par l'exemple de la santé et de la maladie des membres du corps ; car si nous voulons nous aimer comme s'aiment entre eux les membres de notre corps, nous pouvons garder en nous la charité parfaite. Réfléchissez et voyez ce qui se passe en nous dans l'ordre du corps : comment, quand la tête est en bonne santé, tous les membres se réjouissent et comment les autres membres sont heureux chacun pour les autres ; au contaire, lorsqu'un membre souffre de quelque mal, tous les membres souffrent avec lui.

Voici que le pied a une épine : qu'y a-t-il d'aussi loin des yeux que le pied ? Il est loin par la place, tout proche par le mouvement de la charité. Une épine pique bien peu

---

1. Dom Morin pense que ce sermon est effectivement en grande partie emprunté à un ouvrage perdu d'Augustin. Son édition repose sur les manuscrits de la collection Q, tandis que l'homiliaire de Troyes (H²⁴) n'est cité qu'une fois (en 103, 4). La lecture que nous en avons faite nous a permis de compléter l'apparat de dom Morin en quelques points.

pungit |spina, et perparvum locum tenet in pede : vide
quomodo illuc conver|tuntur omnia membra. Primo ipsa
spina dorsi incurvat se, et deponunt |se illuc omnia
membra. Numquid oculi cessant quaerere? Numquid |aures
cessant audire? Forte alii qui vident ubi sit dicunt : Ecce
10 ¹⁰ibi est. Statim hoc audiunt aures, et sequuntur consilium;
ibi et |oculi quaerunt, et manus operantur; et ut dixi,
totum corpus illuc |incurvatur, et nihil vacat in homine
ad subveniendum : et solum |in pede factum est vulnus,
et totum quod est in homine operatur. |Numquid omnia
15 puncta sunt? Adtendite. Numquid omnia dolent? ¹⁵Sana
est manus, sani sunt oculi, sanum est caput, sana alia
membra, |ipse pes sanus est : ibi tantum dolet, ubi
punctus est. Non est ergo |communis calamitas omnibus :
sed per compassionem caritatis omnia |veniunt ad subve-
niendum, et omnia volunt succurrere; ut impleatur |quod
ait Apostolus : « Si patitur unum membrum, conpatiuntur
20 ²⁰omnia membra; et si glorificatur unum membrum,
congaudent |omnia membraᵃ. »

2. Quid ergo? Nescio quis habet donum Dei in virtu-
tibus; |non habes tu : noli invidere, ne praecidaris de
corpore. Videte, fratres : |qui invidet, sic est quomodo
25 vulnus, quomodo tabes, quomodo apostema. ²⁵Non vis
congaudere glorificato? Videt in te invidiae morbum
caelestis ille |medicus, et praecidet te de corpore : noli
ergo invidere. Sed quid |facis? Gaude. Noli dicere in
animo tuo : Ego si christianus essem, |utique et ad Deum

---

9 alii qui : aliqui Q⁸·¹¹ ‖ 10 ibi : ubi H²⁴ ‖ 15 alia : omnia H²⁴.

---

1 ᵃ I Cor. 12, 26.

---

1. La même idée accompagnée de l'exemple du pied blessé par
une épine se trouve développée chez Augustin, *Enarr. in Ps.*, 130,
6, *CCL*, XL, p. 1901-1902.

et tient une toute petite place dans le pied ; mais vois
comme tous les membres se tournent de ce côté. Première-
ment, l'épine dorsale se courbe et tous les membres se
baissent de ce côté. Les yeux cessent-ils de chercher ?
Les oreilles cessent-elles d'écouter ? Peut-être d'autres,
qui voient où elle est, disent-ils : voici, elle est là. Aussitôt
les oreilles l'entendent et tiennent compte du renseigne-
ment ; les yeux cherchent aussi à cet endroit-là et les
mains se mettent à l'œuvre ; et comme je l'ai dit, tout le
corps est courbé de ce côté, et il n'est rien dans l'homme
qui ne s'emploie à porter secours : la blessure a été faite
seulement au pied et tout ce qui est dans l'homme est
à l'œuvre[1]. Est-ce que tous les membres ont été piqués ?
Faites attention ; est-ce que tous souffrent ? La main
est saine, les yeux sont sains, la tête est saine, les autres
membres sont sains, le pied lui-même est sain ; il souffre
seulement à l'endroit où il a été piqué. Ce n'est donc pas
un malheur commun à tous les membres ; mais par
compassion charitable, tous viennent aider et tous veulent
porter secours. Ainsi s'accomplit ce que dit l'Apôtre :
« Si un membre souffre, tous les membres souffrent avec
lui ; et si un membre est glorifié, tous les membres partagent sa joie[a]. »

Le corps mystique   **2.** Quoi donc ? je ne sais qui
possède un don de Dieu dans le
domaine des vertus ; tu ne l'as pas. Ne l'envie pas, de peur
d'être retranché du corps. Voyez, frères : celui qui est
envieux, il est comme une blessure, comme une gangrène,
comme un abcès. Tu ne veux pas partager la joie de celui
qui est glorifié ? Le médecin céleste voit en toi la maladie
de l'envie et il te retranchera du corps ; donc ne sois pas
envieux. Mais que faire ? Réjouis-toi. Ne dis pas dans ton
âme : Moi, si j'étais chrétien et que j'appartienne vraiment

pertinerem, possem facere quod alius facit. Tale ᴵest enim
ac si diceret et auris : Ego si ad corpus pertinerem, possem
30   ³⁰videre lunam et solem; et non illud habet tamen nec
auris nec manus, ᴵsed faciunt singula quod possunt, et
cum concordia serviunt sibi ᴵinvicem omnia membra.

Sic ergo et tu congaude illi, cui Deus aliᴵquam gratiam
peculiariter dedit : et potes in illo quod in te non potes.
ᴵIlle habet forte virginitatem : ama illum, et tua est.
35   Iterum tu habes ³⁵maiorem patientiam : diligat te, et sua
est. Ille potest satis vigilare : ᴵsi non invides, tuum est
104   studium eius. Tu forte potes amplius ieiunare : (104) si
amat te, suum est ieiunium tuum. Hoc ideo, quia in illo
tu es : ᴵper proprietatem enim non es tu, per caritatem
tu es.

3. Considerate, fratres, et videte exemplum Domini
nostri, qui ᴵnos peregrinos fecit, et iussit ut per caritatis
5   viam currendo veniamus ⁵ad civitatem caelestem. Numquid
aliquis potest dicere, quia aegroᴵtavit hic Dominus? Quid
est ergo quod ait : « Infirmus fui, et non ᴵvisitastis meᵃ »?
Quid est, nisi quod ipsi confitentur : « Quando te ᴵvidimus
esurientem, aut sitientem, aut nudum, aut infirmum, ᴵaut
in carcere, et non ministravimus tibiᵇ? » Et ille, quamvis
10   sedeat ¹⁰in caelo, tamen compatiens membris laborantibus,
quia caput est ᴵmembrorum et corporis universi : «Quando
uni, inquit, ex minimis ᴵmeis non fecistis, nec mihi fecistisᶜ. »

Iterum iam certe erat in caelo, ᴵquando Paulum ex
persecutore fecit praedicatorem; nam misertus ᴵeius, et
incorporans eum universo corpori suo, de caelo dixit :

104,1 ieiunium : studium H²⁴

---

3 ᵃ Matth. 25, 43   ᵇ Matth. 25, 44   ᶜ Matth. 25, 45

---

1. Version légèrement différente de celle de la Vulgate. Augustin

à Dieu, je pourrais faire ce qu'un autre fait. C'est en effet
comme si l'oreille aussi disait : Moi, si j'appartenais au
corps, je pourrais voir la lune et le soleil ; et cependant
ni l'oreille ni la main ne possèdent cette faculté, mais
chacune d'elles fait ce qu'elle peut et tous les membres
se rendent mutuellement service dans la concorde.

Ainsi donc, toi aussi, partage la joie de celui auquel
Dieu a donné quelque grâce particulière ; alors tu peux
en lui ce que tu ne peux pas en toi. Il possède peut-être
la virginité ; aime-le et elle est à toi. De ton côté tu possèdes
une plus grande patience : qu'il t'aime et elle est sienne.
Il peut soutenir de longues veilles : si tu ne l'envies pas,
son zèle est à toi. Tu peux peut-être jeûner davantage ;
s'il t'aime, ton jeûne est à lui. C'est parce que tu es en lui ;
tu ne l'es pas par nature, tu l'es par la charité.

3. Réfléchissez, frères, et voyez l'exemple de notre
Seigneur, qui a fait de nous des voyageurs et nous a
ordonné de venir en courant par la route de la charité
jusqu'à la cité céleste. Quelqu'un peut-il dire que le Seigneur
a été malade ici-bas ? Que signifie donc ce qu'il dit :
« J'ai été malade et vous ne m'avez pas visité[a] » ? Qu'est-ce
que cela signifie, sinon ce qu'eux-mêmes confessent :
« Quand t'avons-nous vu avoir faim ou soif ou être nu
ou malade ou en prison et ne t'avons-nous pas secouru[b] ? »
Et lui, bien qu'il siège dans le ciel, cependant, par compassion pour ses membres qui peinent, car il est la tête des
membres et du corps universel, il répond : « Quand vous
n'avez pas fait cela à l'un des plus petits d'entre les miens,
c'est à moi que vous ne l'avez pas fait[c][1]. »

De même, il était déjà à coup sûr dans le ciel quand il a
changé Paul de persécuteur en prédicateur ; en effet,
il a eu pitié de lui et, l'incorporant à son corps universel,

présente un texte identique à celui de Césaire dans le *De Civitate
Dei*, XXI, 27, 3.

15 « Saule, ¹⁵Saule, quid me persequeris^d ? » Numquid ergo
ipsum persequebatur |in caelo? Quid est igitur, « quid me
persequeris? » Persequebatur |Saulus christianos : numquid
Christum, qui sedebat in caelo? |Sed quia ipse erat in
christianis, compatiens membris omnibus, |ut verum esset
in ipso quod ait, « Si patitur unum membrum, conpa-
20 ²⁰tiuntur omnia membra », quid ait? « Saule, Saule, quid
me perse|queris? » Certe iam in caelo sum : tamen quando
minimos meos |persequeris, me persequeris; in ipsis
membris adhuc ego patior |persecutionem.

4. Et illud adtendite, fratres, quod etiam nos aliquotiens
25 facimus; ²⁵adtendite, in populo quando statur, et est
aliqua coartatio, si alter |alterum calcet, lingua dicit :
Calcas me. Num ipsa calcata est? Quid |est ergo quod
sonat, Calcas me? Si et ille respondeat : Libera es, |o lingua,
in ore tuo vocem habes; ego si calcavi, pedem calcavi.
|Sed, Calcas me, caritas dicit; Calcas me, conpassio unitatis
30 et vincu³⁰lum societatis dicit.

Sicut ergo dicere coeperam, cognoscant omnes |invidi,
qui de aliorum, etiamsi inimici eorum sint, tribulationibus
|gaudent, quia membra sunt putrefacta, abscisa et mortua,
et ideo |non habent sensum; et cum discedunt ab aliis
membris, non sentiunt, |quia sine sensu erant. Sensus
35 noster, fratres, una fides est, caritas ³⁵una sanitas est :
teneamus fidem tamquam sensum, teneamus cari|tatem
tamquam sanitatem. Et quamvis diversa membra diversa
105 (105) munera habeant, caritatis unitate teneantur, et

17 Saulus : Paulus Q³·⁸·¹¹ H²⁴.

---

^d Act. 9, 4.

il a dit du haut du ciel : « Saul, Saul, pourquoi me persé-cutes-tu[a] ? » Était-ce donc que celui-ci le persécutait dans le ciel ? Alors, que signifie : « Pourquoi me persécutes-tu ? » Saul persécutait les chrétiens. Est-ce qu'il persécutait le Christ, qui siégeait dans le ciel ? Mais parce que lui-même était dans les chrétiens, souffrant avec tous ses membres, pour que fût vraie en lui la parole : « Si un membre souffre, tous les membres souffrent avec lui », qu'a-t-il dit ? « Saul, Saul, pourquoi me persécutes-tu ? » Certes, je suis désormais dans le ciel ; cependant, quand tu persécutes les plus petits d'entre les miens, tu me persécutes ; c'est encore moi qui souffre persécution dans mes propres membres.

L'unité du corps   **4.** Et faites attention, frères, à ce que nous faisons nous aussi quel-quefois ; faites attention : quand des gens sont debout et qu'il y a de la cohue, si l'un marche sur le pied de l'autre, la langue dit : Tu me marches dessus. Est-ce par hasard sur elle qu'on a marché ? Que signifie donc ce cri : Tu me marches dessus ? Et si l'autre répondait : Tu es libre, ô langue, tu as ta voix dans ta bouche ; pour moi si j'ai marché sur quelque chose, j'ai marché sur un pied ! Mais : Tu me marches dessus, dit la charité. Tu me marches dessus, disent la compassion née de la concorde et le lien de solidarité créé par la communauté.

Donc, comme j'avais commencé à le dire, que tous les envieux qui se réjouissent des tribulations des autres, même si ce sont leurs ennemis, sachent bien qu'ils sont des membres putréfiés, coupés et morts, et de ce fait privés de sensibilité ; et lorsqu'ils se séparent des autres membres, ils ne le sentent pas, parce qu'ils étaient privés de sensibilité. Notre sensibilité, frères, c'est une même foi ; notre santé, une même charité. Tenons à la foi comme à la sensibilité, à la charité comme à la santé. Et bien que les divers membres aient diverses fonctions, qu'ils se tiennent dans l'unité de la charité et que tous méritent

omnia merentur |ire post caput. Caput enim in caelo est :
nos hic laboremus, et invicem |onera nostra portemus;
quo enim ivit caput, cetera membra itura |sunt. Certe
audistis quod Paulo ante dictum est, Dominum clamasse
5 ⁵de caelo : « Saule, Saule, quid me persequeris? »

5. Rogo vos, fratres, si Dominus et Salvator noster, qui
nullum |peccatum habuit, tanto affectu nos peccatores
amare dignatur, ut |quod nos patimur se pati testetur :
quare nos, qui sine peccato |non sumus, et qui peccata
10 nostra per caritatem redimere possumus, ¹⁰non tam perfecto
amore diligimus ut quicquid mali alius pertulerit, |caritatis
affectu conpatiamur, et quicquid boni alius acceperit,
quasi nos |ipsi accipiamus, ita gaudeamus, et pro illo qui
accepit Deo gratias |referamus? Ecce iam ut dictum est,
patitur aliquis aut tribulationem |aut damnum : si doles
15 pro illo, in corpore ecclesiae constitutus es; si ¹⁵non doles,
praecisus es. Caritas enim, quae colligit et vivificat omnia
|ecclesiae membra, si te viderit de alterius ruina gaudere,
statim |te praecidet a corpore. Et forte iam ideo non doles,
quia praecisus |es : si enim ibi esses, sine dubio doleres.

Considerate, fratres, et |diligenter adtendite, quia
20 tamdiu dolet membrum, quamdiu in corpore ²⁰continetur :
si autem abscisum fuerit, nec dolere poterit nec sentire.
|Cum enim manus aut aliud membrum fuerit abscisum a
corpore, |si totum corpus postea multis partibus dividatur,
manus illa non |sentit, quia iam a reliquorum membrorum
societate divisa est atque |disiuncta : talis est christianus,
25 qui de alterius aut damnis aut afflic²⁵tionibus aut etiam
morte non solum non dolet, sed, quod peius |est, forte

105,11 acceperit : perceperit H²⁴.

de suivre la tête. Car la tête est dans le ciel ; nous, ici-bas, donnons-nous de la peine et portons mutuellement nos fardeaux ; là où est allée la tête, les autres membres sont destinés à aller. Vous avez entendu, à coup sûr, ce qui a été dit peu avant, que le Seigneur s'est écrié du haut du ciel : « Saul, Saul, pourquoi me persécutes-tu ? »

5. Je vous en prie, frères ; si notre Seigneur et Sauveur, qui fut sans péché, daigne nous aimer, nous pécheurs, d'une si grande affection qu'il atteste souffrir ce que nous souffrons, pourquoi nous, qui ne sommes pas sans péché et qui pouvons racheter nos péchés par la charité, ne nous aimons-nous pas d'un amour si parfait que, à tout mal enduré par l'un, nous compatissions par un sentiment de charité, et que nous nous réjouissions de tout bien qui arrive à un autre, comme si nous l'avions reçu nous-mêmes, rendant grâces à Dieu pour celui qui l'a reçu ? Par exemple, comme nous l'avons déjà dit, quelqu'un souffre-t-il tribulation ou subit-il un dommage ? Si tu souffres pour lui, tu appartiens au corps de l'Église ; si tu ne souffres pas, tu en es retranché. Car, si la charité qui réunit et vivifie tous les membres de l'Église voit que tu te réjouis de la ruine d'un autre, elle te retranchera aussitôt du corps. Et peut-être que tu ne souffres pas maintenant parce que tu as été retranché ; si tu étais encore là, sans aucun doute tu souffrirais.

Réfléchissez, frères, et remarquez avec attention qu'un membre souffre aussi longtemps qu'il fait partie du corps ; si, au contraire, il a été retranché, il ne pourra ni souffrir, ni sentir. En effet, si une main ou un autre membre a été retranché du corps, et que tout le corps par la suite soit divisé en multiples parties, cette main ne le sent pas, parce qu'elle a déjà été séparée et disjointe de la communauté des autres membres. Tel est le chrétien qui non seulement ne souffre pas des dommages ou des afflictions ou même de la mort d'autrui, mais ce qui est

etiam gaudet. Et quia iam est alienus a corpore, ideo
affectum |caritatis non tenet in corde.

    Nos vero, si veram et perfectam caritatem |volumus
custodire, omnes sicut nosmetipsos studeamus diligere :
|ut, quia caput nostrum Christus est, et membra illius nos
30 esse merui¹⁰mus, cum Christus apparuerit gloria nostra,
etiam et nos per con|cordiam caritatis quasi vera et perfecta
membra illius absque ullo |dolo malitiae vel invidiae
omnes homines sicut nosmetipsos amantes, |cum ipso
apparere mereamur in gloria.

pire, peut-être même s'en réjouit. Et c'est parce qu'il est déjà étranger au corps, qu'il ne garde pas dans son cœur le mouvement de la charité.

Quant à nous, si nous voulons garder une vraie et parfaite charité, appliquons-nous à aimer tous les hommes comme nous-mêmes. Ainsi, parce que notre tête est le Christ et que nous avons mérité d'être ses membres, lorsque le Christ, notre gloire, apparaîtra, nous aussi, comme ses membres vrais et parfaits grâce à l'harmonie de la charité, aimant tous les hommes comme nous-mêmes, sans aucune malice ni envie, nous mériterons d'apparaître avec lui dans la gloire.

SERMO XXV

Sermo sancti Caesarii de misericordia divina et humana : et quod ideo Deus pauperes in hoc mundo esse permiserit, ut divites haberent quomodo peccata sua redimerent

5   ⁵**1.** Modo cum evangelium legeretur, audivimus dicentem Dominum ᴵet Salvatorem nostrum : « Beati misericordes, quoniam ipsi miseriᴵcordiam consequentur*. » Dulce est nomen misericordiae, fratres ᴵcarissimi; et si nomen, quanto magis res ipsa? Et cum eam omnes ᴵhomines habere velint, quod peius est, non toti sic agunt ut <eam accipere

10   mereantur>, cum ¹⁰omnes misericordiam velint accipere, pauci sunt qui velint miseriᴵcordiam dare. O homo, qua fronte vis petere, quod dissimulas dare? ᴵDebet ergo in hoc mundo misericordiam dare, qui illam optat in ᴵcaelo recipere. Et ideo, fratres carissimi, quia omnes misericor-

Sermo XXV : V¹ *Marcianus* VI.5   s. IX/X
            V² *Marcianus* VI.6   s. XIV
            A¹ *Carnotensis* 67 (8)   s. IX
            A⁴ *Laurentianus* Plut. XVI, cod. 20   s. XI
            A⁵ *Florentinus* 586   s. X
            A⁶ *Florentinus* 137   s. X
            A⁷ *Laurentianus* Plut. XXIII, cod. 23   s. XI
            A¹⁰ *Ambrosianus* I.45 sup.   s. XII
            A¹² *Trecensis* 1004   s. XII/XIII

106,9 ut : *post conjunctionem membrum aliquod excidisse suspicatur Mor. qui* eam accipere mereantur *proponit* ‖ 13 omnes : homines *add.* A¹

SERMON XXV

Sermon de saint Césaire sur la miséricorde divine et humaine ; et sur le fait que Dieu a permis qu'il y ait des pauvres dans ce monde, pour que les riches aient le moyen de racheter leurs péchés

1. Il y a un instant, lorsqu'on lisait l'Évangile, nous avons entendu notre Seigneur et Sauveur dire : « Bienheureux les miséricordieux, car eux-mêmes obtiendront miséricorde[a1]. » Doux est le mot de miséricorde, frères très chers, et si le mot est doux, combien plus la chose même ! Et alors que tous les hommes veulent l'avoir, le pire est que tous n'agissent pas de façon à <la mériter> ; alors que tous veulent obtenir miséricorde, peu nombreux sont ceux qui veulent faire miséricorde. Ô homme, de quel front veux-tu demander ce que tu négliges de donner ? Il doit donc faire miséricorde en ce monde, celui qui désire la recevoir dans le ciel. Et c'est pourquoi, frères très chers, puisque nous voulons tous la miséricorde, faisons d'elle

1 [a] Matth. 5, 7

1. La plus souvent citée par Césaire de toutes les Béatitudes. Ce sermon, particulièrement représentatif de la pastorale de l'évêque d'Arles, contient d'ailleurs 9 des 15 versets qui lui sont les plus chers : *Matth.* 5, 7 ; 6, 14 ; 25, 34.35 ; 25, 40 ; *Lc* 6, 38 ; 11, 41 ; *Jn* 2, 11 ; 3, 15 ; *Sir.* 3, 33 ; tous centrés sur l'idée de miséricorde sous l'une de ses deux formes : aumône ou pardon.

diam ᴵvolumus, faciamus nobis illam patronam in hoc
15 saeculo, ut nos ipsa ¹⁵liberet in futuro.

Est enim in caelo misericordia, ad quam per terrenas
ᴵmisericordias pervenitur. Sic enim scriptura dicit :
« Domine, in caelo ᴵmisericordia tuaᵇ. » Est ergo et terrena
et caelestis misericordia, ᴵhumana scilicet et divina. Qualis
est misericordia humana ? Ipsa ᴵutique, ut respicias
20 miserias pauperum. Qualis vero est misericordia ²⁰divina?
Illa sine dubio, quae tribuit indulgentiam peccatorum.
ᴵQuicquid enim misericordia humana largitur in via,
misericordia ᴵdivina reddit in patria.

Deus enim in hoc mundo in omnibus paupeᴵribus et
alget et esurit, sicut ipse dixit : « Quamdiu fecistis uni ex
ᴵminimis istis, mihi fecistisᶜ. » Deus ergo qui de caelo
25 dignatur dare, ²⁵vult in terra recipere. Quales sumus nos,
qui quando donat Deus ᴵvolumus accipere, quando petit
nolumus dare? Quando enim pauper ᴵesurit, Christus
indiget, sicut ipse dixit : « Esurivi, et non dedistis ᴵmihi
manducareᵈ. » Noli ergo despicere miseriam pauperum, si
107 vis (107) securus sperare indulgentiam peccatorum. Esurit
modo Christus, ᴵfratres, in omnibus pauperibus ipse et
esurire et sitire dignatur; ᴵet quod in terra accipit, in
caelo reddit. Rogo vos, fratres, ᴵquid vultis aut quid
5 quaeritis, quando ad ecclesiam venitis? quid ⁵utique nisi
misericordiam?

Date ergo terrenam, et accipietis caeᴵlestem. Petit a te

---

23 alget : algit A¹ᵃᶜ·¹⁰ᵃᶜ alit A⁴·⁵·⁶·⁷·¹²·.
107,5 accipietis : accipite A¹

ᵇ Ps. 35, 6   ᶜ Matth. 25, 40   ᵈ Matth. 25, 42

---

1. Ce verset fréquemment cité par les Pères, notamment par
Ambroise et Augustin, présente, comme chez Césaire lui-même, de
légères variantes d'un texte à l'autre, mais est rarement conforme
au texte de la Vulgate. Sur cinquante-cinq citations d'AUGUSTIN que

notre protectrice dans ce monde, pour qu'elle nous libère dans le monde à venir.

Il y a en effet une miséricorde dans le ciel à laquelle on parvient par la miséricorde sur cette terre. Car, ainsi parle l'Écriture : « Seigneur, ta miséricorde est dans le ciel[b]. » Il y a donc une miséricorde sur terre et une miséricorde dans le ciel, c'est-à-dire une miséricorde humaine et une miséricorde divine. En quoi consiste la miséricorde humaine ? Surtout à prêter attention aux misères des pauvres. Et en quoi consiste la miséricorde divine ? Sans aucun doute à accorder le pardon des péchés. Toutes les largesses que fait la miséricorde humaine sur la route, la miséricorde divine les rend dans la patrie.

Car Dieu souffre en ce monde le froid et la faim dans tous les pauvres, comme il l'a dit lui-même : « Aussi longtemps que vous avez fait cela à un de ces petits, c'est à moi que vous l'avez fait[c1]. » Dieu donc, qui du ciel daigne donner, veut recevoir sur terre. Quels êtres sommes-nous, nous qui voulons recevoir quand Dieu donne et ne voulons pas donner quand il demande ? En effet, quand un pauvre a faim, le Christ est dans le besoin, comme il l'a dit lui-même : « J'ai eu faim et vous ne m'avez pas donné à manger[d]. » Ne méprise donc pas la misère des pauvres, si tu veux espérer avec sûreté le pardon de tes péchés. Le Christ a faim maintenant, frères, il daigne avoir faim et soif dans tous les pauvres ; et ce qu'il reçoit sur terre, il le rend dans le ciel. Je vous le demande, frères, que voulez-vous ou que cherchez-vous quand vous venez à l'église ? Qu'est-ce donc sinon la miséricorde ?

Faites donc miséricorde sur terre et vous obtiendrez miséricorde au ciel. Le pauvre te demande et tu demandes

nous avons relevées, nous n'avons trouvé qu'une fois ce dernier, dans le *Speculum*, 25. Mais les citations de cet ouvrage, qui suivent toujours le texte de la Vulgate, ont certainement été revues, que ce soit ou non par Cassiodore.

pauper, et tu petis a Deo : ille bucellam, tu vitam ᴵaeter-
nam. Da mendico, quod accipere merearis a Christo ; audi
ᴵipsum dicentem : « date, et dabitur vobisᵉ ». Nescio qua
fronte velis ᴵaccipere, quod non vis dare. Et ideo quando
10 ad ecclesiam venitis, ¹⁰secundum vires vestras qualescumque
elemosynas pauperibus exhibete. ᴵQui potest, afferat argentum ; qui non potest, exhibeat vinum. Si ᴵnec hoc habuerit,
exhibeat esurienti bucellam : si non habet integram,
ᴵvel qualemcumque particulam ; ut impleat illud quod
Dominus ᴵadmonuit per prophetam : « Frange esurienti
15 panem tuumᶠ. » Non ¹⁵dixit, Da totum, ne forte pauper
sis, et amplius habere non possis.

2. Et si diligenter adtendimus, fratres, hoc ipsum quod
Christus ᴵin pauperibus esurit, nobis proficit. Ideo enim
in hoc mundo Deus ᴵpauperes esse permisit, ut omnis
homo haberet quomodo sua peccata ᴵredimeret. Si enim
20 pauper nullus esset, elemosinam nemo daret, ²⁰indulgentiam
nemo reciperet. Potuit enim Deus totos homines divites
ᴵfacere, sed nobis per pauperum miseriam voluit subvenire :
ut et ᴵpauper, per patientiam, et dives per elemosynam
possint Dei gratiam ᴵpromereri. Nobis enim militat inopia
pauperum. Denique si sapienter ᴵintellegis, et statera cordis
25 tui diligenter adpendis, inconparabiliter ²⁵plus est quod
pro paupere recipis, quam id quod pauperi largiris.

---

7 Da mendico : amen dico A⁴·⁵·⁶·⁷ a me n < on > dico A¹ ‖ accipere :
recipere V¹·²A¹⁰ ‖ 9 non vis : dissimulas A¹⁰ ‖ 11 vinum : numum A¹⁰
24 stateram V¹·²A¹ : in statera A¹⁰

ᵉ Lc 6, 38   ᶠ Is. 58, 7.

---

1. Seul exemple, à notre connaissance, dans l'œuvre de Césaire
d'une pareille utilisation de *militare*, bien que nous ayons quelques
exemples dans les sermons de son emploi avec le datif au sens de
« être au service de ». Voir, par exemple, *Serm.* 80, 3 : « ... intrantes

à Dieu ; lui, un morceau de pain, toi la vie éternelle. Donne au mendiant ce que tu veux mériter de recevoir du Christ ; entends-le dire : « Donnez et on vous donnera[e]. » Je ne sais de quel front tu veux recevoir ce que tu ne veux pas donner. Et c'est pourquoi, quand vous venez à l'église, offrez selon vos moyens des aumônes pour les pauvres, quelles qu'elles soient. Que celui qui le peut apporte de l'argent, que celui qui ne peut pas offre du vin. S'il n'en a même pas, qu'il offre du pain à celui qui a faim ; s'il n'a pas un pain entier, au moins quelque morceau, afin d'accomplir ce à quoi le Seigneur nous a exhortés par le prophète : « Romps ton pain pour celui qui a faim[f]. » Il n'a pas dit : Donne-le tout entier, de peur que tu ne sois pauvre et que tu ne puisses plus en avoir.

Dieu a permis les pauvres

2. Et si nous faisons bien attention, frères, le fait que le Christ a faim dans les pauvres nous est profitable. En effet, Dieu a permis qu'il y ait des pauvres dans ce monde, pour que tout homme eût le moyen de racheter ses péchés ; car s'il n'y avait pas de pauvres, personne ne ferait d'aumône, personne n'obtiendrait de pardon. Car Dieu pouvait faire tous les hommes riches, mais il a voulu nous venir en aide par la misère des pauvres afin que le pauvre par la patience et le riche par l'aumône puissent mériter la grâce de Dieu. En effet le dénuement des pauvres nous sert[1]. Enfin, si tu as la sagesse de comprendre et si tu pèses soigneusement sur la balance de ton cœur, ce que tu reçois à cause du pauvre est infiniment supérieur à tout ce que tu lui donnes. Sois attentif et vois : un sou

in ecclesia magis debemus Christo quam adversario militare... » Dans le cas qui nous occupe, il s'agit visiblement de frapper l'imagination des auditeurs par une image aussi forte qu'inattendue. La traduction littérale serait : « le dénuement des pauvres est à notre service. »

ᴵAdtende et vide : nummum et regnum. Quid simile,
frater? Das ᴵpauperi nummum, et a Christo recipis regnum :
das bucellam, et ᴵa Christo recipis vitam aeternam : das
vestimentum, et a Christo ᴵrecipis remissionem peccatorum.

30 Non ergo despiciamus pauperes, ᵃ⁰fratres, sed magis eos
desideremus, et ultro nos eis ingerere festiᴵnemus; quia
miseria pauperum medicamentum est divitum, sicut ᴵipse
Dominus dixit : « Verumtamen date elemosynam, et ecce
omnia ᴵmunda sunt vobisᵃ »; et iterum : « Vendite quae
possidetis, et date ᴵelemosynamᵇ. » Et per prophetam
108 clamat Spiritus sanctus : « Sicut (108) aqua extinguit
ignem, sic elemosyna extinguit peccatumᶜ »; et ᴵiterum :
« Conclude elemosynam in corde pauperis, et haec exorabit
ᴵpro te ab omni maloᵈ. » Faciamus ergo misericordiam,
fratres, et Christo ᴵadiuvante cautionis suae vinculum
5 teneamus; illam utique quam ˢsupra commemoravi, ubi
ait : « Date, et dabitur vobisᵉ »; et iterum : « ᴵBeati misericordes, quoniam ipsi misericordiam consequenturᶠ. »

ᴵUnusquisque secundum vires suas studeat, ne ad
ecclesiam vacuus ᴵveniat : debet enim aliquid exhibere,
qui optat accipere. Qui potest, ᴵnovo vestimento tegat
10 pauperem; qui non potest, vel veterem porrigat. ¹⁰Qui vero
ad ista se non sentit idoneum, porrigat bucellam, suscipiat
ᴵperegrinum, lectulum faciat, pedes abluat; ut audire
mereatur a ᴵChristo : « Venite benedicti, percipite regnum :

31-32 sicut ipse : sic et ipse A¹ᵖᶜ ‖ 34 elemosynam : elemosynas
V¹⁻ᵃA¹.

---

2 ᵃ Lc 11, 41   ᵇ Lc 12, 33   ᶜ Sir. 3, 33   ᵈ Sir. 29, 15   ᵉ Lc 6, 38
ᶠ Matth. 5, 7

---

1. Verset plus fréquent chez Césaire que chez aucun des Pères,
le texte étant toujours chez eux identique à celui de Césaire ou
très proche de lui. Nous ne trouvons les premiers exemples du texte
de la Vulgate que chez DEFENSOR, *Liber Scintillarum*, 48, 13 et

d'un côté et le royaume de l'autre. Quelle comparaison
y a-t-il, frère ? Tu donnes un sou au pauvre et du Christ
tu reçois le royaume ; tu donnes un morceau de pain
et du Christ tu reçois la vie éternelle ; tu donnes un
vêtement, et du Christ tu reçois la rémission de tes péchés.

Ne méprisons donc pas les pauvres, frères, mais désirons-
les plutôt, et de nous-mêmes hâtons-nous d'aller au
devant d'eux ; parce que la misère des pauvres est le
médicament des riches, comme le Seigneur lui-même
l'a dit : « Faites plutôt l'aumône et voici que pour vous
tout est pur[a] », et encore : « Vendez ce que vous possédez
et faites l'aumône[b]. » Et l'Esprit saint s'écrie par le prophète : « Comme l'eau éteint le feu, ainsi l'aumône éteint
le péché[c1] », et encore : « Enferme l'aumône dans le cœur
du pauvre et elle obtiendra que tu sois délivré de tout
mal[d]. » Faisons donc miséricorde, frères, et avec l'aide du
Christ, tenons le lien de sa garantie ; celle surtout que je
vous ai rappelée plus haut, quand il dit : « Donnez et
on vous donnera[e] », et encore : « Bienheureux les miséricordieux, car eux-mêmes obtiendront miséricorde[f]. »

Que chacun s'applique, selon ses moyens, à ne pas
venir à l'église les mains vides : il doit en effet offrir
quelque chose, celui qui désire recevoir. Que celui qui
le peut couvre le pauvre d'un vêtement neuf ; que celui
qui ne le peut pas en offre au moins un vieux. Quant à
celui qui ne se juge pas assez à l'aise pour cela, qu'il offre
un morceau de pain, qu'il accueille un voyageur, qu'il lui
prépare un lit, qu'il lui lave les pieds, pour mériter
d'entendre le Christ lui dire : « Venez, bénis, prenez

GRÉGOIRE LE GRAND, *Ev.*, 20, 11. — Ce verset est associé quatre fois
chez Césaire à *Lc* 11, 41 : ici et dans les *Serm.* 30, 6 ; 154, 4 ; 229, 4.
CYPRIEN les avait déjà rapprochés mais moins précisément les deux
fois où il les citait : *De test.*, 3, 1 et *De op. et eleem.*, 2. MAXIME DE TURIN
les cite également à quelques lignes de distance dans le *Serm.* 22, 1.
GRÉGOIRE LE GRAND reprendra ce groupement dans *Ev.*, 20, 11.

quia esurivi, et ᶦdedistis mihi manducare : hospes fui, et
suscepistis meᵍ. » Nemo se, ᶦfratres carissimi, de dandis
15 elemosynis excusare poterit, quando pro ¹⁵calice aquae
frigidae mercedem se Christus redditurum esse promisit.

3. Et quia, sicut frequenter ammonui, duo sunt elemosynarum ᶦgenera : unum bonum, aliud melius : unum ut
pauperibus bucellam ᶦporrigas, alterum ut peccanti in te
fratri tuo cito indulgeas : ambo ᶦelemosynarum genera
20 implere auxiliante Domino festinemus, ut ad ²⁰aeternam
indulgentiam et ad Christi veram misericordiam pervenire
ᶦpossimus. Sic enim ipse dixit : « Si dimiseritis, dimittet
et vobis ᶦPater vester peccata vestra; si non dimiseritis,
nec Pater vester ᶦdimittet vobis peccata vestraᵃ. » Et alibi
clamat Spiritus sanctus : « ᶦHomo homini servat iram, et
25 a Deo quaerit medellam? in hominem ²⁵similem sibi non
habet misericordiam, et misericordiam petit ᶦa Deoᵇ? »
Dicit etiam beatus Iohannes : « Qui fratrem suum odit,
homiᶦcida estᶜ »; et iterum : « Qui odit fratrem suum, in
tenebris est, et ᶦin tenebris ambulat, et nescit quo vadat;
quoniam tenebrae ᶦobcaecaverunt oculos eiusᵈ. »

30 Et ideo, fratres carissimi, ut aeterna ³⁰mala possimus
evadere, et ad bona perpetua pervenire, duo quae ᶦsupra
dixi elemosynarum genera, quantum possumus et quamdiu
ᶦvivimus, et ipsi habere et aliis inpendere festinemus; ut

108,22 peccata : debita A¹.

ᵍ Matth. 25, 34-35.

3 ᵃ Matth. 6, 14-15   ᵇ Sir. 28, 3-4   ᶜ I Jn 3, 15   ᵈ I Jn 2, 11.

---

1. *Matth.* 25, 34 est, de toute la Bible, le verset le plus cité par
Césaire.

possession du royaume ; car j'ai eu faim et vous m'avez donné à manger ; j'étais étranger et vous m'avez accueilli[g1]. » Personne, frères très chers, ne pourra s'excuser de ne pas faire l'aumône, quand le Christ a promis de donner une récompense, en échange d'une coupe d'eau froide.

3. Et comme je l'ai fait remarquer fréquemment, il y a deux sortes d'aumônes : l'une bonne, l'autre meilleure ; l'une qui consiste à offrir un morceau de pain aux pauvres, l'autre à pardonner aussitôt à ton frère qui a péché contre toi ; aussi, hâtons-nous avec l'aide du Seigneur de pratiquer ces deux sortes d'aumônes pour pouvoir parvenir au pardon éternel et à la vraie miséricorde du Christ. Car lui-même a parlé ainsi : « Si vous remettez, votre Père vous remettra aussi vos péchés ; si vous ne remettez pas, votre Père ne vous remettra pas non plus vos péchés[a]. » Et l'Esprit saint s'écrie ailleurs : « L'homme garde sa colère envers l'homme et il cherche auprès de Dieu un remède ? Il n'a pas de miséricorde pour un homme, son semblable, et il demande à Dieu miséricorde[b2] ? » Le bienheureux Jean dit aussi : « Celui qui hait son frère est homicide[c] », et encore : « Celui qui hait son frère est dans les ténèbres et il marche dans les ténèbres et il ne sait où il va ; car les ténèbres ont obscurci ses yeux[d]. »

Et c'est pourquoi, frères très chers, pour pouvoir échapper aux maux éternels et parvenir aux biens perpétuels, les deux sortes d'aumônes dont j'ai parlé plus haut, hâtons-nous autant que nous le pouvons et tant que nous vivons, de les avoir nous-mêmes et de les distribuer aux

2. Nous n'avons trouvé nulle part une version identique à celle de Césaire pour la fin de la citation : « ... et misericordiam petit a Deo ? »

109 securi (109) possimus in die iudicii dicere : Da Domine, quia dedimus; nos |fecimus quod iussisti, tu imple quod promisisti. Quod ipse praestare |dignetur, qui cum Patre et Spiritu sancto vivit et regnat in saecula |saeculorum. Amen.

109,1 die : diem A¹ ‖ 4 Amen *om.* A¹.

autres ; ainsi nous pourrons dire en toute assurance au jour du Jugement : Donne, Seigneur, parce que nous avons donné ; nous avons fait ce que tu as ordonné, toi, accomplis ce que tu as promis. Que daigne l'accorder celui qui avec le Père et l'Esprit saint vit et règne pour les siècles des siècles. Amen.

SERMO XXVI

5 ⁵**De elemosina et de caelesti misericordia ad quam**
per terrenas misericordias pervenitur

1. Audivimus, cum evangelium legeretur, dilectissimi
fratres, ⁱinter reliquas beatitudines quas humano generi,
immo bonis homiⁱnibus pietas divina concessit, etiam
10 misericordiae praemia Dominum ¹⁰praedicasse. Sic enim
ait : « Beati misericordes, quoniam miseriⁱcordiam conse-
quenturᵃ. » Dicit et alibi : « Iudicium sine misericordia ⁱhis
qui non fecerunt misericordiamᵇ »; et alibi legimus :
« Miseriⁱcordiam volo, et non sacrificiumᶜ. » Psalmista etiam
ita commemorat : « ⁱIocundus homo qui miseretur et
15 commodat; in memoria aeterna ¹⁵erit iustus, ab auditu
malo non timebitᵈ. »

Certe, fratres dilectissimi, ⁱaudistis praeconia et laudes
misericordiae : desiderate et concupiscite ⁱeam : quaerite
illam fideliter, et cum inveneritis, fortiter retinete ⁱin hoc
saeculo, ut vos illa non despiciat in futuro. Omnis homo,

Sermo XXVI : W¹ *Wirceburgensis* Mp. th. f. 28   s. VIII
            B⁸ *Vaticanus Palatinus lat.* 430   s. IX/X
            H³⁵ *Parisinus lat.* 18095   s. IX/X
            H⁵⁵ *Parisinus lat.* 13378   s. X/XI

109,5 De elemosina : de elimosinis W¹ sermo s. Agustini *praem.*
H³⁵ ‖ et de *Mor.* : id est W¹ id est de H³⁵ ‖ 5-6 ad — pervenitur *om.*
H³⁵ *qui* in quadrag. *add.*; *inscriptione caret* H⁵⁵ ‖ 8 hominibus :
omnibus W¹ ‖ 10 quoniam : ipsi *add.* H³⁵ ‖ 18 non : nos *codd.*

SERMON XXVI

De l'aumône et de la miséricorde céleste à laquelle on parvient en exerçant la miséricorde sur terre[1]

1. Nous avons entendu, quand on lisait l'Évangile, frères bien-aimés, que parmi les autres béatitudes que la bonté divine a accordées au genre humain, ou plutôt aux hommes de bien, le Seigneur a proclamé les récompenses dues à la miséricorde. En effet, il a parlé ainsi : « Bienheureux les miséricordieux, parce qu'ils obtiendront miséricorde[a]. » Il dit aussi ailleurs : « Jugement sans miséricorde à ceux qui n'ont pas fait miséricorde[b] », et ailleurs nous lisons : « Je veux la miséricorde et non le sacrifice[c]. » Le psalmiste aussi le rappelle en ces termes : « Heureux l'homme qui a pitié et qui prête ; le juste sera en mémoire éternelle et il ne craindra pas la mauvaise réputation[d]. »

Vous avez sûrement entendu, frères bien-aimés, les éloges et les louanges de la miséricorde ; désirez-la et convoitez-la ; cherchez-la fidèlement, et lorsque vous l'aurez trouvée, gardez-la de toutes vos forces dans ce monde, pour qu'elle ne détourne pas les yeux de vous dans le monde à venir. Tout homme, frères bien-aimés,

---

1 [a] Matth. 5, 7   [b] Jac. 2, 13   [c] Matth. 12, 7   [d] Ps. 111, 105.

---

1. Sermon édité pour la première fois par dom Morin. Selon le manuscrit de Würzburg, il serait destiné au second jour des Rogations.

ˡfratres dilectissimi, hoc desiderat, ut cum in die iudicii
20 venerit, ²⁰misericordiam ibi inveniat; et si toti hoc desideramus, si omnes ˡhomines misericordiam in futuro
volumus invenire, faciamus illam ˡpatronam in hoc saeculo,
ut nos illa dignetur susceptos habere et ˡdefendere in futuro.
Nam si illam despicimus in patria nostra, quomodo ˡnos
illa dignatur aspicere in patria sua?

110   (110) **2.** Omnis homo, fratres dilectissimi, qui causam
ante terrenum ˡiudicem se dicturum esse cognoverit,
patronos sibi utiles requirit, ˡet advocatos studet peritis-
simos providere. Et si hoc ille facit, qui ˡante illum iudicem
5 dicturus est causam, quem et circumvenire, ⁵cui et subripere
et fallere potest, quem per eloquentiam quibusdam
ˡargumentis a iustitia potest avertere, et muneribus forte
corrumpere, ˡvel falsis laudibus et fictis adulationibus
depravare : si sic se praeparat ˡhomo ante hominem
causam dicturus, quanto magis nos dicturi causam ˡante
aeternum iudicem, non solum de operibus sed etiam de
10 ser¹⁰monibus nostris, nec solum de sermonibus sed etiam
de cogitatioˡnibus, ante illum utique iudicem cui cordis
secreta non latent, qui ˡteste non indiget, qui argumenta
non quaerit, cuius oculis « exposita ˡet nuda sunt omniaᵃ »?
Dicturi ergo causas ante talem iudicem, faciaˡmus nobis
patronam misericordiam, ut ipsa causas nostras dicere,
15 ¹⁵immo ipsa pro nobis intercedere dignetur. Legimus enim
in psalmo : ˡ« Domine, in caelo misericordia tuaᵇ. »

110,4 illum : talem H³⁵ ‖ 7 si *om.* W¹H³⁵ ‖ 10 nec : et non H³⁵ ‖
11 cui : quem H⁵⁵ ‖ 15 intercedere : intervenire B⁸H³⁵

2 ᵃ Hébr. 4, 13   ᵇ Ps. 35, 6.

1. L'apparat critique n'offre aucune autre leçon que *dignatur*.
S'agit-il d'une faute de scribe ou de la perte du sens de certaines

désire, lorsqu'il sera arrivé au jour du Jugement, y trouver
la miséricorde ; et si nous désirons tous cela, si, nous
autres hommes, tant que nous sommes, nous voulons
trouver miséricorde dans le monde à venir, faisons d'elle
notre protectrice dans ce monde, pour qu'elle daigne
nous accueillir et prendre notre défense dans le monde à
venir. Car si nous détournons nos yeux d'elle dans notre
patrie, comment daignera-t-elle[1] porter ses regards sur
nous dans sa patrie?

2. Tout homme, frères bien-aimés, se sachant tenu de
plaider sa cause devant un juge terrestre recherche des
protecteurs utiles et tâche de se procurer les avocats les
plus habiles. Voilà ce que fait celui qui aura à plaider sa
cause devant un juge qu'il peut circonvenir, dont il peut
surprendre la confiance, qu'il peut tromper, qu'il peut
détourner de la justice grâce à son éloquence, par certains
arguments, et peut-être corrompre par des présents ou
séduire par de fausses louanges et des compliments
mensongers. Si cet homme se prépare ainsi avant de plaider
sa cause devant un homme, combien plus devons-nous
le faire, nous qui aurons à rendre compte devant le Juge
éternel, non seulement de nos actions, mais aussi de nos
paroles, et non seulement de nos paroles, mais aussi de
nos pensées, et cela devant ce Juge auquel les secrets du
cœur ne sont pas cachés, qui n'a pas besoin de témoin,
qui ne cherche pas d'arguments, aux yeux duquel « tout
est nu et à découvert[a]. » Ayant donc à comparaître devant
un tel Juge, faisons-nous une protectrice de la miséricorde,
pour qu'elle daigne plaider notre cause ou plutôt intercéder pour nous. Nous lisons en effet dans un psaume :
« Seigneur, ta miséricorde est dans le ciel[b]. »

valeurs temporelles chez Césaire? Voir t. I, *Serm.* 16, 1, p. 454 et
la note, un exemple un peu semblable.

Est in caelo misericordia, ad ǀquam per terrenas misericordias pervenitur. Et ideo, dum possumus, ǀfratres
dilectissimi, festinemus nobis caelestem misericordiam
facere ǀin hoc mundo patronam; quantum possumus,
20 conemur illam diligere, ²⁰et dignum illi honorem semper
inpendere. Sicut iam supra dixi, ǀipsa sit advocatus noster,
ipsa patronus; ipsa dignetur causas nostras ǀante tribunal
aeterni iudicis dicere, ipsa pro nobis interpellare, ipsa ǀnos
dignetur aeterno iudici praesentare. Si illa nobiscum ibi
venerit, ǀipsa nos de diaboli accusatione defendet, et in
25 aeterna beatitudine ²⁵introducet.

3. Ipsa est caelestis misericordia, quae in die iudicii
dictura ǀest : « Venite benedicti Patris mei, percipite
regnum; quia esurivi, ǀet dedistis mihi manducare[a] », et
cetera. Quae est ista caelestis miseǀricordia? Caelestis et
30 vera misericordia Christus Dominus noster ³⁰est. Quam
dulcis et quam pia misericordia, quae, cum illam nemo
ǀquaereret, ipsa ultro de caelo descendit, et, ut nos erigeret,
se humiǀliavit! Percussus est, ut vulnera nostra sanaret;
mortuus est, ut nos ǀde morte perpetua liberaret; in inferna
descendit, ut praedam, ǀquam diabolus rapuerat, disruptis
111 eius faucibus et exulceratis (111) inferni visceribus ad
superna revocaret; in caelis ascendit, ut spem ǀnostram
in alto erigeret. Quis enim digne laudare possit tantam
ǀmisericordiam? quis tantam pietatem dignis praeconiis
possit extollere?

ǀNon illi sufficit quod pro nobis descendit, mortem
5 gustavit, et resur⁵rexit : adhuc insuper nobiscum usque
ad consummationem saeculi ǀse futurum esse promisit,
sicut ipse in evangelio dicit : « Ecce ego ǀvobiscum sum

---

19 patronam : propitiam H³⁵ ǁ 29 Caelestis — misericordia om.
W¹ ǁ 31 quaereret : quaerit W¹B⁸H³⁵.

---

3 [a] Matth. 25, 34-35

La miséricorde céleste Il y a dans le ciel une miséricorde à laquelle on parvient par l'exercice des miséricordes sur terre. Et c'est pourquoi, tandis que nous le pouvons, frères bien-aimés, hâtons-nous de prendre dans ce monde la miséricorde divine comme protectrice ; efforçons-nous de tout notre pouvoir de l'aimer et de lui rendre toujours dignement honneur. Comme je l'ai déjà dit plus haut, qu'elle soit notre avocate, notre protectrice, qu'elle daigne plaider notre cause devant le tribunal du Juge éternel ; qu'elle daigne intercéder pour nous et nous présenter elle-même au Juge éternel. Si elle nous y accompagne, elle nous défendra de l'accusation du diable et nous introduira dans la béatitude éternelle.

3. C'est la miséricorde céleste qui dira au jour du Jugement : « Venez, bénis de mon Père, prenez possession du royaume ; car j'ai eu faim et vous m'avez donné à manger[a] », etc. Quelle est cette miséricorde céleste ? La vraie miséricorde céleste, c'est le Christ notre Seigneur. Qu'elle est douce et bonne la miséricorde qui, alors que personne ne venait la chercher, d'elle-même est descendue du ciel et s'est humiliée pour nous relever ! Il a été frappé pour guérir nos blessures ; il est mort pour nous libérer de la mort perpétuelle ; il est descendu aux enfers pour ramener au ciel la proie que le diable avait ravie, après avoir brisé la gueule du diable et déchiré les entrailles de l'enfer ; il est monté aux cieux pour ériger notre espoir dans le ciel. Qui pourrait, en effet, louer dignement une si grande miséricorde ? Qui pourrait exalter avec de dignes éloges une si grande bonté ?

Présence du Christ Il ne lui suffit pas d'être descendu pour nous, d'avoir goûté la mort et d'être ressuscité ; de plus, il a encore promis qu'il serait avec nous jusqu'à la consommation du siècle, comme il le dit lui-même dans l'Évangile : « Voici, je suis avec vous

omnibus diebus usque ad consummationem saeculi[b]. »
|Videte pietatem Domini, fratres : iam ad dexteram Patris
sedet in |caelo, et tamen adhuc nobiscum laborare dignatur
10 in mundo. Nobis[10]cum esurire, nobiscum sitire, nobiscum
algere, nobiscum peregrinari, |nobiscum non dedignatur
etiam mori et in carcerem mitti. Aut forte |non est verum
quod suggero, fratres? Ipsum Dominum interrogemus, |et
ipse nobis hoc plenius dicere pro sua pietate dignabitur.
« Esurivi, |inquid, sitivi, hospes fui, infirmus fui, in carcere
15 fui, et visitastis [15]me[c]. »

Videte quanto circa nos amore agitur, ut in nobis ista
omnia |per ineffabilem caritatem sustinere dignetur. Ista
enim vera et cae|lestis misericordia, hoc est, Christus
Dominus noster fecit te, cum |non esses : quaesivit te,
cum perisses : redemit te, cum te crudeliter |vendidisses.
Unde, fratres carissimi, vel quaesiti et inventi quaeramus
20 [20]eum qui nos tantum dilexit, ut pro nobis etiam mortem
crucis dignan|ter exciperet.

4. Sed quid dico, quaeramus illum? Atque utinam,
quomodo |ab illo cotidie requiri novimus, sic ab eo
inveniri vellemus. Ipse est |enim qui dixit : « Venit Filius
25 hominis quaerere et salvum facere [25]quod perierat[a]. »
Cotidie Christus generi humano se dignatur ingerere : |sed,
quod peius est, non omnes volunt cordis sui hostium
aperire. |Quare hoc? Sine dubio quia tenebrosa opera
agunt, ideo lucem |suscipere nolunt, sicut ipse Dominus
in evangelio dixit : « Omnis |qui male agit odit lucem, et
30 non venit ad lucem[b]. » Omnes boni [30]humiles et mansueti,

111,8 sedet : sedit W[1]B[8] ‖ 10 esurire : esurit W[1]H[35] ‖ peregrinari :
peregrinare W[1] ‖ 11 carcerem : carcere W[1]B[8] ‖ aut : an H[55] ‖ 14 hospes :
hospis W[1] ‖ 25 se *om.* W[1]H[55]

[b] Matth. 28, 20   [c] Matth. 25, 35-36.
4 [a] Lc 19, 10   [b] Jn 3, 20

chaque jour jusqu'à la consommation du siècle[b]. » Voyez
la bonté du Seigneur, frères ; il siège désormais à la droite
du Père dans le ciel, et cependant il daigne encore peiner
avec nous dans le monde. Il ne dédaigne pas d'avoir
faim avec nous, d'avoir soif, d'avoir froid avec nous,
d'être étranger avec nous et même de mourir et d'être jeté
en prison avec nous. Ou bien, peut-être, ce que je suggère
n'est-il pas vrai, frères ? Interrogeons le Seigneur lui-même,
et lui-même dans sa bonté daignera nous dire cela plus
complètement : « J'ai eu faim, dit-il, j'ai eu soif, j'ai été
étranger, j'ai été malade, j'ai été en prison et vous m'avez
visité[c]. »

Voyez par quel amour pour nous il est poussé, pour
daigner subir tout cela en nous par une ineffable charité.
Car cette véritable et céleste miséricorde, c'est-à-dire
le Christ notre Seigneur, t'a créé, alors que tu n'étais pas ;
t'a cherché alors que tu étais perdu ; t'a racheté, alors que
tu t'étais vendu cruellement. Aussi, frères très chers,
nous qui avons été cherchés et trouvés, cherchons celui
qui nous a tant aimés qu'il a bien voulu accepter pour
nous même la mort de la Croix.

4. Mais que dis-je, le chercher ? Si seulement, comme
nous savons que nous sommes recherchés par lui chaque
jour, nous voulions de même être trouvés par lui ! Car
c'est lui-même qui a dit : « Le Fils de l'homme est venu
chercher et sauver ce qui était perdu[a]. » Chaque jour le
Christ daigne s'offrir au genre humain ; mais le comble
est que tous ne veulent pas ouvrir la porte de leur cœur.
Pourquoi cela ? C'est, sans doute, parce qu'ils font des
œuvres de ténèbres qu'ils ne veulent pas recevoir la
lumière, comme le Seigneur l'a dit lui-même dans l'Évangile : « Tout homme qui fait le mal hait la lumière et ne
vient pas à la lumière[b]. » Tous les bons, les humbles, les

qui bene agunt, lucem Christi libenter excipiunt. [1]Omnes mali superbi et cupidi Christum cotidie etiam cum iniuria [1]de corde suo repellunt; nec solum repellunt, sed, quod peius est, [1]etiam crucifigunt. Sic enim de talibus dicit Apostolus : « Iterum, inquid, [1]in semedipsis Christum crucifigentes[c]. »

35 Et ideo admoneo, fratres, [35]et rogo ac supplico, ut
112 unusquisque adtendat conscientiam suam ; (112) et quia Christum ab homine opera mala repellunt, quicquid in se [1]sordidum unusquisque reppererit, per Dei adiutorium mundet : [1]quicquid tenebrosum, inluminet : quicquid perditum, reparet : quic[1]quid mortuum, per paenitentiam
5 ipso Christo adiuvante resuscitet; [5]ut veniens Christus inveniat ubi requiescat, ubi, sicut scriptum [1]est, etiam caenare et manere dignetur. Qui vero bonam et puram [1]conscientiam se habere cognoscunt, quantum possunt, cum Dei [1]adiutorio in se munera et beneficia divina custodiant, et ex omni [1]parte solliciti sint, ne qualemcumque
10 aditum diabolus inveniat, [10]unde eorum animam subtili calliditate decipiat.

5. Ecce, fratres dilectissimi, sicut superius dicere coeperam, [1]venit Christus, hoc est, caelestis misericordia cotidie ad hostium [1]domus tuae : non solum spiritaliter ad animam tuam, sed [1]etiam corporaliter ad domum tuam. Nam
15 quotienscumque ad [15]domum tuam pauper accedit, Christus sine dubio venit, qui dixit : [1]« Quamdiu fecistis uni ex minimis istis, mihi fecistis[a]. » Et ideo non [1]obduretur cor tuum : porrege Christo nummum, a quo desideras [1]accipere

---

35 suam *om.* W[1].
112,1 homine : hominibus W[1] ‖ 2 reppererit : repperit B[8]H[55] repperiat W[1] ‖ 3 reparet : per elemosinam *praem.* B[8]

---

[c] Hébr. 6, 6.
5 [a] Matth. 25, 40

doux, qui font le bien, accueillent de bon cœur la lumière
du Christ. Tous les mauvais, les orgueilleux, les cupides
chassent chaque jour le Christ de leur cœur et même en
l'insultant ; et non seulement ils le chassent, mais ce qui
est pire, ils vont jusqu'à le crucifier. Car l'Apôtre parle
de leurs pareils en ces termes : « Crucifiant de nouveau
en eux-mêmes le Christ[c]. »

Et c'est pourquoi je vous exhorte, frères, je vous demande
et vous supplie : que chacun examine sa conscience ;
et parce que les mauvaises œuvres chassent le Christ de
l'homme, tout ce que chacun découvre en soi de sale, qu'il
le purifie avec l'aide de Dieu ; tout ce qu'il découvre
de ténébreux, qu'il l'éclaire ; de gâté, qu'il le restaure ;
de mort, qu'il le ressuscite par la pénitence, avec l'aide
du Christ lui-même, afin que, lors de sa venue, le Christ
trouve où se reposer ; un lieu où, comme il est écrit, il
daigne même souper et demeurer[1]. Quant à ceux qui savent
que leur conscience est bonne et pure, qu'ils gardent
en eux, autant qu'ils le peuvent avec l'aide de Dieu, les
dons et les bienfaits divins, et qu'ils soient partout sur
leurs gardes, de peur que le diable ne trouve quelque
accès par où surprendre leur âme par sa subtile malignité.

La miséricorde terrestre

5. Voici, frères bien-aimés, comme
j'avais commencé à le dire plus haut,
que le Christ, c'est-à-dire la miséri-
corde céleste, vient chaque jour à la porte de ta maison ;
non seulement spirituellement à la porte de ton âme,
mais aussi matériellement à celle de ta maison. Car chaque
fois qu'un pauvre s'approche de ta maison, c'est sans
aucun doute le Christ qui vient, lui qui a dit : « Aussi
longtemps que vous l'avez fait à l'un de ces petits, c'est
à moi que vous l'avez fait[a]. » N'endurcis donc pas ton
cœur ; tends un sou au Christ dont tu désires recevoir le

1. Cf. *Apoc.* 3, 20.

regnum : porrege illi bucellam, a quo desideras vitam :
ⁱsuscipe illum in hospitiolo tuo, ut te ille recipiat in paradiso
20 suo : ²⁰da illi elimosinam, ut tibi reddat vitam aeternam.
    Qua fronte vis cum ⁱillo regnare in caelo, cui elimosinam
porregere dedignaris in mundo? ⁱNam si tu illum suscipis
in peregrinatione ista, ille te suscipit in ⁱbeatitudine sua :
si tu illum contemnis hic in patria tua, et ille te ⁱdespicit
et contemnit in gloria sua; et impletur in te illud quod
25 ²⁵psalmista dicit : « Domine, in civitate tua imaginem
ipsorum ad ⁱnihilum rediges[b]. » Si enim nos in civitate
nostra, id est, in hac vita ⁱimaginem Dei pro nihilo duci-
mus, timere debemus, ne ille in civitate ⁱsua, id est, in vita
aeterna ad nihilum redigat imaginem nostram. ⁱFacite
ergo vobis, fratres, sicut iam dixi, patronam misericordiam;
30 ³⁰ut cum ante tribunal aeterni iudicis avari audituri erunt
« Discedite ⁱa me maledicti in ignem aeternum[c] », ad vos
pro misericordiae ⁱlargitate vox illa felix et desiderabilis
dirigatur : « Venite benedicti, ⁱpercipite regnum[d]. » At
quod vos Dominus pro sua pietate perducat. ⁱAmen.

22 suscipit : suscepit W¹ᵃᶜ suscipiet W¹ᵖᶜ ‖ 23 et *om.* H³⁵ ‖ 32
benedicti : patris mei *add.* H³⁵.

[b] Ps. 72, 20   [c] Matth. 25, 41   [d] Matth. 25, 34.

royaume ; tends un morceau à celui dont tu désires la vie ; accueille-le dans ton petit logement, afin qu'il te reçoive dans son paradis ; fais-lui l'aumône pour qu'il te donne en retour la vie éternelle.

De quel front veux-tu régner dans le ciel avec celui auquel tu refuses de tendre une aumône en ce monde ? Car si tu l'accueilles dans ce voyage, lui t'accueille dans sa béatitude ; si tu le méprises ici, dans ta patrie, lui aussi détourne son regard de toi et te méprise dans sa gloire ; et en toi s'accomplit ce que dit le psalmiste : « Seigneur, dans ta cité tu réduis à néant leur image[b]. » Car si nous, dans notre cité, c'est-à-dire dans cette vie, nous comptons pour rien l'image de Dieu, nous devons craindre que lui, dans sa cité, c'est-à-dire dans la vie éternelle, ne réduise à néant notre image. Faites-vous donc, frères, comme je l'ai déjà dit, une protectrice de la miséricorde ; ainsi lorsque devant le tribunal du Juge éternel, les avares auront à entendre : « Éloignez-vous de moi, maudits, vers le feu éternel[c] », à vous, pour la générosité de votre miséricorde, cette parole heureuse et désirable sera adressée : « Venez, bénis, prenez possession du royaume[d]. » Puisse le Seigneur en sa bonté vous y conduire. Amen.

Sermo sancti Caesarii episcopi de similitudine ulmeae arboris et de vite

1. Legimus in quodam libro, fratres dilectissimi, de ulmo et vite ⌐propositam nobis similitudinem; quam qui dili-
5 genter adtendit, non ⁵parvam animae suae aedificationem inveniet. Nam arbor ulmea ⌐et vitis satis sibi convenientes esse videntur. Arbor enim ulmea ⌐licet sit amoena et in sublime porrecta, nullum tamen fructum habere ⌐probatur: vitis vero quamvis sit parva et humilis, fructibus plena ⌐esse cognoscitur; qui fructus nisi qualicumque ligno
10 leventur in ¹⁰altum, in terra putrescunt atque depereunt. Si vero ulmus extendat ⌐ramos suos et erigat vitem, et se ornat, et illam de putredine liberat. ⌐Quare ista similitudo si posita, diligenter adtendamus.

Arbor ulmea ⌐significat hominem divitem in hoc mundo. Sicut enim arbor illa ⌐sublimis est et amoena et humida,

Sermo XXVII : V¹ *Marcianus* VI.5   s. IX/X
           V² *Marcianus* VI.6   s. XIV
           C⁸ *Ambrosianus* M. 55 sup.   s. XIV
           A¹ *Carnotensis* 67 (8)   s. IX
           A⁴ *Laurentianus* Plut. XVI, cod. 20   s. XI
           A⁵ *Florentinus* 586   s. X
           A⁶ *Florentinus* 137   s. X
           A⁷ *Laurentianus* Plut. XXIII, cod. 23   s. XI
           A¹⁰ *Ambrosianus* I.45 sup.   s. XII
           A¹² *Trecensis* 1004   s. XII/XIII

SERMON XXVII

Sermon de saint Césaire, évêque, sur la parabole de l'orme et de la vigne[1]

1. Nous lisons dans certain livre[2], frères bien-aimés, une parabole qui nous est proposée au sujet de l'orme et de la vigne. Celui qui lui prête bien attention trouvera pour son âme ample matière à édification. En effet, l'orme et la vigne semblent se convenir tout à fait ; car, bien que l'orme soit agréable et s'élève dans les airs, il est bien connu cependant qu'il ne porte pas de fruits ; quant à la vigne, bien qu'elle soit petite et près de la terre, on sait qu'elle est chargée de fruits ; seulement, si on ne relève pas ces fruits par quelque tuteur, ils pourrissent à terre et se perdent. Mais si l'orme étend ses rameaux et redresse la vigne, il s'embellit et en même temps lui évite de pourrir. Faisons bien attention à la raison d'être de cette parabole.

L'orme signifie l'homme riche en ce monde. En effet, cet arbre est élevé, agréable, gonflé d'humidité et cependant

---

1. La consultation d'un manuscrit du XIIe siècle, provenant de l'abbaye St-Martin de Tournai, le *Parisinus lat.* 2085, fol. 142-143, manuscrit que ne mentionne pas dom Morin, n'a fait que confirmer la valeur du texte de l'éditeur. Nous alléguons seulement à leur place trois légères variantes qui nous ont paru de quelque intérêt.

2. Il s'agit du *Pasteur d'Hermas*. L'apologue de l'orme et de la vigne est longuement développé dans la *Similitude 2*, SC 53, p. 214-218.

15 et tamen fructibus vacua; ita et [15]quicumque dives saeculi huius, quamvis sublimetur honoribus, |in multis facultatibus amoenus et iocundus esse videatur, tamen si |ad vitem, id est, ad pauperem Christi elemosynarum suarum brachia |quasi ramos piissimos humiliter non expandit, a fructibus aeternae |vitae vacuus remanebit. Vitis autem 20 significat servos Dei, abbates, [20]monachos vel clericos spirituales, in Deo vacantes, et doctrinae iugiter |insistentes, et si qui sunt alii similes horum, qui contempto mundo |Deo die noctuque deserviunt : quo servitio in aeterna beatitudine |uberes fructus habere creduntur. Ac sic divites mundi huius abundant |in hoc saeculo, et pauperes Christi in caelo.

25 Quid ergo futurum est, [25]ut nec arbor ulmea sine fructu 114 remaneat, nec vitis in terra putrescat? (114) Hoc enim expedit fieri, ut, quomodo arbor ulmea extendit ramos |suos, et erigit vel sustinet vitem, sic dives saeculi huius porrigat |ramos suos, id est, manus plenas fructibus agri sui, et sustentet |pauperes Christi. Quod si fecerit in hoc 5 mundo, sine dubio ab ipsis [5]pauperibus Christi multipliciter illi repensabitur in futuro.

2. Nec dedignetur dives, aut iniuriam sibi aestimet factam, |quod arbori comparatus est, sed audiat Dominum dicentem : « Arbor |bona bonos fructus facit, mala autem arbor malos fructus facit[a]. » |Sed magis timeat illud quod 10 sequitur : « Omnis, inquid, arbor quae [10]non facit fructum bonum excidetur et in ignem mittetur[b]. » Extendat |ergo manus suas ad elemosinas, ut possit evadere aeternas

---

113,20 spirituales : spiritalibus A[10] || in Deo *om.* A[10] || 24 futurum : faciendum *pauca coll. V codd.*

114,4 Quod : quam A[1ac]

---

2 [a] Matth. 7, 17   [b] Matth. 7, 19

dépourvu de fruits ; ainsi tout homme riche de ce siècle,
même s'il est au faîte des honneurs et qu'il ait l'air agréable
et charmant à bien des égards, pourtant s'il n'étend pas
humblement vers la vigne, c'est-à-dire vers le pauvre
du Christ, les bras de ses aumônes comme des rameaux
très miséricordieux, il restera dépourvu des fruits de la
vie éternelle. Et la vigne signifie les serviteurs de Dieu,
abbés, moines, ou clercs spirituels[1], qui se consacrent à Dieu
et s'attachent avec constance à sa doctrine, et tous ceux
qui leur ressemblent et qui servent Dieu jour et nuit dans
le mépris du monde ; nous croyons que grâce à ce service
ils portent des fruits abondants dans la béatitude éternelle.
Et ainsi les riches de ce monde sont dans l'abondance en
ce siècle et les pauvres du Christ au ciel.

Que faudra-t-il donc faire[2] pour que l'orme ne reste
pas sans fruit et que la vigne ne pourrisse pas à terre ?
Voici ce qu'il convient de faire. Comme l'orme étend ses
rameaux et redresse ou soutient la vigne, que le riche
de ce siècle tende ainsi ses rameaux, c'est-à-dire ses mains
pleines des fruits de son champ et qu'il entretienne les
pauvres du Christ. Et s'il agit ainsi dans ce monde, sans nul
doute les pauvres du Christ eux-mêmes le lui rendront
abondamment dans le monde à venir.

2. Que le riche ne dédaigne pas et ne s'estime pas offensé
d'avoir été comparé à un arbre, mais qu'il écoute ce que
dit le Seigneur : « Un bon arbre produit de bons fruits,
mais un mauvais arbre produit de mauvais fruits[a]. »
Qu'il craigne plutôt ce qui suit : « Tout arbre, dit-il, qui
ne produit pas de bon fruit sera retranché et jeté au feu[b]. »
Qu'il étende donc la main pour faire l'aumône, afin de

1. Le *Parisinus* présente ici la version suivante : *clericos vel
monachos spiritales.*

2. Le *Parisinus* soutient ici la leçon *faciendum* que l'on trouve
dans les manuscrits de la collection V.

flammas. |Omnes ergo divites timeant exemplum illius
arboris infructuosae |et sterilis, id est, illius qui purpura
et bysso induebatur. Arbor enim |amoena et sublimis erat
15 in mundo : sed quia ramos misericordiae ¹⁵non expandit
ad Lazarum, flammas recipere meruit in inferno; |et ab
illo petebat guttam, cui negaverat micam.

Haec ergo cogitent |divites, qui se de rebus suis, dum
suae sunt, redimere nolunt : non |faciant talia, ne talia
patiantur. Dives fuit, de quo loquimur; sunt |et aliqui
divites, ad quos nunc loquimur. Unius sunt nominis :
20 caveant ²⁰ne sint unius condicionis. Cum haec ita sint, si
illi qui divites sunt |aridas et contractas manus habuerint
ad elemosinas faciendas, et |quibuscumque servis Dei
vigiliis lectionibus vel orationibus insis|tentibus quae sunt
corpori necessaria dare noluerint, efficiuntur velut |ulmus
sterilis, quae vitem sustinere dissimulat.

25 Et cum dives pau²⁵peribus Christi nihil dederit, ipsi
pauperes Christi necesse esse est |ut in opere terreno plus
quam solebant exerceantur; et dum munda|nis actibus
occupantur, orationi lectioni ieiuniis et vigiliis minus
|insistunt, necesse est ut fructus illorum, quomodo si vitis
in terra |iaceat, ex parte aliqua minuantur; ac sibi tantum
30 sufficiunt, et nihil ³⁰divitibus largiuntur. Beatus enim
apostolus Paulus dum divites mundi |huius pro susten-
tandis Christi pauperibus ammoneret, quasi de vite

---

25 ipsi pauperes Christi *solus habet* C⁸ ‖ 25-26 necesse est ut C⁸*m.* :
necessitate *cett.* imminente *add.* A¹² ‖ 26 in opere terreno : opus
terrenum A¹² ‖ exerceantur *m.* : exerceant *codd.* ‖ 27 minus A¹ˢ¹ :
om. A⁴·⁵·⁶·⁷ non A¹⁰ ‖ 28 insistunt : insistant V¹·²A¹ insisterent C⁸ ‖
quomodo si A¹ *qui si s. l. suppl.* : quasi modo C⁸ quomodo *cett.* ‖ 31
de vite : de divite V¹A¹ᵖᶜ·⁴·⁵·⁶·⁷.

---

1. Cf. *Lc* 16, 19-24.
2. Ce passage est emprunté presque mot pour mot à SALVIEN,
Ad ecclesiam, III, 12, *CSEL*, VIII, p. 285. Césaire introduit pourtant

pouvoir échapper aux flammes éternelles. Que tous les riches craignent donc l'exemple de cet arbre sans fruit et stérile, c'est-à-dire de celui qui était revêtu de pourpre et de lin fin[1]. Car c'était un arbre agréable et haut placé dans le monde ; mais pour n'avoir pas étendu les rameaux de la miséricorde vers Lazare, il a mérité de brûler en enfer ; et il demandait une goutte d'eau à celui auquel il avait refusé une miette de pain.

Que les riches se rachètent par l'aumône Que les riches y pensent donc, eux qui ne veulent pas se racheter avec leurs richesses tant qu'elles leur appartiennent. Qu'ils n'agissent pas ainsi de peur de subir un tel destin. Il y eut un riche dont nous venons de parler ; il y a aussi certains riches auxquels nous parlons maintenant. Ils ont le même nom ; qu'ils craignent d'avoir le même sort[2]. Puisqu'il en est ainsi, si ceux qui sont riches ont eu les mains vides et fermées pour l'aumône et n'ont donné à aucun des serviteurs de Dieu qui s'adonnent aux veilles, aux lectures et aux prières le nécessaire pour les besoins de leur corps, ils sont devenus comme l'orme stérile qui néglige de soutenir la vigne.

Et lorsque le riche n'a rien donné aux pauvres du Christ, il faut que les pauvres du Christ eux-mêmes s'emploient plus que d'habitude à une œuvre temporelle ; et tandis qu'ils s'occupent des affaires de ce monde, ils s'adonnent moins à la prière, à la lecture, aux jeûnes et aux veilles ; il faut donc que leurs fruits, comme si la vigne gisait à terre, diminuent en quelque mesure ; et ils ont juste assez pour eux et ne peuvent faire de largesses aux riches. En effet, le bienheureux apôtre Paul, exhortant les riches de ce monde à entretenir les pauvres du Christ, parlait au

une nuance typique en ajoutant à *divites* le mot *aliqui*. Cf. t. I, Introd., p. 103.

115 (115) loquebatur ad arborem, id est, pro Christi paupere
loquebatur ad ¦divitem : « Vestra, inquit, abundantia sit
ad illorum inopiam, ut et ¦illorum abundantia vestrae
inopiae sit supplementum°. » Quam rem ¦ut omnes intelle-
gant, apertius insinuare debemus.

5 ⁵3. Divites mundi abundant in hoc mundo pecuniam,
pauperes ¦Christi in caelo vitam aeternam : erogent ergo
divites in mundo ¦pecuniam, ut recipiant in caelo vitam
aeternam. Divites mundi ¦frumentum vinum et oleum in
horreo vel cellario copiose reponunt; ¦pauperes Christi
10 orando vigilando ieiunando spiritales thesauros ¹⁰in caelo
condunt : faciant ergo sibi quoscumque servos Dei divites
¦huius mundi de terrena facultate participes, ut illi eos
sibi in caelesti ¦thesauro faciant coheredes. Divites mundi
huius dum aliquotiens ¦nimium se terrenis actibus obligant,
quantum illis oportet vigilare ¦legere et orare vel ieiunare
15 non possunt; unde timendum est ne forte ¹⁵aut pro peccatis
minus offerant, aut non tantum quantum expedit in
¦thesauro caelesti reponant. Pauperes Christi his fructibus
Deo iugiter ¦vacando exuberant : non ergo sint pigri
divites ad eroganda terrena, si ¦cupiunt habere caelestia.

Christus enim, qui omnibus hominibus munera ¦sua
largitur, in suis pauperibus egere et esurire et algere
20 dignatur. Nemo ²⁰ergo dubitet dare pauperibus : quia
manus pauperis gazophylacium est ¦Christi; quod in terra
accipit, in caelo reponit. Sic et ipse Dominus ¦dixit :
« Quando fecistis uni ex minimis istis, mihi fecistisᵃ. »

115,1 Christi *edd.* : Christo V¹A¹·⁴·⁵·⁶·⁷·¹⁰ ‖ 5-6 pecuniam ... vitam
aeternam A¹ : pecunia ... vita aeterna *cett.* ‖ 8 horreo : horrea A¹·⁵·⁷·¹⁰

ᶜ II Cor. 8, 14.

3 ᵃ Matth. 25, 40

---

1. Version identique chez AMBROISE, *De officiis*, I, 153 ; JÉRÔME,
Ep. 108, 15 et AUGUSTIN, *Contra adv. Leg.*, 2, 27.

riche en faveur du pauvre du Christ comme s'il parlait de la vigne à l'arbre. « Que votre abondance, dit-il, vienne en aide à leur dénuement, afin que leur abondance compense votre dénuement[c1]. » Et pour que tous comprennent cela, nous devons l'expliquer plus clairement.

3. Les riches du monde ont dans ce monde de l'argent en abondance, les pauvres du Christ ont dans le ciel la vie éternelle. Que les riches distribuent donc de l'argent dans le monde pour recevoir dans le ciel la vie éternelle. Les riches du monde font rentrer en abondance dans leur grenier ou leur cellier le blé, le vin et l'huile ; les pauvres du Christ par leurs prières, leurs veilles et leurs jeûnes, mettent en réserve dans le ciel des trésors spirituels : que les riches de ce monde fassent donc participer à leur richesse terrestre tous les serviteurs de Dieu, afin que ceux-ci les fassent cohéritiers de leur trésor céleste. Les riches de ce monde, parfois trop engagés dans des activités terrestres, ne peuvent veiller, lire, prier et jeûner autant qu'il le leur faudrait ; dès lors, il est à craindre que peut-être ils offrent trop peu pour leurs péchés ou qu'ils ne placent pas dans le trésor céleste autant qu'ils en auraient besoin. Les pauvres du Christ, se consacrant entièrement à Dieu, regorgent de ces fruits ; que les riches ne soient donc pas lents à distribuer leurs biens terrestres, s'ils désirent posséder les biens célestes.

Le Christ est présent dans les pauvres Car le Christ qui répand largement ses dons sur tous les hommes daigne être dans le besoin, avoir faim et froid dans ses pauvres. Que personne n'hésite donc à donner aux pauvres, car la main du pauvre est le coffre-fort du Christ ; ce qu'elle reçoit sur terre, il le met en réserve dans le ciel. Le Seigneur lui-même a parlé ainsi : « Quand vous avez fait cela à l'un de ces petits, c'est à moi que vous l'avez fait[a]. » Écoutons ce que

Audia|mus Apostolum dicentem : « Qui parce seminat, parce et metet[b] » ; |et post pauca : « Operamini quod bonum
25 est ad omnes, maxime autem ²⁵ad domesticos fidei[c]. »

Qui sunt domestici fidei, fratres, nisi clerici |boni, monachi, et quicumque alii servi Dei, inpedimenta huius mundi |fugientes, Deo vacantes, lectionibus et orationibus insistentes? Omni|bus quidem petentibus, secundum quod possumus, dandum est : |servis autem Dei, qui petere a
30 nobis erubescunt, etiamsi non petierunt, ³⁰ingerendum est. Ita ergo agere studeamus, fratres dilectissimi, ut |ab audito malo securi esse possimus. Quod erit auditum malum? |« Discedite a me maledicti in ignem aeternum,
116 qui paratus est (116) diabolo et angelis eius; quia esurivi, et non dedistis mihi man|ducare[d]. »

Rogo vos, fratres, nolite hoc otiose et neglegenter audire, |sed totis viribus Deo auxiliante contendite, ut nec aliena rapiatis, |et de propriis Christi pauperibus abundantius
5 erogetis, corde con²puncto iugiter cogitantes, et vobis ipsis invicem conloquentes : Si |in ignem mittitur qui non dedit sua, putas ubi mittendus est qui |tulit aliena? Non ergo ad nos propter avaritiam illa vox tremenda |et terribilis dirigatur : « Discedite a me maledicti in ignem aeternum[e] » ; |sed magis propter elemosinam illam desiderabilem vocem
10 audire ¹⁰mereamur : « Venite benedicti, percipite regnum

---

31 audito : auditu A¹ᵖᶜ ‖ 32 paratus : praeparatus A⁴·⁷.

---

[b] II Cor. 9, 6 [c] Gal. 6, 10 [d] Matth. 25, 41-42 [e] Matth. 25, 41

---

1. La ponctuation choisie par dom Morin ne s'impose pas, surtout si nous songeons à la leçon du *Parisinus* citée plus haut. La devons-nous à la profession religieuse de l'éditeur? Il est vrai qu'ici le *Parisinus* porte *boni clerici*, ce qui appuie le choix de dom Morin.

2. Cette expression ne revient pas moins d'une vingtaine de fois dans l'œuvre de Césaire, bien qu'il ne cite qu'une fois, dans le

dit l'Apôtre : « Qui sème chichement, moissonnera aussi chichement[b] », et un peu plus loin : « Faites le bien à tous et en particulier à nos proches dans la foi[c]. »

Qui sont nos proches dans la foi, mes frères, sinon les bons clercs, les moines[1] et tous les autres serviteurs de Dieu, qui fuient les empêchements de ce monde, se consacrent à Dieu et s'adonnent aux lectures et aux prières ? En vérité, il faut donner selon nos moyens à tous ceux qui demandent ; et aux serviteurs de Dieu qui rougissent de demander, il faut offrir même s'ils n'ont pas demandé. Appliquons-nous donc, frères bien-aimés, à agir de telle façon que nous puissions être à l'abri du mal qui nous est annoncé. Ce mal qui nous est annoncé[2], quel sera-t-il ? « Éloignez-vous de moi, maudits, vers le feu éternel, qui a été préparé pour le diable et pour ses anges ; car j'ai eu faim et vous ne m'avez pas donné à manger[d]. »

Je vous en prie, frères, n'écoutez pas cela d'une oreille distraite et négligente, mais faites tous vos efforts, avec l'aide de Dieu, pour ne pas ravir le bien d'autrui et pour distribuer très abondamment de vos propres biens aux pauvres du Christ, méditant sans cesse d'un cœur touché de componction et dialoguant ainsi avec vous-mêmes : Si l'on envoie au feu celui qui n'a pas donné de son bien, où crois-tu que sera envoyé celui qui a pris le bien des autres ? Puisse donc cette parole terrifiante et terrible ne pas nous être adressée à cause de notre avarice : « Éloignez-vous de moi, maudits, vers le feu éternel[e] ; » mais que plutôt, à cause de nos aumônes, nous méritions d'entendre cette parole désirable : « Venez, bénis, prenez possession

---

Sermon 157, 1, le verset 7 du psaume 111 à laquelle il l'a probablement empruntée : « in memoria sempiterna erit iustus, ab audito malo non timebit. » — Il est à remarquer que Césaire suit ici une version établie sur l'hébreu, celle établie sur la Septante offrant un terme légèrement différent : « ... ab auditione mala ... »

quod vobis para|tum est ab origine mundi : quia esurivi, et dedistis mihi mandu|care : sitivi, et dedistis mihi bibere[f] »; necnon et illa manu mittentis |Domini vox ad nos feliciter dirigatur : « Euge serve bone et fidelis, |intra in gaudium Domini tui[g]. » Praestante Domino nostro
15 Iesu Christo, [15]cui est honor et gloria in saecula saeculorum. Amen.

116,12 manu A[1pc] : manus V[1]A[1ac·5] maius A[4·6].

[f] Matth. 25, 34-35   [g] Matth. 25, 21-23.

du royaume qui vous a été préparé depuis l'origine du monde ; car j'ai eu faim et vous m'avez donné à manger ; j'ai eu soif et vous m'avez donné à boire[f] ; » ou que la voix du Seigneur, nous libérant, s'adresse à nous pour notre bonheur : « C'est bien, serviteur bon et fidèle, entre dans la joie de ton maître[g]. » Avec l'assistance de notre Seigneur Jésus-Christ, à qui appartiennent l'honneur et la gloire pour les siècles des siècles. Amen.

SERMO XXVIII

Incipit ammonitio de opere misericordiae. Et quomodo duo genera misericordiae fieri debeant †

1. Rogo vos, fratres, misericordiam pauperum attentius cogitetis, ǀet dum tempus est misericordiae, agite opera
20 bona, quia venturum ²⁰est tempus iudicii. Numquid enim de die iudicii fallere nos poterit ǀDominus Deus noster, qui nos in nullo fefellit? Fratres mei, diligenter ǀadtendite, et videte quia omnia quae nobis in scripturis divinis
117 (117) promissa sunt, iam pene completa sunt. Promisit enim illic Filium ǀsuum venturum in carne, et factum est. Promisit passurum, resurrecǀturum, et factum est. Promissum est in caelum ascensurum, et factum ǀest. Promissum
5 est, quod in nomine ipsius crediturae erant gentes, ⁵et factum est. Promissum est, quia per nomen ipsius delenda erant ǀidola, et factum est. Et praedictum est quia de

---

Sermo XXVIII : H² *Londinensis B.M. Addit.* 30853   s. XI/XII
H¹⁰ *Montepessulanus Scholae Medicinae*
152   s. IX
116,20 Numquid : non H¹⁰.

---

1. Sermon découvert et édité pour la première fois par dom Morin. Celui-ci a longuement décrit un des deux manuscrits sur lesquels il s'appuie, un homiliaire de Tolède (H²), actuellement à Londres, qui contient plus ou moins fidèlement reproduit un bon cinquième des sermons de Césaire. Voir G. Morin, *Anecdota Maredsolana*, t. I, 1893, p. 406-425 et l'introduction de son édition, p. LXXXIV-LXXXV.

SERMON XXVIII

Début d'une monition sur les œuvres de miséricorde; et comment on doit exercer deux sortes de miséricorde[1]

1. Je vous prie, frères, de réfléchir avec une attention particulière à la miséricorde envers les pauvres. Faites de bonnes œuvres durant le temps de la miséricorde, car viendra le temps du Jugement. En effet, le Seigneur notre Dieu aurait-il pu nous tromper à propos du jour du Jugement, lui qui ne nous a trompés en rien? Mes frères, faites bien attention et voyez que tout ce qui nous a été promis dans les divines Écritures est maintenant presque réalisé. En effet, là, Dieu a promis que son Fils viendrait s'incarner et cela s'est fait. Il a promis qu'il souffrirait, qu'il ressusciterait et cela s'est fait. Il fut promis qu'il monterait au ciel et cela s'est fait. Il fut promis que les nations croiraient en son nom et cela s'est fait. Il fut promis que par son nom les idoles seraient détruites et cela s'est fait. Et il fut prédit que des foules se sépa-

Dom Morin datait cet homiliaire des xie/xiie s. — Récemment, R. GRÉGOIRE, dans son livre, *Les Homéliaires du Moyen Âge*, Rome 1966, p. 161, fait remonter ce manuscrit jusqu'à la seconde moitié du viie siècle. Il semble d'ailleurs n'avoir pas encore livré toutes ses richesses. Monsieur l'abbé ÉTAIX y a déjà découvert un sermon inédit de Césaire : *Nouveau sermon pascal de S. Césaire d'Arles, RB*, LXXV (1965), p. 201-203. — Bien que son patronage ne soit pas mentionné dans le titre, le *Sermon* 28 est un de ceux où Césaire utilise largement Augustin.

ecclesia discessurae ᶦerant turbae et hereses, et scismata
moliturae, et ecce factum est. ᶦCum ergo ista omnia
promissa sint et impleta, de solo die iudicii Deus ᶦmentiri
potest? Credite, fratres mei, sic est et illud venturum,
10 quomodo ¹⁰ista omnia iam venerunt.

Deus enim non solum debitorem se fecit, ᶦsed et cautionem scripsit. Cautiones promissionum eius in ecclesia
ᶦrecitantur. Si dicat nobis : Quid dubitatis, quia et illud
ultimum ᶦreddam? Facite mecum rationem. Videamus quid
debeo. Cum enim ᶦin tantis ostendero redditorem, de ultimis
15 debitis nonne plus feci ¹⁵quam debeo? Quid debeo?
Incredibilius est quod iam feci, ut Filius ᶦmeus habeat
vobiscum mortem vestram. Non vobis dabit vitam ᶦsuam,
qui voluit communem vobiscum habere mortem vestram?
ᶦPertulit mala vestra : numquid negabit bona sua? Filius
Dei pro nobis ᶦmortuus est, fratres : si forte non creditis,
20 operibus credite. Ista ²⁰quae modo videmus, nondum erant
ante oculos discipulorum suorum. ᶦQuando Christum
apostoli videbant post resurrectionem, ecclesiam ᶦtoto
orbe diffusam non videbant. Illi caput videbant, credebant
de ᶦcorpore; nos videmus corpus, credamus de capite.

2. Haec ergo attentius cogitantes, fratres dilectissimi,
25 convertamur ²⁵ad meliora, dum in nostra sunt potestate

117,7 moliturae *suppl. Mor. ex* H² ‖ 8 impleta : numquid *add.* H² ‖
11 promissionum : promissorum H² ‖ 13 reddam *Mor.* : reddat H¹⁰
def. H² ‖ 18 numquid : non H¹⁰ ‖ 22 Illi caput videbant *suppl. Mor.*
ex H²

---

1. Tout ce qui précède au sujet des promesses est inspiré
d'AUGUSTIN, *Serm.* 110, 4, *PL* 38, col. 640-641 ; cf. t. I, Introd.,
p. 107. Augustin, cependant, est plus explicite encore sur les promesses
que Dieu nous a faites. Il termine ainsi : « Promissorum suorum nobis
chirographum fecit ... promittendo debitorem se Deus fecit : id est,
non mutuo accipiendo. Non possemus ergo ei dicere : Redde quod
accepisti ; sed plane dicimus : Redde quod promisisti. »

reraient de l'Église et qu'elles fomenteraient des hérésies et des schismes et voici que cela s'est fait. Donc, puisque toutes ces promesses se sont réalisées, Dieu peut-il mentir seulement à propos du Jugement? Croyez, mes frères, que cela aussi arrivera ainsi, comme tous ces événements sont déjà arrivés.

Car Dieu non seulement s'est fait notre débiteur, mais il a écrit aussi une garantie[1]. Les garanties de ses promesses sont lues à haute voix dans l'église. S'il nous disait : Pourquoi doutez-vous que je m'acquitte de cette dernière partie aussi? Faites le compte avec moi : Voyons ce que je dois. Car lorsque j'aurai montré tout ce que j'ai rendu, n'aurai-je pas prouvé que j'ai fait plus que je ne dois pour les dernières dettes? Que dois-je? Ce que j'ai déjà fait est assez incroyable, à savoir que mon Fils partage avec vous votre mort. Ne vous donnera-t-il pas sa vie, lui qui a voulu avoir en commun avec vous votre mort? Il a porté vos maux jusqu'au bout : est-ce qu'il vous refusera ses biens? Le Fils de Dieu est mort pour nous, frères : si par hassard vous ne croyez pas, croyez aux œuvres[2]. Ce que nous voyons maintenant n'était pas encore devant les yeux de ses disciples. Quand les apôtres voyaient le Christ après la résurrection, ils ne voyaient pas l'Église répandue par toute la terre. Eux voyaient la tête, ils croyaient au corps ; nous, nous voyons le corps ; croyons en la tête[3].

L'aumône, trésor du riche   **2.** Réfléchissant donc à cela avec une grande attention, frères bien-aimés, convertissons-nous à une vie meilleure, pendant que les remèdes sont en notre pouvoir.

---

2. Cf. *Jn* 10, 38 ; 14, 11.

3. Cf. Augustin, *Serm.* 116, 6, *PL* 38, col. 660 : « ... Quomodo illi illum videbant, et de corpore credebant : sic nos corpus videmus, de capite credamus. »

remedia. Qui divites sunt |non superbiant, sed elemosinas
largius tribuant : ne forte, si modo |negaverint micam,
postea sine causa desiderent guttam. Qui pauperes |sunt
non desperent, non murmurent, sed semper Deo gratias
agant. |Non desiderent, non quaerant divitum habere
30 delicias; sed patienter ³⁰sufficientiam vel paupertatem
sustineant in hoc mundo, ut cum |Lazaro elevari mereantur
in caelo.

118   Consideremus, fratres dilectissimi, (118) et timeamus
illud quod Dominus de illo vanissimo divite in evangeliis
|dixit, ut nos admoneret ne talia imitari vellemus. Illum
divitem |dico, « cui uberes fructus ager adtulerat[a] », et
quem plus copia quam |inopia conturbaverat. « Cogitavit
5 enim intra se dicens : Quid faciam? ⁵quia non habeo quo
congregem fructos meos[b]. » Et cum aestuasset |artatus,
tandem sibi visus est invenisse consilium, <sed vanum
consi|lium :> hoc enim consilium non invenit prudentia,
sed avaritia.

|« Destruam, inquid, veteres apotecas minores <et
novas faciam |ampliores>, et implebo eas, et dicam
10 animae meae : Anima, habes ¹⁰multa bona : satiare,
iocundare. Ait illi Dominus : stulte[c] », in |quo tibi sapiens
videris; quid dixisti? « Dicam animae meae : Habes |multa
bona, satiare. Hac nocte auferetur anima tua : haec, quae
|praeparasti, cuius erunt?[d] » « Quid enim prodest homini,

29 desiderent, non : disperent, neque H² ‖ 31 Lazaro : electis
omnibus H² ‖ in caelo : *hic des. fragm. in* H² *per doxol.* adiubante
domino *etc.*

118,2 vellemus *Mor.* : vellimus H¹⁰ ‖ 6-7 sed vanum consilium
suppl. Mor. ex Augustino, serm. 36, 9

2 [a] Lc 12, 16   [b] Lc 12, 17   [c] Lc 12, 18-20   [d] Lc 12, 19-20

Que les riches ne soient pas orgueilleux, mais distribuent des aumônes avec une grande largesse, de peur que, s'ils refusent maintenant une miette, par la suite ils ne viennent à désirer en vain une goutte[1]. Que les pauvres ne désespèrent pas, ne murmurent pas, mais rendent toujours grâces à Dieu. Qu'ils ne désirent pas, qu'ils ne recherchent pas les raffinements des riches ; mais qu'ils supportent avec patience la médiocrité ou la pauvreté en ce monde pour mériter d'être élevés avec Lazare dans le ciel.

Réfléchissons, frères bien-aimés, et craignons ce que le Seigneur a dit dans les Évangiles de ce riche si vain, pour nous exhorter à ne pas vouloir imiter de pareilles attitudes[2]. Je parle de ce riche « dont le champ avait fourni une récolte abondante[a] » et auquel l'abondance avait plus fait perdre la tête que ne l'aurait fait le besoin. « Il réfléchit, en effet, se disant en lui-même : Que ferai-je ? car je n'ai pas de place où rassembler mes récoltes[b]. » Et comme, pris de court, il était en proie à une vive agitation, il lui sembla avoir enfin trouvé une solution ; <mais une solution vaine,> car ce n'est pas la prudence qui dicta cette solution, mais l'avarice.

« Je détruirai, dit-il, les anciens celliers qui sont trop petits, <et j'en construirai de nouveaux plus spacieux ;> et je les remplirai et je dirai à mon âme : Mon âme, tu as beaucoup de biens, rassasie-toi, réjouis-toi. Le Seigneur lui dit : insensé[c] », où tu t'imagines être sage ! Qu'as-tu dit ? « Je dirai à mon âme : Tu as beaucoup de biens, rassasie-toi. Cette nuit on t'arrachera ton âme ; ce que tu as préparé, à qui cela sera-t-il ?[d] » « A quoi sert-il à l'homme

1. Cf. *Lc* 16, 21.24.
2. Ce qui suit, jusqu'à la fin du paragraphe 2, est repris à peu près textuellement d'Augustin, *Serm.* 36, 9, *CCL*, XLI, p. 441, y compris la version de la citation de *Lc* 18, 19. Voir sur ce sermon, t. I, Introd., p. 105-107.

si totum |mundum lucretur, animae autem suae detri-
15 mentum patiatur?[e] » [15]Ideo « redemptio animae viri divitiae
ipsius[f]. » Has ille vanus et stultus |divitias <non>
habebat : animam quippe suam elemosinis non redime|bat.
Fructus perituros recondebat : fructos, inquam, perituros
|recondebat, cum quibus et ipse erat periturus.

Nihil largiens Domino, |ad quem fuerat exiturus, quam
20 frontem habiturus in illo iudicio, [20]cum audire coeperit :
« Esurivi, et non dedistis mihi manducare[g] »? |Animam
enim suam superfluis et nimiis epulis satiare cupiebat;
|pauperum tot inanes ventres superbissimus contemnebat.
Nesciebat |pauperum ventres horreis suis esse tutiores.
Quod enim in illis hor|reis condebat, fortasse et a furibus
25 auferebatur; si autem reconderet [25]in pauperum ventribus,
in terra quidem digerebatur, sed in caelo |tutius servabatur.

3. Et ut haec cum Dei adiutorio secundum quod
Dominus prae|cepit implere possimus, duo genera elemo-
sinarum facere studeamus : |id est, ut non solum esurien-
30 tibus panem demus, sed etiam peccan[30]tibus in nobis cito
indulgentiam tribuamus. Qualiter autem medica|mentum
verae caritatis etiam non petentibus inimicis nostris
debeamus |ingerere, in evangeliis Domino docente cogno-
vimus. Sic enim ait : |« Si peccaverit <in te> frater tuus,
119 corripe illum inter te et ipsum (119) solum[a]. » Si neglexeris,
peior eris. Ille iniuriam fecit, et iniuriam faciendo |se gravi
vulnere percussit : tu vulnus fratris contemnis? Tu eum

---

16 non *suppl. Mor. ex Augustino* : *om.* H[10].
119,2 eum *ex Augustino, serm.* 82, 7 : cum H[10]

---

[e] Matth. 16, 26   [f] Prov. 13, 8   [g] Matth. 25, 42.
3 [a] Matth. 18, 15

---

1. Tout ce passage, jusqu'à la fin du paragraphe 3, est également
emprunté à AUGUSTIN, cette fois au *Serm.* 82, 7, *PL* 38, col. 510-511.

de gagner le monde entier, s'il subit la perte de son âme ?[e] »
C'est pourquoi, « la rançon de l'âme d'un homme, ce sont
ses richesses[f]. » Ces richesses-là, cet homme vain et insensé
\<ne\> les possédait \<pas\>, car il ne rachetait pas son
âme par des aumônes. Il mettait en réserve des fruits
périssables ; il mettait en réserve, dis-je, des fruits périssables avec lesquels il devait aussi périr lui-même.

Ne faisant aucune largesse au Seigneur vers lequel
il lui faudra aller au sortir de cette vie, quel front pré-
sentera-t-il au Jugement, lorsqu'il commencera à entendre :
« J'ai eu faim et vous ne m'avez pas donné à manger[g] » ?
Car il désirait rassasier son âme de festins superflus et
excessifs ; il méprisait dans son immense orgueil le ventre
vide de tant de pauvres. Il ne savait pas que les ventres
des pauvres étaient plus sûrs que ses greniers. Car ce
qu'il cachait dans ces greniers pouvait être emporté par
les voleurs ; tandis que s'il le mettait dans les ventres
des pauvres, c'était, en vérité, digéré sur terre, mais lui
était conservé de façon très sûre dans le ciel.

3. Et pour pouvoir accomplir cela,
avec l'aide de Dieu, selon le commandement du Seigneur, appliquons-
nous à faire deux sortes d'aumônes, c'est-à-dire : non
seulement donnons du pain à ceux qui ont faim, mais aussi
accordons vite notre pardon à ceux qui ont péché contre
nous. Quel remède de vraie charité devons-nous faire
absorber à nos ennemis, sans même qu'ils le demandent ?
Nous le savons par l'enseignement du Seigneur dans les
Évangiles. Voici, en effet, ce qu'il dit : « Si ton frère a
péché \<contre toi\>, reprends-le seul à seul[a]. » Si tu
négliges de le faire, tu seras plus méchant que lui[1]. Il t'a
fait injure et te faisant injure il s'est fait à lui-même une
grande blessure. Tu méprises la blessure de ton frère ?

**Le pardon,
aumône spirituelle**

ᴵvides perire vel perisse, et neglegis? Peior es tacendo,
quam ille ᴵconviciando. Quando ergo in nos aliquis peccat,
5 habeamus magnam ⁵curam, <non> pro nobis : nam
gloriosum est iniurias oblivisci; <sed ᴵobliviscere> iniuriam tuam, non vulnus fratris tui.

Ergo « corripe ᴵinter te et ipsum solum », instans correc-
tioni, parcens pudori. Forte ᴵenim per verecundiam incipit
defendere peccatum suum; et quem ᴵvis facere correc-
10 tiorem, facis peiorem. « Corripe ergo inter te et ¹⁰ipsum
solum : si te audierit, lucratus es fratrem tuumᵇ », quia
perierat ᴵnisi faceres. « Si autem non te audieritᶜ », et
peccatum suum quasi ᴵiustitiam defenderit, « adhibe illi
duos vel tres : quia in ore duorum ᴵvel trium testium stabit
omne verbum. Si nec ipsos audierit, ᴵrefer ad ecclesiam.
15 Si ecclesiam non audierit, sit tibi tamquam ¹⁵ethnicus et
publicanusᵈ. » Noli illum iam deputare in numero fratrum
ᴵtuorum; nec ideo tamen salus illius neglegenda est. Nam
et ipsos ethniᴵcos, id est, gentiles et publicanos in numero
quidem fratrum non depuᴵtamus, sed tamen eorum salutem
semper inquirimus.

Hoc ergo ᴵaudivimus Dominum ita monentem, tamquam
20 curam praecipientem, ²⁰ut etiam hoc adderet continuo :
« Amen dico vobis, quaecumque ᴵligaveritis super terram,
erunt ligata et in caeloᵉ. » Coepisti habere ᴵfratrem tuum
tamquam publicanum; ligas illum in terra, sed iuste ᴵalliges
vide : nam iniusta vincula disrumpit iustitia. Cum autem
ᴵcorrexeris et concordaveris cum fratre tuo, solvisti illum
25 in terra : ²⁵cum solveris in terra, solutus erit in caelo.

4 conviciando *Mor.* : conviciendo H¹⁰ ‖ 5 non *suppl. Mor. ex
Augustino* : *om.* H¹⁰ ‖ 5-6 sed obliviscere *suppl. Mor. ex Augustino* :
om. H¹⁰ ‖ 8 quem *ex Augustino* : qui H¹⁰ ‖ 9 facis *Mor.* : facit H¹⁰ ‖
11 faceres *Mor.* : feceris H¹⁰ ‖ 16 neglegenda *Mor.* : neglegendum
H¹⁰ ‖ 18 inquirimus *Mor.* : inquiramus H¹⁰

Tu vois qu'il périt ou qu'il a péri et tu t'en désintéresses ?
Tu es plus méchant en te taisant que lui en t'offensant.
Donc, quand quelqu'un pèche contre nous, soyons en grand
souci : < non > pour nous, car il est glorieux d'oublier
les injures ; < mais oublie > l'injure qu'on t'a faite, non la
blessure de ton frère.

Donc, « reprends-le seul à seul », t'empressant de le
corriger, épargnant son respect humain. Car peut-être
par honte commence-t-il à défendre sa faute ; et lui que
tu veux corriger, tu le rends pire. « Reprends-le donc seul
à seul ; s'il t'écoute tu as gagné ton frère[b] », parce qu'il
aurait péri si tu n'avais pas agi ainsi. « Mais s'il ne t'écoute
pas[c] » et qu'il défende sa faute comme s'il avait agi selon
la justice, « fais venir deux ou trois personnes ; car toute
parole se confirmera dans la bouche de deux ou trois
témoins. Et s'il ne les écoute pas non plus, réfères-en à
l'Église. S'il n'écoute pas l'Église, qu'il soit pour toi
comme un païen et un publicain[d]. » Ne le compte plus
désormais au nombre de tes frères ; mais ne néglige pas
son salut pour autant. Car les païens eux-mêmes, c'est-à-
dire les gentils et les publicains, nous ne les comptons
pas en vérité au nombre de nos frères, mais pourtant nous
recherchons toujours leur salut.

Nous avons donc entendu le Seigneur si bien nous
avertir, ayant à nous prescrire ce soin, qu'il ajoutait cela
aussitôt après : « En vérité, je vous le dis, tout ce que vous
lierez sur terre, sera lié aussi dans le ciel[e]. » Tu commences
à considérer ton frère comme un publicain ; tu le lies sur
terre, mais veille à ne l'enchaîner que si c'est juste ; car
la justice rompt les liens injustes. Mais lorsque tu as
amendé ton frère et que tu t'es réconcilié avec lui, tu l'as
délié sur terre ; lorsque tu l'auras délié sur terre, il sera

[b] Matth. 18, 15   [c] Matth. 18, 16   [d] Matth. 18, 16-17   [e] Matth.
18, 18.

Multum prestas, non tibi, |sed illi : quia multum nocuit,
non tibi, sed sibi.

4. Haec ergo, fratres carissimi, si secundum sanctam
consuetu|dinem vestram feliciter audientes in thesauris
memoriae vel conscien|tiae vestrae reconditis, qualiter
30 non solum amicos sed etiam inimi³⁰cos possitis vel debeatis
diligere, evidentissime cognoscetis. Et cum |hoc Christo
auxiliante perfeceritis, securi in oratione dominica ad
|Deum clamabitis : « Dimitte nobis debita nostra, sicut et
nos dimit|timus debitoribus nostrisᵃ. » Et ille qui vobis in
120 evangelio cautionem (120) fecit dicens « Si dimiseritis
hominibus peccata eorum, dimittet |et vobis Pater vester
caelestis peccata vestraᵇ », respondebit sine |dubio :
« Venite benedicti, percipite regnum quod vobis paratum
|est ab origine mundiᶜ »; quia bene custodistis praeceptum
5 evangelii ⁵mei, sumite consortium regni mei. Cui est
honor et imperium cum |Patre et Spiritu sancto in saecula
saeculorum.

30 cognoscetis *Mor.* : cognoscentes H¹⁰.

4 ᵃ Matth. 6, 12   ᵇ Matth. 6, 14   ᶜ Matth. 25, 34.

délié dans le ciel. Tu rends un grand service, non à toi, mais à lui ; car il avait fait beaucoup de mal, non à toi, mais à lui.

4. Si donc, frères très chers, vous écoutez cela avec d'heureuses dispositions selon votre sainte habitude, et le mettez en réserve dans le trésor de votre mémoire et de votre conscience, vous comprendrez de façon tout à fait évidente comment vous pouvez et devez aimer non seulement vos amis, mais encore vos enemis. Et lorsque, avec l'aide du Christ, vous aurez accompli cela, vous crierez à Dieu avec pleine assurance dans l'Oraison dominicale : « Remets-nous nos dettes comme nous aussi nous les remettons à nos débiteurs[a]. » Et celui qui vous a donné une garantie dans l'Évangile en disant : « Si vous remettez aux hommes leurs péchés, votre Père céleste vous remettra aussi vos péchés[b] », répondra sans aucun doute : « Venez, bénis, prenez possession du royaume qui vous a été préparé depuis l'origine du monde[c] ; » parce que vous avez bien observé le précepte de mon Évangile, prenez part à mon royaume. A celui-là appartiennent l'honneur et la puissance avec le Père et l'Esprit saint pour les siècles des siècles.

SERMO XXIX

De caritate proximi et de amore inimicorum

1. Quantum nos, fratres dilectissimi, caritas vestra
desideret, ex ᴵmeis animis recognosco; et licet vos humi-
10 litatem meam adsidue ¹⁰videre velitis, tamen ego, si posset
fieri, frequentius de conspectu ᴵvestro et vestrum et meum
vellem desiderium satiari : sed patienter ᴵtolerare debemus,
quod implere pro temporum necessitate non possuᴵmus.
Sed licet corporaliter nos propter multas necessitates videre
ᴵnon valemus, caritate tamen et sancto amore semper
15 pariter sumus. ¹⁵Pro qua re nihil nocet corporis separatio,
ubi est animorum vera et ᴵsincera coniunctio.

Caritas enim ipsa vera est, quae corporaliter ᴵseparatos
consuevit spiritaliter copulare atque coniungere : duo
enim, ᴵqui se sancto amore diligunt, etiamsi unus sit in
oriente, alius in ᴵoccidente, ita caritate conglutinante
20 iunguntur, ut numquam ab invicem ²⁰separentur. Audi
Apostolum dicentem laudem verae et integrae cariᴵtatis;

Sermo XXIX : T¹ *Remensis* 394 (E. 295)   s. XI
               H⁴⁰ *Monacensis lat.* 16106   s. XI/XII

120,7 De caritate : sermo s. Agustini *praem.* T¹ ‖ 10 ego *om.* T¹ ‖
11 et vestrum et meum vellem desiderium : et vestro et meo vellem
desiderio H⁴⁰ et vestram et meam desiderio satiari animam T¹ ‖ 13
multas *om.* T¹ ‖ 14 semper : usi H⁴⁰ ‖ 20 verae et *om.* T¹

1. Nouvel exemple de sermon prononcé dans une paroisse, en
dehors d'Arles. — Dom Morin ne semble pas avoir consulté, pour

SERMON XXIX

De la charité envers le prochain et de l'amour des ennemis[1]

1. Combien votre charité désirait notre venue, frères
bien-aimés, j'en juge par mes propres sentiments ; et
même, vous avez beau désirer voir sans cesse mon humble
personne, de mon côté, si c'était possible, je voudrais plus
fréquemment encore satisfaire, en venant vous voir, votre
désir et le mien ; mais nous devons supporter avec patience
de ne pouvoir[2] combler ce désir à cause de la nécessité
des temps. D'ailleurs, même si de nombreux empêchements
nous privent de nous voir en personne, cependant par la
charité et un saint amour nous sommes toujours ensemble.
Pour cette raison, la séparation physique ne nuit en rien,
lorsqu'il existe une vraie et sincère union des âmes.

La vraie charité est celle qui sait lier et réunir spirituellement ceux qui sont séparés physiquement : quand deux
êtres, en effet, s'aiment d'un saint amour, même si l'un
est en orient, l'autre en occident, ils sont si bien unis
par la charité qui les joint, qu'ils ne sont jamais séparés
l'un de l'autre. Écoute l'Apôtre chanter la louange de la
vraie et parfaite charité. Voici ce qu'il dit : « Si je parle

l'établissement de son texte, le *Parisinus lat.* 2035, fol. 238-240,
du IXe/Xe siècle. Nous mentionnons à leur place quelques variantes
qui nous ont paru dignes d'intérêt, à commencer par le titre assez
différent : *Incipit sermo sancti Augustini de dilectione Dei et proximi.*

2. Le *Parisinus* donne *possumus* au lieu de *valemus.*

sic enim ait : « Si linguis hominum loquar et angelorum,
ᴵcaritatem autem non habeam, nihil mihi prodest[a] », et
121 cetera. Et (121) post pauca addidit dicens : « Caritas
patiens est, benigna est[b] », et ᴵreliqua. Et licet sufficienter
praeconia eius plenus Spiritu sancto ᴵPaulus apostolus
praedicaverit, tamen, quia sancta caritas dulce est ᴵac
salubre vinculum mentium, etiam nos parvuli secundum
5   modulum ⁵nostrum de illa quantum possumus conquiramus.

2. Magnae sunt divitiae caritatis, carissimi, sine qua
dives pauper ᴵest, et cum qua pauper dives est. Nam dives
si caritatem non habeat, ᴵquid habet? Quamlibet grandis
substantia sine caritate inanis et ᴵvacua est : caritas,
10   etiamsi de terrenis facultatibus nihil habeat, ¹⁰plena est.
Unde quamlibet aliquis copiosas divitias habeat, si caritas
ᴵin illo non fuerit, nihil boni ex illis facere poterit : quia
sine vera ᴵet caelestium virtutum matre et magistra, quid
facere debeat, et quando ᴵvel quantum dare debeat,
omnino non novit. Et ideo quantum potest ᴵunusquisque
elaboret, ut habeat caritatem, ut habeat lucem, ut habeat
15   ¹⁵oleum.

Caritas oleo conparatur : nam quomodo oleum omnibus
ᴵhumoribus superius esse cognoscitur, ita et caritas omnibus
virtutibus ᴵsublimior conprobatur. Nam si aliquis infinitas
divitias possideat, ᴵet non habeat caritatem, sic est,
quomodo si habeat plures lucernas ᴵet multas lampades
20   pinguedinem non habentes. Lucerna vel lampas ²⁰sine oleo
accensa fumare potest, foetere potest, lucem habere non

---

21 linguis : quicquid *add.* T¹ ‖ 22 et cetera *om.* H⁴⁰.

121,1-2 et reliqua *om.* H⁴⁰ ‖ 14 unusquisque *Mor.* : *om.* T¹H⁴⁰ ‖ 16
superius : superior T¹

---

1 [a] I Cor. 13, 1.3   [b] I Cor. 13, 4.

les langues des hommes et des anges, mais que je n'aie
pas la charité, cela ne me sert à rien[a] », etc. Et un peu
plus loin il ajoute ces mots : « La charité est patiente,
elle est bienveillante[b] », et le reste. Bien sûr l'apôtre Paul,
rempli de l'Esprit saint, en a suffisamment fait l'éloge
dans sa prédication ; pourtant, parce que la charité est
un lien des esprits doux et salutaire[1], nous aussi, si petits
que nous soyons, mettons-nous à sa recherche selon nos
modestes moyens, de tout notre pouvoir.

2. Grandes sont les richesses de
Les richesses
de la charité
la charité, très chers ; sans elle le
riche est pauvre et avec elle le pauvre
est riche[2]. En effet, si le riche ne possède pas la charité,
que possède-t-il ? Une fortune aussi grande qu'on voudra
sans la charité est vaine et sans valeur ; la charité, même
si elle ne possède aucune ressource terrestre, est opulente.
Dès lors, si quelqu'un possède des richesses aussi abondantes
qu'on voudra et qu'il n'y ait pas de charité en lui, il ne
pourra rien faire de bon avec tous ces biens ; car sans la
véritable mère et maîtresse des vertus célestes, il n'a
aucune idée de ce qu'il doit faire, ni du moment ni de la
somme qu'il doit donner. Ainsi donc, que chacun s'efforce
de tout son pouvoir de posséder la charité, afin de posséder
la lumière, afin de posséder l'huile.

La charité est comparable à l'huile ; en effet, comme
on sait que l'huile s'élève au-dessus de tous les liquides,
ainsi la charité est également reconnue comme la plus
sublime de toutes les vertus. Car si quelqu'un possédait
des richesses infinies et n'avait pas la charité, c'est comme
s'il avait plusieurs lampes et de nombreux luminaires
sans avoir de graisse. La lampe ou le luminaire sans huile,
une fois allumé, peut fumer, peut sentir mauvais, il ne

1. Cf. *supra*, *Serm.* 23, 4 et la note 1 de la p. 50.
2. *Ibidem*. Cf. aussi *Serm.* 22, 2 et la note 1 de la p. 32.

ǀpotest : sic et qui habet divitias sine caritate, ardere potest de iraǀcundia, fumare de superbia, foetere de avaritia ; sine caritate penitus ǀnon potest lucem habere.

Caritas si in te fuerit, quamlibet tibi sit ǀgrandis substantia, novit quid de illa agere debeat : ipsa scit optime,
25 ²⁵cui vel quantum porrigat, quid tribuat, quid reservet; ipsa intellegit, ǀquantum animae reponat in caelo, et quantum corpori reservet in ǀmundo. Satis bona ordinatrix est, fratres : bene novit congregare ǀin aestate, quod possit in hieme habere; hoc est, scit providere per ǀelemosynam in hoc saeculo, quod inveniat in futuro. Habete caritatem,
30 ³⁰fratres : quia sine illa quicquid aliud boni in homine fuerit, nihil ǀesse poterit.

3. Sed et veram caritatem habete, fratres. Quae est vera caritas? ǀQuae omnem hominem diligit sicut se ipsum. Est vera caritas, quae ǀnon solum usque ad amicos, sed usque
35 ad ipsos pervenit inimicos. ³⁵Nemo se circumveniat, fratres : qui istam caritatem non habuerit, ǀDeum videre non poterit,
122 nec audire merebitur « Venite benedicti (122) Patris mei, percipite regnumᵃ. »

Certe videtis quod in lectione evanǀgelica nihil aliud Dominus nominaverit de universis virtutibus, nisi ǀsolam elemosinam, quae cum caritate operatur. De ramis tacuit; ǀradicem tantummodo nominavit, ita dicens : « Venite
5 benedicti, ⁵percipite regnum : esurivi enim, et dedistis mihi manducareᵇ. » ǀEt iterum ipse Dominus, « Verumtamen date elemosynam, et ecce ǀomnia munda sunt vobisᶜ. » Omnis homo qui caritatem vult habere ǀin futuro

30-31 nihil esse poterit : totum perdit T¹.
122,7 vobis : *hic desinit* T¹ *reliquo folio vacuo relicto.*

---

3 ᵃ Matth. 25, 34   ᵇ Matth. 25, 35   ᶜ Lc 11, 41

---

1. Le terme *lectio* nous indique que ces versets de l'Évangile de Matthieu avaient été lus durant l'office.

peut pas produire de lumière ; de même, celui qui possède
des richesses, sans avoir la charité, peut brûler de colère,
fumer d'orgueil, puer d'avarice ; sans la charité, il ne peut
absolument pas produire de lumière.

Si la charité est en toi, si grande que soit ta fortune,
elle sait ce qu'elle doit en faire : elle sait parfaitement
d'elle-même à qui et combien offrir, que distribuer, que
mettre de côté ; elle discerne combien elle doit placer en
réserve dans le ciel pour l'âme, combien mettre de côté
dans le monde pour le corps. C'est une très bonne ména-
gère, frères ; elle sait bien amasser durant l'été pour avoir
de quoi en hiver ; autrement dit, elle sait être prévoyante
en faisant des aumônes dans ce siècle, pour les retrouver
dans le monde à venir. Ayez la charité, frères ; car sans
elle tout autre bien en l'homme sera sans valeur.

3. Mais aussi, ayez la vraie charité, frères. Quelle est
la vraie charité ? Celle qui aime tout homme comme
soi-même. C'est la vraie charité, celle qui s'étend non
seulement jusqu'aux amis, mais jusqu'aux ennemis
eux-mêmes. Que personne ne s'abuse, frères ; celui qui ne
possédera pas cette charité ne pourra pas voir Dieu et ne
méritera pas d'entendre : « Venez, bénis de mon Père,
prenez possession du royaume[a]. »

Vous voyez, à coup sûr, que dans ce passage de l'Évangile[1], le Seigneur n'a rien mentionné parmi tant de vertus
que l'aumône seule, qui agit de pair avec la charité. Il
s'est tu sur les rameaux ; il n'a mentionné que la racine,
en parlant ainsi : « Venez, bénis, prenez possession du
royaume ; car j'ai eu faim et vous m'avez donné à manger[b]. » Et le Seigneur a dit encore : « Faites plutôt l'aumône,
et voici que pour vous tout est pur[c][2]. » Que tout homme
qui veut avoir la charité dans le siècle à venir se mette

2. Le manuscrit T se termine ici. Dom Morin a dû suivre ensuite
les Mauristes et leur *Colbertinus*.

saeculo, faciat illam sibi patronam in hoc mundo, ut illam
|propitiam inveniat in aeternum. Nam quomodo arbor,
10 quamlibet ¹⁰pulchra sit et fructifera, non potest vivere
sine radice, sic quaelibet |opera bona perseverare non
poterunt sine caritate; ipsa est enim |de qua Apostolus
dicit : « In caritate radicati et fundati ᵈ ».

4. Talem ergo habeamus caritatem, fratres, ut omnes
homines |toto corde amare possimus. Si totum genus
15 humanum sic diligis ¹⁵quomodo te, non remansit ianua
unde peccatum intret in te : omnes |aditus unde diabolus
ad animam ingreditur claudis, si totos homines |sicut te
ipsum dilexeris. Et re vera, fratres, quomodo potest fieri
|ut aliquis alteri homini malum faciat, si illum sicut se
ipsum dilexerit? |Dilige ergo, et quicquid volueris fac :
20 ama ex toto corde tuo, et quod ²⁰volueris exerce in proximo
tuo. Si irasceris, dulce est, quia de caritate |procedit :
si corripis, suave est : si castigas etiam et flagellas, acce|pta-
bile est. Quare hoc, fratres? Quia verus amor est, quando
corripis |et castigas. Quando etiam de ecclesia foras proicis,
amaritudo videtur |saevire in ore, sed dulcedo servatur
25 in corde; nec fratrem quasi ²⁵inimicum odio habes, sed
peccatum velud morbum persequeris. |E contrario sunt
qui sub falsa adulatione dulcedinem solent in ore |proferre,
et dolum vel amaritudinem in corde servare. Vos autem,
|fratres dilectissimi, veram caritatem tenentes, quae falsa
est fugite. |Audite Apostolum dicentem : « Caritas de corde
30 puro et conscientia ³⁰bona et fide non ficta ᵃ. » Ego, fratres,
quando de caritate loquor, |tacere non possum. Quare hoc?

ᵈ Éphés. 3, 17
4 ᵃ I Tim. 1, 5

---

1. La formule célèbre d'Augustin : « Dilige, et quod vis fac », se
lit dans *Tract. in Ioh. epist.*, VII, 8, *SC* 75, p. 328.
2. Le *Parisinus* comme le *Colbertinus* donne *sonare* et non *saevire*.

sous son patronage dans ce monde afin de la trouver
propice pour l'éternité. Car, de même qu'un arbre aussi
beau et chargé de fruits qu'on voudra, ne peut vivre sans
racine, de même toute bonne œuvre ne pourra durer sans
la charité ; c'est d'elle en effet que l'Apôtre dit : « Enracinés
dans la charité et fondés sur elle[d]. »

La vraie charité   **4.** Ayons donc, frères, une charité
capable de nous faire aimer tous les
hommes de tout cœur. Si tu aimes ainsi tout le genre
humain comme toi-même, il ne reste pas de porte par
où le péché puisse entrer en toi ; tu fermes tous les accès
par où le diable pénètre dans l'âme, si tu aimes tous les
hommes comme toi-même. Et en vérité, frères, comment
peut-il arriver qu'un homme fasse du mal à un autre,
s'il l'aime comme lui-même ? Aime donc, et fais ce que
tu voudras[1] ; aime de tout ton cœur et agis comme tu
voudras envers ton prochain. Si tu te mets en colère, cela
est doux, car cela provient de la charité ; si tu le reprends,
cela est agréable ; si tu le châties même et si tu le flagelles,
cela est acceptable. Pourquoi cela, mes frères ? Parce que,
quand tu reprends et châties, c'est par véritable amour.
Même quand tu le jettes à la porte de l'église, l'âpreté
semble éclater avec violence[2] en paroles, mais la douceur
reste intacte dans le cœur ; et ce n'est pas ton frère que
tu hais comme un ennemi, mais le péché que tu poursuis
comme une maladie. Au contraire, il y a des gens qui, sous
couleur d'une fausse adulation, ont coutume de manifester
de la douceur en paroles et de garder de la fourberie
et de l'amertume dans le cœur. Mais vous, frères bien-
aimés, gardez la vraie charité et fuyez la fausse. Écoutez
ce que dit l'Apôtre : « La charité qui vient d'un cœur pur
et d'une bonne conscience et d'une foi qui n'est pas feinte[a]. »
Pour moi, frères, quand je parle de la charité, je ne peux
me taire. Pourquoi cela ? Parce que la charité est très

Quia satis dulcis est caritas. Qui ǀillam habet, quod dico
intellegit; vero qui non habet, forsitan me ǀinridet et
despicit. Quare inridet? Quia quam dulcis sit caritas non
ǀgustavit : gustet ergo et videat quam suavis est Dominus.
35 « Deus caritas ³⁵est^b. » Quid dulcius Deo, fratres? Qui
123 nescit, audiat prophetam dicen(123)tem quod paulo ante
suggessi : « Gustate et videte quam suavis est ǀDominus^c. »
O quam felix et beata est anima, quae caritatem in se
habere ǀmeretur ! Caritas, fratres, sitienti potus est,
esurienti cibus, in amaǀritudine positis dulcedo, in tristitia
5 constitutis vera et grata conso⁵latio, fluctuantibus portus,
errantibus via, peregrinantibus patria. ǀHanc ergo, fratres,
tenete, hanc tota aviditate diligite. Si amatores ǀestis,
amate caritatem : si fortes, vincite cupiditatem : si pere-
grini, ǀdesiderate patriam. Ipsa vos ergo caritas, si illam
tenere volueritis, ǀet gubernat in hoc saeculo, et perducit
10 ad regnum : praestante ¹⁰Domino nostro, qui vivit et
regnat in saecula saeculorum. Amen.

^b I Jn 4, 8   ^c Ps. 33, 9.

1. Le *Parisinus* donne *integra* plus satisfaisant pour le sens que
grata.

douce. Celui qui la possède comprend ce que je dis ; mais celui qui ne l'a pas, rit peut-être de moi et me regarde de haut. Pourquoi rit-il ? Parce qu'il n'a pas goûté combien la charité est douce ; qu'il goûte donc et qu'il voie combien le Seigneur est doux. « Dieu est charité[b]. » Qu'y a-t-il de plus doux que Dieu, frères ? Que celui qui l'ignore écoute le prophète dire ce que je viens de suggérer : « Goûtez et voyez combien le Seigneur est doux[c]. » Ô qu'heureuse et bienheureuse est l'âme qui mérite d'avoir en elle la charité ! La charité, frères, c'est la boisson pour celui qui a soif, la nourriture pour celui qui a faim, la douceur pour ceux qui sont dans l'amertume, la vraie et agréable[1] consolation pour ceux qui sont en proie à la tristesse, le port pour ceux qui sont ballottés par les flots, le bon chemin pour ceux qui sont égarés, la patrie pour les voyageurs. Gardez-la donc, frères, aimez-la d'un désir absolu. Si vous êtes capables d'amour, aimez la charité ; si vous êtes forts, terrassez la cupidité ; si vous êtes voyageurs, désirez la patrie. Ainsi, la charité elle-même, si vous voulez bien la garder, vous guide dans ce siècle et vous conduit jusqu'au Royaume[2], avec l'assistance de notre Seigneur, qui vit et règne pour les siècles des siècles. Amen.

2. Le *Parisinus* donne *ad vitam aeternam* au lieu de *ad regnum*. Le sermon se termine ainsi, au bas du folio 240 v.

SERMO XXX

Ammonitio sancti Caesarii per quam ostenduntur tria genera elymosinarum quibus peccata absque labore corporis redimi possunt

1. Pius et misericors Dominus, fratres carissimi, multis
15 modis ¹⁵occasiones vel oportunitates providere dignatur,
quibus possimus ᶦsine grandi labore ac difficultate peccata
nostra redimere. Nam quos ᶦvidet pro peccatis suis ad
ieiunandum virtutem non habere, et a carᶦnibus vel a
vino abstinere non posse, vendere etiam substantiam
ᶦsuam et pauperibus erogare, pauperum eis inopia providet,
20 et abun²⁰dantiores fructus tribuit : ut dum superflua sua
pauperibus largiuntur, ᶦpeccatorum indulgentiam consequantur. Quid tam pium ac delicatum, ᶦquid tam facile
et in promptu positum potest esse, fratres carissimi, ᶦquam
de id quod amplius quam opus est tibi Deus dignatus
fuerit dare, ᶦelymosinam dando studeas peccata tua
25 redimere? Non hoc iubet ²⁵Deus, ut ea quae tibi vel tuis

Sermo XXX : L¹ *Laudunensis* 121   s. IX
          L² *Berolinensis theol. fol.* 355 (Rose 307)   s. IX
          A¹ *Carnotensis* 67 (8)   s. IX
          A⁴ *Laurentianus* Plut. XVI, cod. 20   s. XI
          A⁵ *Florentinus* 586   s. X
          A¹⁰ *Ambrosianus* I.45 sup.   s. XII

123,18 posse : possunt A¹⁰ ‖ 19 eis L¹ : eius L² ‖ providet : providit
L¹·² ‖ 21 delicatum : delegatum *codd. plerique* ‖ 23 quam¹ : quod
L¹·²ᵃᶜA¹ᵃᶜ quam quod A⁴·⁵ ‖ id : eo L²ᵖᶜA¹ᵖᶜ.

SERMON XXX

Monition de saint Césaire dans laquelle sont montrés trois genres d'aumônes qui peuvent racheter les péchés sans effort physique[1]

1. Le Seigneur bon et miséricordieux, frères très chers, daigne de multiples façons nous fournir des occasions favorables pour que nous puissions sans grand effort ni difficulté racheter nos péchés. En effet, ceux qu'il voit dépourvus de la force de jeûner pour leurs péchés et incapables de s'abstenir de viandes ou de vin, il les met à même, par le dénuement des pauvres, de vendre leur bien et de le donner aux pauvres et il leur accorde des récoltes plus abondantes, afin qu'en distribuant largement leur superflu aux pauvres, ils obtiennent le pardon de leurs péchés. Que peut-il y avoir d'aussi bon et délicieux, que peut-il y avoir d'aussi facile et accessible, frères très chers, que de t'appliquer à racheter tes péchés en faisant l'aumône de ce que Dieu aura daigné te donner en plus du nécessaire ? Dieu n'ordonne pas que tu distribues ce qui t'est nécessaire

1. Dom Morin ne semble pas avoir consulté le *Parisinus lat.* 2843. Or, ce recueil de trois manuscrits des xᵉ et xiᵉ siècles, en provenance de St-Martial de Limoges, contient dans le second plusieurs sermons de Césaire dont celui-ci, aux fol. 79-83. Nous citons en leur place trois leçons de ce manuscrit qui nous semblent de quelque intérêt.

necessaria sunt debeas erogare; de quibus [etiam apostolus
dicit : « Non ut aliis sit refrigerium, vobis autem [tribu-
latio[a]. » Superflua non ille sibi indiget expendere, sed tibi
124 vult (124) in aeterna beatitudine conservare.

Nam et pauperes ideo esse voluit, [ut divites haberent
quomodo peccata sua redimerent : potuit enim [Deus
omnes homines divites facere, sed divitibus voluit mise[ri-
cordiae providere. Non enim pro suo merito pauci divites
5 plus [colligunt quam illis opus est, et multi pauperes non
colligunt nec [quod ipsis necessarium est. Hoc enim, sicut
iam dixi, divinae mise[ricordiae artificium est : ut dum
pauperes patienter egestatem tolerant, [indulgentiam
peccatorum accipiant; similiter et divites dum super[flua
misericorditer erogant, et a peccatis se redimant, et ad
10 praemia [10]aeterna perveniant.

2. Considerate, fratres carissimi, et videte quia nulla
excusatio [nobis potest remanere, per quam dicamus
peccata nostra nos non [potuisse redimere. Potes forsitan
dicere quod carnem tuam ieiuniis [ac vigiliis non possis
15 adfligere, a vino vel a carnibus non valeas absti[15]nere :
numquid potes dicere quod ea quae tibi amplius quam
opus [erat Deus dedit, non possis pro peccatis tuis pauperibus erogare? [Sed tu forte respondes et dicis : Ex eo
quod mihi Deus amplius dederit [volo filiis vel filiabus
meis argentum emere, ornamenta pretiosissima [conparare.
Cui ego respondeo : Ornamenta quidem emis, sed peccata
20 [20]non redimis. Et quia non solum decimae non sunt
nostrae, sed ecclesiis [deputatae, verum quicquid amplius
quam nobis opus est a Deo [accipimus pauperibus erogare
debemus, si quod eis deputatum est [nostris cupiditatibus

124,7 tolerant : tulerint L[1.2] ‖ 12 nos L[1.2] : *om. cett.* ‖ 17 respondes :
respondis L[1.2ac]A[5]

---

1 [a] II Cor. 8, 13.

à toi ou aux tiens ; à ce sujet même l'Apôtre dit : « Non pas
pour que cela soit une consolation aux autres et pour vous
un tourment[a]. » Ton superflu, Dieu n'a pas besoin de le
dépenser pour lui, mais il veut te le conserver transformé
en béatitude éternelle.

S'il a voulu qu'il y ait des pauvres, c'était pour que
les riches eussent le moyen de racheter leurs péchés : car
Dieu aurait pu faire tous les hommes riches, mais il a voulu
fournir aux riches une occasion de miséricorde. En effet,
ce n'est pas à cause de leur mérite qu'un petit nombre
de riches récoltent plus qu'ils n'ont besoin et que beaucoup
de pauvres ne récoltent pas même pour eux le nécessaire.
Cela, comme je l'ai déjà dit, est un artifice de la miséricorde
divine, afin que les pauvres, en supportant patiemment
leur indigence, reçoivent le pardon de leurs péchés ; et que,
de même, les riches en distribuant leur superflu avec
miséricorde, se rachètent de leurs péchés et parviennent
aux récompenses éternelles.

2. Réfléchissez, frères très chers, et voyez qu'il ne peut
nous rester aucune excuse pour prétendre que nous
n'avons pas pu racheter nos péchés. Tu peux peut-être
dire qu'il ne t'est pas possible d'affliger ta chair de jeûnes
et de veilles, que tu n'es pas en état de t'abstenir de vin
ou de viandes ; mais peux-tu dire que tu ne peux pas
distribuer aux pauvres pour tes péchés ce que Dieu t'a
donné en plus du nécessaire ? Mais peut-être réponds-tu
en disant : Avec ce que Dieu m'a donné en supplément,
je veux acheter de l'argenterie à mes fils et à mes filles
et leur procurer des bijoux très précieux. A quoi je réponds :
Tu achètes, en vérité, des bijoux, mais tu ne rachètes pas
tes péchés. Et parce que, non seulement la dîme de nos
biens ne nous appartient pas, étant destinée aux églises,
mais tout ce que nous recevons de Dieu en plus du nécessaire, nous devons le distribuer aux pauvres, si nous
réservons à nos convoitises et à nos vanités ce qui leur

vel vanitatibus reservamus, quanti pauperes in ¦locis ubi
nos sumus fame vel nuditate mortui fuerint, noverimus
25 ²⁵nos rationem de animabus illorum in die iudicii reddituros.

3. Est adhuc aliud genus elymosinarum, de quo possumus sine ¦ullo corporis labore peccata nostra redimere.
Si enim ita sit pauper, ¦ut nec aurum habeat nec frumentum
nec vinum vel oleum, unde ¦corporalem elymosinam
30 faciat; quia non potest fieri ut ab aliquibus ³⁰hominibus
non patiatur iniuriam, toto corde omnibus inimicis suis
¦indulgeat, et nullum peccatum remaneat quod eius
conscientiam ¦mordeat, et securus in oratione dominica
dicat : « Dimitte nobis ¦debita nostra, sicut et nos dimittimus debitoribus nostris[a] »; ¦et implebitur in eo illud quod
35 Christus in evangelio promittere ³⁵dignatus est, dicens :
125 « Si dimiseritis hominibus peccata eorum, (125) dimittet et
vobis Pater vester caelestis peccata vestra[b] », et illud :
¦« Date, et dabitur vobis; dimittite, et dimittetur vobis[c]. »

Videte, ¦fratres carissimi, quia sicut et illa alia de qua
prius diximus, ita et ¦in hac elymosina nullus potest
5 invenire unde se valeat excusare; ⁵nec aliquam rationem
dare poterit quod eam implere non possit. ¦Ista enim
elymosina per quam in nobis peccantibus veniam damus,
¦non de cellario, non de horreo vel de saccello, sed de
cordis thesauro ¦profertur, de quo ipse Dominus dixit :
« Bonus homo de bono thesauro ¦cordis profert bona[d]. »
10 De illis ergo quae supra diximus, id est, auro ¹⁰argento
frumento vino et oleo multi se possunt pauperes excusare :
¦illam vero elymosinam, quae de corde profertur, qua

27 corporis L¹·² : *om. cett.* ‖ 32 dicat : dicit A⁵.

125,11 illam vero elymosinam : illa vero elymosina L¹·²

3 [a] Matth. 6, 12   [b] Matth. 6, 14   [c] Lc 6, 38.37   [d] Matth. 12, 35.

a été destiné, tous les pauvres qui seront morts de faim
ou de dénuement à l'endroit où nous sommes, sachons
que nous aurons à rendre compte de leur âme au jour du
Jugement.

**Le pardon
des péchés**

3. Il y a encore un autre genre
d'aumônes, par lequel nous pouvons
sans aucun effort physique racheter
nos péchés. Prenons le cas de quelqu'un de pauvre au point
de n'avoir ni or ni grain ni vin ni huile dont il puisse faire
une aumône matérielle. Comme il ne peut se faire qu'il ne
subisse un tort de la part de quelques hommes, qu'il
pardonne à tous ses enemis de tout son cœur, qu'il ne
garde dans sa conscience le remords d'aucun péché et
qu'il dise[1] en toute sécurité dans l'Oraison dominicale :
« Remets-nous nos dettes, comme nous aussi nous remettons
à nos débiteurs[a]. » Alors s'accomplira en lui ce que le
Christ a daigné promettre dans l'Évangile en disant :
« Si vous remettez aux hommes leurs péchés, votre Père
céleste vous remettra aussi vos péchés[b] », et : « Donnez
et on vous donnera ; remettez et on vous remettra[c]. »

Voyez, frères très chers, pour ce genre d'aumônes,
comme pour celui dont nous avons parlé auparavant, nul
ne peut trouver une raison valable de s'excuser, ni ne
pourra se justifier sur l'impossibilité de la pratiquer. Car
cette aumône par laquelle nous pardonnons à ceux qui
pèchent contre nous n'est pas tirée du cellier ni du grenier
ou de la bourse, mais du trésor du cœur dont le Seigneur
lui-même a dit : « L'homme bon tire de bonnes choses
du trésor de son cœur[d]. » De ces aumônes donc, dont nous
avons parlé plus haut, aumônes d'or, d'argent, de blé,
de vin et d'huile, beaucoup de pauvres se peuvent excuser ;
mais cette aumône que l'on tire du cœur, de quel front

---

1. Le *Parisinus* est apparemment le seul manuscrit à présenter
ici la leçon *dicet*, nettement plus satisfaisante que *dicat*.

fronte aut ¦qua conscientia ullus homo se dicturus est
habere non posse?

4. Et ideo, quia non habemus unde nos excusare
possimus, cui ¦Deus amplius dederit quam illi opus est,
15 de superfluis redimere ¹⁵peccata sua festinet : ille vero qui
captivos redimere et pauperes ¦pascere vel vestire non
praevalet, contra nullum hominem odium ¦in corde reservet,
et inimicis suis non solum malum pro malo non ¦reddat,
sed etiam diligat, et pro eis orare non desinat : certus de
pro¦missione vel de misericordia Domini sui, libera cons-
20 cientia ante ²⁰tribunal Christi dicere poterit : Da, Domine,
quia dedi : dimitte ¦quia dimisi; ea tamen condicione, ut
postea quam talibus elymosinis ¦coeperit peccata sua
redimere, quia numquam illi deerunt minuta ¦peccata
quae cotidie redimat, crimina capitalia non admittat
propter ¦illud quod scriptum est : « Qui baptizatur a
25 mortuo, et iterum ²⁵contingit mortuum, quid proficit
lavatio eius?ᵃ » Et illud : « Sicut ¦odibilis fit canis, quando
revertitur ad vomitum suum, ita ¦peccator, quando revertitur ad peccatum suumᵇ. »

5. Sed dum ista duo genera elymosinarum insinuare
videmur, ¦forte dicit aliquis : Ecce ego nec terrenam
30 substantiam habeo, quam ³⁰possim pauperibus erogare,
nec ab aliquo iniuriam patior, cui indul¦gentiam dando
possim peccata mea redimere : quid facturus sum, ¦qui
nec ista habeo, nec ieiunare a vino vel a carnibus valeo

30 possim om. L¹.

---

4 ᵃ Sir. 34, 30   ᵇ Prov. 26, 11.

---

1. Cf. *Serm.* 25, 3.
2. Ce verset, relativement peu cité par les Pères, sauf pour la
première partie chez Augustin, revient fréquemment chez Césaire,
toujours sous une forme proche du texte de la Septante.

ou avec quelle conscience un homme va-t-il dire qu'il ne peut la faire ?

4. Et c'est pourquoi, parce que nous n'avons pas de possibilités d'excuses, que celui auquel Dieu a donné plus que le nécessaire se hâte de racheter ses péchés avec son superflu ; et que celui qui n'est pas en mesure de racheter des captifs, de nourrir des pauvres ou de les vêtir, ne garde de haine dans son cœur contre aucun homme et non seulement ne rende pas à ses ennemis le mal pour le mal, mais encore qu'il les aime et ne cesse de prier pour eux. Sûr de la promesse et de la miséricorde de son Seigneur, il pourra dire, la conscience libre, devant le tribunal du Christ[1] : Donne-moi, Seigneur, parce que j'ai donné ; remets-moi, car j'ai remis ; à cette condition, cependant, qu'après avoir entrepris de racheter ses péchés par de telles aumônes, car il ne manquera jamais de péchés véniels à racheter chaque jour, il ne se laisse pas aller à des péchés mortels, selon ce qui est écrit : « Celui qui se purifie du contact d'un mort et touche un mort de nouveau, à quoi lui sert son ablution ?[a] » et ceci : « Comme le chien est haïssable, quand il retourne à son vomissement, ainsi le pécheur quand il retourne à son péché[b][2]. »

La bonne volonté　　**5.** Mais en nous voyant recommander ces deux genres d'aumônes, peut-être quelqu'un dit-il : Voyez ; moi je n'ai pas de fortune matérielle que je puisse distribuer aux pauvres et je n'ai pas subi de tort que je puisse pardonner pour racheter mes péchés ; que ferai-je, moi qui n'ai ni l'un ni l'autre de ces moyens et qui suis incapable[3] de jeûner et de m'abstenir de vin et de viandes ? A celui qui parle

---

3. Le *Parisinus* est le seul à présenter la leçon *possum* à la place de *valeo*. Voir un cas semblable, *supra, Serm.* 29, 1 et la note 2 de la p. 117.

abstinere? ǀQui enim ista dicit, poteram ei respondere,
falsum esse quod conatur ǀadserere : quia nullus homo in
126   in hoc mundo invenitur, qui numquam (126) ab aliis
iniuriam patiatur. Tamen adquiescamus ista esse ut
adserit : ǀsic tamen adquiescamus, ut ei demonstremus esse
adhuc tertium ǀelymosinarum genus, quod ita omnes
excusationes possit excludere, ǀut nullus umquam inveniat
quod ei possit obponere.

5   Ecce dixisti ⁵te nec abundanter fructos colligere, unde
victum ac vestitum possis ǀpauperibus dare; nec iniurias
sustinere, quas inimicis debeas indulǀgere : et ideo dubitas
quod non habeas unde possis peccata tua rediǀmere. Accipe
ergo et fideliter tene praeclarum ac praecipuum tertium
ǀelymosinarum genus. Sit in te bona voluntas, omnes
10   homines dilige ¹⁰sicut te ipsum, pro omnibus ora, et hoc
illis desidera quod et tibi, ǀet clamatur tibi ab angelis :
« Pax hominibus bonae voluntatisᵃ. » Et ǀquia bona
voluntas ipsa est caritas, si illam habere volueris impletur
ǀin te illud quod scriptum est : « Caritas operit multitudinem
peccaǀtorumᵇ. » Agnosce ergo quia sublata est omnis
15   excusatio vel contra¹⁵dictio tua. Non enim poteris dicere
quod bonam voluntatem habere ǀnon possis : quia potest
fieri quod non velis, numquam tamen probare ǀpoteris
quod non possis.

6. Et ideo tanta beneficia et tam praeclara medicamenta
Domini ǀet Salvatoris nostri non neglegenter sed fideliter
20   accipere et custodire ²⁰cum ipsius adiutorio laboremus : ut
non solum indulgentiam peccaǀtorum accipere, sed etiam
ad aeterna mereamur praemia pervenire. ǀDe illis duabus
elymosinis quae secundo vel tertio positae sunt, ǀunum, ut

126,5 fructos : fructus Lᵖᶜ·²ᵖᶜ frumenta *cett.*

---

5 ᵃ Lc 2, 14   ᵇ I Pierre 4, 8.

ainsi, je pourrais répondre que ce qu'il s'efforce de soutenir
est faux ; car on ne trouve personne en ce monde qui jamais
ne subisse d'offense de la part d'autrui. Cependant,
admettons que ce qu'il soutient soit vrai ; admettons-le
cependant pour lui démontrer qu'il existe encore un troisième genre d'aumônes, susceptible d'exclure toute excuse,
si bien que jamais personne ne trouve quelque chose à
y objecter.

Voici : tu as dit que tu n'as pas de récoltes assez abondantes pour te permettre de donner aux pauvres de la
nourriture et des vêtements ; et que tu n'as pas subi
d'offenses que tu doives pardonner à des ennemis ; et que
pour cela tu crains de ne pas avoir les moyens de racheter
tes péchés. Écoute donc et retiens fidèlement un troisième
genre d'aumônes, excellent et privilégié. Aie en toi la bonne
volonté, aime tous les hommes comme toi-même, prie
pour tous, désire pour eux ce que tu désires pour toi-même ;
alors les anges te crient : « Paix aux hommes de bonne
volonté[a]. » Et parce que la bonne volonté est en soi charité,
si tu as voulu l'avoir, ce mot de l'Écriture s'accomplit
en toi : « La charité couvre une multitude de péchés[b]. »
Reconnais donc que toutes tes excuses et tes objections
disparaissent. Car tu ne pourras pas dire qu'il t'est impossible d'avoir de la bonne volonté : il peut se faire que tu
ne veuilles pas, mais jamais tu ne pourras prouver que tu
ne peux pas.

6. Et c'est pourquoi, travaillons avec son aide à recevoir
et à garder, non pas avec négligence, mais fidèlement,
les bienfaits si nombreux et les remèdes si excellents de
notre Seigneur et Sauveur, afin que nous méritions non
seulement de recevoir le pardon de nos péchés, mais aussi
de parvenir aux récompenses éternelles. Au sujet de ces
deux aumônes, placées en second et en troisième lieu, qui

in nobis peccantibus dimittamus, et ut pro inimicis nostris
|oremus, et eos toto corde diligamus, et aliud, ut per bonam
25 volunta²⁵tem et veram caritatem, quae « operit multitu-
dinem peccatorumᵃ », |in nobis Deum propitium fieri
laboremus, ita aperta est ista ammonitio, |ut expositore
omnino non egeat.

Illam vero elymosinam, quam |primo loco posuimus,
per quam ex eo, quod nobis Deus amplius |dat quam
nobis opus est, et peccata redimere, et praemia nobis
30 ³⁰aeterna possimus inspirante Domino praeparare, consi-
lium meum |si iubetis audire, cum gaudio illam et cum
laetitia poteritis Deo auxi|liante perficere. Quotiens aut
messes aut vindemias colligitis, et |vestras et omnium qui
ad vos pertinent conputate expensas, simul |etiam et
illud quod in fisco daturi estis; et id quod vobis superesse
35 ³⁵cognoscitis, quia non vobis proprie datum est, sed, sicut
127 iam dictum (127) est, dispensandum per vos pauperibus
transmissum est, aut totum |aut quantum Deus cordi
vestro inspiraverit sequestrate, et sic sit |apud vos, quo-
modo si hoc iam in manu Dei obtuleritis. Hoc si, secun|dum
quod credimus, fideliter facere volueritis, venientibus
5 captivis ⁵et pauperibus non solum non exasperatur aut
contristatur animus |vester, sed etiam laetificatur et
gaudet; dum ea quae pro amore Dei |necessitatibus
pauperum deputastis, cum summo desiderio expendere
|festinetis; et inpletur in vobis illud quod scriptum est :
« Hilarem |datorem diligit Deusᵇ », et illud : « Qui dat
10 pauperibus, numquam ¹⁰egebitᶜ », et illud : « Sicut aqua

27 Illam vero elymosinam : illa vero elymosina A¹L¹.
127,2 cordi : cordae Lᵃ.

---

6 ᵃ I Pierre 4, 8   ᵇ II Cor. 9, 7   ᶜ Prov. 28, 27

---

1. Cette expression stéréotypée revient une dizaine de fois dans

consistent, pour l'une à pardonner à ceux qui pèchent contre nous, à prier pour nos ennemis et à les chérir de tout notre cœur, et pour l'autre, à travailler à nous rendre Dieu propice par la bonne volonté et la vraie charité, qui « couvre une multitude de péchés[a] », cette monition est assez claire pour n'avoir besoin d'aucun commentateur.

Quant à l'aumône que nous avons mise en premier lieu, grâce à laquelle, avec ce que Dieu nous donne en plus du nécessaire, nous pouvons, sous l'inspiration du Seigneur, racheter nos péchés et nous préparer des récompenses éternelles, si vous voulez bien[1] écouter mon conseil, vous pourrez la pratiquer, avec l'aide de Dieu, dans la joie et l'allégresse. Chaque fois que vous faites les moissons ou les vendanges, calculez vos dépenses et celles de tous ceux qui relèvent de vous et en même temps ce que vous aurez à donner au fisc ; et ce que vous reconnaissez avoir en plus, puisque cela ne vous a pas été donné personnellement, mais, comme je l'ai déjà dit, vous a été remis pour que vous le distribuiez aux pauvres, mettez-le de côté entièrement ou dans la mesure que Dieu aura inspirée à votre cœur, et qu'il en soit pour vous comme si vous l'aviez déjà remis dans la main de Dieu. Si, comme nous le croyons, vous voulez faire cela fidèlement, non seulement votre esprit ne s'irrite ni ne s'attriste à l'arrivée des captifs et des pauvres, mais il est même dans l'allégresse et dans la joie, pourvu que, ce que vous avez réservé pour l'amour de Dieu aux besoins des pauvres, vous vous hâtiez de le dépenser avec le plus grand empressement ; alors s'accomplit en vous ce qui est écrit : « Le Seigneur chérit celui qui donne joyeusement[b] », et ceci : « Celui qui donne aux pauvres ne sera jamais dans le besoin[c] », et ceci : « Comme

les sermons, toujours dans un emploi atténué de formule de politesse. Voir, par exemple, *Serm.* 36, 8 et 37, 6. Il est à remarquer qu'ici le *Parisinus* porte *vultis*, comme les anciennes éditions *a. b. m.*

extinguit ignem, sic elymosina extin¦guit peccatum[d] », et
quod in evangelio ipse Dominus dixit : « Verum¦tamen date
elymosinam, et ecce omnia munda sunt vobis[e]. » Quod ¦ipse
praestare dignetur, qui cum Patre et Spiritu sancto vivit
et ¦regnat per omnia saecula saeculorum. Amen.

[d] Sir. 3, 33   [e] Lc 11, 41.

l'eau éteint le feu, ainsi l'aumône éteint le péché[d1] », et ce que le Seigneur lui-même a dit dans l'Évangile : « Faites plutôt l'aumône et voici que pour vous tout est pur[e]. » Que daigne l'accorder celui qui avec le Père et l'Esprit saint vit et règne à travers les siècles des siècles. Amen.

1. Cf. *supra*, *Serm.* 25, 2 et la note 1 de la p. 74.

SERMO XXXI

15

[15]De elemosinis.
Ex parte sancti Salviani. Satis et conpuncta

1. De faciendis elemosinis, fratres carissimi, caritatem
vestram **(128)** ammonui, et consilium dare praesumpsi.
Et licet apud plures Deo |inspirante profecerit ammonitio
nostra, timeo tamen ne sint aliqui qui |aut minus faciant
quam possunt, aut forte nec faciant. Sed dicit ali|quis :
Pauper sum, ideo elemosinam dare non possum. Ut nullus
5 *se pauper excusare possit, Dominus et Salvator noster pro
calice |aquae frigidae mercedem se redditurum esse promi-
sit. Dicis ergo : |Pauper sum. Si nihil amplius habes in
substantia tua, quam tibi |in victu ac vestitu rationabili
ac mediocri sufficiat, sola tibi poterit bona |voluntas
sufficere.

Sermo XXXI : H² *Londinensis B.M. Addit.* 30853   s. XI/XII
             H³ *Spinaliensis* 3 (*al.* 16)   s. XII
             H¹⁵ *Vaticanus Palatinus lat.* 213   s. XI
             H²⁴ *Trecensis* 1430   s. XII
             H⁴⁹ *Guelferbytanus* 4183   s. VII/VIII
             H⁵⁶ *Vaticanus lat.* 3836   s. VIII/IX

127,15 De elemosinis : sermo s. Augustini de elemosinis *praem.*
H³ epistula s. Agustini de faciendis elimosinis H¹⁵ ‖ 17-**128**,5 De
faciendis — possit *om.* H² *qui verbis* Fratres carissimi Dominus et
Salvator *incipit* ‖ 17 De faciendis elemosinis *om.* H¹⁵·²⁴·⁵⁶.

128,1 ammonui : admoneo H⁵⁶ amavi H¹⁵ ‖ praesumpsi : praesumo

SERMON XXXI

Des aumônes.
En partie de saint Salvien. Bien propre à inspirer la componction[1]

1. J'ai exhorté votre charité, frères très chers, à faire l'aumône, et je me suis permis de donner des conseils. Et, bien que sous l'inspiration de Dieu notre exhortation ait porté ses fruits chez la plupart d'entre vous, je crains pourtant qu'il n'y en ait certains qui fassent moins qu'ils ne peuvent ou peut-être même ne fassent rien du tout. Mais quelqu'un dit : Je suis pauvre, c'est pourquoi je ne peux faire l'aumône. Afin que nul ne puisse prendre excuse de sa pauvreté, notre Seigneur et Sauveur a promis qu'il récompenserait une coupe d'eau froide. Donc tu dis : Je suis pauvre. Si ta fortune est juste suffisante pour te nourrir et te vêtir de façon raisonnable et simple, la seule bonne volonté pourra te suffire.

H⁵⁶ ‖ apud : ad H¹⁵·²⁴·⁵⁶ ‖ 6 redditurum : daturum H²·⁵⁶ ‖ Dicis ergo : sed dicis H² ‖ 7 sum : es H¹⁵ ‖ Si *om.* H²·¹⁵·²⁴·⁴⁹·⁵⁶

---

1. G. Morin a longuement parlé de l'homiliaire d'Épinal (H³), *RB*, XXIII (1906), p. 189-214 et 350-372. Ce manuscrit du XIIᵉ siècle contient soixante-huit sermons de Césaire, intégralement ou en partie. Le sermon 31, déjà édité par les Mauristes, a été restitué par dom Morin à son auteur. — Comme le titre l'indique, Césaire a emprunté pour ce sermon quelques passages au livre *Ad Ecclesiam* de Salvien ; cf. *infra*, p. 148, note 2 et p. 150, note 1.

10 Sed, rogo te, diligenter conscientiam tuam inter[10]roga,
ne forte aliquotiens per ebrietatem perdas, quod per
elemosinam |adquirere aut dare potueras; ne forte per
gulam studeas in terra |consumere, quod per elemosinam
debueras in caelo recondere; |ne forte delicias praeparando,
ornamenta ad luxuriam conparando, |argenti pondus plus
15 quam cotidianum opus est providendo, ideo [15]non habeamus quod pro remedio animae nostrae possimus pauperibus
|erogare; et cum pretiosae vestes nostrae a tineis soleant
devorari, |pauperes nec vilia vestimenta mereantur acci-
pere. Si ergo ista omnia |inpedimenta non adgravant
animam nostram, et hoc solum habemus |quod nobis vel
20 nostris sufficere possit, non apparebimus rei, si ele[20]mo-
sinam pauperibus non erogamus. Si vero, ut iam dictum
est, |frequenter luxuria devorat quod misericordia in caelo
thesaurizare |potuerat, corrigamus dum tempus est; et
quod huc usque aut non |fecimus, aut forte minus quam
oportuit fecimus, implere totis viribus |studeamus.

25 [15]2. Fratres dilectissimi, si laboramus pro carne nostra,
laboremus |et pro anima nostra : si currimus pro carne,
satiamus carnem, orna|mus carnem, quam post paucos
annos aut forsitan dies vermes devo|raturi sunt in sepul-
chro, quanto magis non debemus despicere animam, |quae
Deo et angelis praesentatur in caelo? Cogitemus, fratres,
30 quia [30]quando caro copiosis deliciis satiatur, et abundanti
vino nimis inficitur, |pabulum luxuriae ministratur, et
esca vermium providetur. Rogo |vos, fratres, aspicite ad

---

11 adquirere aut *om.* H³ ‖ gulam : guilam H²·⁵⁶ ‖ 14 argenti —
providendo *om.* H³ ‖ pondus *om.* H¹⁵ ‖ ideo *om.* H³ ‖ 15 habeamus :
habeas H³ ‖ possimus : possis H³ ‖ 17 pauperes : paupere H⁵⁶ ‖ 18 non
om. H²·¹⁵·⁵⁶ ‖ 19-20 si — erogamus *om.* H¹⁵ ‖ 20 pauperibus non :
parcius H² largius non H²⁴ ‖ 22 corrigamus : corrigamur H⁵⁶ ‖ 25-
129,30 Fratres — proclamant *om.* H³ ‖ 29 praesentatur : praesenta-
bitur H²⁴ ‖ 31 Rogo : ideo rogo H²⁴ item rogo H⁵⁶ pro qua re rogo
H¹⁵.

Mais, je t'en prie, interroge scrupuleusement ta conscience, de peur qu'il ne t'arrive de perdre quelquefois
par l'ivresse ce que tu aurais pu gagner ou donner par le
moyen de l'aumône ; que tu ne t'appliques à dissiper sur
terre par gourmandise ce que tu aurais dû par tes aumônes
mettre en réserve dans le ciel ; que la préparation de mets
délicieux, l'achat d'ornements luxueux, la mise en réserve
de plus d'argent qu'il n'est nécessaire chaque jour ne
nous privent de ce que nous pourrions distribuer aux
pauvres en remède pour nos âmes ; et de peur que, alors
que nous laissons dévorer par les mites nos vêtements
précieux, les pauvres n'aient pas même la chance d'en
recevoir de grossiers. Donc, si tous ces empêchements
n'alourdissent pas notre âme et que nous ayons seulement
assez pour nous et les nôtres, nous n'apparaîtrons pas
coupables en ne distribuant pas d'aumônes aux pauvres.
Si, au contraire, comme je l'ai déjà dit, le luxe dévore
fréquemment ce que la miséricorde aurait pu thésauriser
dans le ciel, corrigeons-nous pendant qu'il en est temps ;
et appliquons-nous de toutes nos forces à accomplir ce
que jusqu'ici, ou bien nous n'avons pas fait, ou bien nous
avons insuffisamment accompli.

2. Frères bien-aimés, si nous tra-
Avertissement   vaillons pour notre chair, travaillons
des morts   aussi pour notre âme ; si nous courons
pour la chair, si nous la rassasions, si nous la parons,
elle que les vers vont dévorer dans le tombeau après
quelques années ou peut-être quelques jours, combien
plus devons-nous ne pas dédaigner l'âme, qui est présentée
à Dieu et aux anges dans le ciel ? Réfléchissons, frères ;
lorsque nous rassasions la chair de copieuses délices et
l'imbibons à l'excès de vin abondant, nous donnons alors
pâture à la luxure, nous faisons des provisions pour les
vers. Je vous prie, frères, jetez un regard sur les tombeaux

sepulchra divitum, et quotiens iuxta illa |transitis, consi-
derate et diligenter inspicite, ubi sunt illorum divitiae,
129 (129) ubi ornamenta, ubi anuli vel inaures, ubi diademata
pretiosa, ubi |honorum vanitas, ubi luxoriae voluptas, ubi
spectacula vel furiosa |vel cruenta vel turpia. Certe
transierunt omnia tamquam umbra; |et si paenitentia non
5 subvenerit, sola in perpetuum obprobria et ⁵crimina
remanserunt.

Considerate diligentius et videte superborum |sepulchra,
et agnoscite quia nihil in eis aliud nisi soli cineres et foetidae
|vermium reliquiae remanserunt. Haec ergo, homo, dili-
genter adtende, |et dic tibi, tu ipse loquere tecum : O miser,
et iste aliquando pro |cupiditate currebat, et iste dum
10 viveret in saeculo libidini serviebat; ¹⁰et ecce nunc nihil
ex illo nisi foetidi et horribiles pulveres remanserunt.
|Si velis, o homo, audire, ipsa tibi ossa arida poterint
praedicare. |Clamat ad te pulvis alterius de sepulchro :
Ut quid, infelix, tantum |pro saeculi cupiditate discurris?
Ut quid superbiae vel luxuriae |infelicia colla submittis?
15 Ut quid te ad serviendum crudelissimis ¹⁵dominis, id est,
vitiis et criminibus tradis? Clamat ad te mortuus |de
sepulchro : Adtende ad me, et agnosce te; considera ossa
mea, |et vel sic tibi horreat luxuria vel avaritia tua. Quod
tu es, ego fui; |quod ego sum, tu eris. Si in me permansit
vanitas, vel te non consumat |iniquitas; si me luxuria
20 corrupit, vel te castitas ornet. Vide pulverem ²⁰meum, et
relinque desiderium malum. Rebus ergo ipsis ad nos clamat
|mortuus de sepulchro.

129,1 ubi anuli vel inaures *om.* H²⁻¹⁵ ‖ 3 omnia : omnia ista H²⁴
haec omnia H⁵⁶ ‖ 10 nunc *om.* H⁵⁶ ‖ 11 poterint : poterant H¹⁵⁻⁵⁶
poterunt H²⁴ ‖ 13 discurris : currebas H² ‖ 14 submittis : submittebas
H² ‖ 15 tradis : tradebas H² ‖ 16 ad *om.* H¹⁵⁻²⁴⁻⁵⁶ ‖ agnosce : cognosce
H² ‖ 20 ad nos : agnosce H² *om.* H¹⁵

---

1. Il ne s'agit pas ici seulement de rhétorique. Tous les Arlésiens
connaissaient la ville des morts, la vaste et riche nécropole qui

des riches et chaque fois que vous passez à côté d'eux[1], réfléchissez et examinez attentivement où sont leurs richesses, les ornements, les anneaux et les boucles d'oreille, les diadèmes précieux, la vanité des honneurs, la volupté de la luxure, les spectacles violents, sanglants et honteux. A coup sûr, tout est passé comme une ombre ; et si la pénitence n'est pas survenue, seuls sont restés pour l'éternité les opprobres et les crimes.

Réfléchissez avec la plus grande attention et voyez les tombeaux des orgueilleux ; reconnaissez alors que rien d'autre n'y est resté que les cendres seules et les restes fétides des vers. Fais donc bien attention à cela, homme, et dis-toi, parle-toi à toi-même : Ô malheureux, cet homme aussi autrefois courait, pressé par la convoitise, et tant qu'il vivait dans le siècle, était l'esclave de son désir ; et voici que maintenant il n'est rien resté de lui, sinon des poussières fétides qui font horreur. Si tu voulais écouter, ô homme, ces os desséchés pourraient eux-mêmes te prêcher ! La poussière d'un autre te crie du tombeau : Pourquoi donc, infortuné, t'affaires-tu autant pour des convoitises terrestres ? Pourquoi soumets-tu ton cou infortuné à l'orgueil et à la luxure ? Pourquoi te livres-tu au service des maîtres les plus cruels, c'est-à-dire tes vices et tes crimes ? Le mort te crie du tombeau : Regarde-toi et reconnais-toi ; considère mes os, et qu'ainsi ta luxure et ton avarice te fassent horreur. Ce que tu es, je le fus ; ce que je suis, tu le seras. Si la vanité s'est établie en moi, que toi, du moins, l'iniquité ne te consume pas ; si la luxure m'a corrompu, que toi la chasteté te pare. Vois ma poussière et laisse là les mauvais désirs. Ainsi, c'est par les réalités mêmes que le mort nous apostrophe de son tombeau.

---

s'étendait sur des milles aux portes de la ville et qui, six siècles plus tard, frappait encore l'imagination au point de donner son nom à l'une de nos plus belles chansons de geste : *La bataille des Aliscamps*.

Et ideo quantum possumus auxiliante Domino |laboremus, ut aliorum vulnera nobis conferant sanitatem, et per|euntium mors nobis proficiat ad salutem. Sed hoc tunc optime fieri |potest, si plus pro anima quam pro corpore
25 solliciti sumus : ut cum ²⁵caro nostra a vermibus devorari coeperit in sepulcro, anima ornata |bonis operibus ab angelis elevetur in caelum. Nam si nos deceperit |concupiscentia carnis nostrae, duplicem ruinam animae et corporis |sustinebimus, ut et caro nostra putrescat in sepulcro, et anima nostra |torquenda tradatur in tartaro.
30 Ecce quales ad nos praedicationes ³⁰cotidie mortuorum cineres vel ossa proclamant.

3. Et ideo, o anima christiana quaecumque audis et legis, consilio |te adiuva sanctissimi Danihelis dicentis : « Consilium meum accipe, |et peccata tua elemosinis
130 redime^a. » Quod consilium si non libenter (130) audieris, ad caelum sine causa pulsabis. O anima, quae intra carneos |fragiles parietes habitas, vigila, ora, pete, quaere, pulsa. Vigila, |inquam, petendo, ora quaerendo, pulsa operando; vigilanti tibi et |petenti respondet Dominus et dicit :
5 « Ecce adsum^b. » Si transieris per ⁵ignem, tecum est Dominus tuus, et flamma non ardebit in te. « Sicut |aqua extinguit ignem, sic extinguit elemosina peccatum^c. » Si ergo |aperueris pauperibus manus tuas, et Christus tibi aperiet ianuas suas, |ut paradisi possessor introeas.

Si forte putas quod finis mundi tardius |veniat, vel tuum considera finem. Ecce paulatim deficit mundus,
10 subtra¹⁰huntur omnia bona quae fuerant, et accedunt mala quae non erant. |Cotidie quod praedixit Dei sermo conple-

---

25 a *om.* H^{a.24.56} ‖ 29 in tartaro : *verbis* Conversi ad Dominum *concl.* H²⁴ ‖ 31 quaecumque : quae mecum H³ quem et cum H² ‖ 32 dicentis : qui ait H² sic enim ait H³.

130,1 carneos : carnis H¹⁵

---

3 ^a Dan. 4, 24   ^b Is. 58, 9   ^c Sir. 3, 33.

Et c'est pourquoi, veillons de tout notre pouvoir avec
l'aide du Seigneur, à ce que les blessures des autres nous
apportent la santé et à ce que la mort de ceux qui s'en
sont allés profite à notre salut. Mais cela peut alors se faire
au mieux si nous sommes plus préoccupés de l'âme que
du corps ; ainsi, tandis que notre chair commencera à
être dévorée par les vers dans le tombeau, notre âme,
parée de bonnes œuvres, sera élevée au ciel par les anges.
Car si la concupiscence de notre chair nous abuse, nous
endurerons une double ruine : celle du corps et celle de
l'âme ; si bien que notre chair pourrira dans le tombeau
et que notre âme sera livrée au tartare pour y être torturée.
Voici quelles prédications les cendres et les os des morts
nous crient chaque jour.

3. Et c'est pourquoi, ô âme chrétienne, qui que tu sois
qui écoutes et qui lis, aide-toi du conseil émis par le très
saint Daniel : « Reçois mon conseil et rachète tes péchés
par des aumônes[a]. » Si tu n'écoutes pas de bon cœur ce
conseil, tu frapperas au ciel en vain. Ô âme, toi qui habites
dans les murs fragiles de la chair, veille, prie, demande,
cherche, frappe. Veille, dis-je, en demandant, prie en
cherchant, frappe en travaillant ; à toi qui veilles et
demandes, le Seigneur répond et dit : « Me voici, je suis
là[b]. » Si tu traverses le feu, le Seigneur est avec toi et la
flamme ne te brûlera pas[1]. « Comme l'eau éteint le feu,
ainsi l'aumône éteint le péché[c]. » Si donc tu ouvres tes
mains aux pauvres, le Christ à son tour t'ouvrira ses
portes pour que tu entres en possession du paradis.

Si tu penses, par hasard, que la fin du monde viendra
plus tard, considère au moins ta propre fin. Voici que le
monde se défait peu à peu ; que tout ce qui avait été bon
se dérobe et que s'avancent des maux qui n'étaient pas.
Chaque jour s'accomplit ce qu'a prédit la parole de Dieu

1. Cf. *Dan.* 3, 24.

tur, et nec sic homo mutatur. |Accipe ergo consilium, dum
in manibus tuis habes pretium tuum. |Dona tibi de tuo,
dum tuum est : quia fragile est quod tenes, et |ceterorum
est quod adtendis. Considera quale pro te pretium dederit
15 ¹⁶Dominus tuus : sanguinem fudit. Carum te habuit, quem
tam caro |pretio conparavit.

4. Divitis purpurati fuge, frater, exemplum, cuius canes
pauper |Eleazarus suis vulneribus satiabat, et micas de
mensa divitis non |accipiebat. Sed post non longum
20 temporis intervallum mutatae sunt ²⁰vices amborum :
pauper beatitudinem emit de mendicitate, et dives |suppli-
cia de facultate; ille in Abrahae gremio ab angelis elevatur,
|dives ad inferni profunda perducitur. De quo loco vidit
dives pau|perem, immo iam pauper divitem; desiderat
guttam, qui negaverat |micam. Haec ergo cogitent divites,
25 qui se facultatibus suis redimere ²⁵nolunt, ne similia
patiantur. Dives fuit ille, de quo nunc loquimur : |sunt
et hic divites, ad quos nunc loquimur. Unius sunt nominis :
|caveant ne sint unius condicionis.

131   Ergo inter divitem purpuratum (131) et Eleazarum ulce-
rosum mutatae sunt vices : dives perdidit quod |habebat,
pauper coepit esse quod non erat. Dives ille in saeculo

---

16 conparavit : Et ideo cogita horam egressionis animae tuae de
corpore ut cum ille sepiletur et redditur terrae ex qua sumptus est,
anima tua non poenae perpetuae pro delictis mancipanda tradatur,
sed pro iustis laboribus in requie sempiterna conlocari mereatur :
ipso adiuvante qui vivit *etc. Postea* Incipit omelia eiusdem. Licet
vobis, fratres carissimi, incognitum esse non credam, tamen confidens
desiderabilem caritatem vestram, eo quod pauperibus semper promit-
tatur regnum et divitibus minetur supplicium praesumo vobis sug-
gerere, de Lazaro paupere et vulneratum qui in sinu patris Abrahae
requiesc. et de divite purpurato qui in gehenna discendit, cuius canis
pauper Lazarus suis vulneribus saciabat *etc. hic inser.* H¹⁵·⁴⁹ ‖ 19
non *om.* H¹⁵ ‖ 24 divites qui : quicumque H²·¹⁵.

et l'homme ne change pas pour autant. Reçois donc mon
conseil, tant que tu as ta rançon entre les mains. Donne
pour toi de ton bien tant qu'il est tien ; car ce que tu tiens
est fragile et ce vers quoi tu tends les mains appartient
aux autres. Réfléchis à la rançon que ton Seigneur a payée
pour toi ; il a répandu son sang. Tu lui as été cher, toi
qu'il a acheté si cher.

4. Fuis l'exemple du riche vêtu
de pourpre[1], frère, dont les chiens
se rassasiaient des blessures du pauvre
Lazare qui, lui, ne recevait même pas les miettes de la
table du riche. Mais après un peu de temps leur rôle à
tous deux a été inversé ; le pauvre a acheté la béatitude
par son indigence, et le riche avec sa fortune, des supplices ; le premier est élevé par les anges dans le sein
d'Abraham, le riche est conduit dans les profondeurs
de l'enfer. De ce lieu le riche voit le pauvre, ou plutôt,
celui qui est désormais pauvre voit le riche ; il désire une
goutte, lui qui avait refusé une miette[2]. Que les riches
qui ne veulent pas se racheter avec leurs richesses méditent
donc là-dessus, de crainte de souffrir un sort semblable.
Il y eut un riche dont nous venons de parler ; il y a aussi
des riches ici auxquels nous parlons maintenant. Ils ont
le même nom ; qu'ils craignent d'avoir le même sort.

Donc, entre le riche couvert de pourpre et Lazare
couvert d'ulcères, les rôles ont été inversés ; le riche a
perdu ce qu'il avait, le pauvre a commencé à être ce qu'il
n'était pas. Ce riche avait laissé dans le siècle des celliers

*Le sort
du mauvais riche*

---

1. Cf. *Lc* 16, 19-24.
2. Ces trois phrases sont empruntées à SALVIEN, *Ad Ecclesiam*,
III, 12. Cf. *supra*, *Serm.* 27, 2.

ⁱapothecas plenas reliquerat; et in inferno ardens guttam
petebat, ⁱet inpetrare non poterat. Adtendite, fratres :
5 totum divitis corpus ⁵flammis gehennae consumitur, et
sola lingua amplius cruciatur. ⁱIdeo sine dubio in lingua
maiorem sentit ardorem, quia per eam ⁱsuperbe loquendo
contempserat pauperem. Ipsa enim lingua, quae ⁱnoluerat
dicere ut elemosina pauperi donaretur, gravius gehennae
ⁱflammis exuritur. Clamavit enim et dixit : « Pater
10 Abraham, mitte ¹⁰Eleazarum, ut intinguat digitum suum,
et refrigeret linguam ⁱmeamᵃ. » O dives, qua fronte quaeris
guttam, qui noluisti porrigere ⁱmicam? Iure nunc exigeres,
si dedisses.

O mundi bona, apud inferos ⁱmala! Accesserunt ad
servitium divitis ignes, et ad obsequium saevi ⁱtortores.
Patitur duros tartarorum ministros. Torquetur, et clamat :
15 ¹⁵O iuste et integer iudex, vel secundum peccata mea
conpensentur ⁱsupplicia ista! Vel contra spatia annorum
meorum, quibus habui bona, ⁱmala recipiam, aut certe in
duplum vel quadruplum! Cur per tot ⁱmilia annorum me
teneri iubes in flamma? Peccatorum meorum sum ⁱnexibus
alligatus, ne fugiam. Per momenta conpungor, ut doleam.
20 ²⁰Saevit in me ignis, et parcit; cruciat, et reservat : nec
totum est quod ⁱpunit, cui saevum est quod ignoscit.

Post illas lamentabiles voces ⁱpotui ei sine dubio respon-
deri : Quid faciam tibi? Elemosinas non ⁱfecisti, quae
peccatorum tuorum poenas extinguerent. Clamavit tibi
ⁱscriptura, et non audisti; propheta non tacuit, apostolus
25 praedicavit, ²⁵evangelium tonuit; adnuntiatum est suppli-

131,9 enim : dives H² ‖ 22 tibi *om.* H² ‖ 25 tonuit : intonuit Hˢ

---

4 ᵃ Lc 16, 24

---

1. Césaire semble se souvenir, ici aussi, de SALVIEN, *Ad Ecclesiam*,
III, 13 : « ecce expectat tortores angeli et immortalium tormentorum
terribiles ministri. »

pleins, et en enfer, tout brûlant, il demandait une goutte
d'eau sans pouvoir l'obtenir. Remarquez, frères ; le corps
entier du riche est consumé dans les flammes de la géhenne
mais c'est sa langue qui est davantage torturée. Sans aucun
doute il sent une plus grande brûlure dans sa langue
parce qu'il s'en était servi pour mépriser le pauvre par
des propos orgueilleux. En effet, cette langue, qui avait
refusé de dire qu'on fasse l'aumône au pauvre, est plus
durement consumée par les flammes de la géhenne. Il s'est
écrié en effet et a dit : « Père Abraham, envoie Lazare
pour qu'il trempe son doigt et rafraîchisse ma langue[a]. »
Ô riche, de quel front réclames-tu une goutte, toi qui as
refusé d'offrir une miette ? Tu pourrais exiger à bon droit
maintenant si tu avais donné.

Ô biens du monde, maux pour l'enfer ! Au service du
riche sont venues se mettre les flammes, à la clientèle
du cruel s'offrir les bourreaux. Il supporte les durs ministres
des enfers[1]. Il est torturé et il s'écrie : Ô juge juste et
intègre ! qu'au moins ces supplices soient proportionnés
à mes péchés ! Que pour l'équivalent de la durée de ma vie
pendant laquelle j'ai eu des biens, je subisse des maux
ou même pour le double ou le quadruple ! Mais pourquoi
ordonnes-tu que, pendant tant de milliers d'années,
je reste dans le feu ? Je suis si bien attaché par les liens
de mes péchés que je ne peux m'échapper. A chaque
instant je suis harcelé de toutes parts pour que je souffre.
Le feu s'acharne sur moi et me laisse vivre ; il me torture
et me conserve intact. Il ne punit pas tout de moi, à qui
est cruel ce qu'il pardonne.

Après ces cris lamentables on pourrait sans aucun doute
lui répondre : Que puis-je faire pour toi ? Tu n'as pas fait
l'aumône qui aurait éteint les peines de tes péchés.
L'Écriture te l'a crié, et tu n'as pas écouté ; le prophète
ne s'est pas tu, l'apôtre a prêché, l'Évangile a retenti ;

cium impiorum, iu|storum praemium est repromissum :
tu umbras et nebulas saeculi |huius tenere te credens,
divina praecepta velut inanes fabulas respuisti. |Inter-
veniant pro te pauperes, et quicquid petieris dono. Sed
iusto |iudicio vicem tibi reddo, quia « Iudicium sine
30 misericordia ei qui ³⁰non fecit misericordiam[b]. » Non tibi
poterit praestare iustitia mea, |nisi quod merentur opera
tua. Sine causa mortuus in potestate aliena |positus
clamas, qui eo tempore quo potuisti, cum me videres in
paupere, |caecus eras.

5. Fratres mei, manu Dei formati, magno mecum pretio
132 conparati, (132) audite consilium Domini Dei nostri,
implete desiderium pontificis |vestri, ut cum ipso accipiatis
hereditatem in regno Patris vestri. |Ex servo factus es
amicus : contemne quod natus es, et respice quod |renatus
es; fac tibi vicem cum Christo. Quare non accipiat partem
5 ⁵de substantia tua, qui tibi praemia praeparavit aeterna?
Quare non |accipiat vel decimum, qui contulit totum?
Contra terrenum patri|monium Deus offert caelum; sic
enim ait : « Venite benedicti, perci|pite regnum; quia
esurivi, et dedistis mihi manducare[a]. » Tunc |vos, si modo
elemosinas largiter et fideliter facitis, feliciter dicere
10 ¹⁰poteritis : « Domine, quando te vidimus esurientem aut
sitientem, |et ministravimus tibi?[b] »

Quid est hoc, fratres, convenit fidelis debitor, |et credi-
tores excusant? Tunc vobis respondebit Pater, Dominus
|et amicus, cum quo fecistis caeleste commercium :

---

31 merentur : meretur H².
132,9 largiter : largius H².

---

[b] Jac. 2, 13.
5 [a] Matth. 25, 34-35   [b] Matth. 25, 37

le supplice des impies a été annoncé et la récompense des justes promise ; toi, croyant tenir les ombres et les fumées de ce siècle, tu as rejeté les commandements divins comme des fables vaines. Que les pauvres interviennent pour toi et ce que tu as réclamé je te l'accorde. Mais je te paye de retour par un juste jugement, car : « Jugement sans miséricorde à celui qui n'a pas fait miséricorde[b]. » Ma justice pourra t'accorder seulement ce que méritent tes œuvres. Une fois mort et soumis à un pouvoir étranger, c'est en vain que tu cries, toi qui, au temps où tu l'aurais pu, alors que tu me voyais dans un pauvre, étais aveugle.

5. Mes frères, formés par la main de Dieu, rachetés avec moi à grand prix, écoutez le conseil du Seigneur notre Dieu ; comblez le désir de votre évêque, afin de recevoir avec lui votre héritage dans le royaume de votre Père. De serviteur tu as été fait ami[1] ; méprise ce que tu étais en naissant et regarde ce que tu es devenu en renaissant ; fais ta destinée avec le Christ. Pourquoi ne recevrait-il pas une partie de ta fortune, lui qui t'a préparé des récompenses éternelles ? Pourquoi ne recevrait-il pas le dixième, lui qui t'a donné le tout ? En échange d'un patrimoine terrestre Dieu offre le ciel ; en effet, il parle ainsi : « Venez, bénis, prenez possession du royaume ; car j'ai eu faim et vous m'avez donné à manger[a]. » Alors vous, si seulement vous faites largement et fidèlement l'aumône, vous pourrez dire avec joie : « Seigneur, quand t'avons-nous vu affamé ou assoiffé et t'avons-nous servi ?[b] »

Qu'est cela, frères ? Le débiteur reconnaît fidèlement sa dette et les créanciers s'excusent ? Alors, vous répondra votre Père, Seigneur et ami, avec qui vous avez conclu un accord céleste : « Aussi longtemps que vous l'avez

L'aumône, porte du Royaume

---

1. Cf. *Jn* 15, 14-15.

« Quamdiu fecistis ᶦuni ex minimis meis, mihi fecistisᶜ. »
15 Non nego quod accepi, reddo : ¹⁵terrena accepi, caelestia
reddo; transitoria accepi, aeterna restituam; ᶦmea accepi,
me ipsum reddo. Dabo aeternum praemium, et ad parᶦtem
dexteram regnum; non quia non peccastis, sed quia peccata
ᶦvestra elemosinis redemistis. Rogo vos, fratres, ut ista
ammonitio, ᶦimmo suggestio nostra recipiatur in animis
20 vestris, et ita proficiat ²⁰peregrinis, ut ante tribunal aeterni
iudicis et mihi pro benigna ammoᶦnitione venia, et vobis
pro elemosinarum largitate aeterna gloria ᶦtribuatur :
praestante Domino nostro Iesu Christo, cui honor...

ᶜ Matth. 25, 40.

fait à l'un des plus petits d'entre les miens, c'est à moi que vous l'avez fait^c. » Je ne conteste pas ce que j'ai reçu ; je rends. J'ai reçu des biens terrestres, je rends des biens célestes ; j'ai reçu des biens passagers, je rends des biens éternels ; j'ai reçu ce qui m'appartient, je me rends moi-même. Je donnerai une récompense éternelle et le royaume à ceux qui sont à ma droite ; non parce que vous n'avez pas péché, mais parce que vous avez racheté vos péchés par des aumônes. Je vous prie, frères, de recevoir dans vos âmes cette monition, ou mieux nos conseils, et d'en tirer profit durant votre pèlerinage pour que, devant le tribunal du Juge éternel, j'obtienne, moi, le pardon pour prix de ma monition bienfaisante et vous, pour la largesse de vos aumônes, la gloire éternelle, avec l'assistance de notre Seigneur Jésus-Christ, à qui appartient l'honneur...

SERMO XXXII

Ammonitio ad eos qui sic elymosinas frequentius
25 ²⁵faciunt, ut tamen et rapinas exerceant, et adulteria
cotidiana committant

1. Rogo vos, fratres, diligentius considerate, et quantum
133 potestis (133) expavescite vel cavete, ne vobis ille crudelis
humani generis inimicus ⁱita subripiat, quomodo solet
incautos et neglegentes iniqua calliditate ⁱdecipere. Nam
aliquibus homicidis raptoribus et adulteris vanam ⁱsecu-
ritatem ingerit, ut, cum crimina cotidiana committunt,
5 credant ⁵quod ea cotidianis elymosinis redimant : putantes
quod Deus corruⁱptorum more iudicum pecuniam accipiat,
et peccata dimittat. Accipit ⁱplane pecuniam, et elymosinis
delectatur; ea tamen ratione, ut ⁱunusquisque peccator,
quando offert Deo pecuniam suam, simul ⁱofferat et animam suam.

10 Nam rogo vos, fratres, quae iustitia est, ¹⁰ut aliquis
criminosus pecuniam suam per elymosinam Deo offerat,
ⁱet animam suam diabolo per luxuriam tradat : in pecunia
imaginem ⁱimperatoris offerat Deo, et in se ipso imaginem
Dei tradat diabolo? ⁱNon ita Dominus praecipit in evangelio : cum enim dicit : « Reddite ⁱquae sunt Caesaris

---

Sermo XXXII : L¹ *Laudunensis* 121   s. IX
        L² *Berolinensis theol. fol.* 355 (Rose 307)   s. IX
        A¹ *Carnotensis* 67 (8)   s. IX
        T¹ *Remensis* 394 (E. 295)   s. XI

SERMON XXXII

Monition adressée à ceux qui font fréquemment des aumônes mais tout en commettant des vols et en se rendant coupables chaque jour d'adultère

1. Je vous le demande, frères : faites très attention ; redoutez de tout votre pouvoir cet Ennemi cruel du genre humain et prenez garde qu'il ne vous surprenne comme il abuse habituellement par un savoir-faire falla- cieux les imprudents et les négligents. En effet, il donne une sécurité illusoire à certains homicides, ravisseurs et adultères, si bien que, tout en commettant chaque jour des crimes, ils croient les racheter par des aumônes quoti- diennes, pensant qu'à la façon des juges corrompus, Dieu accepte l'argent et remet les péchés. Certes, il accepte l'argent et prend plaisir aux aumônes ; à cette condition, toutefois, que tout pécheur, quand il offre à Dieu son argent, lui offre en même temps son âme.

En effet, je vous demande, frères, où est la justice, si quelque criminel offre à Dieu son argent en aumône et livre son âme au diable par la luxure ? si, sur l'argent, il offre à Dieu l'image de l'empereur et qu'en lui-même il livre au diable l'image de Dieu ? Ce n'est pas ce que le Seigneur commande dans l'Évangile. Car, lorsqu'il dit : « Rendez à César ce qui est à César, et à Dieu ce qui est

132,24 eos : illos L¹⁻² ‖ 27 fratres : carissimi *add.* T¹.
133,1 vobis : nobis A¹ ‖ 4 cotidiana : cotidie T¹

15 Caesari, et quae sunt Dei Deo[a] », quid aliud dicere [15]videtur, nisi ut, quomodo in solido imaginem Caesaris Caesari, sic |in vobis ipsis reddite imaginem Dei Deo. Nam quamlibet largas |elymosinas aliquis tribuat, si capitalia crimina non declinat, timeo, |et valde timeo, ne forte falsa securitate se decipiens et pecuniam |perdat, et peccata non redimat.
20 Nemo ergo putet, quod cotidiana [20]adulteria elymosinae cotidianae consumant.

2. Aliud est enim mutare vitam, aliud colorare vitam. Mutare |vitam est a capitalibus criminibus abstinere; vitam colorare est minuta |peccata, sine quibus esse non possumus, elymosina cotidiana redimere. |Tunc enim, sicut
25 iam supra dixi, largior elymosina animam liberat, [25]si criminosus mortifera peccata iam deserat. Si vero, sicut iam supra |dictum est, substantiam suam tribuat Deo, et animam suam offerat |inimico, inpletur in eo quod scriptum est : « Qui baptizatur a mortuo, |et iterum contingit mortuum, quid proficit lavatio eius?[a] » et |illud quod Petrus
30 apostolus clamat, dicens : « Si enim effugientes [30]coinquinationes mundi, his rursum inpliciti superantur, facta |sunt eorum posteriora deteriora prioribus[b]. »

Considerate, fratres, |quia beatus Petrus hoc peccatoribus
134 contestatur, quod si postea (134) quam redimere peccata

---

30 coinquinationes : coinquinationem *fere omnes codd.* || inpliciti L[1]A[1]T[1] : implicati L[2] || 32 quia : et *add.* L[1.2].

---

1 [a] Matth. 22, 21.

2 [a] Sir. 34, 30   [b] II Pierre 2, 20

---

1. Dom Morin revient ici à la leçon *colorare*, présentée par tous les manuscrits, leçon à laquelle les Mauristes avaient substitué, dans leur édition, *tolerare*. MORIN (13), p. 11-12, s'est expliqué sur les raisons qui, selon lui, ont conduit les Mauristes à rejeter, ici, l'autorité des manuscrits. Césaire reproduit un passage d'AUGUSTIN,

à Dieu[a] », que semble-t-il dire d'autre, sinon : Comme vous rendez à César sur le sou l'image de César, rendez aussi à Dieu en vous-mêmes l'image de Dieu. En effet, quelqu'un a beau distribuer des aumônes aussi larges qu'il voudra, s'il ne se détourne pas des péchés capitaux, je crains, et crains même beaucoup, que s'abusant peut-être d'une fausse sécurité, il ne perde son argent sans racheter ses péchés. Donc, que personne ne pense que des aumônes quotidiennes suppriment des adultères quotidiens.

D'abord renoncer aux péchés capitaux

2. Car changer de vie est une chose, la fortifier[1] en est une autre. Changer de vie, c'est s'abstenir des péchés capitaux ; la fortifier, c'est racheter par une aumône quotidienne les péchés véniels auxquels nous ne pouvons échapper. Alors, comme je l'ai déjà dit plus haut, une aumône généreuse libère l'âme, à condition que le criminel renonce en même temps aux péchés mortels. Mais si, comme il a déjà été dit plus haut, il distribue sa fortune à Dieu et offre son âme à l'Ennemi, alors s'accomplit en lui ce qui est écrit : « Celui qui se purifie du contact d'un mort et qui touche un mort de nouveau, à quoi lui sert son ablution ?[a] », et ce que l'apôtre Pierre proclame en disant : « Si, fuyant les souillures du monde, ils se laissent de nouveau envelopper et dominer par elles, leur dernière condition devient pire que la première[b]. »

Réfléchissez, frères ; le bienheureux Pierre affirme aux pécheurs que si, après avoir commencé à racheter leurs

---

Serm. 9, 18 : « Aliud est ubi mutes vitam, aliud est ubi toleres vitam... » La leçon *toleres* des manuscrits d'Augustin aurait entraîné les Mauristes à corriger le texte de Césaire. Or, « même dans le texte d'Augustin, le sens du verbe *toleres* opposé à *mutes* n'est vraiment pas facile à saisir. » Selon dom Morin, le manuscrit d'Augustin que Césaire avait sous les yeux portait probablement *colorare, tolerare* représentant une graphie fautive postérieure.

coeperint, iterum ad criminum volutabra |redierint,
efficiantur eorum posteriora peiora prioribus; et contingit
|eis illud quod idem apostolus Petrus adiungit et dicit :
« Canis reversus |ad vomitum suum, et sues lota in volu-
5 tabro luti[c]. » Quam rem terri[s]bilius et apertius etiam
Salomon ammonet dicens : « Sicut canis |odibilis est,
quando revertitur ad vomitum suum, sic peccator |quando
revertitur ad peccatum suum[d]. » Quod et ipse Dominus
in |evangelio confirmat : « Ecce, inquit, iam sanus factus
es; noli peccare, |ne quid tibi deterius contingat[e]. » Quod
10 denuo Salomon contestatur [10]et clamat : « Fili, peccasti,
non adicias iterum; sed et de pristinis |deprecare, ut tibi
remittantur[f]. »

Quam rem non de minutis peccatis, |sine quibus esse
non possumus, sed de capitalibus criminibus dixisse
|manifestum est. Inde etiam in evangelio scriptum est :
« Cum exierit |inmundus spiritus ab homine, vadit per
15 loca arida, et quaerit [15]requiem, et non invenit. Post haec
revertitur, et invenit domum |suam unde exierat munda-
tam, et ducit secum septem spiritus |nequiores se, et erunt
novissima hominis illius peiora prioribus[g]. » |Hoc enim illis
contingit, qui per elymosinam crimina capitalia redi|mere
conantur, et iterum ad eadem revertuntur : quomodo
20 enim [20]elymosina mundat, sic luxoria sordidat. Nam si
aliquis frequenter |stolam suam abluat, et iterum atque
iterum in lutum demergat, |nescio qua fronte illam induere
in aliqua festivitate possit; praecipue |cum de Christo
Apostolus clamet : « Aptavit sibi ecclesiam non haben|tem

134,2 peiora *om.* L[1] deteriora L[2pc]A[1pc] ‖ contingit : continget T[1] ‖
4 sues : sus L[1,2] ‖ 19 et iterum — revertuntur : sed iterum per luxuriam
coinquinantur T[1] *om.* A[1]

---

[c] II Pierre 2, 22   [d] Prov. 26, 11   [e] Jn 5, 14   [f] Sir. 21, 1   [g] Lc 11,
24-26

péchés, ils retournent encore à la bauge de leurs crimes,
leur nouvelle condition devient pire que la première, car
il leur arrive ce que le même apôtre Pierre ajoute en
disant : « Le chien est retourné à son vomissement et la
truie lavée à sa bauge de boue[c]. » Et Salomon donne cet
avertissement d'une façon plus terrible et plus claire
encore, en disant : « Comme le chien est haïssable quand
il retourne à son vomissement, ainsi le pécheur quand il
retourne à son péché[d1]. » Et le Seigneur lui-même le
confirme dans l'Évangile : « Voici, dit-il, que tu es guéri
maintenant ; ne pèche plus de peur qu'il ne t'arrive
quelque chose de pire[e]. » Ce que Salomon encore affirme
en s'écriant : « Fils, tu as péché, n'y reviens plus ; mais
demande pardon pour tes péchés passés, afin qu'ils te
soient pardonnés[f]. »

Cet avertissement nous a été donné, de toute évidence,
non pour les péchés véniels auxquels nous ne pouvons
échapper, mais pour les péchés capitaux. A ce sujet, il
est aussi écrit dans l'Évangile : « Lorsque l'esprit immonde
est sorti d'un homme, il va par les lieux arides, il cherche
le repos et ne le trouve pas. Alors, il revient, trouve
propre la maison d'où il était sorti et il y conduit avec
lui sept esprits plus méchants que lui et la nouvelle condition de cet homme sera pire que l'ancienne[g2]. » Tel est,
en effet, le sort de ceux qui essayent de racheter des péchés
capitaux en faisant l'aumône et retournent de nouveau
aux mêmes crimes. Car de même que l'aumône purifie,
de même la luxure souille. En effet, si quelqu'un lave
souvent sa robe mais ne cesse de la plonger dans la boue,
je ne sais de quel front il peut la porter dans une fête
quelconque ; surtout alors que l'Apôtre s'écrie à propos
du Christ : « Il s'est préparé une Église sans tache ni

---

1. Voir *supra, Serm.* 30, 4 et la note 2 de la p. 132.
2. Voir *supra, Serm.* 21, 9 et la note 1 de la p. 28.

maculam et rugam[h]. » Si cum macula et ruga intrare in
25 vitam [25]aeternam nemo poterit, qua conscientia capitalibus
criminibus oppres|sus aliquis intraturum se esse confidit,
nisi se emendando et elymosinas |dando mundaverit?

3. Et hoc quod suggero, fratres carissimi, diligenter
adtendite, |ne forte aliquis male intellegens credat me
30 dicere quod elymosina [30]non possit prodesse peccatis.
Absit hoc a nobis, fratres : non solum |prodesse credimus,
sed et multum prodesse fatemur; ea tamen |condicione,
ut qui elymosinas pro peccatis suis erogat, crimina capi-
|talia exercere iam desinat, et sic elymosinam faciat iubente
135 Domino (135) ut dedignetur servire peccato. De qua re
aliquam similitudinem |caritati vestrae insinuare volo.
Rogo vos, fratres, numquid aliquis |nostrum vult ut servus
suus sic illi pro opere suo mercedem suam |reddat, ut tamen
inimicis suis iugiter serviat, et numquam de illorum
5 [5]societate discedat? Certum est quod hoc nescio si ullus
homo sus|tinere praevaleat. Quod ergo non vis pati a
servo tuo, non est iustum |ut facias domino tuo.

Et ideo, sicut saepe iam diximus, quando |pauperibus
erogamus pecuniam, Deo offeramus animam nostram :
|ut, ubi est thesaurus noster, ibi esse possit et cor nostrum.
10 Quare [10]enim Deus a nobis pecuniam quaerit? Ideo utique,
quia scit quod |illam satis diligimus, et de ipsa iugiter
cogitamus; et ubi est pecunia |nostra, ibi est et cor nostrum.
Propterea nos Deus hortatur ut per |elymosinam pauperum
thesaurizemus in caelo, ut ibi sequatur cor |nostrum, quo

24 et[1] : aut L[2].
135,9-12 ut ubi — nostra *om.* A[1]T[1].

---

[h] Éphés. 5, 27.

---

1. Cf. *Matth.* 6, 21 et *Lc* 12, 34.

faux pli[h]. » Si personne ne peut entrer dans la vie éternelle
avec une tache ou un faux pli, au nom de quoi un homme
chargé de péchés capitaux se persuade-t-il qu'il y entrera
s'il ne se purifie pas en amendant sa vie et en faisant
l'aumône?

3. Faites bien attention à ce que
Le rôle de l'aumône je conseille, frères très chers, de peur
dans le salut que, pour avoir mal compris, quelqu'un s'avise de croire que je dis : l'aumône ne peut être
utile pour les péchés. Loin de nous cette idée, frères ;
non seulement nous croyons qu'elle est utile, mais nous
proclamons même qu'elle est très utile ; à cette condition
cependant, que celui qui distribue des aumônes pour ses
péchés renonce désormais à commettre des péchés
capitaux et fasse l'aumône selon le commandement du
Seigneur, de façon à refuser d'être esclave du péché.
Sur ce sujet, je veux soumettre à votre charité une comparaison. Je vous le demande, frères : l'un d'entre nous
veut-il que son serviteur lui restitue le salaire de son
travail, mais tout en servant continuellement ses ennemis
et sans jamais se séparer de leur compagnie? Il est certain
que je ne connais pas un homme prêt à l'endurer. Donc,
ce que tu ne veux pas souffrir de la part de ton serviteur,
il n'est pas juste que tu le fasses à ton Seigneur.

Et c'est pourquoi, comme nous l'avons déjà dit souvent,
quand nous distribuons de l'argent aux pauvres, offrons
notre âme à Dieu afin que là où est notre trésor, là aussi
puisse être notre cœur[1]. En effet, pourquoi Dieu nous
demande-t-il de l'argent? C'est à coup sûr parce qu'il sait
que nous l'aimons particulièrement et que nous y pensons
sans cesse ; et que là où est notre argent, là aussi est notre
cœur. C'est pourquoi Dieu nous exhorte à thésauriser
dans le ciel en faisant l'aumône aux pauvres, afin que
notre cœur suive là où nous avons déjà envoyé notre

praemittimus thesaurum nostrum, et sacerdote dicente
15 ¹⁵« Sursum corda » cum secura conscientia respondeamus
nos « habere ¦ad Dominum ».

4. Sed dicit aliquis : Iuvenis sum, et ideo voluptatem
vincere ¦et libidinem superare non possum. Si te non
potes continere, audi ¦Apostolum dicentem : « Melius est
20 nubere quam uri[a]. » Cum enim uxorem ²⁰ducere liceat, et
concubinas habere vel adulterium perpetrare non ¦liceat,
quare vis exercere quod non licet, et non vis habere quod
licet? ¦Nullus magis inlicita vitare debet, quam qui respuit
quod licebat. ¦Vere dico, fratres, quia hoc secundum Deum
nec licuit aliquando, ¦nec licet, nec umquam licebit. Sed,
25 quod peius est, ita peccata ista ²⁵in consuetudinem missa
sunt, et tanti sunt qui illa faciunt, ut iam ¦quasi ex licito
fieri credantur.

Si enim nullus vir est qui sponsam ¦suam velit ante
nuptias adulterinum habere concubitum, sed omnes
¦homines virgines uxores accipere volunt, qua fronte, qua
conscientia ¦ante nuptias concubinas habere non eru-
30 bescunt? Qua fronte uxorem ³⁰integram vult invenire,
cum ipse sit corruptus? Si enim secundum ¦scripturam
divinam « Anima quae peccaverit ipsa morietur[b] », quomodo
¦aliquis vivam coniugem vult accipere, cum ipse sit
mortuus? Sed, ¦sicut iam dixi, mala et pessima consuetudo
ita a pluribus sine aliquo ¦Dei timore committitur, ut hoc
nec peccatum esse credatur.

35   Sed for³⁵sitan aliquis putat licere hoc viris, et feminis
136 non licere : ut enim (136) viris liceat, sicut iam dixi, peccan-

---

4 [a] I Cor. 7, 9   [b] Éz. 18, 20.

---

1. Voir *infra*, *Serm.* 42 et 43 et t. I, Introd., p. 132-133.

trésor et que, lorsque le prêtre dit : « Haut les cœurs »,
nous répondions la conscience tranquille « qu'ils sont tout
au Seigneur ».

**Hommes et femmes
doivent se marier
vierges**

4. Mais quelqu'un dit : Je suis
jeune, et c'est pourquoi je ne puis
vaincre la volupté ni dominer le
désir. Si tu ne peux te contrôler,
écoute ce que dit l'Apôtre : « Mieux vaut se marier que
brûler[a]. » En effet, alors qu'il est permis de prendre
femme[1] et qu'il n'est pas permis d'avoir des concubines
ou de commettre l'adultère, pourquoi veux-tu faire ce qui
n'est pas permis et ne veux-tu pas avoir ce qui est permis ?
Nul ne doit davantage éviter ce qui est défendu que celui
qui a repoussé ce qui était permis. Je vous le dis en vérité,
frères, cela, Dieu ne l'a jamais permis, ne le permet ni ne
le permettra jamais. Mais, ce qui est pire, ces péchés sont
si bien passés dans la coutume, et si nombreux sont ceux
qui les commettent, qu'on croit maintenant que c'est
pratiquement permis.

S'il n'est aucun homme qui veuille que son épouse
connaisse avant les noces une union adultère, mais si tous
les hommes veulent recevoir leur femme vierge, de quel
front, avec quelle conscience ont-ils sans rougir des
concubines avant leurs noces ? De quel front un homme
veut-il trouver une épouse intacte, alors que lui-même
est corrompu ? Si, en effet, selon l'Écriture divine : « L'âme
qui a péché, elle mourra[b] », comment quelqu'un veut-il
recevoir une femme vivante, alors que lui-même est mort ?
Mais comme je l'ai déjà dit, une mauvaise, très mauvaise
coutume est si bien pratiquée par un trop grand nombre
de gens dépourvus de toute crainte de Dieu, que l'on ne
croit même pas que ce soit un péché.

Mais on pense peut-être que cela est permis aux hommes
et n'est pas permis aux femmes ; en effet, comme je l'ai
déjà dit, que cela soit permis aux hommes, la multitude

tium obtinuit multitudo. Nam in ¡populo christiano,
quicquid feminis non licet, nec viris umquam ¡aut licuit
aut licebit. Unde quicumque hoc se fecisse cognoscunt,
¡rogo ut non mihi sed sibi potius irascantur, et magis de
5 sua corre⁵ctione, quam de nostra oblocutione vel persecu-
tione studeant cogi¡tare : ut cum dies iudicii venerit, etsi
coronam non merentur accipere, ¡vel peccatorum indulgentiam consequantur.

de ceux qui pèchent l'a fait admettre. Or, dans le peuple chrétien, tout ce qui n'est pas permis aux femmes n'a jamais été permis aux hommes ni ne le sera jamais. Dès lors, tous ceux qui se savent coupables de ce péché, je leur demande de ne pas se mettre en colère contre moi mais plutôt contre eux-mêmes et de se soucier plus de penser à s'amender qu'à nous contredire ou à nous persécuter ; ainsi, lorsque le jour du Jugement sera venu, même s'ils ne méritent pas de recevoir la couronne, ils obtiendront du moins le pardon de leurs péchés.

SERMO XXXIII

De reddendis decimis : ante natale sancti Iohannis
Baptistae

10 [10]**1.** Propitio Christo, fratres carissimi, iam prope sunt
dies, in quibus |messes collegere debeamus : et ideo gratias
agentes Deo qui dedit, |de offerendis, immo de reddendis
decimis cogitemus. Deus enim |noster, qui dignatus est
totum dare, decimum a nobis dignatur repe|tere, non sibi,
15 sed nobis sine dubio profuturum. Sic enim per pro[15]phetam

Sermo XXXIII : W¹ *Wirceburgensis* Mp. th. f. 28   s. VIII
                G¹ *Monacensis lat.* 6298 (*Frising.* 98)   s. VIII
                G² *Monacensis lat.* 12610   s. XII
                G³ *Brugensis Seminarii* 254   s. XII
                H² *Londinensis B.M. Addit.* 30853   s. XI/XII
                H³ *Spinaliensis* 3 (*al.* 16)   s. XII
                H¹⁵ *Vaticanus Palatinus lat.* 213   s. IX/X
                H⁶⁵ *Augiensis* CCXXI   s. VIII *ex.*

136,8 ante natale H¹⁵ : in natale W¹ dominico ante diem H² ‖
13 repetere : recipere H¹⁵

---

1. Monsieur l'abbé Étaix a bien voulu signaler à notre attention
un manuscrit, apparemment ignoré de dom Morin, le *Parisinus lat.*
1771, qui reproduit, entre autres, un texte proche du sermon de
Césaire, sous le titre : *Incipit sermo sancti Augustini de decimis dandis.*
Ce manuscrit a été étudié récemment dans *RB*, LXXVIII (1968),
par P. VERBRAKEN, « Le manuscrit latin 1771 de la B.N. de Paris et
ses sermons augustiniens », p. 67-81 et par A. CHAVASSE, « Composi-

SERMON XXXIII

Du paiement des dîmes ; avant la nativité
de saint Jean-Baptiste[1]

1. Grâce à la bonté du Christ, frères très chers, les jours
sont déjà proches où nous devons faire les moissons ;
aussi, en rendant grâces à Dieu qui a donné, réfléchissons
à la dîme que nous devons offrir ou plutôt rendre[2]. Car
notre Dieu qui a daigné nous donner le tout, daigne
nous demander le dixième ; non pas pour lui, mais sans
aucun doute pour notre utilité future. En effet, lui-même

tion et date des recueils anciens passés dans la seconde partie du
Parisinus lat. 1771 », p. 82-86. Selon leurs conclusions, le sermon
qui nous intéresse, fol. 68v-69v, appartient à un recueil du IXe siècle,
probablement copié dans le scriptorium de Fulda. Il fait partie
d'une petite collection qui semble ne pas être antérieure à la fin du
Ve siècle, probablement d'origine africaine. — Ce texte est visiblement à la source du sermon édité par A. MAI, *NPB*, t. I, p. 142-144,
Serm. 73, et, mais de façon plus éloignée, de la partie centrale de
notre *Sermon* 33. Il nous a paru intéressant de publier en appendice
ce texte encore inédit.

2. Voir t. I, *Serm.* 1, 12, p. 250, et la note 1. Les premiers conciles
gaulois à faire mention de la dîme sont postérieurs à la mort de
Césaire : ainsi le *concile de Tours* en 567 dans sa lettre au peuple,
éd. de Clercq, p. 198 et celui de *Mâcon* en 585, *ibid.*, p. 241. Ce dernier
la mentionne cependant comme « mos antiquus ». En Provence même,
Pomère, aîné de Césaire, en parle comme d'une institution établie.
Le ton du sermon indique d'ailleurs qu'il ne s'agit pas là d'une
nouveauté pour les fidèles.

ipse promisit dicens : « Inferte, inquid. omnem decimam
ʲin horreis meis, ut sit cibus in domo mea; et probate me
in his, ʲdicit Dominus, si non aperuero vobis cataractas
caeli, et dedero ʲvobis fructos usque ad abundantiamª. »
Ecce probavimus, quomodo ʲnobis decimae magis quam
Deo proficiunt.

20   Et propterea alibi scrip²⁰tum est : « Domini est terra
et plenitudo eius, orbis terrarum ʲet universi qui habitant
137 in eoᵇ. » Si ergo Domini est terra et plenitudo (**137**) eius,
servi Domini sumus pariter et coloni : et nescio quomodo
non ʲomnes agnoscimus possessorem. Dicit enim : «Agnovit
bos possesʲsorem suum, et asinus praesepe Domini sui ;
Israhel autem me ʲnon cognovit, et populus meus me non
5 intellexitᶜ. » O homines ⁵stulti, quid mali imperat Deus,
ut non mereatur audiri? Sic enim ʲdicit : « Primitias areae
tuae et torcularis tui non tardabis offerre ʲmihiᵈ. » Si
tardius dare peccatum est, quanto magis peius est non
ʲdedisse? Et iterum dicit : « Honora Dominum Deum tuum
de tuis ʲiustis laboribus, deliba ei de fructibus iustitiae
10 tuae; ut replean¹⁰tur horrea tua frumento, vino quoque
torcularia tua redunʲdabuntᵉ. » Non praestas hoc gratis,
quod cito recipies magno cum ʲfenore. Quaeris forte cui

16 domo : domu G¹ ‖ 17 caeli : et effundero vobis benedictionem
add. H² ‖ 18 fructos W¹H².¹⁵ : fructus G¹·² ‖ 19-**137**,4 Et propterea —
intellexit *om.* W¹G¹·²·³H³·¹⁵.

137,2 Agnovit : cognovit H² ‖ 4 et *om.* H² ‖ 5 mali : male H⁶⁵ ‖
8 Deum tuum *om.* G¹ ‖ 9 tuae *om.* H¹⁵ ‖ 11-14 Non praestas — perdidisti *om.* H¹⁵ ‖ 11-12 recipies [recipias G¹] — fenore : magno lucro
recipias W¹

1 ª Mal. 3, 10 ᵇ Ps. 23, 1 ᶜ Is. 1, 3 ᵈ Ex. 22, 29 ᵉ Prov. 3, 9-10

1. Cette admonition est, à une exception près, la seule à s'appuyer
uniquement sur des textes tirés de l'Ancien Testament. Les citations
que Césaire fait ici de *Malachie* sont extrêmement rares chez les

l'a promis par la bouche du prophète[1] : « Versez, dit-il,
dans mes greniers, la dîme de tous vos biens, pour qu'il y
ait de la nourriture dans ma maison ; et mettez-moi ainsi
à l'épreuve, dit le Seigneur, pour voir si je n'ouvrirai pas
pour vous les écluses du ciel et ne vous donnerai pas des
fruits jusqu'à l'abondance[a]. » Eh bien, nous avons démontré
que la dîme profite à nous plutôt qu'à Dieu.

Tous nos biens sont à Dieu
A ce sujet il est écrit ailleurs :
« Au Seigneur est la terre et sa
plénitude, l'univers et tous ceux qui
l'habitent[b]. » Si donc la terre et sa plénitude sont au
Seigneur, nous sommes par le fait serviteurs et fermiers
du Seigneur ; et je ne sais comment nous ne le reconnaissons
pas tous comme le propriétaire. Il dit en effet : « Le bœuf
reconnaît son propriétaire et l'âne la crèche de son maître ;
mais Israël ne me connaît pas et mon peuple ne m'a pas
compris[c]. » Ô hommes stupides, quel mal Dieu commande-
t-il, pour ne pas mériter d'être entendu ? En effet, il parle
ainsi : « Tu ne tarderas pas à m'offrir les prémices de ton
aire et de ton pressoir[d][2]. » Si c'est un péché de tarder à
donner, combien il est pire encore de n'avoir pas donné !
Et il dit encore : « Fais hommage au Seigneur ton Dieu
de tes justes travaux, prélève pour lui des fruits de ta
justice, afin que tes greniers se remplissent de froment ;
et tes pressoirs aussi regorgeront de vin[e][3]. » Tu n'offres
pas gratuitement ce que tu récupéreras sous peu avec un
gros intérêt. Peut-être demandes-tu à qui profite ce que

Pères. Nous en avons relevé à peine une vingtaine pour les versets
3, 8 et 3, 10, onze pour le verset 9 et sept seulement pour le verset 11.
Le texte de Césaire s'éloigne plus ou moins de celui de la Vulgate,
suivant les versets, mais surtout pour le verset 9.

2. Verset peu représenté chez les Pères, et jamais exactement
sous cette forme, sauf dans le *Parisinus* 1771.

3. Le texte de Césaire s'appuie sur celui de la Septante. Nous le
trouvons déjà dans le *Parisinus* et, très proche, chez Jérôme, *In
Ezech.*, 14. Ce verset n'apparaît pas dans l'œuvre d'Augustin.

proficiat, quod Deus accipit redditurus : ¦quaeris iterum
cui proficiat, quod pauperibus datur? Si credis, ¦tibi
proficit : si dubitas, perdidisti. Decimae enim, fratres
15 carissimi, ¹⁵tributa sunt egentium animarum. Redde ergo
tributa pauperibus, ¦offer libamina sacerdotibus.

Quod si decimas non habes fructuum ¦terrenorum, quod
habet agricola, quodcumque te pascit ingenium ¦Dei est :
inde decimas expetit unde vivis. De militia, de negotio,
¦de artificio tuo redde decimas : aliud enim pro terra
20 dependimus, ²⁰aliud pro usura vitae pensamus. Redde ergo,
homo, quia possides : ¦redde, quia nasci meruisti. Sic
enim dicit Dominus : « Dabunt singuli ¦decimas et primitias
redemptionem animarum suarum Deo, et ¦non erunt in
eis morbi neque casusᶠ. » Ecce habes in scripturis sanctis
¦cautionem Domini tui, per quam tibi promisit, quod, si
25 decimas ²⁵dederis, non solum abundantiam fructuum
recipies, sed etiam sani¦tatem corporis consequeris. « Replebuntur, inquid, areae tuae fru¦mento, vino quoque torcularia tua redundabunt »; et « Non erunt ¦in eis morbi neque
casus. » Cum enim decimas dando et terrena ¦et caelestia
30 possis munera promereri, quare per avaritiam duplici ³⁰te
benedictione defraudas?

2. Audi ergo, indevota mortalitas. Nosti quia Dei sunt
138 cuncta (138) quae percipis, et de suo non adcommodas
rerum omnium creatori? ¦Non eget Dominus Deus : non

14 dubitas : dubitasti H³ ‖ 16 habes : dabis H¹⁵ dederis H³ ‖ 19
aliud : aliut H² ‖ 22 redemptionem : pro redemptione G³ ‖ 24 cautionem — per quam : cautiones — per quas H³ ‖ 26 corporis : corporum W¹G¹·²·³H³·¹⁵ ‖ 26-28 Replebuntur — casus *om.* H¹⁵ ‖ 26 areae
tuae : orrea tua H² ‖ 31-**138**,4 Audi — negas *om.* H¹⁵.
138,1 creatori : conditori H³

ᶠ Ex. 30, 12.

Dieu accepte avec l'intention de le rendre ; peut-être demandes-tu encore à qui profite ce qui est donné aux pauvres ? Si tu crois, c'est à toi que cela profite ; si tu doutes, tu as perdu. Car la dîme, frères très chers, est l'impôt des âmes dans le besoin[1]. Paye donc tes impôts aux pauvres, présente des offrandes aux prêtres.

Et si tu n'as pas la dîme des fruits de la terre, comme le cultivateur, tout ce que te procure ton industrie est à Dieu ; il revendique donc la dîme de tous tes revenus. De ta solde militaire, de ton commerce, de ton métier, paye la dîme. Car nous payons telle somme pour la terre, telle autre pour la jouissance de la vie. Paye donc, homme, parce que tu possèdes ; paye, parce que tu as mérité de naître. Car ainsi parle le Seigneur : « Chacun donnera à Dieu la dîme et les prémices pour le rachat de son âme, et il n'y aura parmi eux ni maladies ni accidents[2]. » Voici que tu as dans les Écritures saintes la garantie de ton Seigneur, par laquelle il t'a promis que, si tu donnes la dîme, non seulement tu recevras des fruits en abondance, mais que tu obtiendras même la santé du corps. « Tes aires, dit-il, seront remplies de froment, et tes pressoirs aussi regorgeront de vin », et : « Il n'y aura parmi eux ni maladies ni accidents. » En effet, puisque tu peux, en payant la dîme, gagner des récompenses terrestres et célestes, pourquoi te prives-tu par avarice d'une double bénédiction ?

Dieu exige de qui ne donne pas **2.** Écoute donc, mortel irréligieux. Tu sais que toutes tes ressources appartiennent à Dieu, et sur son bien tu n'accordes rien au créateur de toutes choses? Le Seigneur Dieu n'est pas dans le besoin ; il ne demande

porte ici : « Augustinus dixit : Decimae enim tributa sunt egentium animarum. »

2. Pas d'autre exemple, à notre connaissance, d'un texte identique.

praemium postulat, sed honorem : ¹non de tuo aliquid
exigit, quod refundas. Primitias rerum et decimas ²petit
et negas? Avare, quid faceres, si novem partibus sibi
5 sumptis ⁵tibi decimam reliquisset? Quod certe iam factum
est, cum messis ⁶tua pluviarum benedictione subtracta
ieiuna defecit, et vindemiam ⁷tuam aut grando percussit,
aut pruina decoxit. Quid est, avide sub⁸putator? Novem
tibi partes retractae sunt, quia decimam dare noluisti.
⁹Constat quidem, quod ipse non dederis; sed tamen Deus
exegit.

10 ¹⁰Haec enim est Domini iustissima consuetudo, ut, si
tu illi decimam ¹non dederis, tu ad decimam revoceris :
scriptum est enim : « Haec ²dicit Dominus : quia decima
agri tui et primitiae terrae ³vobiscum sunt; video vos, et
fallere me existimastis; intus ⁴in thesauris vestris et in
15 domibus vestris erit direptio[a]. » Dabis ¹⁵impio militi, quod
non vis dare sacerdoti. « Convertimini quoque ad hoc,
⁶dicit Dominus omnipotens, ut aperiam vobis cataractas
caeli, et ⁷effundam vobis benedictionem meam desuper;
et non vobis cor⁸rumpentur fructus terrae, neque languebit
vitis in agro vestro, ⁹et beatos vos dicent omnes gentes[b]. »
20 Benefacere Deus semper paratus ²⁰est, sed hominum malitia
prohibetur : quia a Domino Deo sibi dari ²vult omnia, et
non vult ei de his quae possidere videtur offerre.

³Quid, si diceret Deus : Nempe meus es, homo, quem
feci : mea est ⁴terra, quam colis : mea sunt et semina,
quae spargis : mea animalia, ⁵quae fatigas : mei sunt

---

4 petit : dignatur petere H³ ‖ 6-7 et vindemiam — decoxit : cum
aut hostilitas rapuit. aut grando quod remansisse videbatur avertit
W¹ ‖ 7-8 Quid — subputator : quid avide subputas H³ ‖ 8 retractae : detractae H¹⁵ ‖ 9 exegit : exigit H²·³ ‖ 11-14 scriptum — direptio
om. H¹⁵ ‖ 13 video vos : vidi autem H³ ‖ 13-14 intus — vestris² : non
solum in terris vestris, sed etiam in domibus W¹ ‖ 15 ad hoc : ad
me H³ ‖ 17 vobis² om. H³ ‖ 17-18 corrumpentur : corrumpantur
W¹G¹·²·³H¹⁵ corrumpatur H² corrumpam H³ ‖ 18 terrae : vestrae
add. H³ ‖ 22 Nempe om. H³ ‖ 23 et semina om. G¹·²

pas une faveur, mais un hommage ; il n'exige pas que
tu lui rendes quelque chose de ton bien à toi. Il demande
les prémices et la dîme et tu refuses ? Avare, que ferais-tu,
si ayant pris pour lui les neuf autres parties, il t'avait
laissé la dixième ? Et cela, à coup sûr, s'est déjà produit,
lorsque ta moisson, privée de la bénédiction des pluies,
desséchée, a fait défaut, ou lorsque la grêle a frappé ta
vendange ou que la gelée l'a brûlée. Pourquoi cela, avide
calculateur ? Les neuf parties t'ont été retirées, parce que
tu n'as pas voulu donner la dixième. Il est évident, certes,
que toi-même tu n'as pas donné ; mais pourtant Dieu a
exigé.

C'est en effet une coutume très juste du Seigneur,
si tu ne lui donnes pas le dixième, de te ramener au dixième ;
car il est écrit : « Ainsi parle le Seigneur ; parce que vous
avez gardé la dîme de votre champ et les prémices de la
terre, je vous vois et vous avez pensé me tromper ; dans
vos trésors et vos maisons ce sera le pillage[a]. » Tu donneras
au soldat impie ce que tu ne veux pas donner au prêtre.
« Convertissez-vous aussi, dit le Seigneur tout-puissant,
pour que j'ouvre pour vous les écluses du ciel et que je
répande sur vous ma bénédiction ; et les fruits de votre
terre ne pourriront pas ni la vigne ne sera stérile dans
votre champ, et toutes les nations vous diront bienheureux[b]. » Dieu est toujours prêt à faire le bien, mais
il en est empêché par la malice des hommes ; car celle-ci
veut que le Seigneur Dieu lui donne tout, sans vouloir
rien lui offrir de ce qu'elle semble posséder.

Eh quoi, si Dieu disait : Assurément tu es mien, homme,
toi que j'ai fait ; à moi est la terre que tu cultives ; à moi
aussi sont les grains que tu sèmes ; à moi les animaux
que tu fais travailler ; à moi sont les averses et les pluies ;

2 [a] Mal. 3, 8-10   [b] Mal. 3, 10-12.

25 imbres et pluviae, ventorum flamina mea sunt, ²⁵meus est
solis calor; et cum omnia mea sint elementa vivendi, tu,
ǀqui manus tantum adcommodas, solam decimam merebaris? Sed ǀquia pie nos pascit omnipotens Deus, amplissimam tribuit minus ǀǀlaboranti mercedem; sibi tantum
decimam vindicans, nobis omnia ǀcondonavit.

139 (139) **3.** Ingrate fraudator ac perfide, divina te voce
convenio. Ecce ǀannus iam finitus est : redde Domino
pluenti mercedem. Redime te, ǀhomo, dum vivis : redime
te ipse, dum potes : redime te, inquam, ǀdum pretium in
5 manibus habes : redime te, ne, dum te mors avara ⁵praeve-
nerit, et vitam simul et pretium perdas. Sine causa hoc
dimittis ǀuxori, quae forsitan alterum habebit maritum.
Sine causa hoc marito ǀdimittis, mulier, qui forte aliam
sine mora cupit habere uxorem. ǀFrustra parentibus ac
propinquis curam tuam iniungis : nemo te ǀpost mortem
10 tuam fideliter redimet, quia in vita tu te redimere ¹⁰noluisti.
Depone iam avaritiae sarcinam de cervicibus tuis :
contemne ǀcrudelissimam dominam, quae, dum te iugo
durissimo premit, iugum ǀChristi te suscipere non permittit.
Sicut enim iugum avaritiae in ǀinfernum premere, ita
iugum Christi in caelum levare consuevit.

ǀDecimae enim ex debito requiruntur; et qui eas dare
15 noluerit, res ¹⁵alienas invasit. Et quanti pauperes in locis,
ubi ipse habitat, illo decimas ǀnon dante fame mortui
fuerint, tantorum homicidiorum reus ante ǀtribunal aeterni
iudicis apparebit : quia rem a Domino pauperibus ǀdele-
gatam suis usibus reservavit. Qui ergo sibi aut praemium

28-**139**,1 sibi — convenio *om.* H¹⁵.

139,3 ipse : ipsum G¹ ǁ 7 sine mora *om.* H³·¹⁵ ǁ 8 curam tuam *om.*
W¹G¹·²·³H²·¹⁵ ǁ 9 in vita *om.* W¹G¹·²·³H²·³·¹⁵

---

1. Cf. *supra*, *Serm.* 30, 2.6.

à moi sont les souffles des vents ; à moi est la chaleur du soleil ; et alors que tous les éléments de vie sont miens, toi qui y mets seulement la main, méritais-tu même le dixième ? Mais parce que le Dieu tout-puissant nous nourrit avec bonté, il accorde le salaire le plus élevé à celui qui travaille le moins ; revendiquant pour lui le dixième seulement, à nous il fait don de tout le reste.

3. Malhonnête, ingrat et perfide, je m'adresse à toi avec la voix de Dieu. Voici que l'année est maintenant finie ; rends son dû au Seigneur qui donne la pluie ; rachète-toi, homme, tandis que tu vis ; rachète-toi tandis que tu le peux ; rachète-toi, dis-je, tandis que tu as entre les mains de quoi payer ; rachète-toi avant que la mort avide ne te devance, et que tu ne perdes à la fois ta vie et ton bien. C'est en vain que tu le lègues à ton épouse qui, peut-être, aura un autre mari. C'est en vain, femme, que tu le lègues à ton mari qui, peut-être, désire avoir une autre épouse sans tarder. Tu imposes inutilement à tes parents et à tes proches d'avoir souci de toi ; personne après ta mort ne te rachètera pieusement, puisque toi, durant ta vie, tu n'a pas voulu te racheter. Décharge maintenant ta nuque du fardeau de l'avarice ; méprise cette maîtresse très cruelle qui, en t'abaissant sous son joug très dur, ne te permet pas de recevoir le joug du Christ. Car de même que le joug de l'avarice abaisse vers l'enfer, de même le joug du Christ élève vers le ciel.

En effet, la dîme est requise en vertu d'un dû ; et celui qui n'a pas voulu la donner s'est saisi du bien d'autrui. Et autant de pauvres seront morts de faim dans les lieux où il habite, parce qu'il n'a pas donné la dîme, autant de fois il sera accusé d'homicide lorsqu'il apparaîtra devant le tribunal du Juge éternel ; car il a réservé pour son usage la part que le Seigneur avait attribuée aux pauvres[1]. Donc, que celui qui désire, soit se ménager une récompense,

conparare, |aut peccatorum desiderat indulgentiam prome-
20 reri, redditis decimis ²⁰etiam et de novem partibus studeat
elimosinam dare : ita tamen, |ut de ipsis novem partibus
quicquid excepto victu mediocri et vestitu |rationabili
superfuerit, non luxuriae reservetur, sed in thesauro
caele|sti per elimosinam pauperum reponatur. Quicquid
enim nobis Deus |plus quam opus est dederit, non nobis
25 specialiter dedit, sed per nos ²⁵aliis erogandum transmisit.
Si non dederimus, res alienas invasimus.

4. Et quia natale sancti Iohannis Baptistae cum gaudio
cupimus |celebrare, sicut et reliquis festivitatibus superve-
nientibus, ita inmi|nente ista tam praeclara sollemnitate
ante plures dies castitatem |et honestatem omnes omnino
30 custodiant; ut festivitatem istam ³⁰possint omnes cum
gaudio celebrare, et ad altare Domini cum libera |et sincera
conscientia mereantur accedere. Hoc etiam deprecor, |et
per tremendum diem iudicii vos adiuro, ut omnes vicinos
vestros, |omnes familias, et cunctos ad vos pertinentes
140 admoneatis, et cum (140) zelo Dei severissime castigetis;
ne ullus in festivitate sancti Iohannis |aut in fontibus aut
in paludibus aut in fluminibus nocturnis aut matu|tinis
horis se lavare praesumat : quia ista infelix consuetudo
adhuc |de paganorum observatione remansit. Cum enim
5 non solum animae, ⁵sed etiam, quod peius est, corpora
frequentissime in illa sacrilega |lavatione moriantur, vel

---

19 promereri : *verbis additis* ea quae suggessimus implere studeat
prestante Domino nostro *etc. concl.* H³ ‖ redditis decimis : reddetis
decimas W¹ ‖ 20 et *om.* W¹G¹·²H² ‖ 21 de ipsis novem partibus *om.*
G¹·²·³H¹⁵ ‖ 26 Baptistae : *om.* H¹⁵ venturum *add.* G¹·² ‖ 27-28 ita —
sollemnitate *om.* G¹·² ‖ 29 omnes *om.* G¹·²·³H²·¹⁵ ‖ 31 sincera : secura
G¹·²·³.

140,2-3 aut matutinis *om.* W¹ ‖ 4-7 Cum enim — non cogitant
om. H¹⁵

---

soit mériter le pardon de ses péchés, paye la dîme et s'applique aussi à faire l'aumône sur les neuf autres parties, si bien que sur ces neuf autres parties, ce qui lui reste après avoir mis de côté de quoi manger frugalement et se vêtir décemment, il ne le consacre pas à la débauche, mais le place dans le trésor du ciel en faisant l'aumône aux pauvres. En effet, tout ce que Dieu nous a donné en plus du nécessaire, il ne nous l'a pas donné pour nous personnellement, mais il nous l'a remis pour que nous le distribuions aux autres. Si nous ne l'avons pas donné, nous nous sommes saisis du bien d'autrui.

Fête de la Saint-Jean   **4.** Et parce que nous désirons célébrer dans la joie la nativité de saint Jean-Baptiste, qu'à l'approche de cette solennité si illustre, ainsi que de toutes les autres fêtes qui se présentent, tous gardent plusieurs jours auparavant une chasteté et une honnêteté sans faille, afin que tous puissent célébrer dans la joie cette fête et méritent de s'avancer vers l'autel du Seigneur avec une conscience libre et pure. Je vous demande aussi avec instance, et vous adjure par le terrible jour du Jugement, de mettre en garde tous vos voisins, tous les membres de votre famille et ceux qui vous appartiennent et de les reprendre très sévèrement avec le zèle de Dieu : que personne n'ait l'audace durant la fête de la Saint-Jean, de se baigner dans les fontaines ou les étangs ou les rivières, la nuit ou aux premières heures du jour, car cette malheureuse coutume qui nous est restée jusqu'à présent vient des rites païens. En effet, comme non seulement les âmes, mais même, ce qui est pire, les corps, meurent très fréquemment au cours de ce bain sacrilège[1], qu'ils craignent au moins la mort du corps,

---

tuée jusqu'à nos jours dans certaines régions comme la Catalogne, par exemple. Autour d'Arles, les marais infestés de moustiques devaient rendre très dangereux ces bains intempestifs.

de corporis morte timeant, qui de animae ᴵsuae salute non
cogitant. Sed credimus de Dei misericordia, quod ᴵcasti-
gantibus vobis aut pauci aut forte nullus hoc malum de
reliquo ᴵaudebit admittere.

10   Etiam et hoc admonete, fratres, ut cantica turpia ¹⁰vel
luxoriosa, castitati et honestati inimica, familiae vestrae
ex ore ᴵnon proferant : quia non est iustum, ut ex illo
ore, ubi eucharistia ᴵChristi ingreditur, canticum luxorio-
sum vel amatorium proferatur. ᴵHaec enim si secundum
vestram consuetudinem libenter auditis, ᴵet Christo
auxiliante inplere contenditis, et in hoc saeculo sanctorum
15   ¹⁵sollemnitates mundo corde et casto corpore cum gaudio
celebrabitis, ᴵet in futuro ad ipsorum sanctorum consortium
feciliter venietis : ᴵpraestante Domino nostro Iesu Christo,
cui est honor et gloria in ᴵsaecula saeculorum. Amen.

10 castitati — vestrae *om.* H¹⁵ ‖ 16 sanctorum *om.* W¹.

ceux qui ne pensent pas au salut de leur âme. Mais nous faisons cette confiance à la miséricorde de Dieu que, grâce à vos reproches, seul un petit nombre osera se permettre cette mauvaise action à l'avenir, ou peut-être même personne.

Engagez aussi les vôtres, frères, à ne pas proférer de leur bouche des chansons scandaleuses et lascives, ennemies de la chasteté et de la pudeur, car il n'est pas juste que cette bouche où pénètre l'Eucharistie du Christ profère une chanson d'amour lascive. En effet, si selon votre habitude vous écoutez ces conseils de bon cœur et si, avec l'aide du Christ, vous cherchez à les mettre en pratique, dans ce siècle vous célébrerez les solennités des saints dans la joie, purs de cœur et chastes de corps ; et dans le monde à venir vous parviendrez heureusement à la communauté des saints eux-mêmes ; avec l'assistance de notre Seigneur Jésus-Christ, à qui appartiennent l'honneur et la gloire pour les siècles des siècles. Amen.

SERMO XXXIV

Sermo sancti Caesarii episcopi de dilectione parentum
20 [20]et de decimis

1. Legimus, fratres dilectissimi, monente nos Domino
per prophetam, [parentibus nostris et honorem semper et
amorem inpendere, et si [forte evenerit ut aliqua paupertate
laborent, necessitates eorum [secundum quod possumus
25 sublevare. Sic enim ait : « Si videris, inquid, [25]nudum,
cooperi eum, et domesticos seminis tui ne despexeris[a]. »
[Hoc loco domesticos seminis parentes nostros intellegi
voluit. Sed [dicit aliquis : Quis est qui parentes suos odio
141 habeat, ut hoc pro magno (141) Dominus admonuerit per
prophetam? Sine dubio, fratres, scivit Spi[ritus sanctus
nonnullos homines, qui cum ad aliquos honores aut
[divitias undecumque quaesitas pervenerint, ita parentes
suos pauperes [despiciunt, ut eos nec videre dignentur :

Sermo XXXIV : V[1]	*Marcianus* VI.5	s. IX/X
	V[2] *Marcianus* VI.6	s. XIV
	A[1] *Carnotensis* 67 (8)	s. IX
	A[4] *Laurentianus* Plut. XVI, cod. 20	s. XI
	A[5] *Florentinus* 586	s. X
	A[6] *Florentinus* 137	s. X
	A[7] *Laurentianus* Plut. XXIII, cod. 23	s. XI
	A[10] *Ambrosianus* I.45 sup.	s. XII
	A[12] *Trecensis* 1004	s. XII/XIII

141,3 quaesitas : acquisitas A[4.5.6]

SERMON XXXIV

Sermon de saint Césaire évêque sur l'amour des parents et sur les dîmes[1]

1. Nous lisons, frères bien-aimés, par l'intermédiaire du prophète cet avertissement du Seigneur, de toujours honorer et aimer nos parents, et s'il arrive par hasard qu'ils soient accablés par la pauvreté, de soulager leurs besoins selon nos moyens. En effet, il parle ainsi : « Si tu vois quelqu'un de nu, couvre-le, et ne méprise pas les membres de ta chair[a][2]. » Ici, par membres de la chair, il a voulu faire entendre nos parents. Mais quelqu'un dit : Qui est-ce qui pourrait avoir ses parents en haine, pour que le Seigneur ait tant attiré notre attention là-dessus, par la bouche du prophète ? Sans aucun doute, frères, l'Esprit saint a su que certains hommes, une fois parvenus à quelques honneurs ou à des richesses de n'importe quelle provenance, méprisent tellement leurs parents pauvres qu'ils ne daignent même pas les regarder. Que ceux qui

1 [a] Is. 58, 7.

1. Ce sermon a été attribué à MAXIME DE TURIN dans plusieurs manuscrits, apparemment sans raison.

2. Césaire suit la Septante. Cette citation est très courante chez les Pères ; on la trouve plusieurs fois chez Cyprien, Ambroise, Jérôme et surtout chez Augustin. Cyprien présente toujours le même texte que Césaire, et cette version est de loin la plus fréquente chez tous les Pères, *despicies* remplaçant parfois *despexeris*.

5 quod qui fecerint, non ⁵solum peccatum, sed etiam grave
crimen se admisisse non dubitent. ¹Et forte evenit ut ille
per divitias et superbiam crimina grandia vel ¹peccata
committat, et parentes sui pro ipsa paupertate et humili-
¹tatem et simplicitatem et iustitiam teneant : et qua fronte
infelix ¹dedignatur adtendere parentos suos innocentes et
10 iustos, cum sit ¹⁰ipse peccator et impius? Si quis ergo
idoneus est, si aliquos parentes ¹habuerit pauperes, ipsis
prius necessaria tribuat, et sic indigentibus ¹extraneis
elymosinam faciat : quia reliquis pauperibus si tu non
¹dederis, dabit alius, parentibus vero tuis pauperibus, si
tu nihil ¹largitus fueris, difficile est ut alius largiatur.

15   ¹⁵2. Ipse est elymosinarum ordo iustus atque legitimus,
ut prius ¹tibi et tuis victum et vestitum sufficientem et
mediocrem, non pom¹posum nec deliciosum provideas;
deinde, sicut dixi, si qui sunt ¹pauperes de parentibus
tuis, quantum praevales largiaris; deinde ¹servos et ancillas
20 tuas nec esurire nec algere permittas : et post ²⁰haec
quicquid tibi Deus, sicut dixi, excepto victu et vestitu
dederit, ¹non in terreno, « ubi fures effodiunt et furantur ªᵃ »,
sed in caelesti ¹thesauro recondas, ut « ubi fuerit thesaurus
tuus, ibi sit et cor ¹tuumᵇ »; et cum sacerdos clamaverit
« Sursum corda », securi et in veritate ¹respondeamus
« Habemus ad Dominum. » Quaecumque enim Deus,
25 ²⁵excepto mediocri et rationabili victu et vestitu, sive de
quacumque ¹militia, sive de agricultura contulerit, non
tibi specialiter dedit, sed ¹per te pauperibus eroganda
transmisit. Si nolueris dare, noveris ¹te res alienas auferre;
quia, sicut dixi, hoc solum est nostrum, quod ¹nobis vel

6 crimina : et crimina A¹ ǁ 23 Sursum corda : sursum cor A¹

2 ᵃ Matth. 6, 19   ᵇ Matth. 6, 21.

auront fait cela, ne doutent pas d'avoir commis non
seulement un péché, mais même un grand crime. Et il
peut même arriver que cet homme, à cause de ses richesses
et de son orgueil, commette de grands crimes ou du moins
des péchés et que ses parents, grâce à leur pauvreté même,
conservent l'humilité, la simplicité et la justice ; et de
quel front ce malheureux dédaigne-t-il de prêter attention
à ses parents innocents et justes, lui qui n'est qu'un pécheur
impie ? Donc, si quelqu'un est à l'aise et qu'il ait des
parents pauvres, qu'il leur offre d'abord le nécessaire
et qu'ensuite il fasse l'aumône aux étrangers dans le besoin ;
parce que si tu ne donnes pas aux autres pauvres, un
autre leur donnera, mais si tu ne donnes pas généreusement
à tes parents pauvres, il est difficile qu'un autre le fasse.

2. L'ordre juste et légitime des aumônes, c'est que
tu assures d'abord à toi et aux tiens une nourriture et
des vêtements suffisants et décents, sans être luxueux
ni délicats ; ensuite, comme je l'ai déjà dit, s'il y a des
pauvres parmi tes parents, donne-leur généreusement
autant que tu peux ; ensuite ne laisse pas tes serviteurs
et tes servantes avoir faim ni froid ; et, après cela, tout
ce que Dieu t'a donné, comme j'ai dit, à l'exception de
la nourriture et du vêtement, mets-le en réserve non pas
sur terre, « où les voleurs fouillent et dérobent[a] », mais
dans le trésor céleste, afin que, « là où est ton trésor,
là aussi soit ton cœur[b] » ; et que lorsque le prêtre s'écrie :
« Haut les cœurs », nous répondions avec assurance et
en vérité : « Ils sont tout au Seigneur. » Car tout ce que
Dieu, à l'exception d'une nourriture et d'un vêtement
décents et raisonnables, a accordé sous forme soit de solde
militaire, soit de produit agricole, il ne te l'a pas donné
à toi personnellement, mais il te l'a confié pour que tu
le distribues aux pauvres. Si tu refuses de donner, sache
que tu accapares le bien d'autrui car, comme j'ai dit,
cela seul est nôtre qui suffit raisonnablement à nous et

nostris rationabiliter sufficit. Quicquid superfuerit, Deus
30 ³⁰noster, sicut dixi, pauperibus erogandum transmisit.

3. Ac sic non solum decimas dare debemus, sed etiam
de novem ¹partibus, quicquid solutis tributis vel expletis
sumtibus nostris ¹remanserit, quasi aliis transmissum
fideliter erogare debemus. Quod ¹tamen si fecerimus, vere
35 nostra sunt quae donamus; si vero non facimus, ³⁵nec illa
nostra sunt quae servamus, nec nos ipsi nostri sumus, qui
142 (142) servare videmur. Et tamen, fratres, non video qua
fronte illi non ¹offerimus decimum, a quo accepimus totum.
Si velit Deus rationem ¹facere nobiscum et dicere : Terram
quam colis ego feci, te ipsum qui ¹colis et servos tuos ego
5 feci, animalia quae te ad colendum adiuvant ⁵ego condidi;
calorem solis ego tribuo, pluviam temporibus suis ego
¹dispenso, ipsam sementem quam spargis ego concedo. Si
ad iustam ¹rationem adtendis, tibi debes decimam reservare,
et mihi novem ¹partes dare. Nec hoc quaero, misericors
esse volo : exemplum tibi ¹praebeo, ut quomodo ego
misertus sum tui, sic misereris tu pauperi.
10 ¹⁰Si ergo, fratres, iustam rationem nobiscum voluerit
facere Deus, ¹numquid est quod respondere possimus? Et
licet in multis sanctarum ¹scripturarum locis nos de his
rebus admoneat Deus, tamen per ¹Apostolum specialiter
clamat et admonet, dicens : « Habentes victum ¹et vestitum,
15 his contenti simus. Nam qui volunt divites fieri, ¹⁵incidunt
in temptationem et in laqueum diaboli et desideria ¹multa
inutilia et nociva, quae mergunt homines in interitum ¹et

---

30 erogandum : erogando A⁴ eroganda A¹·⁵·⁶.

142,2 accepimus : accipimus V¹·²A¹&c·¹⁰ ‖ velit : vellet A¹ᴾᶜ ‖ 3 dicere :
diceret A¹ ‖ 6 Si : et sic A¹⁰ ‖ 7 adtendis A¹ˢ¹ : om. cett. ‖ debes om. A⁴ ‖
decimam : decimas A⁴·⁵·⁶ ‖ 8 dare A¹ˢ¹ : om. V¹·²A⁴·⁵·⁶ ‖ 9 tu om. A¹ ‖
14 simus : sumus A¹·⁵·⁶ sitis A⁴ ‖ 15 in² om. A⁴·⁵·⁶

---

1. Cf. supra, Serm. 30, 2.6 et 33, 3.
2. Cf. supra, Serm. 33, 2.

aux nôtres. Tout le supplément, notre Dieu, comme je l'ai dit, nous l'a confié pour le distribuer aux pauvres[1].

La dîme, minimum dû à Dieu **3.** Et ainsi nous devons non seulement donner la dîme, mais même sur les neuf autres parties, ce qui reste, une fois acquittés les impôts et nos dépenses évaluées, nous devons le distribuer fidèlement comme un bien confié pour d'autres. Et certes, si nous faisons cela, c'est vraiment de notre bien que nous donnons, mais si nous ne le faisons pas, ces biens que nous conservons ne nous appartiennent pas et nous-mêmes, qui semblons les conserver, nous ne nous appartenons pas non plus. Et certes, frères, je ne vois pas de quel front nous refusons d'offrir le dixième à Celui de qui nous avons reçu le tout[2]. Si Dieu voulait compter avec nous et dire : La terre que tu cultives, c'est moi qui l'ai faite ; toi qui la cultives et tes serviteurs, c'est moi qui vous ai faits ; les animaux qui t'aident à la cultiver, je les ai créés ; c'est moi qui donne la chaleur du soleil, moi qui en son temps dispense la pluie, moi qui accorde la semence même que tu sèmes. Si tu prétends faire un compte juste, pour toi tu dois réserver un dixième et à moi donner les neuf autres. Et je ne réclame pas cela, je veux être miséricordieux ; je te montre l'exemple pour que, comme j'ai pitié de toi, tu aies ainsi pitié du pauvre.

Si donc, frères, Dieu voulait faire des comptes justes avec nous, aurions-nous quelque chose à répondre ? Et, bien que Dieu nous avertisse à ce sujet en de nombreux endroits des saintes Écritures, il nous crie cependant un avertissement spécial par la voix de l'Apôtre, disant : « Contentons-nous d'avoir nourriture et vêtement. Car ceux qui veulent devenir riches tombent dans la tentation et le piège du diable et une foule de désirs inutiles et nocifs qui précipitent les hommes dans la ruine et la perdition ;

perditionem; quia radix omnium malorum est cupiditas,
|quam quidam adpetentes naufragaverunt a fide, et inse-
ruerunt |se doloribus multis. Tu vero, homo Dei, haec
20 fuge; sectare vero ²⁰iustitiam, pietatem, fidemᵃ », et cetera.
Rogo vos, fratres, ut de scri|pturis reliquis taceamus,
sententia ista apostolica cui christiano non |sufficit? Vere
dico, fratres, quod qui sub tali tonitruo de avaritiae
|somno non surgit, non dormiens, sed mortuus esse cre-
dendus est.

4. Et ideo, fratres, quia pro ista fragilitate carnali
25 multis peccatis ²⁵tamquam circumvolantibus muscis adsi-
due inquietamur atque con|pungimur, ad portum miseri-
cordiae Dei inter procellas et tempestates |mundi istius
festinemus. Forte aliquis interrogat, quomodo ad hunc
|portum valeat pervenire. Audiat Christum dicentem :
« Beati miseri|cordes, quoniam ipsi misericordiam conse-
30 quenturᵃ »; et iterum : ³⁰« Date eleemosynam, et ecce omnia
143 munda sunt vobisᵇ. » Ergo secundum (143) Apostoli
sententiam, quam, si evadere de pelago mundi huius
volumus, |ante oculos semper habere debemus, sufficiat
nobis habere victum |et vestitum rationabilem, non
pomposum, non deliciosum ; et |quicquid amplius Deus
5 dederit, non negetur usibus pauperum, ⁵quia per nos ipsis
probatur esse transmissum. Et si id quod nobis super|fluum
est non dederimus, res alienas invasimus ; et quanti
pauperes |cum nostra scientia fame mortui fuerint, causas
nobiscum ante tri|bunal Christi dicturi sunt.

21-22 cui — sufficit : unicuique christiano sufficit A⁴·⁵·⁶·¹² ‖ 30
eleemosynam : aelemosynas A¹ ‖ secundum A¹ᵃᶜ istam A¹ᵖᶜ cett.

143,1 quam Mor. : quod fere omnes codd. om. A¹ᵖᶜ ‖ de : a A¹⁰ in
A¹ᵃᶜ om. A¹ᵖᶜ ‖ 7 fuerint : tanti add. A¹⁰

car la racine de tous les maux, c'est la convoitise ; la foi de certains, désireux d'acquérir, a fait naufrage et ils se sont enfoncés dans de nombreuses douleurs. Quant à toi, homme de Dieu, fuis cela, mais poursuis la justice, la piété, la foi[a] », etc. Je vous le demande, frères, même si nous nous taisions sur le reste des Écritures, à quel chrétien cette phrase de l'Apôtre ne suffit-elle pas ? En vérité, je dis, frères, que celui qui sous un tel tonnerre ne s'éveille pas du sommeil de l'avarice doit être tenu, non pour endormi mais pour mort.

4. Et c'est pourquoi, frères, puisque à cause de cette fragilité de la chair nous sommes sans cesse harcelés et piqués par de nombreux péchés comme par des mouches volant autour de nous, hâtons-nous au milieu des orages et des tempêtes de ce monde vers le port de la miséricorde de Dieu. Peut-être, quelqu'un demande-t-il comment il peut parvenir à ce port ? Qu'il écoute le Christ dire : « Bienheureux les miséricordieux, car eux-mêmes obtiendront miséricorde[a] », et aussi : « Faites l'aumône, et voici que pour vous tout est pur[b]. » Donc, selon la phrase de l'Apôtre que nous devons toujours avoir devant les yeux si nous voulons nous évader de la haute mer de ce monde, contentons-nous d'une nourriture et d'un vêtement raisonnables, non pas luxueux et délicats, et tout ce que Dieu nous a donné en plus, ne refusons pas de l'utiliser pour les pauvres, car il est prouvé que cela leur a été légué par notre intermédiaire. Si nous n'avons pas donné notre superflu, nous nous sommes saisis des biens d'autrui, et tous les pauvres qui, à notre escient, seront morts de faim, plaideront contre nous devant le tribunal du Christ.

3 [a] I Tim. 6, 8-11.
4 [a] Matth. 5, 7   [b] Lc 11, 41.

5. Et quia duo sunt elemosynarum genera, unum quod
10 pauperi[10]bus erogamus, aliud quod vicinis vel fratribus
nostris, quotienscumque |in nobis peccaverint, indulgemus,
utrumque Deo auxiliante faciamus, |quia unum sine alio
nihil prodest. Si pauperi porrigis elemosynam, |et in te
peccanti non tribuis veniam, nihil tibi prodest; sicut
econ|trario si peccantibus tibi indulseris, et esurientibus
15 quantum praevales [15]dare nolueris, sicut dixi, una sine
alia tibi prodesse non potest. Nos |vero, fratres, ista duo
elemosynarum genera nobis quasi spiritalium |alarum
remigia praeparemus, ut ad principalem patriam et illam
|caelestem Hierusalem, omni rerum terrenarum cupiditate
spreta, |hisque expediti ac liberi, virtutum pennis tanquam
20 spiritales colum[20]bae volare feliciter ac venire possimus,
secundum illud quod psalmista |desiderat et subplicat,
dicens : « Quis dabit mihi pennas ut columbae, |et volabo
et requiescam?[a] »

6. Certum est, fratres, quod nisi quisque de peccatorum
glutine |et nimiis inpedimentis ac laqueis mundi huius
25 animae suae pennas [25]contenderit expedire, ad veram
requiem numquam poterit pervenire. |Nos vero, fratres,
adiuvante Deo, inpedimenta mundi huius si a nobis |ad
integrum subtrahere non possumus, vel ita quantum vires
sub|petunt temperare vel aliquid ab eis recidere studeamus,
144 ut nobis (144) remaneant aliqua horarum spatia, in quibus
lectioni vel orationi |vacare possimus. Nam si totum
nobis occupatio terrena subtraxerit, |timendum est ne
nobis veniat illud quod scriptum est : « Inpedimenta

---

15 alia : altera A[6] ‖ 17 remigia A[1pc] : remedia A[1ac]V[1.2] ‖ 18 rerum
A[10] : om. V[1.2]A[1.4.5.6] ‖ terrenarum : terrena A[1pc] ‖ cupiditate om. A[6]
abiecta add. A[10] ‖ spreta : spretis A[4.5.6.7] om. V[1.2]A[1] ‖ 19 hisque
om. A[1pc] ‖ expediti ac liberi A[1pc.10] : expeditis ac liberis V[1.2]A[1ac] ‖
21 ut : sicut A[6.7].

144,3 veniat : eveniat A[6]

5. Et parce qu'il y a deux sortes
Les deux aumônes   d'aumônes : l'une qui consiste à
distribuer aux pauvres, l'autre à pardonner à nos voisins
et à nos frères toutes les fois qu'ils auront péché contre
nous, faisons avec l'aide de Dieu l'une et l'autre, parce que
l'une ne sert à rien sans l'autre. Si tu tends une aumône
à un pauvre et n'offres pas le pardon à celui qui pèche
contre toi, cela ne te sert à rien ; si, au contraire, tu as
pardonné à ceux qui pèchent contre toi mais que tu n'aies
pas voulu donner selon tes moyens à ceux qui ont faim,
comme je l'ai dit, cette aumône sans l'autre ne peut te
servir à rien. Mais nous, frères, ménageons-nous ces deux
sortes d'aumônes comme des battements d'ailes spirituelles,
afin de pouvoir, dédaignant la convoitise des biens terrestres, débarrassés et libérés d'eux, voler heureusement
avec les ailes des vertus comme des colombes spirituelles
et venir jusqu'à la première patrie et à cette Jérusalem
céleste, selon le désir et la supplication du psalmiste,
disant : « Qui me donnera des ailes comme à la colombe,
et je m'envolerai et me reposerai ?[a] »

6. Il est certain, frères, que si chacun ne s'efforce
pas de dégager les ailes de son âme de la glu des péchés,
des entraves excessives et des pièges de ce monde, il ne
pourra jamais parvenir au repos véritable. Mais nous,
frères, avec l'aide de Dieu, si nous ne pouvons pas nous
soustraire entièrement aux entraves de ce monde, au moins
appliquons-nous à les atténuer autant que nos forces le
permettent ou à en retrancher quelque chose, afin qu'il
nous reste l'espace de quelques heures, pendant lesquelles
nous puissions vaquer à la lecture ou à la prière. Car si
les occupations terrestres nous ont totalement accaparés,
il est à craindre que nous advienne ce qui est écrit : « Les

5 [a] Ps. 54, 7.

ᶦhuius mundi fecerunt eos miseros^a. » Magis ergo adiuvante
5 Domino ⁶laboremus, ut et in nobis vel ex parte aliqua
impleatur illud quod ᶦde beato viro scriptum est : « In
lege Domini meditabitur die ac ᶦnocte^b. » Quam rem
Dominus sanctae caritati vestrae pro sua miseriᶦcordia
praestare dignetur, cui est honor et imperium cum Patre
et ᶦSpiritu sancto in saecula saeculorum. Amen.

8 dignetur : amen *add.* A⁶ *qui doxol. om.*

6 ª ? ᵇ Ps. 1, 2.

entraves de ce monde les ont rendus malheureux[a][1]. »
Donc, travaillons plutôt avec l'aide de Dieu, afin qu'en
nous aussi s'accomplisse, au moins en partie, ce qui est
écrit de l'homme bienheureux : « Il méditera jour et nuit
sur la loi du Seigneur[b]. » Que le Seigneur dans sa miséricorde daigne l'accorder à votre sainte charité, lui à qui
appartiennent l'honneur et la puissance avec le Père et
l'Esprit saint pour les siècles des siècles. Amen.

1. Sur cette citation non identifiée, cf. t. I, p. 226, n. 1.

SERMO XXXV

¹⁰**De oratione dominica vel amore inimicorum**

1. Quotiens sollemnitates aliquas celebramus, fratres
carissimi, et ¹communicare disponimus, scitis quo accessuri
sumus, et, antequam ¹accedamus, nostis quid prius Deo
in oratione dicturi sumus : « Dimitte ¹nobis debita nostra,
15 sicut et nos dimittimus debitoribus nostrisª. » ¹⁵Agite
vobiscum ut dimittatis : venietis enim ad verba ista
orationis. ¹Quomodo ea dicturi estis? Aut forte non dicitis?
Postremo interrogo : ¹Dicitis, an non dicitis? Odis fratrem
tuum, et dicis : « Dimitte nobis, ¹sicut et nos dimittimus. »
Respondebis mihi, Ego non dico. Oras, ¹et non dicis?
Observate, adtendite. Modo es oraturus : dimitte ex
145 (145) corde tuo. Litigare vis cum inimico tuo? Prius litiga
cum corde tuo. ¹Dic cordi tuo, Noli odisse. Si adhuc odis,
dic animae tuae, Noli ¹odisse. Quomodo orabo? quomodo
dicam, « Dimitte nobis debita ¹nostra »? Possumus quidem
5 hoc dicere; sed quod sequitur, qua fronte ⁵dicturi sumus,
« Sicut et nos dimittimus »?

Ubi est fides? Fides eo ¹quod « fiat », inde nomen accepit.
Fiat ergo quod dicis, « Sicut et nos ¹dimittimus. » Et non

----

1 ª Matth. 6, 12

SERMON XXXV

De l'Oraison dominicale et de l'amour des ennemis[1]

1. Toutes les fois que nous célébrons quelque solennité, frères très chers, et que nous nous disposons à communier, vous savez où nous allons avoir accès, et, avant d'y accéder, vous avez connaissance de ce que nous allons d'abord dire à Dieu dans l'Oraison : « Remets-nous nos dettes, comme nous aussi nous remettons à nos débiteurs[a]. » Exercez-vous en vous-mêmes à remettre, car vous en viendrez à ces paroles de l'Oraison. Comment allez-vous les dire? Ou peut-être ne les dites-vous pas? Finalement je demande : Les dites-vous ou ne les dites-vous pas? Tu hais ton frère et tu dis : « Remets-nous comme nous remettons aussi. » Tu me répondras : Moi, je ne les dis pas. Tu pries et tu ne les dis pas? Faites attention, réfléchissez. Tu es sur le point de prier maintenant; remets du fond du cœur. Tu veux te quereller avec ton ennemi? Querelle-toi d'abord avec ton cœur. Dis à ton cœur : Ne hais pas. Si tu hais encore, dis à ton âme : Ne hais pas. Comment prierai-je? comment dirai-je : « Remets-nous nos dettes »? Nous pouvons bien dire cela; mais ce qui suit, de quel front le dirons-nous : « Comme nous remettons aussi »?

Où est la foi? La foi a reçu son nom de ce qu'elle « se fait »[2]. Que se fasse donc ce que tu dis : « Comme nous

---

1. Sermon édité pour la première fois par dom Morin.
2. Cf. t. I, *Serm.* 12, 1, p. 400.

vis dimittere, et contristatur anima tua, quia ᴵdicis ei
nihil odisse. Responde illi, « Quare tristis es?ᵇ » Noli odisse,
ne ᴵperdas me. « Quare conturbas me? Spera in Deumᶜ. »
10 Langues, anhelas, ¹⁰aegritudine sauciaris, non potes tibi
tollere odium. « Spera in Deum », ᴵmedicus est : pro te
pependit in ligno, et nondum est vindicator. ᴵQuid tu vis
vindicare? Ideo enim odisti, ut vindiceris. Vide pendenᴵtem
in ligno, et tibi languenti de suo sanguine medicamentum
facienᴵtem. Vindicari vis? Vide Christum pendentem, audi
15 precantem : ¹⁵« Pater, ignosce illis, quia nesciunt quid
faciuntᵈ. »

2. Sed dicis mihi : Potuit hoc facere ille, ego non; ego
homo ᴵsum, ille Deus. Si Christum non potes imitari,
quare dixit beatus ᴵPetrus apostolus : « Christus pro nobis
passus est, relinquens vobis ᴵexemplum, ut sequamini
20 vestigia eiusᵃ »? Quare et apostolus Paulus ²⁰clamat :
« Imitatores Dei estote, sicut filii carissimiᵇ »? Quare etiam
ᴵipse Dominus dixit : « Discite a me, quia mitis sum et
humilis cordeᶜ »? ᴵAd excusandas excusationes non posse
nos dicimus, quod omnino ᴵnon volumus. Verum est, quia
non in omnibus possumus imitari ᴵChristum. Non potes
25 imitari Christum, ut mortuos suscites, et vir²⁵tutes reliquas
facias : imitare eum, ut mitis sis et humilis corde. Esto
ᴵpius, esto misericors : habeto veram caritatem; dilige,
non solum ᴵamicos, sed etiam inimicos. Haec si feceris,
imitaberis vestigia Domini ᴵtui.

Numquid et ista, quae dixi, dicis te non posse complere,
ut sis ᴵpius, misericors, castitatem teneas, et omnes

145,9 Langues, anhelas : languis anelios *cod*. ‖ 23 imitari : imitare
cod.

ᵇ Ps. 41, 6   ᶜ *ibid*.   ᵈ Lc 23, 34.
2 ᵃ I Pierre 2, 21   ᵇ Éphés. 5, 1   ᶜ Matth. 11, 29

remettons. » Et tu ne veux pas remettre et ton âme est contristée parce que tu lui dis de ne rien haïr. Réponds-lui : « Pourquoi es-tu triste ?[b] » Ne hais pas, de peur de me perdre. « Pourquoi t'affliges-tu ? Espère en Dieu[c]. » Tu es faible, tu respires difficilement, tu es déchiré d'amertume, tu ne peux ôter ta haine. « Espère en Dieu », il est médecin ; pour toi il a été suspendu au bois et il n'est pas encore le Dieu vengeur. De quoi veux-tu te venger ? C'est pour cela en effet que tu hais, pour te venger. Vois-le suspendu au bois, faisant un remède de son sang pour ta faiblesse. Tu veux te venger ? Vois le Christ suspendu, écoute sa prière : « Père, pardonne-leur, car ils ne savent ce qu'ils font[d]. »

Imitons l'amour du Christ **2.** Mais tu me dis : il a pu le faire, moi pas ; je suis homme, lui Dieu. Si tu ne peux imiter le Christ, pourquoi le bienheureux apôtre Pierre dit-il : « Le Christ a souffert pour nous, vous laissant un exemple, pour que vous suiviez ses pas[a] » ? Pourquoi aussi l'apôtre Paul s'écrie-t-il : « Soyez les imitateurs de Dieu, comme des fils très chers[b] » ? Pourquoi le Seigneur lui-même a-t-il dit aussi : « Instruisez-vous auprès de moi, car je suis doux et humble de cœur[c] » ? Pour nous excuser, nous disons ne pas pouvoir ce qu'en fait nous ne voulons à aucun prix. Il est vrai que nous ne pouvons imiter le Christ en tout. Tu ne peux imiter le Christ en ressuscitant les morts et en accomplissant tous ses autres actes de puissance ; imite-le en étant doux et humble de cœur. Sois bon, sois miséricordieux ; aie une vraie charité ; aime non seulement tes amis, mais même tes ennemis. Si tu fais cela, tu suivras les pas de ton Seigneur.

Est-ce que ces préceptes aussi, que je viens d'énoncer, tu dis que tu ne peux les suivre, à savoir : être bon, miséricordieux, garder la chasteté, aimer tous les hommes

30 homines sicut teipsum ³⁰diligas? Vere omnia ista, si
voluerimus animum nostrum apponere, ᴵpoterimus Deo
auxiliante complere. Nam cum ante tribunal Christi
ᴵunusquisque venerit, de inpossibilitate se excusare non
poterit : ᴵquia quod potuerimus nemo melius scire poterit,
quam qui ipsum ᴵnobis posse donavit. Nec inpossibile
35 aliquid potuit imperare qui ³⁵iustus est; nec damnaturus
146 est hominem pro eo quod non potuit (146) vitare, qui pius
est. Nam si dicimus quod praecepta Christi non ᴵpossumus
implere, profitemur ipsum Christum nimium dura et ᴵquae
impleri non poterant imperasse. Sed melius est ut humiliter
ᴵcum propheta dicamus : « Iustus es Domine, et iustum
5 iudicium ⁵tuumᵈ. » Tu pius, nos impii : tu misericors, nos
crudeles. Et haec ᴵdicentes totis visceribus supplicemus,
ut, quaecumque iussit ut ᴵfaciamus, donet etiam ut
implere possimus.

3. Et ista etiam omnia quae superius dixi, fratres carissimi, id ᴵest, et mundi concupiscentias spernere, et perfectam
10 caritatem cum ¹⁰omnibus hominibus custodire, nec solum
amicos sed etiam inimicos ᴵdiligere, tunc cum Dei adiutorio
poterimus implere, si cupiditatem, ᴵvitiorum omnium
matrem, de nostris cordibus Deo auxiliante conaᴵmur
evellere. Sublata enim radice omnes protinus rami ad
nihilum ᴵrediguntur. Nam si diligenter adtendimus, fratres,
15 in veritate cognosci¹⁵mus quod, sicut naturae necessitas
parvis et vilibus rebus expletur : ᴵita rabies cupiditatis
nullis umquam lucris vel facultatibus satiatur; ᴵsed quanto
plus crescit rerum copia, tanto plus augetur cupiditatis
ᴵinopia.

Nam videmus quosdam, cum haberent parvam pecu-

ᵈ Ps. 118, 137.

---

1. Tout ce qui suit, jusqu'à la citation d'*Aggée* comprise, reproduit
avec quelques variantes un passage du *Serm.* 50, 6-7 d'AUGUSTIN,

comme toi-même ? En vérité, tout cela, si nous voulons y appliquer notre âme, nous pourrons l'accomplir avec l'aide de Dieu. Car lorsque chacun viendra devant le tribunal du Christ, il ne pourra alléguer comme excuse l'impossibilité ; parce que, ce que nous aurions pu faire, personne ne pourra le savoir mieux que celui qui nous a donné de pouvoir. Et lui qui est juste n'a rien pu commander d'impossible ; et il ne condamnera pas un homme pour ce qu'il n'a pas pu éviter, lui qui est bon. Car si nous disons que nous ne pouvons pas suivre les commandements du Christ, nous accusons le Christ lui-même de nous avoir donné des commandements trop durs et qui ne pouvaient être exécutés. Mais il est préférable de dire humblement avec le prophète : « Tu es juste, Seigneur, et juste est ton jugement[d]. » Tu es bon, nous sommes impies ; tu es miséricordieux, nous sommes cruels. Et en disant cela, supplions de tout notre cœur pour que tout ce qu'il nous ordonne de faire, il nous donne aussi de pouvoir l'accomplir.

3. Et même tout ce que j'ai dit plus haut, frères très chers, c'est-à-dire : rejeter les concupiscences du monde, garder une parfaite charité envers tous les hommes, aimer non seulement nos amis mais même nos ennemis, tout cela nous pourrons l'accomplir avec le secours de Dieu, si nous essayons, Dieu aidant, de déraciner de nos cœurs la convoitise, mère de tous les vices. En effet, une fois la racine arrachée, tous les rameaux sont aussitôt réduits à rien. Car si nous faisons bien attention, nous reconnaissons en vérité que, de même que les nécessités naturelles sont satisfaites par de petits et modestes moyens, de même la rage de la convoitise n'est jamais rassasiée par aucun gain ni aucune richesse ; mais plus l'abondance s'accroît, plus augmentent les besoins de la convoitise.

En effet[1], nous voyons que certains hommes se réjouis-

niam, [|]parvis lucris fuisse laetatos : sed postea quam coepit
20 eis abundare ²⁰plurimum auri et argenti, cum parva
obtuleris, iam recusant. Credas [|]eos iam esse satiatos, sed
falsum est : nam maior pecunia fauces [|]avaritiae non
claudit, sed extendit, non rigat, sed accendit. Poculum
[|]respuunt, quia fluvium sitiunt. Utrum ergo ditior, an
egentior dicen[|]dus est, qui, cum ideo voluit habere aliquid
25 ne indigeret, ideo plus ²⁵habet ut plus indigeat?

4. Sed non est haec culpa auri et argenti. Fac enim
misericordem [|]aliquem invenisse thesaurum : nonne
operante misericordia praebetur [|]hospitalitas peregrinis,
aluntur famelici, nudi vestiuntur, inopes [|]adiuvantur,
captivi redimuntur, construuntur ecclesiae, reficiuntur
30 ³⁰lassi, placantur litigiosi, reparantur naufragi, curantur
aegroti, corpo[|]rales opes dispertiuntur in terra, spiritales
reconduntur in caelo? [|]Quis haec facit? misericors et bonus.
Unde facit? de auro et argento. [|]Cui serviens? qui dixit :
« Meum est aurum, meum est argentum^a. » [|]Ecce audistis
quae bona fiunt de auro, quotiens eum homo bonus
35 ³⁵habuerit.

Econtra <detur> homini malo aurum, et vide quanta
mala com[|]mittat. Inferiores obprimit : vicinos, ut expoliare
147 possit, indesinenter (147) affligit : iudicia corrumpit, lites

---

146,20 Credas : credis *Augustinus, serm. 50, 6* ‖ 22 accendit :
accendunt *cod.* ‖ 24 voluit *ex Augustino* : valuit *cod.* ‖ 25 ut plus : ne
minus *Augustinus* ‖ 30 lassi *ex Augustino* : lapsi *cod.* ‖ 35 detur
suppl. Mor.

---

4 ^a Aggée 2, 9

CCL, XLI, p. 627-628. — Nous avons ici un bon exemple de la
façon de travailler de Césaire et une preuve de sa connaissance intime
d'Augustin. Le sujet du sermon d'Augustin — réplique aux Mani-

saient de petits gains alors qu'ils avaient peu d'argent ;
mais après que l'or et l'argent ont commencé à leur venir
en plus grande abondance, si tu leur offres de petits gains,
désormais ils les refusent. Tu les croirais maintenant
rassasiés, mais c'est faux ; car plus d'argent ne ferme pas
la bouche à l'avarice, mais l'ouvre plus grande, ne la
rafraîchit pas, mais l'assoiffe. Ils repoussent une coupe,
parce que c'est d'un fleuve qu'ils ont soif. Faut-il donc
l'appeler plus riche ou plus pauvre, celui qui, voulant
posséder quelque chose pour ne pas être dans le besoin,
accroît ce dernier à mesure qu'il possède davantage ?

4. Mais ce n'est pas la faute de
l'or et de l'argent. Suppose en effet
que quelqu'un de miséricordieux ait
trouvé un trésor : voici, n'est-il pas

**La richesse,
occasion de salut
ou de perdition**

vrai, par les soins de sa miséricorde, l'hospitalité offerte
aux voyageurs, la nourriture aux affamés, des vêtements
à ceux qui sont nus, de l'aide à ceux qui sont dans le besoin,
des captifs rachetés, des églises construites, les forces
redonnées aux épuisés, les désaccords apaisés, les naufragés
secourus, les malades soignés, des richesses matérielles
distribuées sur terre, des richesses spirituelles mises en
réserve dans le ciel ? Qui fait cela ? L'homme miséricordieux et bon. Avec quoi le fait-il ? Avec de l'or et de
l'argent. En se mettant au service de qui ? De celui qui a
dit : « A moi est l'or, à moi est l'argent[a]. » Voilà, vous avez
entendu quel bien se fait avec de l'or, chaque fois qu'un
homme bon en a.

Au contraire, <qu'on donne> de l'or à un homme
mauvais, et vois tous les maux qu'il commet. Il opprime
ses inférieurs ; il afflige sans relâche ses voisins pour
pouvoir les exproprier ; il corrompt les juges, provoque

chéens qui opposaient *Aggée* 2, 9 à *Lc* 16, 9 et à *I Tim.* 6, 10 — n'a
aucun rapport avec celui traité par notre évêque, mais le passage
choisi s'insère parfaitement dans la trame de son développement.

et scandala concitat, humiles con|temnit, parentes despicit,
luxuriam diligit, castitatem ac misericordiam |spernit.
Quare hoc? quia malo homini datum est aurum. Ac sic,
|dum male utitur donis Dei, inde habebit iudicium, unde
5 potuit habere ⁵remedium, secundum illud Iacobi apostoli :
« Agite nunc, divites, |plorate ululantes in miseriis quae
adveniunt vobis. Divitiae |vestrae putrefactae sunt, et
vestimenta vestra a tineis comesta |sunt; aurum et argen-
tum vestrum aeruginavit, et aerugo eorum |in testimonium
10 vobis erit, et manducabit carnes vestras sicut ¹⁰ignis[b]. »
Agnoscite ergo, fratres carissimi, quia nec bono homini
possunt |nocere divitiae, quia illas misericorditer erogat;
nec malo possunt |aliquid adiuvare, dum eas aut per
avaritiam custodit, aut per luxuriam |perdit.

5. Discamus ergo, fratres dilectissimi, et Deum toto
15 corde dili¹⁵gere, et omnes homines sicut nos ipsos incipiamus
amare : si enim |haec fecerimus, pro terrenis rebus nulla
contentio, nullum scandalum, |nullae lites nos a caritate
Dei et proximi poterunt separare. Qua |enim ratione ulli
homini malum poterit facere, qui omnes homines |sicut
seipsum perfecta caritate dilexerit ? Toto corde omnes
20 homines ²⁰ama, et quicquid volueris fac. Eos qui iusti
sunt dilige, quia boni |sunt, et ora ut semper ad meliora
proficiant. Qui vero iniqui sunt |ama, quia homines sunt,
et odio habeto, quia mali sunt; et hoc semper |desidera,
ut illos Deus ad opus bonum pro sua pietate convertat.
|Si ergo istas perfectae caritatis divitias habere volueris,
25 terrenarum ²⁵cupiditatum voluptates pro nihilo reputabis.
Quid enim habet dives, |si caritatem non habet? aut

147,11 divitiae quia illas : diviciis quia illos *cod.*

[b] Jac. 5, 1-3.

querelles et scandales, méprise les humbles, dédaigne ses
parents, chérit la luxure, fait fi de la chasteté et de la
miséricorde. Pourquoi cela ? Parce que l'or a été donné à
un homme mauvais. Et ainsi, en faisant un mauvais
usage des dons de Dieu, il encourra une condamnation
à cause de ce dont il aurait pu tirer un remède, selon cette
parole de l'apôtre Jacques : « Allez maintenant, riches,
pleurez et gémissez sur les malheurs qui vous arrivent.
Vos richesses sont pourries et vos vêtements dévorés par
les mites ; votre or et votre argent se sont rouillés et leur
rouille sera citée contre vous en témoignage et mangera
vos chairs comme du feu[b]. » Reconnaissons donc, frères
très chers, que les richesses ne peuvent pas nuire à un
homme bon, parce qu'il les distribue avec miséricorde,
ni ne peuvent en rien venir en aide à un méchant, tant
qu'il les garde par avarice ou les perd par luxure.

5. Apprenons donc, frères bien-aimés, à aimer Dieu de
tout cœur et mettons-nous à aimer tous les hommes
comme nous-mêmes ; car si nous le faisons, nulle contesta-
tion, nul scandale, nulle querelle pour des biens terrestres
ne pourra nous séparer de l'amour de Dieu et de notre
prochain. Comment, en effet, pourra-t-il faire du mal à
un homme, celui qui aime tous les hommes comme lui-
même avec une parfaite charité ? Aime tous les hommes
de tout cœur et fais ce que tu voudras[1]. Aime ceux qui
sont justes, parce qu'ils sont bons et prie pour qu'ils
deviennent toujours meilleurs. Quant aux méchants,
aime-les, parce qu'ils sont hommes et déteste-les parce
qu'ils sont mauvais ; et désire toujours que Dieu dans sa
miséricorde les convertisse au bien.

Donc, si tu veux avoir ces richesses de la parfaite
charité, tu compteras pour rien les plaisirs des convoitises
terrestres. En effet, qu'a le riche, s'il n'a pas la charité ?

---

1. Cf. *supra, Serm.* 29, 4.

quid non habet pauper, si caritatem ¹habuerit? Caritatis
ergo divitias totis viribus requiramus; quas si ¹obtinere
Deo donante meruerimus, omnes mundi huius divitias
¹velut purgamenta contemnemus; et ad aeternam beati-
30 tudinem, ubi ³⁰sunt verae divitiae, feliciter veniemus :
praestante Domino nostro ¹Iesu Christo, cui est honor et
imperium...

1. Cf. *supra*, Serm. 22, 2, p. 32 et la note 1 et Serm. 23, 4.

Ou que n'a pas le pauvre s'il a eu la charité[1]? Recherchons donc de toutes nos forces les richesses de la charité ; et si nous avons mérité de les obtenir par un don de Dieu, méprisons toutes les richesses de ce monde comme des immondices ; et nous parviendrons heureusement à la béatitude éternelle, où sont les vraies richesses, avec l'assistance de notre Seigneur Jésus-Christ, à qui appartiennent l'honneur et la puissance...

SERMO XXXVI

De diligendis inimicis

1. In divinis voluminibus, fratres carissimi, ita dispen-
savit Spiritus |sanctus, ut et sanis ornamenta, et aegrotis
spiritalia medicamenta |deesse non possint. Quam rem
5 ego Domino donante cognoscens, uni⁵cum ac singulare
animarum remedium tamquam spiritale antidotum |vobis
studui providere.

CZ

|Collegi ergo quantum
potui paucos de amoenis-
simis sanctarum |scriptu-
rarum frondibus flores,
unde, sicut iam dictum
est, et aegrotis |medica-
menta conficerem, et de
thesauro caelesti pretiosis-

Sermo XXXVI : L² *Berolinensis theol. fol.* 355 (Rose 307) s. IX
A¹ *Carnotensis* 67 (8) s. IX
A¹⁰ *Ambrosianus* I. 45 sup. s. XII
T¹ *Remensis* 394 (E. 295) s. XI

C¹ *Bruxellensis* 458-463 (Cat. 1483) s. XV
C³ *Bruxellensis* 15003-15048 (Cat. 1187) s. XVI
C⁷ *Vaticanus lat.* 9882 s. IX/X
Z¹ *Stuttgartensis theol. fol.* 201 (*Zwifalten* 49) s. XI

SERMON XXXVI

Du devoir d'aimer ses ennemis

1. Dans les livres divins, frères très chers, l'Esprit saint
a si bien disposé les choses que les bien portants ne peuvent
manquer d'y trouver un enrichissement ni les malades
des remèdes spirituels. Pour moi qui, par le don du
Seigneur, le sais bien, je me suis appliqué à vous pourvoir
d'un remède unique et sans pareil pour les âmes, comme
d'un antidote spirituel.

CZ

J'ai donc réuni de mon
mieux un petit nombre de
fleurs tirées des frondai-
sons pleines de charme
des Écritures saintes d'où,
comme il a été dit déjà,
j'ai confectionné des médicaments pour les malades ;
et du trésor céleste j'ai
monté ensemble les pierres

148,4-5 unicum — antidotum : unde animarum remedia possitis
accipere et spiritalia antidota Z¹ ‖ 6 vobis A¹ : *om. cett.* ‖ 7 paucos Z¹ :
pastus C⁷ *om. cett.* ‖ 8 frondibus : fontibus C³ montibus Z¹

10   simas [10]margaritas ad me-
                                          denda vulnera peccatorum
                                          conponerem.

                          m. CZ

[1]Primum ac principale medicamentum est animae aegro-
tanti, [1]ita caritatis dulcedinem retinere,

m.	CZ
[1]ut non solum amicos, sed etiam [1]inimicos velit toto corde diligere, [15]propter illud quod scriptum est : [1]« Si dimiseritis hominibus pec[1]cata eorum, dimittet et vobis [1]Pater vester caelestis peccata [1]vestra[a]. » Ut ergo tam praeclaram [20]dilectionem et memoriter tenere, (149) et operibus possitis Deo auxi[1]liante perficere,	[1]per quam possit non solum [1]amicos, sed etiam inimicos dili[15]gere. Quam ob rem qualiter [1]quisque fidelis christianus tam [1]praeclaram dilectionem credere [1]et memoriter retinere, observare, [1]vel operibus possit Deo auxi[20]liante implere, de vetere ac novo (149) testamento, pro ut potuimus, pro [1]dilectione fraterna inimicorum

                          m. CZ

[1]pauca capitula de scripturis sanctis excerpsimus; quae
unus[1]quisque si non discutiendo sed credendo susceperit,

---

10 ad — peccatorum C[1.3.7] : a peccatorum corruptione liberis
ornamenta Z[1] ‖ 11 ac principale *om.* Z[1] ‖ 12 ita *om.* C[1.3.7] ‖ caritatis — retinere : plena et perfecta dilectio Z[1] ‖ 15[b] ob *om.* Z[1] ‖
16[b]-17[b] tam — dilectionem *om.* Z[1] ‖ 18[b] et memoriter *om.* Z[1] ‖ retinere : tenere Z[1] ‖ 19[b] vel operibus *om.* Z[1] ‖ possit : debeat Z[1] ‖ 20[b]
ac : vel Z[1].

149,1[b] potuimus : unicum et singulare animarum remedium
add. Z[1] ‖ 1[b]-2[b] pro dilectione fraterna [fraterna *om.* C[7]] : pro amore
Z[1] ‖ 3 de scripturis sanctis *om.* Z[1]

les plus précieuses pour soigner les blessures des pécheurs[1].

m. CZ

Le premier et le principal remède pour l'âme malade est de conserver si bien la douceur de la charité

m.	CZ
qu'elle veuille aimer de tout son cœur non seulement les amis, mais même les ennemis, à cause de ce qui est écrit : « Si vous remettez aux hommes leurs péchés, votre Père céleste vous remettra aussi vos péchés[a]. » Pour que vous puissiez donc garder en mémoire un amour aussi merveilleux et le manifester par des œuvres avec l'aide de Dieu,	qu'elle puisse aimer non seulement les amis mais même les ennemis. C'est pourquoi, pour vous montrer comment tout fidèle chrétien peut croire à un amour si merveilleux, le garder en mémoire, l'observer et avec l'aide de Dieu le mettre en pratique, de l'Ancien et du Nouveau Testament, sur l'amour fraternel des ennemis, comme nous avons pu,

m. CZ

nous avons extrait un petit nombre de passages des saintes Écritures ; et si chacun les accueille sans les discuter,

---

1 [a] Matth. 6, 14.

---

1. Le texte de cette phrase semble corrompu.

5 et peccatorum [5]suorum indulgentiam accipiet, et ad
aeternae vitae beatitudinem [1]Deo auxiliante perveniet.

2. In primis consideranda est et totis viribus imitanda
benigna [1]etiam erga inimicos antiquorum sanctorum
caritas.

| | *m.* | C |

[1]Nam beatus Ioseph

10

[1]Nam in beato Iacob quanta fuerit cari[10]tas, ut odien-
tem se fratrem suum ma-
[1]luerit in longinquis regionibus fugire, quam [1]vicem
ei odii repensare : quem
sicut vitare [1]scivit, ita
odisse nescivit ; et reversus
multis [1]muneribus, ut eum
sibi placatum faceret, [15]ho-
noravit. Deinde adtenden-
dum est, quam [1]benigna
fuerit in beato Ioseph erga
ini[1]micos caritas : nam

[1]pro parricidii crimine impiis et inimicis fratribus suis non
odii [1]amaritudinem sed caritatis dulcedinem repensavit.
20 Osculabatur enim [20]singulos, et per singulos flebat. Quibus
non solum nihil mali rependens, [1]sed etiam omnia bona

---

5 suorum *om.* A[1] ‖ 7 consideranda : considerandum L[2]A[1]Z[1] ‖ 7-9[b]
et totis — Nam *om.* Z[1] ‖ 9[b] in beato Iacob quanta : quanta in beato
Iacob Z[1] ‖ quanta fuerit : tanta fuit C[7] ‖ 12[b] ei C[7] : *om. cett.*

---

1. Cf. *Gen.* 37, 18-26.
2. Cf. *Gen.* 27, 41-43 et 33, 1-11.
3. Cf. *Gen.* 45, 14-15 et 50, 15-21. Les Mauristes ont souligné
le fait que cette phrase semble sortir tout droit de l'*Épître à Démé-
triade*, 5, de PÉLAGE, *PL* 30, col. 21 B. Césaire la répète presque
exactement dans son *Serm.* 91, 6 : « Deosculabatur singulos et irriguis

mais avec foi, il recevra le pardon de ses péchés et parviendra avec l'aide de Dieu au bonheur de la vie éternelle.

Exemples tirés de l'Ancien Testament

2. En premier lieu, il faut méditer et imiter de toutes nos forces la charité bienveillante des saints d'autrefois, même à l'égard de leurs ennemis.

m.

En effet, le bienheureux Joseph[1],

C

En effet, la charité du bienheureux Jacob[2] fut si grande, qu'il préféra fuir la haine de son frère dans des régions lointaines plutôt que de lui rendre haine pour haine ; comme il a su se garder de lui, de même il a su ne pas le haïr ; et à son retour il l'honora de nombreux présents pour l'apaiser. Ensuite, il faut remarquer combien fut bienveillante la charité du bienheureux Joseph à l'égard de ses ennemis ; car lui,

pour leur crime fratricide, n'a pas rendu à ses frères impies et ennemis l'amertume de la haine, mais la douceur de la charité. En effet, il les embrassait l'un après l'autre et pleurait sur chacun[3]. Et non seulement il ne les a payés d'aucun mal en retour, mais il les a même comblés de biens

fletibus, paventium colla perfundens, odium fratrum charitatis lacrymis abluebat, quos tam vivo patre quam mortuo, germano semper dilexit amore. »

retribuens, tam vivo quam mortuo patre |germano semper amore dilexit.

Beatum quoque Moysen cum fre|quenter populus rebellis non solum contempnere, sed etiam lapidare |voluisset, divinae caritatis memor ita pro illis Domino supplicabat, 25 ²⁵ut clamaret, et diceret : « Si non dimiseris peccatum populi tui, |dele me de libro quem scripsisti ᵃ. » In ipso enim veteri testamento |legimus scriptum : « Itinera eorum, qui iniuriam retinent male|facti, in mortem ᵇ »; et iterum : « Ne memor, inquid, sis iniuriae pro|ximi tui ᶜ »; et iterum : « Si videris asinum inimici tui in luto iacentem, 150 (150) non praeteribis, nisi prius alleves eum ᵈ. » Quo loco diligenter unus|quisque consideret, quod, si asinum inimici non licet in luto dimitti, |quanto magis homo ad imaginem Dei factus non debet odio haberi |vel neglegi.

Beatus quoque Iob ita veram et perfectam caritatem 5 ⁵etiam cum inimicis fideliter retinebat, ut gaudens et libera conscientia |ad Dominum diceret : « Si gavisus sum ad ruinam inimici mei, et |exultavi eo quod invenisset eum malum, vel si in corde meo dixi : |Bene ᵉ. »

3. Beatus quoque David licet multis virtutibus fuerit 10 exornatus, ¹⁰nulla tamen eum actio familiarius Deo coniuncxit, quam dilectio |inimicorum suorum. Cui cum

---

22 Beatum — Moysen : beatus quoque Moyses C⁷Z¹ ‖ 25 et diceret *om.* A¹.
150,6 ad ruinam : a ruina L² ‖ 7 meo *om.* Z¹ ‖ 9 quoque : vero A¹

---

2 ᵃ Ex. 32, 32 ᵇ Prov. 12, 28 ᶜ Lév. 19, 18ᵃ ᵈ Ex. 23, 5 ᵉ Job 31, 29.

---

1. Cf. *Nombr.* 13, 10.
2. Texte conforme à celui de la Septante. Césaire cite trois fois ce verset, presque autant que tous les Pères réunis.
3. Cette citation semble provenir de *Lév.* 19, 18ᵃ, mais elle est à rapprocher de *Sir.* 10, 6 : « omnis iniuriae proximi ne memineris ». Il

et, tant durant la vie de son père qu'après sa mort, il les a toujours aimés d'un amour fraternel.

Le bienheureux Moïse aussi[1], alors que le peuple rebelle aurait fréquemment voulu non seulement mépriser ses avis mais même le lapider, se souvenant de la charité divine, suppliait si bien le Seigneur pour eux qu'il s'écriait ainsi : « Si tu ne remets pas le péché de ton peuple, efface-moi du livre que tu as écrit[a]. » En effet, nous lisons dans l'Ancien Testament cette phrase : « Les chemins de ceux qui gardent le souvenir de l'injure reçue conduisent à la mort[b2] », et aussi : « Ne te souviens pas de l'injure de ton prochain[c3] », et aussi : « Si tu vois l'âne de ton ennemi gisant dans la boue, tu ne passeras pas avant de l'avoir fait lever[d4]. » Et que chacun réfléchisse avec attention à ce passage car s'il n'est pas permis d'abandonner dans la boue l'âne de son ennemi, à plus forte raison un homme fait à l'image de Dieu ne doit-il pas être pour nous un objet de haine ou d'indifférence.

Le bienheureux Job aussi gardait fidèlement une charité si vraie et si parfaite, même envers ses ennemis, qu'il pouvait dire au Seigneur, joyeux et la conscience libre : « Si je me suis réjoui de la ruine de mon ennemi et si j'ai exulté de ce qu'il lui est arrivé malheur, et même si j'ai dit dans mon cœur : C'est bien[e5]. »

3. Le bienheureux David aussi[6] fut paré de nombreuses vertus ; aucune cependant ne l'a uni plus intimement à Dieu que l'amour de ses ennemis. Alors que son ennemi

est difficile de savoir à quel livre pensait Césaire, son texte offrant un mélange des deux passages.

4. Nous n'avons trouvé nulle part un texte semblable à celui de Césaire.

5. Le texte de Césaire, conforme à celui de la Vulgate, comporte néanmoins l'addition des mots : « vel si in corde meo dixi : bene », qui correspondent à la fin du verset dans le texte grec.

6. Cf. I *Sam.* 24, 5-8 ; I *Sam.* 26, 9-11 et II *Sam.* I, 1-16.

inimicus suus in faciem malediceret, |maluit tamen parcere
et Dei iudicio reservare, quam suae iracundiae |satisfacere.
Et in tantum non fuit simulata nec falsa sua dilectio, |ut
ipsos etiam suos adversarios fleret, et in illis qui eos
15 occidere [15]praesumpserant vindicaret. Ideo securus dicebat
in psalmis illud, |quod omnes homines satis adtento et
trementi animo dicere debent : |« Si reddidi, inquid,
retribuentibus mihi mala, decidam merito |ab inimicis
meis inanis. Persequatur inimicus animam meam et
|conprehendat eam, et conculcet eam, et gloriam meam in
20 pul[20]verem deducat[a]. » Ecce quali maledicto se ipsum
condemnat, qui de |inimicis diligendis Dei praecepta
contemnens odium, in corde servare |non metuit. Unde
considerandum est, qua fronte vel qua conscientia |versi-
culum istum ex ore suo proferre poterit, qui inimicis suis
mala |pro malis retribuit.

25 Per Salomonem quoque Spiritus sanctus clamat [25]et
dicit : « Cum ceciderit inimicus tuus, ne gaudeas : ne forte
videat |Deus, et displiceat illi, et avertat iracundiam suam
ab eo[b] »; et |utique, cum ab illo averterit, ad illum dirigat,
qui de inimici ruina |congaudet, secundum illud : « Qui
in ruina laetatur alterius, non |erit inpunitus[c] »; item
30 inibi : « Homo homini servat iram, et a Deo quae[30]rit
medellam »; et « In hominem similem sibi non habet miseri-
cor|diam : ipse cum caro sit, reservat iram, et propitia-
tionem quaerit |a Deo. Quis exorabit pro delictis illius?[d] »

19 eam — eam : et conculcet in terra vitam meam Z[1] ‖ 22 metuit :
ab hinc omnino aliter prosequitur C[7] ‖ 23 istum : istud Z[1] ‖ 26 iracundiam : iram A[1]T[1] ‖ 28 congaudet : gaudebat A[1] ‖ 29 servat : reservat
Z[1] ‖ 32 illius : suis L[2pc].

3 [a] Ps. 7, 5-6   [b] Prov. 24, 17-18   [c] Prov. 17, 5   [d] Sir. 28, 3. 4-5.

le maudissait en face, il a cependant préféré l'épargner et
le réserver pour le jugement de Dieu plutôt que de satis
faire sa colère. Et son amour fut si peu simulé ou feint
qu'il pleurait même sur ses adversaires et qu'il tirait
vengeance de ceux qui avaient osé les tuer. Pour cette
raison il disait en toute assurance dans les psaumes ce
que tous les hommes doivent dire d'un cœur très attentif
et tremblant : « Si j'ai rendu, dit-il, le mal à ceux qui me
l'ont fait, que je tombe à juste titre anéanti sous les coups
de mes ennemis. Que l'ennemi poursuive mon âme et
qu'il l'atteigne, qu'il l'écrase contre terre et qu'il réduise
ma gloire en poussière[a]. » Voici à quelle malédiction se
condamne celui qui, méprisant les commandements de
Dieu sur l'amour des ennemis, n'a pas craint de garder
de la haine dans son cœur. Réfléchissons donc : de quel
front et avec quelle conscience pourra-t-il ouvrir la bouche
pour prononcer ce verset, celui qui a rendu le mal pour
le mal à ses ennemis ?

Par la bouche de Salomon aussi, l'Esprit saint s'écrie
ainsi : « Lorsque ton ennemi sera tombé, ne te réjouis pas,
de peur que Dieu ne le voie et que cela ne lui déplaise,
et qu'il ne détourne de lui sa colère[b] », et surtout, de peur
que, lorsqu'il aura détourné de lui sa colère, il ne la dirige
vers celui qui se réjouit de la ruine de son ennemi, selon
ces paroles : « Celui qui se plaît à la ruine d'un autre ne
sera pas impuni[c] », et ailleurs : « L'homme garde sa colère
contre un homme et demande à Dieu un remède », et : « Il
ne fait pas miséricorde à son semblable ; lui qui n'est que
chair conserve sa colère et il demande à Dieu miséricorde.
Qui lui obtiendra le pardon de ses fautes ?[d1] »

---

1. Comme dans le *Serm.* 25, 3, la fin du verset 4 est omise : « et de
peccatis suis deprecatur ». Tout le reste est conforme au texte de
la Vulgate.

4. Dicitur quidem in vetere testamento : « Diliges
151 proximum tuum, (151) et odio habebis inimicum tuum^a. »
Sed qui sano intellectu scripturae ǀdivinae sensum
agnoscere cupit, sententiam istam hoc modo intellegit, ǀut
diligat omnem hominem proximum suum, et odio habeat
diabolum ǀinimicum suum. Quod etiam in uno homine
5 malo impleri potest : ⁵in ipso enim uno qui malus est, et
proximum habes et inimicum. ǀNam quod homo est,
proximus tuus est; quod malus, non solum ǀtuus, sed etiam
suus inimicus est. Dilige ergo in eo carnem et animam,
ǀhoc est, proximum tuum, quem Deus fecit; et odio habe
malitiam, ǀquam ipso consentiente diabolus intromisit.
10 Quod cum sancto et ¹⁰pio animo feceris, vices caelestis
medici agis, odio habens morbum, ǀet diligens aegrotum.

5. Item per Salomonem loquitur Spiritus sanctus : « Si
esurierit ǀinimicus tuus, ciba illum : si sitit, potum da
illi; hoc enim faciens ǀcarbones ignis congeres super caput
15 eius^a. » Hoc loco cum grandi ¹⁵diligentia observandum est,
ne forte, dum eum non bene intelleǀgimus, de medicamentis
nobis vulnera faciamus. Solent enim nonnulli ǀhoc praeceptum assumere quasi ad satiandum furorem suum. Dicunt
ǀenim apud se : Ecce cibo inimicum meum, ut ardeat in
aeternum. ǀAvertat Deus huiusmodi intellegentiam ab
20 animis nostris! Qualiter ergo ²⁰accipi debeat locus iste,
sancti et antiqui patres revelante Spiritu sancto ǀdefinie-
runt. « Si esurierit inimicus tuus, ciba illum », et cetera;
« hoc ǀenim, inquid, faciens carbones ignis congeres super

151,9 Quod : si *add.* Z¹ ǁ 12 esurierit : esurit A¹ ǁ 13 illi : ei A¹ ǁ
15 eum : id A¹⁰ *expunx.* A¹ ǁ 17 assumere C¹Z¹ : amplecti A¹ᵖᶜ referre
aut inducere *cett.* ǁ 20 et *om.* Z¹ ǁ 21 esurierit : esurit A¹ inquid *add.*
A¹Z¹ ǁ 22 inquid *om.* Z¹

---

4 ^a cf. Matth. 5, 43 ; Lév. 19, 18^b.
5 ^a Prov. 25, 21-22

4. Il est dit, c'est vrai, dans l'Ancien Testament : « Tu aimeras ton prochain et tu haïras ton ennemi[a]. »

Il faut haïr le mal et aimer les méchants

Mais celui qui, avec une saine intelligence, désire connaître le sens de l'Écriture divine comprend cette phrase ainsi : On doit aimer tout homme en tant que prochain et haïr le diable comme son ennemi. Et cela peut se trouver en même temps chez un seul homme méchant : en ce seul et même homme méchant, tu as à la fois un prochain et un ennemi. En effet, parce qu'il est homme, il est ton prochain ; parce qu'il est méchant, il est non seulement ton ennemi mais encore le sien. Aime donc en lui le corps et l'âme, c'est-à-dire ton prochain que Dieu a fait ; et déteste la méchanceté que le diable a introduite, avec son propre consentement. En faisant cela avec un esprit de sainteté et de piété, tu tiens la place du médecin céleste qui déteste la maladie et aime le malade.

5. L'Esprit saint nous dit encore par la bouche de Salomon : « Si ton ennemi a faim, donne-lui à manger; s'il a soif, donne-lui à boire ; car en agissant ainsi tu amasseras des tisons brûlants sur sa tête[a][1]. » Il faut faire très attention ici, de peur de nous causer des blessures avec des remèdes, faute d'avoir bien compris. En effet, certains ont coutume de tirer à eux ce commandement comme pour pouvoir assouvir leur fureur. Ils disent en effet en eux-mêmes : Voici que je nourris mon ennemi, pour qu'il brûle éternellement. Que Dieu détourne de nos âmes une interprétation de ce genre ! Les saints Pères de jadis, inspirés par l'Esprit saint, ont expliqué le sens à donner à ce passage : « Si ton ennemi a faim, donne-lui à manger », etc., « car en agissant ainsi, dit l'Écriture, tu amasseras des tisons brûlants sur sa tête. » La tête de

---

1. Ces versets sont cités d'après *Rom.* 12, 20.

caput eius. » ¹Caput in homine, sensus rationalis intellegitur :
qui sensus cum a ⁵fervore caritatis recedens factus fuerit
25 frigidus, unde scriptum est : ²⁵« Quia abundavit iniquitas,
refrigiscet caritas multorumᵇ », necesse ¹est ut quod est
saluti contrarium sapiat, et cui deberet esse amicus,
¹inimicus existat.

Ad sanandum ergo talem freneticum, homines ¹sanctos et
caritatis igne accensos hortatur Spiritus sanctus, dicens :
¹« Carbones ignis congeres super caput eius. » Cum enim
30 inimico tuo ³⁰pio animo frequentius benefeceris, quamlibet
sit impius et crudelis, ¹barbarus et cruentus, tamen tandem
aliquando erubescit et dolet, ¹et paenitere incipit quod
admisit. Iam cum paenitentiam coeperit ¹agere, sensus
rationalis, hoc est, caput ipsius incipit caritatis igne
152 (152) succendi; et qui prius quasi frigidus et freneticus
contra te consueverat ¹iracundiam retinere, spiritali calore
de tua bonitate succensus incipit ¹te toto corde diligere.
Ecce quomodo sancti patres hunc scripturae ¹locum
intellegendum esse dixerunt. Nam absit a sensu catholico,
5 ⁵ut eo animo quisque boni aliquid inimico suo conetur
inpendere, ut eum ¹pro hoc beneficio velit aeterno incendio
concremari. Undi cum ¹grandi cautela fidei considerandum
est et timendum ne sequamur ¹litteram occidentem, sed
magis vivificantem spiritum diligamus.

6. Et illud, fratres carissimi, cum grandi timore consi-
10 derare ¹⁰debemus, quod in psalmo terribiliter Spiritus
sanctus dixit. Cum enim ¹illam caelestem Hierusalem, id
est, congregationem omnium sancto¹rum, quae cum

31 tamen *om.* Z¹ ‖ 33 ipsius *om.* Z¹.
152,1 et ¹*om.* A¹Z¹ ‖ 2 de *om.* A¹ ‖ 3 te : et te Z¹

ᵇ Matth. 24, 12.

l'homme signifie la faculté raisonnable ; si cette faculté, s'écartant de la ferveur de la charité, s'est refroidie, comme il est écrit : « Parce que l'iniquité a abondé, la charité de beaucoup se refroidira^b », il s'ensuit nécessairement que l'on a du goût pour ce qui est contraire au salut et que celui dont on devrait être l'ami se trouve être l'ennemi.

Donc, pour guérir un pareil insensé, l'Esprit saint exhorte les hommes saints et enflammés du feu de la charité en disant : « Tu amasseras des tisons brûlants sur sa tête. » En effet, si tu ne cesses, par bonté d'âme, de faire du bien à ton ennemi, aussi impie et insensible, barbare et cruel qu'il soit, un jour cependant, il rougit enfin et s'afflige, et il commence à se repentir de ce qu'il a commis. Alors, dès qu'il commence à faire pénitence, la faculté raisonnable, c'est-à-dire sa tête, s'enflamme peu à peu du feu de la charité ; et lui qui d'abord, comme emporté par une fureur froide, fixait habituellement sa colère sur toi, il commence, pénétré de chaleur spirituelle, grâce à ta bonté, à t'aimer de tout son cœur. Voici comment les saints Pères ont dit qu'il fallait comprendre ce passage de l'Écriture. En effet, il est bien loin de l'esprit catholique que quelqu'un s'efforce de faire du bien à son ennemi avec le désir de le voir brûler pour ce bienfait dans le feu éternel. C'est donc avec le discernement supérieur de la foi que nous devons prendre garde et craindre de suivre la lettre qui tue au lieu d'aimer l'esprit qui vivifie[1].

Jérusalem ne s'ouvrira qu'aux hommes de paix

6. Nous devons aussi, frères très chers, méditer avec une grande crainte ce que l'Esprit saint a dit de façon terrible dans un psaume. En effet, alors qu'il exhortait la Jérusalem céleste, c'est-à-dire l'assemblée de tous les saints qui est appelée à régner

1. Cf. II *Cor.* 3, 6.

Christo est regnatura, ad laudandum Dominum |provocaret; cum dixisset « Lauda Hierusalem Dominum[a] », addidit : |« Qui posuit fines tuos pacem[b]. » Ergo, ut ipsi
15 videtis, Hierusalem illa [15]caelestis muros de pace constructos habet. Qui enim talem pacem |et talem caritatem habet ut omnes diligat, et pro bonis orat ut meliores |fiant, pro malis supplicat ut cito se corrigant, de qua parte voluerit |intrare, illius caelestis Hierusalem portas apertas merebitur invenire.

|Qui autem non vult habere talem caritatem, qualem
20 et Christus [20]praecepit et Apostolus docuit, ex omni parte Hierusalem portas |clausas inveniet. Et quia oleum caritatis habere noluit, clausis ianuis |sponsi cum illis fatuis virginibus illam metuendam audiet vocem : |« Amen dico vobis, nescio vos unde sitis[c]. » Quomodo enim illis quinque |virginibus, quae caritatis oleum habuerunt, illa
25 caelestis Hierusalem [25]aperiet ianuas suas, ut intrent in gaudium Domini sui, sic illis e con|trario qui sine caritate veniunt claudet, et aeterna a se separatione |repellet; et implebitur illud quod in ipso psalmo scriptum est de |illa Hierusalem : « Quoniam, inquid, confortavit seras portarum |tuarum[d]. » Clausis portis et confirmatis seris nunquam
30 exiet amicus, [30]nunquam intrare poterit inimicus : quia quomodo iustus nunquam |erit exiturus a gloria, ita et peccator nunquam poterit liberari a |poena.

7. Et ideo, si volumus ut ab istis malis nos dignetur divina |pietas liberare, ut feliciter in illam caelestem
153 Hierusalem mereamur (153) intrare, totis viribus laboremus ut in nobis impleatur illud quod |Apostolus dixit : « Quis

16 omnes : homines *add.* Z[1] || 23 sitis : estis Z[1] || 27 illud : in eo A[1] || ipso *om.* Z[1] || scriptum est : dicitur Z[1] || 28 illa *om.* Z[1] || 34 feliciter *om.* A[1.10].

6 [a] Ps. 147, 12   [b] Ps. 147, 14   [c] Matth. 25, 12   [d] Ps. 147, 13.

avec le Christ, à louer le Seigneur, après avoir dit :
« Jérusalem, loue le Seigneur[a] », il a ajouté : « Lui qui t'a
donné la paix pour frontières[b]. » Donc, comme vous le
voyez, il a construit de paix les murs de cette Jérusalem
céleste. Celui qui a une paix et une charité telles qu'il
aime tous les hommes, qui prie pour les bons afin qu'ils
deviennent meilleurs, supplie pour les méchants afin
qu'ils se corrigent vite, de quelque côté qu'il veuille
entrer, il méritera de trouver ouvertes les portes de la
Jérusalem céleste.

Mais celui qui ne veut pas avoir une charité telle que
le Christ l'a prescrite et que l'Apôtre l'a enseignée, de tous
côtés il trouvera closes les portes de Jérusalem. Et parce
qu'il n'a pas voulu avoir l'huile de la charité, il trouvera
fermée la porte de l'époux et entendra avec les vierges
folles cette parole redoutable : « En vérité, je vous le dis,
je ne sais d'où vous êtes[c]. » En effet, tandis qu'à ces cinq
vierges qui eurent l'huile de la charité, la Jérusalem
céleste ouvrira ses portes pour qu'elles entrent dans la joie
de leur Seigneur, au contraire, à ceux qui viennent sans
charité, elle les fermera, et elle repoussera ces gens-là
loin d'elle dans une séparation éternelle ; alors s'accomplira
ce qui est écrit dans ce psaume au sujet de cette Jérusalem :
« Parce que, dit-il, il a renforcé les serrures de tes portes[d]. »
Les portes fermées, les serrures consolidées, jamais l'ami
ne sortira, jamais l'ennemi ne pourra entrer ; car, de même
que le juste ne sortira jamais du séjour de la gloire, de
même aussi le pécheur ne pourra jamais échapper au
châtiment.

7. Aussi, si nous voulons que la divine bonté daigne
nous préserver de ces maux, pour que nous méritions
d'entrer avec joie dans la Jérusalem céleste, travaillons
de toutes nos forces pour que s'accomplisse en nous ce que

nos separabit a caritate Christi? tribulatio, |an angustia,
an persecutio, an fames, an periculum, an gladius?ᵃ »
|Et illud : « Certus sum enim, quia neque mors, neque
5 vita, neque ⁵angeli, neque principatus, neque potestates,
neque altitudo, |neque profundum, neque instantia, neque
futura, neque creatura |alia poterit nos separare a caritate
Dei, quae est in Christo |Iesu Domino nostroᵇ. »

Ecce, sicut audistis, beatum Apostolum et |apostolicos
viros tanta ac tam terribilia a caritate Dei separare non
10 ¹⁰poterant. Unde nimis dolendum est, ut, cum illi a caritate
Dei nec |tormentis poterant separari, nos interdum otiosis
fabulis separemur, |et nonnunquam propter parvissimum
convicium et cuiuscumque |miseri hominis detractionem
ita derelinquimus caritatem, ut cum eo |non solum multis
15 diebus, sed etiam mensibus fortassis et annis ¹⁵nec loquamur, nec ad convivium venire velimus. Et non adtendimus
|quia, dum nos invicem odio habemus, ita muros civitatis
Hierusalem |contra nos claudimus, ut nullus nobis aditus
remaneat, per quem |intrare possimus. Et quia civitas illa
habitatorem Deum habet, et |dicente Iohanne evangelista
20 « Deus caritas estᶜ », qui caritatem habere ²⁰noluerit, qua
fronte vel qua conscientia ad Deum, qui est caritas,
|praesumit accedere?

8. Haec omnia, fratres carissimi, dum vobis paterna
pietate |frequenter insinuo, absolvo apud Deum conscien-
tiam meam. Et |quia nullus umquam erit, qui se in veritate
25 excusare valeat, quod ²⁵veram pacem et veram caritatem
tenere non possit, totis viribus |misericordiam Dei depre-

153,3 fames : famis an nuditas Z¹ ‖ 12 propter : ob Z¹ ‖ 15 loquamur :
loqui Z¹ ‖ 16 habemus : dum invicem mordemur et comedimus
add. Z¹ ‖ 21 praesumit accedere : merebitur pervenire Z¹

---

7 ᵃ Rom. 8, 35   ᵇ Rom. 8, 37-38   ᶜ I Jn 4, 8.16.

dit l'Apôtre : « Qui nous séparera de la charité du Christ ?
La tribulation, l'angoisse, la persécution, la faim, le péril
ou le glaive ?[a] », et ceci : « Car j'ai la certitude que ni la
mort ni la vie, ni les anges, ni les principautés, ni les
puissances, ni hauteur ni profondeur, ni présent ni futur
ni aucune autre créature ne pourra nous séparer de la
charité de Dieu qui est dans le Christ Jésus notre
Seigneur[b]. »

Eh bien, vous l'avez entendu : tant de tourments si
terribles ne pouvaient séparer le bienheureux apôtre et les
hommes apostoliques de l'amour de Dieu. D'où il est
excessivement regrettable, alors que ces hommes ne
pouvaient être séparés de la charité de Dieu, même par
les tourments, que nous, nous nous en séparions parfois
par des bavardages oiseux[1] ; et quelquefois le plus petit
reproche ou dénigrement de quelque malheureux suffit
à nous faire si bien abandonner la charité que nous passons
plusieurs jours et même des mois et des années sans lui
parler ni vouloir partager son repas. Et nous ne prenons
pas garde qu'en nous haïssant les uns les autres nous
nous fermons si bien les murs de la cité de Jérusalem,
qu'il ne nous reste aucun accès pour pouvoir y entrer.
Et parce que cette cité a Dieu pour habitant et que
l'évangéliste Jean a dit : « Dieu est charité[c] », celui qui
n'a pas voulu avoir la charité, de quel front et avec quelle
conscience ose-t-il s'approcher de Dieu qui est charité ?

8. En vous faisant souvent par bienveillance paternelle
toutes ces recommandations, frères très chers, je libère
ma conscience devant Dieu. Et parce qu'il n'y aura jamais
personne en mesure de s'excuser sans mentir de ne pouvoir
conserver une vraie paix et une vraie charité, supplions
de toutes nos forces la miséricorde de Dieu pour que cette

---

1. Voir t. I, *Serm.* 20, 1, p. 496 ainsi que la note 1, p. 494-495.
Voir aussi *Serm.* 54, 2, *infra*, p. 454 et *Serm.* 82, 2.

cemur, ut nobis illam caritatem, sine qua ¹nullus unquam
Deum videbit, insinuare et donare dignetur; ut nullis ¹nec
tormentis nec damnis ac persecutionibus ab illius dilectione
¹vel dulcedine separemur.

30   Si iubetis, iam non est opus ut prolixiori ³⁰vos sermone
diutius fatigemus : et ideo iam ista, quae ad praesens
¹dicta sunt, caritati vestrae sufficiant. Dum haec Deo
placito, quae ¹accepistis, sanctis cogitationibus velut
154   munda animalia adsidue rumi(154)natis, et qualiter ea cum
Dei adiutorio possitis implere in vestris ¹animis definitis,
ea quae sequuntur de amore inimicorum, aut die ¹crastino,
aut certe die dominico absque aliqua lassitudine corporis
¹oportunius audietis : praestante Domino nostro Iesu
5 Christo, cui est ⁵honor et gloria in saecula saeculorum.
Amen.

28 nec ... nec : vel ... vel Z¹ ‖ 31 placito A¹ : placato L²T¹Z¹.
154,3 certe : in *add.* Z¹ ‖ 4-5 *doxol. om.* Z¹.

charité sans laquelle nul ne verra jamais Dieu, il daigne nous la communiquer et nous en faire don et qu'ainsi, ni tourments, ni pertes, ni persécutions ne soient capables de nous séparer de la douceur de son amour.

Si vous le voulez bien, il n'est pas nécessaire que nous vous fatiguions davantage par un trop long sermon. Que suffise donc pour l'instant à votre charité ce qui vient d'être dit. S'il plaît à Dieu, comme des animaux purs ruminez sans cesse par de saintes réflexions ce que vous avez reçu, et déterminez dans vos âmes de quelle manière vous pouvez l'accomplir avec l'aide de Dieu. Ce qui suit, sur l'amour des ennemis, vous l'entendrez, plus à propos et sans aucune fatigue, soit demain, soit dimanche au plus tard, avec l'assistance de notre Seigneur Jésus-Christ, à qui appartiennent l'honneur et la gloire pour les siècles des siècles. Amen.

SERMO XXXVII

De amore inimicorum

1. Scio et credo caritatem vestram sapienter intellegere, non esse |sine causa quod vos de vera et perfecta caritate tam frequenter |ammoneo : hoc enim ideo facio, quia ad
10 omnium peccatorum vulnera ^{10}nullum medicamentum tam salubre et tam efficax esse cognosco. |Additur et hoc, quod cum tam magnum sit verae et perfectae caritatis |remedium, nullus tamen invenitur qui eam cum Dei adiutorio habere |non possit. In reliquis operibus bonis interdum potest aliquis qualem|cumque excusationem praetendere;
15 in habenda autem dilectione ^{15}nullus se poterit excusare. Potest mihi aliquis dicere : Non possum |ieiunare; numquid potest dicere : Non possum amare? Potest dicere : |Propter infirmitatem corporis mei non possum a vino vel a carnibus |abstinere; numquid potest dicere : Non possum diligere? Potest |dicere, virginitatem se non posse servare, non
20 posse res totas vendere ^{20}et pauperibus erogare; numquid potest dicere : Non possum inimicos |meos diligere, et in eos qui in me peccaverunt indulgere?

Nemo se |circumveniat, fratres carissimi, quia Deus neminem fallit. Cum enim |multa sint quae propter fragi-

Sermo XXXVII : L² *Berolinensis theol. fol.* 355 (Rose 307)   s. IX
              L⁶ *Trecensis* 710   s. XII
              T¹ *Remensis* 394 (E. 295)   s. XI
              Z¹ *Stuttgartensis theol. fol.* 201 (*Zwifalten* 49) s. XI

SERMON XXXVII

De l'amour des ennemis

1. Je sais et crois que votre charité comprend dans sa sagesse que ce n'est pas sans raison que je vous exhorte si fréquemment au sujet de la vraie et parfaite charité. En effet, je le fais parce que je ne connais aucun remède aussi salutaire et aussi efficace contre les blessures de tous les péchés. Et de plus, ce remède si grand de la vraie et parfaite charité, il ne se trouve pourtant personne qui ne puisse l'avoir avec l'aide de Dieu. Parfois, pour le reste des bonnes œuvres, on peut mettre en avant quelque excuse ; mais du devoir d'aimer, nul ne pourra s'excuser. Quelqu'un peut me dire : Je ne peux pas jeûner. Peut-on dire par hasard : Je ne peux pas aimer ? On peut dire : A cause de la débilité de mon corps, je ne peux m'abstenir ni de vin ni de viandes. Peut-on dire par hasard : Je ne peux pas aimer ? On peut dire que l'on ne peut garder la virginité, que l'on ne peut vendre tous ses biens pour les distribuer aux pauvres ; est-ce que par hasard on peut dire : Je ne peux aimer mes ennemis et pardonner à ceux qui ont péché contre moi ?

La vraie charité vient du cœur   Que personne ne s'abuse, frères très chers, car Dieu ne trompe personne. En effet, alors qu'il y a beaucoup de choses qu'à cause de la fragilité humaine nous

---

154,6 De amore inimicorum Z¹ : item de eadem re T¹ ‖ 21 in eos L² : eis Z¹.

155 litatem humanam corporaliter non possu(155)mus implere,
caritatem tamen in corde nostro Deo inspirante, si in
ᴵveritate volumus, sine aliqua dubitatione habere poterimus. Multa ᴵenim sunt, quae de horreo vel canava vel
cellario aliquotiens proferre ᴵnon possumus; de thesauro
5 vero cordis nimis foedum et turpe est, ᵛsi aliquam excusationem praetendere videamur. Non enim ibi aut ᴵpedes
laborant currendo, aut oculi videndo, aut aures audiendo,
ᴵaut manus operando lassantur, ut nos per ipsam fatigationem excusare ᴵconemur.

Non nobis dicitur : Ite ad orientem, et quaerite caritatem; ᴵnavigate ad occidentem, et invenietis dilectionem.
10 Intus in corde ¹⁰nostro, unde nos iracundia excludere solet,
redire iubemur, dicente ᴵpropheta : « Redite praevaricatores
ad corᵃ. » Non enim, sicut iam ᴵdixi, in longinquis regionibus
invenitur, quod a nobis Dominus ᴵrepetit : intus ad cor
nostrum nos mittit. In nobis enim posuit quod ᴵrequirit,
ubi tota caritatis perfectio in animi voluntate vel bonitate
15 ¹⁵consistit; de qua voluntate vel bonitate pastoribus angeli
clamaverunt : ᴵ« Pax in terra hominibus bonae voluntatisᵇ. »

Et ideo, quia nulla ᴵnobis ante tribunal Christi excusatio
esse poterit, cum Dei adiutorio ᴵtotis viribus laboremus,
ut in animis nostris plus praevaleat bonitas ᴵquam malitia,
plus patientia quam iracundia, plus benignitas quam

155,3 canava *m.* : caneva L² canaba Z¹ camera T¹ ‖ 4 foedum :
foetidum L²

---

1 ᵃ Is. 46, 8   ᵇ Lc 2, 14.

---

1. Le terme *canava* revient d'autres fois dans les *Sermons,* souvent
sous la forme *canaba* : cf. *Serm.* 139, 7 ; 182, 5 ; 198, 2 et aussi *Statuta
virginum,* n. 30, p. 109, 7. Selon Sr Lazare de SEILHAC dans *L'utilisation par S. Césaire d'Arles de la Règle de S. Augustin,* Rome 1974,
p. 88-94, « il s'agit toujours de la cave où l'on met le vin, distincte
du *cellarium* où sont rangées les provisions alimentaires ». L'origine

ne pouvons accomplir physiquement, cependant, si nous
le voulons vraiment, nous pouvons sans aucun doute, sous
l'inspiration de Dieu, avoir la charité dans notre cœur.
En effet, il y a beaucoup de choses parfois que nous ne
pouvons sortir du grenier ni de la cave[1] ni du cellier ;
mais quand il s'agit du trésor du cœur il est excessivement
laid et honteux qu'on puisse nous voir mettre quelque
excuse en avant. Car là, ni les pieds ne peinent à courir,
ni les yeux à voir, ni les oreilles à entendre, ni les mains
ne s'épuisent à travailler, pour que nous tentions de nous
excuser au nom de la fatigue.

On ne nous dit pas : Allez vers l'orient, et cherchez la
charité ; naviguez vers l'occident, et vous trouverez
l'amour. C'est à l'intérieur de notre cœur, d'où la colère
a coutume de nous chasser, qu'on nous ordonne de revenir,
selon la parole du prophète : « Prévaricateurs, rentrez
dans votre cœur[a]. » Car, ainsi que je l'ai déjà dit, ce n'est
pas dans des pays lointains que se trouve ce que réclame
de nous le Seigneur : c'est à l'intérieur, à notre cœur qu'il
nous envoie. Car il a placé en nous ce qu'il demande,
puisque la perfection totale de la charité consiste dans la
bonne volonté de l'âme ; à son sujet les anges ont proclamé
aux bergers : « Paix sur terre aux hommes de bonne
volonté[b]. »

Et c'est pourquoi, parce que nulle excuse ne pourra
nous servir devant le tribunal du Christ, travaillons de
toutes nos forces avec l'aide de Dieu à donner dans nos
âmes la première place à la bonté plutôt qu'à la malice,
à la patience plutôt qu'à la colère, à la bienveillance

---

du mot est discutée, mais il appartenait visiblement à la langue
courante du temps. Césaire emploie aussi dans la *Règle* le mot
canavaria pour désigner la sommelière. A propos de *canava*, Sr Lazare
de Seilhac cite, dans la série d'épigrammes d'Ennode consacrées aux
différentes pièces de la maison, le quatrain *Ante canavam* (*Carmina*,
lib. II, 43, *CSEL*, VI, p. 571).

20 ²⁰invidia, plus humilitas quam superbia; et ut totum brevi
sermone ᴵconcludam, sic totum cor nostrum obtineat
caritatis dulcedo, ut in ᴵnobis amaritudo odii locum habere
non possit.

2. Sed dicit aliquis : Nulla ratione possum inimicos
meos diligere. ᴵIn omnibus scripturis sanctis Deus tibi dixit
25 quia potes : tu e contra ²⁵te non posse respondes. Considera
nunc, utrum Deo an tibi debeat ᴵcredi. Et ideo, quia mentiri
non potest veritas, iam vanas excusationes ᴵsuas relinquat
humana fragilitas : quia nec inpossibile aliquid potuit
ᴵimperare qui iustus est, nec damnaturus est hominem pro
eo, quod ᴵnon potuit vitare, qui pius est. Quid tergiver-
30 samur incassum? ³⁰Nemo enim quantum possumus melius
novit, quam qui nobis ipsum ᴵposse donavit. Tot viri, tot
mulieres, tanti pueri, tantae et tam deliᴵcatae puellae
flammas et ignes et gladios et bestias pro Christo aequa-
ᴵnimiter pertulerunt : et nos stultorum hominum convicia
dicimus ᴵtolerare non posse; et interdum pro parvissimis
35 damnis, quae nobis ³⁵malorum hominum nequitia infe-
156 runtur, si possumus etiam usque (156) ad mortem illorum
nostras iniurias vindicamus. Unde nescio qua ᴵfronte vel
qua conscientia cum omnibus sanctis in aeterna beatitudine
ᴵpartem habere desideramus, quorum exempla sequi nec
in rebus ᴵminimis adquiescimus.

5 ⁵**3.** Sed sunt aliqui, qui testimonium scripturae divinae
iracundiae ᴵsuae aestimant suffragari. Dicunt enim scriptum
esse : « Amat anima ᴵmea amantem seᵃ »; et dum auctori-

---

24 sanctis *om.* Z¹ ‖ 29 vitare *om.* T¹.
156,3 sequi *om.* L².

---

3 ᵃ cf. Prov. 8, 17

---

1. Voir, *supra*, presque la même phrase dans *Serm.* 35, 2.
2. Le texte de la Vulgate porte : « ego diligentes me diligo ». Nous
n'avons trouvé aucun autre exemple du texte de Césaire.

plutôt qu'à l'envie, à l'humilité plutôt qu'à l'orgueil ;
et pour conclure le tout par une phrase brève, que la
douceur de la charité ait si bien possession de tout notre
cœur, qu'il ne puisse y avoir place en nous pour l'amertume
de la haine.

2. Mais quelqu'un dit : Je ne peux aimer mes ennemis
en aucune façon. Partout dans les Écritures saintes, Dieu
t'a dit que tu le peux ; toi, tu réponds au contraire que
tu ne le peux pas. Réfléchis maintenant ; qui doit-on
croire, Dieu ou toi ? Et parce que la Vérité ne peut mentir,
que la faiblesse humaine abandonne désormais ses excuses
vaines ; car celui qui est juste n'a pu commander quelque
chose d'impossible, et celui qui est miséricordieux ne
condamnera pas un homme pour ce qu'il n'a pu éviter.
Pourquoi tergiversons-nous en vain ? Personne ne sait
mieux l'étendue de notre pouvoir que celui qui nous a
donné de pouvoir[1]. Tant d'hommes, de femmes, d'enfants,
tant de si délicates jeunes filles ont supporté pour le Christ
d'une âme égale les flammes, le feu, les glaives et les bêtes
sauvages ; et nous, nous disons ne pouvoir tolérer les
injures des sots ; et parfois, pour les plus petits dommages
que la méchanceté des méchants nous inflige, nous pour-
suivons la vengeance des insultes jusqu'à la mort de leur
auteur si nous le pouvons. Aussi, je ne sais de quel front
et avec quelle conscience nous désirons avoir part à la
béatitude éternelle avec tous les saints dont nous ne
consentons pas à suivre l'exemple, même dans les plus
petites occasions.

Le Christ est mort
pour nos péchés

3. Mais il s'en trouve certains qui
estiment que le témoignage de l'Écriture sainte vient à l'appui de leur
colère. Car, disent-ils, il est écrit : « Mon âme aime celui
qui l'aime[a2] » ; et comprenant mal l'autorité divine, ils se

tatem divinam male intellegunt, de ˡmedicamentis sibi
vulnera faciunt. Qualiter autem hoc et debeat et possit
ˡintellegi, adtendat caritas vestra. « Amat, inquit, anima
10 mea amantem ¹⁰se. » Licet et de hominibus secundum
litteram sentiri debeat, tamen ˡcertius de Deo intellegi
debet, quia nullus nos melius quam ipse ˡdiligit.

Nam si boni tantummodo amandi sunt, quid dicimus
de Deo ˡnostro, de quo scriptum est : « Sic Deus dilexit
mundum, ut Filium ˡsuum unigenitum daret[b] »? Quid
15 enim boni fecerat mundus, ut illum ¹⁵sic diligeret Deus?
Omnes enim homines, non solum malos, sed etiam ˡoriginali
peccato mortuos Christus Dominus noster invenit : et
tamen, ˡetiam cum tales essemus, « dilexit nos, et tradidit
semetipsum ˡpro nobis[c] »; ac per hoc amavit etiam non
amantes, sicut et Paulus ˡapostolus dicit : « Christus pro
20 impiis mortuus est[d]. » Et pro ineffabili ²⁰pietate universo
generi humano hoc exemplum dedit, dicens : « Discite ˡa
me, quia mitis sum et humilis corde[e]. » Quod et beatus
apostolus ˡPetrus in epistola sua similiter praecipit,
dicens : « Christus pro nobis ˡpassus est, relinquens vobis
exemplum, ut sequamini vestigia ˡeius[f]. »

Quod exemplum Domini secuturi sumus? Numquid ut
25 mortuos ²⁵suscitemus? numquid ut supra mare pedibus
ambulemus? Non ˡutique; sed ut simus mites et humiles
corde, et non solum amicos, ˡsed etiam adversarios diligamus. « Ut sequamini, inquid, vestigia ˡeius. » Dicit hoc
etiam beatus evangelista Iohannes : « Qui dicit se in
ˡChristo manere, debet quomodo ille ambulavit et ipse

10 hominibus : omnibus Z¹ ǁ debeat : et debet et possit Z¹ ǁ 11
intellegi debet : intellegendum est Z¹ ǁ 13 Deus dilexit : dilexit Deus
L²Z¹ ǁ 14 unigenitum : unicum Z¹ ǁ daret : pro mundo add. T¹ ǁ
15 etiam : impios et add. Z¹ ǁ 21 Quod : quomodo Z¹ ǁ 28 hoc etiam
Z¹ : hoc L²T¹

blessent avec des remèdes. Mais que votre charité prête
attention à la façon dont cela peut et doit être compris.
« Mon âme, est-il dit, aime celui qui l'aime. » Bien que
suivant la lettre, cela doive être entendu aussi des hommes,
pourtant, cela doit bien davantage être compris de Dieu ;
car nul ne nous aime mieux que lui.

En effet, si seuls les bons doivent être aimés, que dire
de la conduite de notre Dieu dont il est écrit : « Dieu a tant
aimé le monde qu'il a donné son Fils unique[b] »? Car, quel
bien avait fait le monde pour que Dieu l'aime ainsi?
En effet, le Christ notre Seigneur a trouvé tous les hommes
non seulement mauvais, mais même morts à cause du
péché originel ; et cependant, alors même que nous étions
tels, « il nous a aimés et s'est livré lui-même pour nous[c] » ;
et en agissant ainsi, il a aimé même ceux qui ne l'aimaient
pas, comme l'apôtre Paul le dit aussi : « Le Christ est mort
pour des impies[d]. » Et dans sa miséricorde ineffable il a
donné cet exemple au genre humain tout entier, disant :
« Instruisez-vous auprès de moi, car je suis doux et humble
de cœur[e]. » Et le bienheureux apôtre Pierre nous l'enseigne
de la même façon dans son épître en disant : « Le Christ
a souffert pour nous, vous laissant un exemple pour que
vous suiviez ses pas[f]. »

Quel exemple du Seigneur aurons-nous à suivre ? Est-ce
par hasard celui de ressusciter les morts ? Est-ce de marcher
à pied sur la mer ? Non pas ; mais d'être doux et humbles
de cœur et d'aimer non seulement nos amis mais même
nos ennemis. « Afin que vous suiviez, dit-il, ses pas. »
Le bienheureux évangéliste Jean le dit aussi : « Celui qui
dit qu'il demeure dans le Christ doit marcher comme

---

[b] Jn 3, 16   [c] Éphés. 5, 2   [d] Rom. 5, 6   [e] Matth. 11, 29   [f] I Pierre
2, 21

30 ambulare^g. » ³⁰Quomodo Christus ambulavit? In cruce
157 enim positus ita pro inimicis (157) oravit, dicens : « Pater,
ignosce illis, quia nesciunt quid faciunt^h. »

[|]Frenetici enim sunt, et a contrario spiritu possidentur :
et, ut nos [|]persequantur, maiorem persecutionem a diabolo
patiuntur ; et ideo [|]magis ut liberentur, quam ut damnentur,
5 orare debemus. Sic enim ⁵fecit et beatus Stephanus, qui
gloriosissime primus Christi vestigia [|]sequutus est. Cum
enim duris saxorum imbribus caederetur, pro [|]se stans
oravit, pro inimicis vero suis positis genibus totis viribus
[|]clamavit et dixit : « Domine Iesu Christe, ne statuas illis
hoc peccatumⁱ. » [|]Si ergo putamus nos non posse imitari
10 Dominum nostrum, imitemur ¹⁰saltim conservum nostrum.
Imitemur etiam et beatum Iacobum, [|]qui et ipse, cum a
Iudaeis lapidaretur, fixis genibus pro suis perse[|]quutoribus
subplicavit.

4. Dominus quoque in evangelio, ut inimicos diligere
debeamus, [|]non dedit consilium, sed praeceptum. Aliud est
15 consilium, aliud ¹⁵praeceptum. Consilium datur, ut virgi-
nitas conservetur, ut a vino [|]et a carnibus abstineatur, ut
vendantur omnia et pauperibus erogentur. [|]Praeceptum
vero datur, ut iustitia custodiatur, ut omnis homo divertat
[|]a malo et faciat bonum. Denique de virginitate dicitur :

30-**157**,1 Quomodo Christus — faciunt : quomodo enim Christus
in cruce fixus erat, et tamen per viam caritatis currebat dicens,
Pater ignosce illis, quia nesciunt quid faciunt : et nos ergo cum pati-
mur pro inimicis hoc clamare debemus, quia nesciunt quid faciunt Z¹.

157,7 positis : in terra *add.* Z¹ ‖ 8 Iesu Christe L² : Iesu T¹ *om.* Z¹ ‖
12 subplicavit : subplicabatur T¹ ‖ 16 ut — erogentur Z¹ : *om.* L²T¹ ‖
17-18 ut² — bonum Z¹ : *om. cett.*

---

^g I Jn 2, 6   ^h Lc 23, 34   ⁱ Act. 7, 60.

---

1. Ainsi que l'indique dom Morin, Césaire a probablement puisé

il a marché[g]. » Comment le Christ a-t-il marché ? Placé
sur la Croix, il a prié pour ses ennemis, disant : « Père,
pardonne-leur car ils ne savent ce qu'ils font[h]. »

Ils ont en effet perdu le sens et sont possédés d'un
esprit pervers ; et, alors qu'ils nous persécutent, ils souffrent
du diable une plus grande persécution ; et c'est pourquoi
nous devons prier plus pour leur délivrance que pour leur
condamnation. C'est bien ce qu'a fait le bienheureux
Étienne, lui qui a très glorieusement suivi le premier les
pas du Christ. Car, alors qu'il était frappé d'une grêle
de dures pierres, il pria debout pour lui-même ; mais pour
ses ennemis, s'étant mis à genoux, il s'écria de toutes ses
forces : « Seigneur Jésus-Christ, ne leur impute pas ce
péché[1]. » Donc, si nous pensons que nous ne pouvons pas
imiter notre Seigneur, imitons au moins celui qui était son
serviteur comme nous. Imitons aussi le bienheureux
Jacques qui, alors que les Juifs le lapidaient, supplia lui
aussi à genoux pour ses persécuteurs[1].

L'amour des ennemis est un commandement 4. Aussi, sur le devoir d'aimer nos ennemis, ce n'est pas un conseil mais un commandement que le Seigneur nous a donné dans l'Évangile.
Un conseil est une chose, un commandement en est une
autre. Il a donné le conseil de conserver la virginité, de
s'abstenir de vin et de viandes, de vendre tout son bien
et de le distribuer aux pauvres. Mais il nous a donné le
commandement d'observer la justice, afin que tous évitent
le mal et fassent le bien. Enfin, au sujet de la virginité

cette anecdote sur Jacques, « le frère du Seigneur », dans RUFIN,
Hist. Eccl., 2, 23, 16, *PG* 20, col. 202. En voici le texte : « Et quoniam
praecipitatus non statim mortem obieret, conversus flexis genibus
orabat dicens : Domine et Deus Pater, rogo ut ignoscas illis, quia
nesciunt quid faciunt. Illi inter se dixerunt : Lapidemus Iacobum
iustum... »

« Qui potest ‖capere capiat⁸ »; de iustitia vero non dicitur,
20 Qui potest facere faciat, ²⁰sed : « Omnis arbor, quae non
facit fructum bonum, excidetur ‖et in ignem mittetur⁵. »
Consilium qui libenter audierit et fecerit, ‖maiorem gloriam
habebit : praeceptum qui non impleverit, nisi ‖paenitentia
subvenerit, evadere poenam non poterit. Sic enim ‖praecepit
Dominus : « Diligite inimicos vestros, benefacite his qui
25 ²⁵oderunt vos, et orate pro persequentibus et calumniantibus vos⁰. » ‖Et si quaeris quam mercedem accipies, audi
quod sequitur : « Ut sitis ‖filii Patris vestri qui in caelis
est⁴. » Advertite quia, si inimicos ‖non diligimus, filii Dei
esse non possumus. Et qua fronte dicimus ‖in oratione :
« Pater noster qui es in caelis⁰ »? Aut qua conscientia
158 (158) dicere poterimus : « Dimitte nobis debita nostra,
sicut et nos dimit‖timus⁵ »?

5. Sed dicit aliquis : Ego audio scripturam dicentem :
« Amat ‖anima mea amantem se⁸. » Amas filios et parentes?
5 Amat et latro, amat ⁵et leo, amat et draco, amant et ursi,
amant et lupi. Si enim amantes ‖non diligimus, si filios vel
parentes despicimus, peiores leonibus ‖et supradictis
bestiis sumus; si vero amantes tantum diligimus, ‖nihil ab
ipsis bestiis distare videmur, sicut et ipse Dominus dixit :
‖« Si enim diligitis eos qui vos diligunt, quam mercedem
10 habebitis? ¹⁰Nonne et publicani hoc faciunt? Et si salu-
taveritis fratres vestros ‖tantum, quid amplius facitis?
Nonne et ethnici hoc faciunt?⁵ » ‖Qui ergo solos amicos

25 calumniantibus : maledicentibus Z¹ ‖ vos : vobis Z¹ ‖ 29 oratione : dominica *add.* L².

158,4 Amas : amantes te *add.* Z¹ ‖ 4-5 amat et leo L²T¹ : *om.* Z¹ ‖
6 vel parentes *om.* L²T¹ ‖ 7 amantes — diligimus : amantibus tantum
viam reddimus Z¹

4 ⁸ Matth. 19, 21   ⁵ Matth. 3, 10   ⁰ Matth. 5, 44   ⁴ Matth. 5, 45
⁰ Matth. 6, 9   ⁵ Matth. 6, 12.
5 ⁸ cf. Prov. 8, 17   ⁵ Matth. 5, 46-47

il est dit : « Que celui qui peut la garder, la garde[a]. » Mais
au sujet de la justice il n'est pas dit : Que celui qui peut
l'observer l'observe, mais : « Tout arbre qui ne produit pas
de bon fruit sera retranché et jeté au feu[b]. » Celui qui, de
bon cœur, écoute un conseil et le suit aura une plus grande
gloire ; celui qui n'exécute pas un commandement, si la
pénitence n'y remédie, ne pourra échapper au châtiment.
En effet, le Seigneur a ordonné ceci : « Aimez vos ennemis,
faites du bien à ceux qui vous haïssent, priez pour ceux
qui vous persécutent et qui vous calomnient[c]. » Et si tu
t'enquiers de la récompense que tu recevras, écoute ce
qui suit : « Afin que vous soyez les fils de votre Père qui
est dans les cieux[d]. » Prenez garde que si nous n'aimons
pas nos ennemis, nous ne pouvons être les fils de Dieu.
Et de quel front disons-nous dans l'Oraison : « Notre Père
qui es aux cieux[e] »? Ou avec quelle conscience pourrons-
nous dire : « Remets-nous nos dettes comme nous aussi
nous remettons[f] »?

5. Mais quelqu'un dit : Pour moi, j'entends l'Écriture
dire : « Mon âme aime celui qui l'aime[a]. » Tu aimes tes
enfants et tes parents ? Le voleur les aime aussi, le lion
aussi, le dragon aussi, les ours aussi, les loups aussi. En
effet, si nous n'aimons pas ceux qui nous aiment, si nous
dédaignons nos enfants ou nos parents, nous sommes
pires que les lions et que les bêtes sauvages nommées plus
haut ; mais si nous aimons seulement ceux qui nous
aiment, rien ne nous distingue en apparence des bêtes
sauvages, ainsi que le Seigneur lui-même l'a dit : « Car si
vous aimez ceux qui vous aiment, quelle récompense
aurez-vous ? Est-ce que les publicains ne le font pas ?
Et si vous saluez seulement vos frères, que faites-vous de
plus que les autres ? Est-ce que les païens ne le font pas
aussi ?[b] » Ceux donc qui n'aiment que leurs amis, comme

diligunt, sicut ipsi videtis, adhuc in hac parte ǀpublicanis
et gentibus similes sunt.

Ut ergo superiores et gentibus ǀet bestiis simus, etiam
15 inimicos et adversarios diligamus; et timeamus ¹⁵illud
quod Dominus in evangelio dixit : « Serve male, omne
debitum ǀdimisi tibi, quia rogasti me : nonne et tibi
oportuit misereri ǀconservo tuo, sicut et ego tui misertus
sum?ᶜ » Et quid postea? ǀ« Tradidit eum tortoribus, donec
redderet omne debitum. Sic, ǀinquid Dominus, et Pater
20 meus caelestis faciet vobis, si non dimi²⁰seritis unusquisque
fratri suo de cordibus vestrisᵈ. » Et iterum ipse ǀDominus
ait : « In hoc cognoscent omnes quia mei discipuli estis,
ǀsi vos invicem diligitisᵉ »; et iterum : « Hoc est mandatum
meum, ǀut invicem diligatisᶠ »; et iterum : « Qui universam
legem conplevit, ǀoffendat autem in uno, factus est omnium
25 reusᵍ. » Quod est hoc ²⁵unum, nisi quod supra diximus,
« Mandatum novum do vobis, ut vos ǀinvicem diligatisʰ »?
Quod, inquam, est hoc unum, nisi illud quod ǀApostolus
dicit : « Omnis lex in uno sermone impletur in nobis :
ǀdiliges proximum tuum sicut te ipsumⁱ »?

Sed ne forte aliquis dicat, ǀlocum hunc non sic debere
30 intellegi, audiat de hoc mandato iterum ³⁰Apostolum
sublimi voce clamantem : « Et si tradidero corpus meum
159 (159) ut ardeam, caritatem autem non habeam, nihil mihi
prodestʲ. » ǀIpsa est vera et germana caritas, quae non

---

13 gentibus¹ : et bestiis *add.* Z¹ ǁ 14 simus : essemus Z¹ ǁ 17 con-
servo tuo Z¹ : conservi tui L²T¹ ǁ 18 omne L²Z¹ : *om.* T¹ ǁ 22-23 et
iterum — diligatis *om.* L²T¹ ǁ 24 autem *om.* T¹.

159,1 ardeam : ardeat Z¹

ᶜ Matth. 18, 32-33   ᵈ Matth. 18, 34-35   ᵉ Jn 13, 35   ᶠ Jn 15, 12
ᵍ Jac. 2, 10   ʰ Jn 13, 34   ⁱ Gal. 5, 14   ʲ I Cor. 13, 3.

---

1. Césaire emploie tantôt la formule : *si vos invicem diligitis,*

vous le voyez vous-mêmes, sont encore à ce point de vue
semblables aux publicains et aux gentils.

Donc, pour être supérieurs aux gentils et aux bêtes
sauvages, aimons même nos ennemis et nos adversaires ;
et craignons ce que le Seigneur a dit dans l'Évangile :
« Mauvais serviteur, je t'ai remis toute ta dette parce que
tu m'en as prié ; ne devais-tu pas, toi aussi, avoir pitié
de ton compagnon de service, comme moi j'ai eu pitié de
toi?[c] » Et qu'est-il dit ensuite ? « Il le livra aux bourreaux,
jusqu'à ce qu'il ait acquitté toute sa dette. Voilà, dit le
Seigneur, ce que mon Père céleste vous fera, si chacun
de vous ne remet pas à son frère de tout cœur[d]. » Et le
Seigneur lui-même dit encore : « En cela tous reconnaîtront
que vous êtes mes disciples, si vous vous aimez les uns
les autres[e][1]. » Et encore : « Voici mon commandement[2],
que vous vous aimiez les uns les autres[f]. » Et encore :
« Celui qui a exécuté toute la loi, s'il enfreint un seul
précepte, il est devenu coupable à l'égard de tous[g]. »
Quel est cet unique point, sinon celui dont nous avons
parlé plus haut : « Je vous donne un commandement
nouveau : aimez-vous les uns les autres[h] » ? Quel est, dis-je,
cet unique point, sinon celui dont l'Apôtre dit : « Nous
accomplissons toute la loi en accomplissant un seul commandement : tu aimeras ton prochain comme toi-même[i] » ?

Mais, de peur que quelqu'un ne dise par hasard qu'on
ne doit pas comprendre ce passage ainsi, qu'il écoute sur
ce commandement l'Apôtre s'écrier de nouveau à voix
haute : « Et si je livre mon corps pour être brûlé mais
que je n'aie pas la charité, cela ne me sert à rien[j]. » La
vraie charité fraternelle est celle qui s'étend non seulement

---

très courante chez les Pères, tantôt, comme dans les *Serm.* 39, 4 et
90, 6 celle de la Vulgate : *si dilectionem habueritis ad invicem.*

2. Césaire utilise ici *mandatum*, mais nous trouvons *praeceptum*
dans le *Serm.* 90, 6.

solum usque ad amicos, |sed etiam usque ad ipsos pervenit
inimicos; sicut et Dominus noster |tantam circa genus
5 humanum cognoscitur habere caritatem, ut ⁵non solum
supra bonos sed etiam supra malos pluviam dare, et |solem
suum cotidie oriri concedat.

6. Etiam et illud ante omnia cum grandi reverentia et
timore |recolere et retinere debemus, quod Dominus in
evangelio dixit : |« Si dimiseritis, inquit, hominibus peccata
10 eorum, dimittet et vobis ¹⁰Pater vester caelestis peccata
vestra; si non dimiseritis, nec |Pater vester caelestis
dimittet debita vestraᵃ. » Apostolus etiam |eadem praedicat
dicens : « Nemini malum pro malo reddentes, |benedicite
persequentibus vos, benedicite et nolite maledicereᵇ »; |et
iterum : « Noli vinci a malo, sed vince in bono malumᶜ »;
15 et iterum : ¹⁵« Non reddentes malum pro malo, nec male-
dictum pro maledicto, sed |e contrario benedicentesᵈ. »
Beatus quoque evangelista Iohannes, |qui super pectus
Domini recubuit, in epistola sua ita nos ammonet |dicens :
« Qui fratrem suum odit, homicida est; et scitis quia omnis
|homicida non habet in se vitam aeternam manentemᵉ »;
20 et iterum : ²⁰« Qui dicit se in lumine manere, et fratrem
suum odit, in tenebris |est, et in tenebris ambulat, et
nescit quo vadat; quoniam tene|brae obcaecaverunt oculos
eiusᶠ. » Hoc loco fratrem omnem hominem |debemus acci-
pere. Dicit etiam ipse beatus Iohannes : « Si quis dixerit
|quoniam diligo Deum, et fratrem suum odit, mendax est :

8 et retinere *om.* Z¹ ‖ 11 vestra : In potestate nostra positum
est, qualiter in die iudicii iudicemur. Unde nescio qua fronte indulgentiam peccatorum suorum ante tribunal Christi obtinere poterit,
qui Deo praecipiente inimicis suis veniam dare non adquiescit *add.*
Z¹ ‖ 20-21 in tenebris est : usque adhuc. Qui autem diligit fratrem
suum in lumine manet, et scandalum in eo non est ullum. Qui odit
fratrem suum [in tenebris ambulat *add.* T¹ ‖ 21 est et in tenebris
om. L².

jusqu'à nos amis mais encore jusqu'à nos ennemis eux-
mêmes, comme nous reconnaissons l'étendue de la charité
de notre Seigneur envers le genre humain à ce qu'il accepte
de faire pleuvoir et de faire lever chaque jour son soleil
non seulement sur les bons mais même sur les méchants[1].

**Pardonnons,
pour être pardonnés**

6. Et nous devons même, avant
toutes choses, repasser dans notre
esprit et retenir avec une grande
révérence et une grande crainte ce que le Seigneur a dit
dans l'Évangile : « Si vous remettez, dit-il, aux hommes
leurs péchés, votre Père céleste vous remettra aussi vos
péchés ; mais si vous ne remettez pas, votre Père céleste
ne vous remettra pas non plus vos dettes[a]. » L'Apôtre
aussi prêche les mêmes choses, quand il dit : « Ne rendez
à personne le mal pour le mal, bénissez ceux qui vous
persécutent, bénissez et ne maudissez pas[b] » ; et aussi :
« Ne vous laissez pas vaincre par le mal, mais soyez
vainqueurs du mal par le bien[c] » ; et encore : « Ne rendez
pas le mal pour le mal, ni la malédiction pour la malédiction, mais au contraire bénissez[d]. » Le bienheureux évangéliste Jean, qui reposa sur la poitrine du Seigneur, nous
met en garde, lui aussi, dans son épître en disant : « Celui
qui hait son frère est homicide ; et vous savez qu'en
aucun homicide ne demeure la vie éternelle[e] » ; et encore :
« Celui qui dit demeurer dans la lumière et qui hait son
frère est dans les ténèbres et marche dans les ténèbres
et il ne sait où il va, parce que les ténèbres ont obscurci
ses yeux[f]. » Nous devons ici entendre par frère tous les
hommes. Le même bienheureux Jean dit encore : « Si
quelqu'un a dit : j'aime Dieu, et qu'il haïsse son frère,

6 [a] Matth. 6, 14-15   [b] Rom. 12, 17.14   [c] Rom. 12, 21   [d] I Pierre
3, 9   [e] I Jn 3, 15   [f] I Jn 2, 11

1. Cf. *Matth.* 5, 45.

25 qui ²⁵enim non diligit fratrem suum quem videt, Deum
   quem non videt ᴵquomodo potest diligere?ᵍ »

   Sed iam, si iubetis, ista sufficiant. Sunt ᴵenim innumerabilia tam in novo quam in veteri testamento, quae
ᴵcausam de qua loquimur validissimis testimoniis confir-
160 mare viden(160)tur; quae omnia longum est ut nunc
   caritatis vestrae auribus intiᴵmentur. Sed a sanctis animabus etiam parva pro magnis accipiuntur : ᴵquia et revera,
   cui parva sed tamen magna non prosunt, plura prodesse
   ᴵnihil poterunt. Ergo, fratres carissimi, considerantes illud
 5 quod iam ⁵saepe dictum est, quia « Omnis lex in uno
   sermone impletur in nobis », ᴵid est, « Diliges proximum
   tuum sicut te ipsumʰ », non solum amicos ᴵsed etiam
   inimicos diligite : quia quicumque hoc implere nolunt,
   ᴵreliqua illis opera bona prodesse non poterunt. Et ideo
   ita omnibus ᴵinimicis vestris dimittite ut cum secura
10 conscientia possitis in ora¹⁰tione dicere : « Dimitte nobis
   debita nostra, sicut et nos dimittimus ᴵdebitoribus nostrisⁱ. »
   Quod ipse prestare dignetur, qui vivit et regnat ᴵin saecula
   saeculorum. Amen.

160,4 Ergo : vos autem Z¹ ‖ 5 in nobis : in vobis Lª *om.* Z¹ ‖ 7-9
quia — dimittite Z¹ : *om. cett.* ‖ 9-10 oratione : dominica *add.*
LªT¹Z¹ ‖ 11-12 *doxol. om.* Z¹.

ᵍ I Jn 4, 20   ʰ Gal. 5, 14   ⁱ Matth. 6, 12.

c'est un menteur ; car celui qui n'aime pas son frère qu'il voit, comment peut-il aimer Dieu qu'il ne voit pas ?[g] »

Mais, si vous le voulez bien, que cela suffise pour l'instant. Car, tant dans le Nouveau que dans l'Ancien Testament, les passages sont innombrables qui viennent confirmer la cause dont nous parlons par des témoignages irréfutables ; il serait long de les citer tous maintenant aux oreilles de votre charité. Mais les saintes âmes reçoivent même les petites choses comme si elles étaient grandes ; car, en vérité, à celui pour qui des arguments peu nombreux mais de grande autorité ne sont pas utiles, leur multiplication ne pourra être utile en rien. Donc, frères très chers, réfléchissez à ce qui a déjà été dit souvent : « Nous accomplissons toute la loi en accomplissant un seul commandement », c'est-à-dire : « Tu aimeras ton prochain comme toi-même[h] », aimez non seulement vos amis mais même vos ennemis ; car à tous ceux qui ne veulent pas exécuter ce commandement, tout le reste de leurs bonnes œuvres ne pourra être utile. Et c'est pourquoi, remettez si bien à tous vos ennemis que vous puissiez dire dans l'Oraison avec une conscience tranquille : « Remets-nous nos dettes, comme nous remettons nous aussi à nos débiteurs[i]. » Que daigne l'accorder celui qui vit et règne pour les siècles des siècles. Amen.

SERMO XXXVIII

**Sancti Augustini de dilectione non solum amicorum
sed etiam inimicorum. Et quia potest fieri ut illi qui
[15] [15]inimici sunt ita ad amicitiam revocentur ut etiam
meliores sint quam illi quos persequi videbantur.
Quod etiam in beato apostolo Paulo evidenter
impletum est**

1. Frequenter in evangelio, fratres carissimi, audivimus
[20] Dominum [20]dicentem : « Diligite inimicos vestros, bene-
facite his qui vos oderunt[a]. » |Quare autem Dominus dixit,
« Diligite inimicos vestros », nisi quia |passuri eramus
inimicos? Sed dicit aliquis : Quis potest diligere |inimicos?
Prius te dilexit impium Deus tuus, qui nunquam fuit
|impius : tu autem etiamsi iam non es impius, fuisti tamen
[25] aliquando; [25]quia nemo fit iustus nisi ex peccatore, sicut
161 frequenter cantavimus : (161) « Beati quorum remissae sunt
iniquitates[b]. » Non dixit, Beati qui non |fecerunt peccata;
sed, « Beati quorum remissae sunt iniquitates. » |Si enim
quaeris qui non fecerit, non invenies.

Unde ergo quisque |erit beatus? Si remittatur quod
[5] fecit, si tegatur quod commisit. Si [5]ergo iam tibi peccatum
dimissum est, ille te insequitur qui nondum |est iustus.

Sermo XXXVIII : Q[3] *Berolinensis, Phillipps* 1677 (Rose 30)   **s. X**
               Q[3] *Monacensis lat.* 6323 (*Frising.* 123)   **s. XI**
160,20 vos oderunt *edd.* : oderunt vos Q[3,8].

---

1 [a] Matth. 5, 44   [b] Ps. 31, 1.

SERMON XXXVIII

**De saint Augustin sur l'amour non seulement des amis
mais même des ennemis ; et de la possibilité que nos
ennemis reviennent si bien à l'amitié qu'ils deviennent
meilleurs que ceux qu'ils ont semblé persécuter.
Ce qui s'est même accompli de façon évidente chez
le bienheureux apôtre Paul**

1. Nous avons fréquemment entendu dans l'Évangile,
frères très chers, le Seigneur dire : « Aimez vos ennemis,
faites du bien à ceux qui vous haïssent[a]. » Pourquoi le
Seigneur a-t-il dit : « Aimez vos ennemis », si ce n'est
parce que nous aurions à souffrir de la part d'ennemis ?
Mais quelqu'un dit : Qui peut aimer ses ennemis ? Ton Dieu
t'a aimé le premier alors que tu étais impie, lui qui ne le
fut jamais ; or toi, même si tu n'es pas impie maintenant,
tu le fus cependant un jour, car nul ne devient juste sinon
après avoir été pécheur, comme nous l'avons chanté
fréquemment : « Bienheureux ceux dont les iniquités
ont été remises[b]. » Il n'est pas dit : Bienheureux ceux qui
n'ont pas commis de péchés, mais : « Bienheureux ceux dont
les iniquités ont été remises. » En effet, si tu cherches qui
n'en a pas commis, tu ne trouveras pas.

**Les bienheureux
sont des pécheurs
pardonnés**
Comment donc quelqu'un pourra-
t-il être bienheureux ? Si on lui
remet ce qu'il a fait, si on couvre
ce qu'il a commis. Donc ton péché
t'a déjà été remis, mais celui qui te persécute n'est pas

Et tu antequam iustificareris, alios persequebaris : perieras, |et inventus es; et ille, qui tibi adversatur, invenietur, et non perse|quetur. Noli cogitare quod tuis meritis talis factus sis : quia gratia |Dei te talem fecit. Et bene consi-
10 derans videbis potentem esse Deum, ¹⁰qui talem faciat eum, quem iuste tibi videris odisse.

2. Dicis enim tu tibi quasi iustus : Magna est patientia Dei, quae |illum talem vivere sinit. Atque utinam hoc solum dicas : sed timeo |ne insuper reprehendas dicens : Quid placuit Deo talibus parcere? |Tanta mala faciunt
15 homines, et vivunt? Sic dicat alius : O Deus, ¹⁵quare vivit iste, qui tanta dicit, et tuam iustitiam reprehendit? Non |enim adtendit quid ipse dicat, sed adtendit quid alius faciat. Qui tibi |displicet, fortassis non reprehendit, nec effundit istas contumelias in |Deum quomodo tu facis. Ecce puta quia Deus, quomodo tu vis, |nulli malo velit
20 parcere : quid de te facturus est, qui sine peccato ²⁰esse non potes? Non adtendis ubi te inveniat? Roga ergo, ut non |solum aliis, sed etiam et tibi parcat.

Hoc itaque, fratres, habent |quasi proprium omnes iniqui : nolunt ut parcat Deus iniquis, et non |vident quid ipsi sint, etiam ex hoc ipso quod ita volunt. Sed ego |iustus sum, inquis. Si tibi non parceret Deus cum esses iniquus,
25 ²⁵quomodo ad iustitiam pervenisses? An forte volebas, ut Deus usque |ad te patiens esset, quousque tu pervenires ad iustitiam? Quia Deus |extendit pontem misericordiae

161,13 ne : quod Q⁸ ‖ 14 Sic : sed Q⁸ ‖ 24 inquis : inquit Q³

---

1. Dom Morin a remarqué la même expression chez AUGUSTIN, *Enarr. in Ps.*, 93, 7, li. 14, *CCL*, XXXIX, p. 1307. Les deux auteurs exposent à ce moment-là une idée très semblable, mais si Césaire a fait sienne la belle image d'Augustin, il l'a insérée dans un dévelop-pement qui lui est propre. Le rapprochement des deux passages nous montre que Césaire a parfois de l'emprunt littéraire la notion qu'en aura plus tard un écrivain classique. Voici le texte d'Augustin :

encore juste. Toi aussi, avant d'être justifié, tu persécutais les autres ; tu étais perdu et tu as été trouvé ; et lui qui s'oppose à toi on le trouvera et il ne persécutera plus. Ne pense pas que ce sont tes mérites qui t'ont fait tel que tu es aujourd'hui ; c'est la grâce de Dieu qui t'a rendu tel. Et en y réfléchissant bien, tu verras que Dieu est assez puissant pour rendre tel celui qui te semble à juste titre haïssable.

2. Tu te dis en effet comme si tu étais juste : Grande est la patience de Dieu qui permet à un tel homme de vivre. Et plût au ciel que tu dises seulement cela ; mais je crains que tu ne renchérisses là-dessus en disant : Pourquoi a-t-il plu à Dieu d'épargner de pareils êtres ? Des hommes font tant de maux et ils vivent ? Un autre pourrait dire : Ô Dieu, pourquoi cet homme vit-il, lui qui parle tant et critique ta justice ? Car il ne fait pas attention à ce qu'il dit lui, mais il fait attention à ce qu'un autre fait. Celui qui te déplaît, peut-être qu'il ne critique pas, ni ne prodigue à Dieu ces injures comme tu le fais. Eh bien, imagine que Dieu, comme tu le veux, refuse d'épargner aucun méchant : qu'arrivera-t-il de toi qui ne peux être sans péché ? Ne prêtes-tu pas attention à l'endroit où il risque de te trouver ? Prie donc pour que non seulement il épargne les autres mais pour qu'il t'épargne toi aussi.

Tous les méchants ont pour ainsi dire cela en commun, frères ; ils ne veulent pas que Dieu épargne les iniques et ils ne voient pas qu'eux-mêmes, par ce seul désir, le sont. Mais moi, je suis juste, dis-tu. Si Dieu ne t'avait pas épargné alors que tu étais inique, comment serais-tu parvenu à la justice ? Ou bien est-ce que par hasard tu voulais que Dieu ne soit patient qu'envers toi, jusqu'à ce que tu parviennes à la justice ? Parce que Dieu a étendu le pont de sa miséricorde[1] afin que tu puisses le traverser,

« Invenis te furem forte fuisse aliquando ; et aliquem alium forte stomachatum, quia et tu furem faciens vixisti, et non es mortuus ;

suae, ut tu transire posses, hoc vis ׀ut iam subducat, ne
alius transeat?

3. Diligamus ergo, fratres carissimi, inimicos nostros.
30 Forte, qui ³⁰hodie est amicus tuus, talia peccata facturus
est, ut in vita aeterna ׀tecum esse non possit : « Non enim
scis, quid pariat crastinus ׀diesᵃ. » Et e contra, qui inimicus
est, forte sic ad paenitentiam conver׀tetur, ut in illa
caelesti Hierusalem civis tuus esse mereatur, et forte
׀etiam maior efficiatur. Non vobis hoc difficile videatur.
162 Interrogemus (162) scripturas, et in ipsis hoc evidentius
cognoscere poterimus.

Paulus ׀apostolus prius sceleratus erat inimicus christianorum : rapiebat, ׀vastabat, saeviebat. Ibi erat, quando
lapidatus est martyr Stephanus. ׀Parum illi erant manus
5 suae, manibus omnium lapidabat : quia, ⁵ut illi non
impedirentur vestimentis suis, sed liberis manibus saxa
׀proicerent, omnium vestimenta servabat; ac sic in omnium
manibus ׀scelus operabatur. Videte virum una voce
Domini ex persecutore ׀factum praedicatorem. Praecessit
eos quos oderat : illi enim omnes ׀christiani, quos inseque-
10 batur, tales non erant, qualis ipse factus ¹⁰est. Non enim
omnes illi apostoli erant, quod ipse factus est, Videtis
׀fieri posse, ut inimicus qui erat hodie, non solum sit amicus
et frater ׀in gratia, sed etiam praecedat et melior fiat.

4. Ergo, fratres mei, christiani illi omnes quos perseque-
batur ׀Saulus, putatis quia non rogabant? Utique, si

29 nostros *edd.* : *om.* Q³·ˢ ‖ 32 est : erat Qˢ ‖ 33 civis : concivis Qˢ.

---

3 ᵃ Prov. 27, 1.

---

quomodo autem tu quando faciebas, ideo vixisti ut postea non faceres,
noli quia tu transisti, velle misericordiae Dei pontem subvertere.
Nescis illac multos transituros, qua et tu transisti? Esses modo qui
murmurares, si adversus te audiretur qui prior de te murmuravit?... »

tu veux qu'il le retire désormais de peur qu'un autre puisse traverser ?

3. Aimons donc nos ennemis, frères très chers. Peut-être celui qui est ton ami aujourd'hui commettra-t-il de tels péchés que dans la vie éternelle il ne pourra être avec toi : « Car tu ne sais pas ce que demain peut amener^a. » Et au contraire, celui qui est ton ennemi, peut-être se convertira-t-il si bien à la pénitence qu'il méritera d'être ton concitoyen dans cette Jérusalem céleste et peut-être même qu'il y sera plus grand. Que cela ne vous paraisse pas difficile. Interrogeons les Écritures et nous pourrons y voir cette vérité avec pleine évidence.

Exemple de Paul   L'apôtre Paul avait été d'abord un ennemi effroyable des chrétiens ; il enlevait, dépeuplait, exterminait. Il était là quand le martyr Étienne fut lapidé. Il n'avait pas assez de ses mains, il le lapidait par les mains de tous[1] ; car, pour qu'ils ne soient pas embarrassés de leurs vêtements mais aient les mains libres pour jeter des pierres, il gardait les vêtements de tous et ainsi par les mains de tous il commettait ce crime. Voyez cet homme, changé par un mot du Seigneur, de persécuteur en prédicateur. Il a surpassé ceux qu'il haïssait ; en effet, tous ces chrétiens qu'il poursuivait n'étaient pas tels qu'il est devenu. Car ils n'étaient pas tous apôtres ; ce qu'il est devenu. Vous voyez qu'il peut arriver que l'ennemi d'aujourd'hui non seulement devienne un ami et un frère dans la grâce mais même nous surpasse et devienne meilleur que nous.

4. Donc, mes frères, tous ces chrétiens que Saul persécutait, pensez-vous qu'ils ne priaient pas ? Certainement,

----

1. Cf. *Act.* 7, 58 et 8, 1.

15 noverant Christum, [15]si christiani erant, si noverant ipsum
Dominum Iesum pro impiis |mortuum. Non enim mortuus
est pro fidelibus, sed mortuus est, |ut faceret fideles. Rogo
vos, fratres, diligenter adtendite, Dominus |et Salvator
noster, qui mortem suam praestitit infidelibus, quale |sit
illud, quod servat fidelibus? Et hoc considerate, quia, quos
20 perse[20]quebatur Paulus apostolus, bene noverant miseri-
cordiam Dei, et |sciebant quod Saulus ille persecutor
poterat fieri praedicator : et |ideo oraverunt pro illo, et
exauditi sunt. Ille persequebatur, sed illi |vicerunt : illi
eum magis occiderunt et interfecerunt rogando pro eo.
|Quomodo? Ecce una voce prostratus est persecutor :
25 surrexit enim [25]iam non persecutor, sed praedicator; qui
ergo persequebatur, mortuus |est. Quaere persecutorem, et
non invenies iam, quia surrexit. Ergo |illi potius occiderunt
eum orando, quam ille persequendo.

Et vos |ergo, fratres, sic orate pro inimicis vestris, ut
occidat eos Deus : id |est, ut eorum malitiam, quae vobis
30 inimicatur, occidat. Sic enim [30]non occidit quod creavit,
sed quod sibi ipsi fecerunt. Homo enim |et peccator, duo
nomina sunt. In ipsis duobus nominibus quaere |quid
fecerit Deus, quaere quid suaserit diabolus. Homo a Deo
factus |est : peccatum suadente diabolo ab homine factum
est. Quis horum |duorum te persequitur? Si enim tu bene
35 vivis, non te persequitur, [35]nisi qui malus est : non ergo
homo, sed peccator te insequitur. |Roga pro homine, ut
extinguat Deus peccatorem. Cum enim mortuus |fuerit
peccator, nihil tibi adversabitur, immo consolabitur vivens,
|qui te in peccatis mortuus persequebatur.

162,26 quia : quod Q[3].

puisqu'ils connaissaient le Christ ; puisqu'ils étaient
chrétiens ; puisqu'ils savaient que le Seigneur Jésus
lui-même était mort pour des impies. Car il n'est pas mort
pour des gens fidèles, mais il est mort pour en faire des
fidèles. Je vous en prie, frères, faites-y bien attention :
notre Seigneur et Sauveur qui a offert sa mort pour des
infidèles, que ne réserve-t-il pas à ceux qui sont fidèles ?
Et réfléchissez à cela : ceux que l'apôtre Paul persécutait
connaissaient bien la miséricorde de Dieu et savaient que
ce Saul persécuteur pouvait devenir prédicateur ; c'est
pourquoi ils prièrent pour lui et furent exaucés. Lui les
persécutait, mais eux furent vainqueurs ; c'est plutôt eux
qui l'ont tué et mis à mort en priant pour lui. Comment ?
Voici que par un seul mot le persécuteur est terrassé ;
car il s'est relevé non plus persécuteur mais prédicateur ;
donc, celui qui était persécuteur est mort. Cherche le
persécuteur et désormais tu ne le trouveras plus, car il est
ressuscité. Donc ceux-là l'ont tué par la prière plus que
lui par sa persécution.

Vous donc, frères, priez pour vos ennemis de telle sorte
que Dieu les tue, c'est-à-dire, qu'il tue leur méchanceté
qui vous est ennemie. Car ainsi il ne tue pas ce qu'il a créé
mais ce qu'eux-mêmes se sont faits. Car homme et pécheur
sont deux noms différents. Dans ces deux noms, cherche
ce que Dieu a fait, cherche ce que le diable a insinué.
L'homme a été fait par Dieu, le péché a été fait par
l'homme sous l'instigation du diable. Lequel des deux
te persécute ? Si tu vis selon le bien, nul ne te persécute
si ce n'est un méchant ; ce n'est donc pas l'homme mais
le pécheur qui te poursuit. Prie pour l'homme afin que Dieu
détruise le pécheur. En effet, lorsque le pécheur sera mort,
plus rien ne te sera hostile ; au contraire, celui qui dans la
mort du péché te persécutait, vivant te consolera.

163   (163) **5.** Non vobis ergo grave sit, per ipsius Domini
nostri misericor|diam vos obtestor : quia spes nobis alia
non est, nisi dimiserimus |quicquid nos laeserint homines.
Nemo nos fallat : aliud maius sacri|ficium non est, quod
5 debeamus Deo, nisi quicquid boni est, etiam ⁵malis hominibus, sed tamen hominibus fecerimus. Dicit tibi Deus :
|Ego non ex te cresco, sed tu ex me; sacrificium volo,
quod prosit |homini : sic ad me pervenit, quod tibi prosit.
Potes mihi dicere : |Non habeo quod tribuam indigenti,
non possum ieiunare frequenter, |et a vino vel a carnibus
10 abstinere. Numquid potes mihi dicere, ¹⁰caritatem te
habere non posse? Ipsa est, cuius possessio tanto plus
|augetur, quanto amplius erogatur. Dimitte ergo quod
tenebas, ne |adversus te ille teneat aliquid, cui non habes
quod dimittas. « Dimit|tite, et dimittetur vobis; date et
dabitur vobisª. »

Scitote, fratres |carissimi, quia duae sunt elemosinae :
15 una cordis, alia pecuniae. ¹⁵Elemosina cordis est, dimittere
quod laesus es. Nam dare aliquid |indigenti aliquando
quaeris, et non habes : indulgere peccanti, |quantum
volueris, redundat tibi. Aurum, argentum, vestem, fru-
|mentum, vinum et oleum potest fieri ut aliquotiens non
habeas, |unde pauperibus tribuas; ut autem omnes homines
20 diligas, et hoc ²⁰aliis quod tibi ipse velis, et ut inimicis
tuis indulgeas, nunquam |te poteris excusare : quia si in
cellario vel in horreo non habes quod |dare possis, de
thesauro cordis tui potes proferre quod tribuas. Et |cum
omnibus hominibus, etiamsi sola sit, bona voluntas
sufficiat, |et elemosina cordis multo maior sit quam

---

5 ª Lc 6, 37-38.

5. Donc, je vous supplie par la
L'amour,   miséricorde de notre Seigneur lui-
unique   même, de ne pas trouver pénible
commandement   ce que je vous dis ; car nous n'avons
pas d'autre espoir que de remettre les offenses que les
hommes nous ont faites. Que personne ne nous trompe ;
Dieu n'exige de nous aucun autre sacrifice plus grand que
de faire tout le bien possible même à des hommes méchants,
parce qu'ils sont hommes. Dieu te dit : Moi je ne tiens pas
de toi ma grandeur, mais toi tu la tiens de moi. Je veux
un sacrifice qui soit utile à l'homme ; ainsi c'est à condition
de t'être utile qu'il parvient jusqu'à moi. Tu peux me dire :
Je n'ai pas de quoi donner à l'indigent ; je ne peux jeûner
souvent ni m'abstenir de vin et de viandes. Peux-tu dire
par hasard que tu ne peux avoir la charité ? Elle dont la
possession augmente d'autant plus qu'on la distribue
davantage. Remets donc ce que tu gardais, de peur que
celui auquel tu n'as rien à remettre garde contre toi
quelque chose. « Remettez et l'on vous remettra ; donnez
et l'on vous donnera[a]. »

Sachez, frères très chers, qu'il y a deux sortes d'aumônes :
l'une du cœur, l'autre d'argent. L'aumône du cœur consiste
à remettre l'offense subie. Car parfois tu cherches à donner
quelque chose à un indigent et tu n'as rien ; pardonner
au pécheur est à ta disposition, autant que tu le veux.
Il peut arriver que tu n'aies pas de quoi offrir aux pauvres
de l'or, de l'argent, des vêtements, du blé, du vin et de
l'huile ; mais pour ce qui est d'aimer tous les hommes,
de vouloir pour les autres ce que tu veux pour toi et de
pardonner à tes ennemis, tu ne pourras jamais t'excuser
de ne pas le faire ; car si dans ton cellier ou dans ton
grenier tu n'as rien que tu puisses donner, tu peux sortir
du trésor de ton cœur de quoi offrir. Et comme la bonne
volonté, même si elle est seule, suffit à tous les hommes,
et comme l'aumône du cœur l'emporte de beaucoup sur

25 elemosina corporis, quis est ²⁵qui vel umbram excusationis
possit praetendere?

Et illud adtendite, ⁱfratres, quia caritatis elemosina sine
terrena substantia sufficit sibi : ⁱilla vero, quae corporaliter
datur, si non benigno corde tribuitur, ⁱomnino non sufficit.
Et quia, sicut ipsi videtis, fratres carissimi, ⁱad remissionem
omnium peccatorum, si substantia terrena non fuerit,
30 ³⁰caritas et dilectio inimicorum satis abundeque sufficiunt,
nulla nobis ⁱexcusatio de hac re in die iudicii remanebit;
nec dicere aliquis poterit, ⁱnon se habuisse, unde sua
peccata redimeret.

6. Et ideo, omnes homines studeamus toto corde diligere,
orantes, ⁱut, qui boni sunt, meliores fiant, et in opere bono
35 permaneant; qui ³⁵mali sunt, cito se corrigant; timentes
illud, quod Dominus comⁱminatus est dicens : « Si non
dimiseritis hominibus peccata eorum, ⁱnec Pater vester
164 dimittet vobis peccata vestraª. » Sed magis cum (164) ipsius
adiutorio laboremus, ut illud in nobis possit impleri :
« Date, ⁱet dabitur vobis; dimittite, et dimittetur vobisᵇ. »
Cum ergo secunⁱdum praefatam Domini sententiam, qua
dixit : « Si dimiseritis hominibus ⁱpeccata eorum, dimittet
5 vobis Pater vester caelestis peccata ⁵vestraᶜ », in potestate
nostra positum sit, qualiter in die iudicii iudicemur,
ⁱdimittamus omnibus inimicis nostris; ut libera conscientia
possimus ⁱin oratione dominica dicere : « Dimitte nobis
debita nostra, sicut ⁱet nos dimittimus debitoribus nostrisᵈ. »
Quod ipse praestare dignetur, ⁱqui cum Patre et Spiritu
10 sancto vivit et regnat in saecula saeculorum. ¹⁰Amen.

163,37 vobis *edd.* : *om.* Q³⁻⁸.
164,4 vobis *om.* Q³.

---

6 ª Matth. 6, 15   ᵇ Lc 6, 38.37   ᶜ Matth. 6, 14   ᵈ Matth. 6, 12.

l'aumône matérielle, qui peut prétendre même à l'ombre d'une excuse ?

Et faites attention à cela, frères ; l'aumône de la charité se suffit même sans offrande matérielle, tandis que celle qui est faite matériellement, si elle n'est pas offerte de bon cœur, ne sert à rien du tout. Et comme vous le voyez vous-mêmes, frères très chers, la charité et l'amour de nos ennemis suffisent largement et abondamment, en l'absence de fortune terrestre, pour la rémission de tous nos péchés. Aussi il ne nous restera aucune excuse à ce sujet au jour du Jugement ; et personne ne pourra dire qu'il n'a pas eu de quoi racheter ses péchés.

6. Et pour cette raison, appliquons-nous à aimer tous les hommes de tout cœur ; prions pour que les bons deviennent meilleurs et persévèrent dans leurs bonnes actions, pour que les mauvais se corrigent promptement, dans la crainte de ce dont le Seigneur nous a menacés en disant : « Si vous ne remettez pas aux hommes leurs péchés, votre Père ne vous remettra pas non plus vos péchés[a]. » Mais travaillons plutôt avec son aide pour que puisse s'accomplir en nous cette parole : « Donnez et l'on vous donnera ; remettez et l'on vous remettra[b]. » Puisque, selon la phrase déjà citée du Seigneur dans laquelle il a dit : « Si vous remettez aux hommes leurs péchés votre Père céleste vous remettra vos péchés[c] », la façon dont nous serons jugés au jour du Jugement a été placée en notre pouvoir, remettons donc à tous nos ennemis, afin de pouvoir dire, la conscience tranquille, dans l'Oraison dominicale : « Remets-nous nos dettes, comme nous aussi nous remettons à nos débiteurs[d]. » Que daigne l'accorder celui qui avec le Père et l'Esprit saint vit et règne pour les siècles des siècles. Amen.

SERMO XXXIX

**Ammonitio ista continet quomodo pius et misericors
Dominus in potestate nostra posuerit qualiter in
die iudicii iudicemur. Et quod unicum ac singulare
medicamentum sit contra omnium peccatorum vul-**
15 **nera dilectio inimicorum. Et quod nullus umquam
in veritate se poterit excusare quod non possit
diligere inimicos suos**

1. Pius et misericors Dominus sciens fragilitatem generis
humani ǀsine qualibuscumque peccatis praesentem vitam
20 non posse transigere, [20]talia medicamenta dignatus est
providere, quae non solum divites, ǀsed etiam pauperes
possint peccatorum suorum vulneribus adhibere. ǀQuae
autem sunt ista medicamenta? Illa utique duo, de quibus
Dominus ǀdixit : « Date, et dabitur vobis; dimittite, et
dimittetur vobis[a]. » ǀ« Date et dabitur vobis », pertinet ad
25 elymosinam, quae datur esurientibus, [25]nudis atque captivis. « Dimittite, et dimittetur vobis », pertinet ad elyǀmosinam per quam indulgetur omnibus inimicis.

Si se pauper quisque ǀvoluerit excusare, quod esurientem
pascere, nudum vestire, captivum ǀliberare non possit,
165 nullatenus in veritate poterit dicere, non posse (165) suis
inimicis vel adversariis indulgere; ut preces, quas nobis
iudex ǀperitus caelestis dictavit, securus in oratione domi-

Sermo XXXIX : L¹ *Laudunensis* 121   s. IX
     L² *Berolinensis theol. fol.* 355 (Rose 307)   s. IX

SERMON XXXIX

**Cette monition explique comment le Seigneur bon et
miséricordieux a placé en notre pouvoir la façon dont
nous serons jugés au jour du Jugement ; et que l'amour
des ennemis est le seul et unique remède contre les
blessures de tous les péchés ; et que nul ne pourra
jamais s'excuser en vérité de ne pouvoir
aimer ses ennemis**

1. Le Seigneur bon et miséricordieux sachant que la
faiblesse du genre humain ne lui permet pas de traverser
la vie présente sans quelques péchés, a daigné nous pourvoir
de remèdes tels que les pauvres aussi bien que les riches
puissent les appliquer aux blessures de leurs péchés. Et
quels sont ces remèdes ? Il y en a deux surtout dont le
Seigneur a parlé : « Donnez et on vous donnera ; remettez
et on vous remettra[a]. » « Donnez et on vous donnera »
s'entend de l'aumône qui est donnée à ceux qui ont faim,
à ceux qui sont nus et captifs. « Remettez et on vous
remettra » s'entend de l'aumône par laquelle on pardonne
à tous ses ennemis.

Si chaque pauvre veut alléguer son impuissance à
nourrir l'affamé, à vêtir celui qui est nu, à libérer le captif,
personne ne pourra dire en vérité qu'il ne peut pardonner
à ses ennemis et à ses adversaires afin de dire avec assurance dans l'Oraison dominicale les prières que le Juge

1 [a] Lc 6, 38.37

nica dicat : « Dimitte ᴵnobis debita nostra, sicut et nos
dimittimus debitoribus nostris* »; ᴵet illam evangelicam
5 sententiam sine aliquo metu audiat : « Si dimi⁵seritis
hominibus peccata eorum, dimittet et vobis Pater vester
ᴵcaelestis peccata vestra : si autem non dimiseritis, nec
Pater ᴵvester dimittet peccata vestraᶜ. » Satis nobiscum
delicate agitur, ᴵquando in nostra potestate ponitur,
qualiter in die iudicii iudicemur, ᴵSi dimiseritis, inquit,
10 dimittetur vobis; si non dimiseritis, non dimitte¹⁰tur vobis.

2. Sed dicet aliquis : Non possum indulgere inimicis
meis. Si ᴵnon habes peccatum quod tibi indulgeat Deus,
licet tamen forte, ᴵpotes dicere, quod non velis indulgere
proximo tuo. Si vero inconparaᴵbiliter plus peccasti tu Deo
15 quam in te peccaverit homo, quare iubente ¹⁵Domino non
dimittis parum, ut tibi Deus dignetur dimittere multum?
ᴵNon enim vobis Deus praecepit : Ieiunate plus quam
potestis, et a ᴵvino vel a carnibus abstinete, vigiliis vos
frequentius adfligite, ad ᴵorientem vel ad occidentem cum
infinitis laboribus vel periculis ᴵnavigate. Nihil horum
20 nobis imponitur : sed hoc nobis iubetur, ²⁰ut adtentius
arcellas conscientiae nostrae considerantes, nullum ᴵhomi-
nem in hoc mundo odio habeamus, implentes illud quod
ipse ᴵDominus dixit : « Omnia quaecumque vultis ut faciant
vobis homines, ᴵet vos facite eis similiterᵃ. » Et quia nullus
est qui quod aut in Deum ᴵaut in hominem peccaverit sibi
25 dimitti non velit, quare non facimus ²⁵aliis quod nobis
fieri volumus : ut fiat in nobis illud quod ait Apoᴵstolus :
« Omnis lex in uno sermone impletur in vobis : diliges

ᵇ Matth. 6, 12   ᶜ Matth. 6, 14-15.

2 ᵃ Matth. 7, 12

céleste dans son habileté nous a dictées : « Remets-nous nos dettes comme nous aussi nous remettons à nos débiteurs[b] » ; et d'entendre sans peur cette phrase évangélique : « Si vous remettez aux hommes leurs péchés, votre Père céleste vous remettra aussi vos péchés ; mais si vous ne les leur remettez pas, votre Père non plus ne vous remettra pas vos péchés[c]. » C'est agir bien délicatement avec nous que de placer en notre pouvoir la façon dont nous serons jugés au jour du Jugement : Si vous remettez, dit-il, on vous remettra ; si vous ne remettez pas on ne vous remettra pas.

2. Mais quelqu'un dira : Je ne peux

Pardonnons, pardonner à mes ennemis. Si tu n'as
pour être pardonnés pas de péchés que Dieu ait à te
pardonner, alors, peut-être, peux-tu
dire que tu ne veux pas pardonner à ton prochain. Mais si tu as péché incomparablement plus envers Dieu qu'un homme n'a péché envers toi, pourquoi ne remets-tu pas un peu, sur l'ordre du Seigneur, afin que Dieu daigne te remettre beaucoup ? Car Dieu ne nous a pas commandé : Jeûnez plus que vous ne pouvez, abstenez-vous de vin et de viandes, affaiblissez-vous par des veilles très fréquentes, naviguez vers l'orient ou vers l'occident au prix de labeurs et de périls infinis. Il ne nous impose rien de cela ; mais il nous ordonne d'examiner très attentivement le secret de notre conscience, pour voir si nous n'avons de haine en ce monde pour personne et d'exécuter ce que le Seigneur lui-même a dit : « Tout ce que vous voulez que les hommes vous fassent, faites-le leur également[a]. » Et parce qu'il n'est personne qui ne veuille qu'on lui remette ce dont il s'est rendu coupable envers Dieu ou envers un homme, pourquoi ne faisons-nous pas aux autres ce que nous voulons qu'on nous fasse, afin que se réalise en nous ce que dit l'Apôtre : « Nous accomplissons toute la loi en accomplissant un seul commandement :

pro�ximum tuum sicut teipsum[b] »? Unde opus est ut
nosmetipsos minime |falsa securitate decipiamus, credentes
quod si noluerimus proximis |nostris dimittere, peccatorum
30 nostrorum indulgentiam mereamur ³⁰accipere.

Cum grandi enim tremore consideranda est illa terribilis
|et metuenda Domini nostri sententia, quam servus ille
crudelis meruit |audire : « Serve male, omne debitum
dimisi tibi, quia rogasti me; |nonne ergo et te oportuit
misereri conservo tuo, sicut et ego |tui misertus sum?[c] »
166 Et quid post haec? « Tradidit, inquit, eum tortori(166)bus,
donec redderet omne debitum[d]. » Et ut hoc etiam tardio-
ribus |insinuaret, adiecit : « Sic et Pater meus caelestis
faciet vobis, si |non dimiseritis unusquisque fratri suo de
cordibus vestris[e]. » Cum |enim absque ullo labore corporis,
5 si toto corde dimittimus fratribus ⁵nostris, possimus
indulgentiam pro omnibus peccatis nostris promereri,
|quam excusationem in die iudicii habere poterimus, si
hoc quod |ipso adiuvante facillime possumus, implere
neglegimus? Ubi sine |dubio sententiam suam in nobis
impleturus est Dominus noster, ut |in quo iudicio iudica-
10 verimus, in eo iudicio iudicetur de nobis, et ¹⁰secundum
mensuram per quam proximis nostris indulgentiam |dederi-
mus remittatur nobis. Qui enim haec implere noluerit, ipse
|sibi ianuam divinae misericordiae claudit.

3. Quamlibet aliqua opera bona quisque fecerit, omnia
evacua|buntur, si in eo caritas vera non fuerit, quae non
15 solum ad amicos, ¹⁵sed etiam usque ad ipsos perveniat
inimicos; quia non mentitur |beatus apostolus Paulus, in
quo Christus est loquutus, dicens : « Si |distribuero in

165,29 mereamur *edd.* : non mereamur L¹·² ‖ 30 illa : amara *add.* L¹.

ᵇ Gal. 5, 14   ᶜ Matth. 18, 32-33   ᵈ Matth. 18, 34   ᵉ Matth. 18,
35.

tu aimeras ton prochain comme toi-même[b]»? Donc il ne
faut pas nous laisser décevoir par une sécurité tout à fait
illusoire en croyant que même si nous ne voulons pas
remettre à notre prochain, nous mériterons de recevoir
le pardon de nos péchés.

En effet, il faut considérer avec une grande frayeur
cette sentence terrible et redoutable de notre Seigneur
que ce serviteur cruel a mérité d'entendre : « Mauvais
serviteur, je t'ai remis toute ta dette parce que tu m'en as
prié ; ne devais-tu pas toi aussi avoir pitié de ton compagnon de service, comme moi j'ai eu pitié de toi?[c]»
Et quelle est la suite? « Il le livra, dit-il, aux bourreaux
jusqu'à ce qu'il ait acquitté toute sa dette[d]. » Et pour faire
comprendre cela, même aux plus bornés, il a ajouté :
« Voilà ce que le Père céleste vous fera si chacun de vous
ne remet pas à son frère de tout son cœur[e]. » En effet, alors
que sans aucun effort physique, en remettant à nos frères
de tout cœur, nous pouvons mériter le pardon de tous nos
péchés, quelle excuse pourrons-nous avoir au jour du
Jugement si nous négligeons de faire ce qu'avec l'aide
de Dieu nous pouvons très facilement accomplir? Alors,
sans aucun doute, notre Seigneur exécutera contre nous
sa sentence ; si bien que nous serons jugés comme nous
avons jugé et que l'on nous remettra dans la mesure où
nous aurons pardonné à notre prochain[1]. Celui qui ne veut
pas obtempérer se ferme, en effet, lui-même la porte de
la miséricorde divine.

3. On aura beau avoir accompli toutes les bonnes
œuvres que l'on voudra, elles seront toutes vaines si l'on
n'a pas eu une vraie charité qui s'étende non seulement
aux amis mais jusqu'aux ennemis eux-mêmes, car le
bienheureux apôtre Paul en qui parle le Christ ne ment
pas en disant : « Si je distribue tous mes biens en nourriture

---

1. Cf. *Matth.* 7, 1-2.

cibos pauperum omnes facultates meas, et si tradi|dero
corpus meum ut ardeat, caritatem autem non habuero,
|nihil mihi prodest[a]. » Et quia « radix omnium malorum
20 est cupiditas[b] », [20]et radix omnium bonorum est caritas,
quid prodest homini si mille |ramos aut cum floribus aut
cum pomis pulcherrimis et amoenissi|mis habeat, si radix
in eo vera non fuerit? Quomodo enim |evulsa radice
cupiditatis omnes rami protinus arescunt et pereunt, |ita
qui per odium et iracundiam radicem in se caritatis
25 extinxerit, [25]nihil in eo unde ad vitam aeternam perveniat
remanebit.

4. Ille vero qui supradicta mala in corde servat, et
credit se |multis elymosinis peccata ipsa posse redimere,
audiat Dominum |in evangelio dicentem : « Si offers munus
tuum ad altare, et ibi |recordatus fueris quia frater tuus
30 habet aliquid adversum te, [30]vade, prius reconciliare fratri
tuo; et tunc veniens offers |munus tuum[a]. » Sententia ista
evidenter ostendit, quod sacrificium |offerre vel elymosi-
nam dare nihil proderit, nisi prius reconciliatio |inimici
praecesserit. Nam quod etiam orationem nostram Deus
non |velit audire, si odium voluerimus in corde servare,
35 ipse in evangelio [35]dixit : « Qui habet mandata haec mea
167 et facit ea, ipse est qui diligit (167) me[b] »; et, « Quid prodest
quod dicitis mihi Domine Domine, et non |facitis ea quae
dico?[c] » Quae sunt ista quae Dominus specialiter se |dixisse
asseruit? Illa utique, quae ad pacem et concordiam
pertinent : |« Diligite inimicos vestros, benefacite his qui
5 vos oderunt[d] »; et illud : [5]« Pacem do vobis, pacem meam
relinquo vobis[e] »; et illud : « In hoc cogno|scent omnes

166,27 posse *m.* : *om.* L[1.2] ‖ 30 offers L[1] : offeres L[2] ‖ 32 vel *edd.* :
om. L[1.2] ‖ 34 ipse : enim *add.* L[1].

167,2 ea *edd.* : *om.* L[1.2]

---

3 [a] I Cor. 13, 3   [b] I Tim. 6, 10.

aux pauvres et si je livre mon corps pour être brûlé, mais
que je n'aie pas la charité, cela ne me sert à rien[a]. » Et
parce que « la racine de tous les maux, c'est la convoitise[b] »,
et la racine de tout bien la charité, à quoi sert à un homme
d'avoir mille rameaux couverts de fleurs ou des fruits les
plus beaux et les plus délicieux s'il n'a pas en lui la racine
vraie et vivante ? En effet, de même que la racine de la
cupidité une fois arrachée, aussitôt tous les rameaux
se dessèchent et périssent, ainsi celui qui par la haine
et la colère fait périr en lui la racine de la charité, il ne lui
restera aucun moyen de parvenir à la vie éternelle.

**Les aumônes
sans la charité
sont inutiles**

4. Mais, si quelqu'un garde en
son cœur les mauvais sentiments
mentionnés ci-dessus et croit pouvoir
racheter ses péchés par le grand
nombre de ses aumônes, qu'il écoute le Seigneur dire dans
l'Évangile : « Si tu offres ton présent à l'autel et que là
tu te rappelles que ton frère a quelque chose contre toi,
va d'abord te réconcilier avec ton frère et ensuite viens
offrir ton présent[a]. » Cette phrase montre avec évidence
qu'il ne sert à rien d'offrir un sacrifice ou de donner une
aumône si on ne commence pas d'abord par se réconcilier
avec son ennemi. Car Dieu a dit dans l'Évangile qu'il
n'écouterait même pas notre prière si nous conservions
de la haine dans le cœur : « Celui qui a mes commandements
et qui les exécute, voilà celui qui m'aime[b] », et : « A quoi
sert-il de me dire Seigneur, Seigneur, si vous ne faites
pas ce que je dis ?[c] » Qu'a dit le Seigneur ? Qu'a-t-il spécialement recommandé ? A coup sûr ce qui touche à la paix
et à la concorde : « Aimez vos ennemis, faites du bien à
ceux qui vous haïssent[d] » ; et ceci : « Je vous donne ma paix,
je vous laisse ma paix[e] » ; et aussi : « En cela tous recon-

4 [a] Matth. 5, 23-24 [b] Jn 14, 21 [c] Lc 6, 46 [d] Matth. 5, 44 [e] Jn
14, 27

quia discipuli mei estis, si dilectionem habueri|tis ad invicem[f]. »

Nam si elymosinas largius damus, et secundum |Christi praecepta inimicis nostris non indulgemus, substantiam nostram |Deo offerimus, et animam nostram adversario
10 subiugamus. Et iam [10]videte, si iusta ac Deo placita possit esse ista divisio : non enim tam res |nostras, quam nos ipsos desiderat Deus. Nam quia nos scit multum |amare terrenam substantiam, ideo vult sibi offerri quod amamus; ut |secundum illius praeceptum, ubi praecesserit thesaurus noster, illuc |sequatur et cor nostrum, et sacerdote dicente
15 « Sursum corda », cum [15]secura conscientia respondere possimus nos « habere ad Dominum ».

5. Quis enim non contremescat illam, quam et frequenter sugges|simus et iugiter insinuare debemus, beati Iohannis apostoli senten|tiam? « Qui, inquit, fratrem suum odit, homicida est[a] »; et iterum : |« Qui dicit se in luce esse, et
20 fratrem suum odit, in tenebris est [20]usque adhuc[b] »; et : « Qui odit fratrem suum, in tenebris est, et in |tenebris ambulat, et nescit quo eat; quoniam tenebrae obcae|caverunt oculos eius[c] »; et illud : « Itinera eorum, qui iniuriam reti|nent malefacti, in morte[d]. » Et quia, secundum haec quae supra |suggessimus, nulla nobis vel umbra alicuius
25 excusationis remanet, [25]totis viribus cum Dei adiutorio laboremus implere quod praecepit, |ut mereamur accipere quae promisit. Et ut reliqua opera bona, quae|cumque inspirante Deo facimus, non perdamus, caritatem velut |matrem bonorum omnium fideliter Domino inspirante servemus.

21 eat *edd.* : vadat L[1,2].

---

[f] Jn 13, 35.

5 [a] I Jn 3, 15   [b] I Jn 2, 9   [c] I Jn 2, 11   [d] Prov. 12, 28.

naîtront que vous êtes mes disciples si vous vous aimez les uns les autres[f]. »

En effet, si nous faisons très largement l'aumône mais que nous ne pardonnions pas à nos ennemis selon les préceptes du Christ, nous offrons à Dieu notre fortune et nous soumettons notre âme au joug de l'adversaire. Et voyez bien si cette division peut être juste et plaire à Dieu, car Dieu ne désire pas tant nos richesses que nous-mêmes. En effet, c'est parce que Dieu sait que nous aimons beaucoup notre richesse terrestre qu'il veut que lui soit offert ce que nous aimons, afin que, selon son commandement, là où notre trésor aura précédé, là aussi suivre notre cœur et qu'à la parole du prêtre : « Haut les cœurs », nous puissions répondre avec une conscience assurée : « Ils sont tout au Seigneur. »

5. En effet, qui ne redouterait cette phrase du bienheureux apôtre Jean que nous vous avons rappelée fréquemment et dont nous devons sans cesse nous pénétrer ? « Celui, dit-il, qui hait son frère est homicide[a] », et aussi : « Celui qui dit être dans la lumière et qui hait son frère est encore dans les ténèbres[b] » ; et : « Celui qui hait son frère est dans les ténèbres et marche dans les ténèbres et ne sait où il va, car les ténèbres ont obscurci ses yeux[c] » ; et ceci : « Les chemins de ceux qui se souviennent de l'injure reçue conduisent à la mort[d1]. » Et puisque, selon ce que nous avons rappelé plus haut, il ne nous reste pas même l'ombre d'une excuse, travaillons de toutes nos forces avec l'aide de Dieu à exécuter ce qu'il a commandé, pour mériter de recevoir ce qu'il a promis. Et pour ne pas perdre tout le reste des bonnes œuvres que nous faisons sous l'inspiration de Dieu, gardons fidèlement sous l'inspiration du Seigneur la charité, comme étant la mère de tous les biens.

1. Version conforme au texte de la Septante.

Et ˡut haec quae supra suggessimus plenius et evidentius
30 possitis agnoscere, ³⁰parum aliquid de opere sancti Augustini ad rem de qua suggessimus ˡpertinentem credidi
adiungendum, quo manifestissime probetur ˡnullum hominem posse Dei misericordiam promereri, qui duo praecepta
ˡcaritatis contemnens inimicis suis neglexerit toto corde
dimittere.

168 (168) **6.** Sanctus Augustinus episcopus cum de illo
paralytico qui ˡtriginta et octo annos habebat in infirmitate
sua tractaret, sic ait : ˡQuadragenario numero, fratres
carissimi, cursus vitae nostrae et ˡconversatio nostra in
5 scripturis divinis mystice designatur. Ideo ⁵enim et ante
pascha, quod praesentem vitam significat, quadraginta
ˡdierum ieiunium observamus, ut pascha, quod aeternae
vitae imaginem ˡgerit, cum gaudio celebrare possimus.
Ideo et Moyses quadraginta ˡdiebus ieiunavit, et Elias
similiter quadraginta, et Dominus ac Salˡvator noster
quadragenarium ieiunium consecravit, et in heremo
10 ¹⁰populus Israheliticus quadraginta annis demoratus est,
postquam ˡmeruit de Aegypto liberari. Unde sicut videtis,
fratres carissimi, ˡquadragenarius iste numerus bonorum
christianorum et sanctorum ˡomnium figuram significare
videtur.

Languidus vero ille, de quo ˡin evangelio legimus quia
15 iacebat, typum generis humani habere ¹⁵videbatur. Quod
autem triginta et octo annos in languoribus positus ˡerat,
de illo quadragenario numero quem supra diximus duo
minus ˡhabens, videamus quae sunt ista duo quae deerant

168,2 habebat *edd.* : agebat L¹·² ‖ 6 ieiunium observamus *edd.* :
ieiunamus et observamus L¹·²

---

1. Cesaire résume ici un passage d'AUGUSTIN, *Tract. in Ioh.*,
XVII, 4-10, *CCL*, XXXVI, p. 171-175. Cf. *Jn* 5, 5-8. Il est rare,

Et afin que vous puissiez connaître de façon plus complète et plus évidente ce que nous avons évoqué plus haut, j'ai cru devoir y joindre un court passage d'un ouvrage de saint Augustin touchant le sujet que nous avons évoqué, où il est prouvé de façon irréfutable qu'aucun homme ne peut obtenir la miséricorde de Dieu si, méprisant les deux commandements de la charité, il néglige de remettre à ses ennemis de tout cœur.

6. Le saint évêque Augustin[1], trai-
Le paralytique guéri tant de ce paralytique qui était infirme depuis trente-huit ans, dit ceci : « Le nombre quarante, frères très chers, désigne mystiquement dans les Écritures divines le cours de notre vie et notre conduite. En effet, c'est pour cela que, le temps qui précède Pâques signifiant la vie présente, nous observons un jeûne de quarante jours pour pouvoir célébrer dans la joie Pâques qui est l'image de la vie éternelle. C'est pour cette raison aussi que Moïse[2] a jeûné quarante jours et pareillement Élie[3] et que notre Seigneur et Sauveur[4] a observé un jeûne de quarante jours et que le peuple israélite est demeuré quarante ans dans le désert après avoir mérité d'être libéré d'Égypte. Ce nombre quarante semble donc, frères très chers, comme vous le voyez, figurer tous les bons chrétiens et tous les saints.

Quant à ce malade, dont nous lisons dans l'Évangile qu'il gisait étendu, il était la figure du genre humain. Or il avait passé trente-huit ans affligé de cette maladie, c'est-à-dire deux ans de moins que ce nombre quarante dont nous avons parlé plus haut ; voyons donc ce que sont

dans les *Admonitiones,* que Césaire développe aussi longuement une explication spirituelle d'un texte biblique.
  2. Cf. *Ex.* 24, 18 et 34, 28 ; *Deut.* 9, 9.
  3. Cf. *III Rois* 19, 8.
  4. Cf. *Matth.* 4, 2 ; *Lc* 4, 1-2.

illi numero conse|crato. Et quae erunt, fratres, nisi duo
praecepta caritatis, dilectionis |videlicet Dei et dilectionis
20 proximi; quae duo talia sunt, ut sine ²⁰ipsis reliqua nihil
prosint? Et si qua sint opera bona, et virginitatem |vel
martyrium quis habeat, si ista duo in quibus « tota lex
pendet |et prophetae² » non habuerit, languidus et paraly-
ticus iacet.

Venit |ergo Christus, et per gratiam Spiritus sancti
exhibuit nobis ista |duo, ut diligeremus Deum, diligeremus
25 et proximum. Denique et ²⁵pro illo, qui inciderat in latrones,
duos denarios dedit, et apud Sama|ritanos duos dies
transegit, uti eos in caritate Dei et proximi confir|maret.
Et vidua illa in typum ecclesiae duo aera misit in gazofy-
lacium, |et Dominus ad praedicandam caritatem binos
discipulos destinavit. |Ista enim duo, ut diximus, ante
30 adventum Christi humanum genus ³⁰habere non meruit.
Adtendite, fratres, quia et Dominus duo dixit, |illa utique
quae ei deesse videbantur : « Surge », et : « Tolle grabatum
|tuum\u1d47 ». Ista duo languidus ille minus habebat. Quid est
« surge », nisi |Dominum dilige? Omnis enim qui Deum
diligit, sursum cor habet. |Et quid est hoc, « tolle grabatum
35 tuum », nisi dilige proximum ³⁵tuum? Quae dilectio
169 proximi in portando grabatum designatur. (169) Apostolus
dicit : « Invicem onera vestra portate, et sic adimple|bitis
legem Christi\u1d9c. » Si ergo praeventus fuerit in aliquo frater
tuus, |portetur a te; et si tu praeventus fueris, sustineat
te. Ergo « surge », |dilige Deum; et « tolle grabatum tuum »,

28 praedicandam : repertam *add.* L¹⁻².
169,3 surge : est *add.* L¹⁻².

6 ᵃ Matth. 22, 40   ᵇ Jn 5, 8   ᶜ Gal. 6, 2

1. Cf. *Lc* 10, 35.

ces deux ans qui manquaient à ce nombre consacré. Et que seraient-ils, frères, sinon les deux commandements de la charité, c'est-à-dire, de l'amour de Dieu et de l'amour du prochain, qui sont tels que sans eux tous les autres ne servent à rien ? Et s'il y a quelqu'un qui ait à son actif quelques œuvres bonnes et la virginité ou même le martyre, s'il n'a pas ces deux vertus dans lesquelles « résident toute la loi et les prophètes[a] », il gît malade et paralytique.

Le Christ est donc venu et par la grâce de l'Esprit saint nous a fait connaître ces deux commandements : que nous aimions Dieu et que nous aimions aussi notre prochain. Ainsi, il a donné deux deniers[1] pour celui qui était tombé entre les mains des brigands et il passa deux jours[2] parmi les Samaritains pour les confirmer dans l'amour de Dieu et du prochain. Et cette veuve[3], image de l'Église, mit deux as dans le tronc des offrandes et le Seigneur décida d'envoyer ses disciples deux par deux[4] pour prêcher la charité. En effet, comme nous l'avons dit, le genre humain n'a pas mérité d'avoir ces deux commandements avant la venue du Christ. Faites attention, frères, que le Seigneur a dit deux choses, celles justement qui semblaient manquer au malade : « Lève-toi », et : « Prends ton lit[b] ». Voilà les deux choses dont ce malade manquait le plus. Que signifie : « lève-toi », sinon : aime le Seigneur ? Car tout homme qui aime Dieu a le cœur haut. Et qu'est cela : « prends ton lit », sinon : aime ton prochain ? Et cet amour du prochain est désigné par l'action de porter son lit. L'Apôtre dit : « Portez les fardeaux les uns des autres et vous accomplirez ainsi la loi du Christ[c]. » Donc, si ton frère a commis une faute, porte-le ; et si toi, tu en as commis une, qu'il te porte. Donc, « lève-toi », aime Dieu, et « prends ton lit »,

2. Cf. *Jn* 4, 40.
3. Cf. *Mc* 12, 42 et *Lc* 21, 2.
4. Cf. *Lc* 10, 1.

5 dilige proximum tuum, ⁵id est, porta onus, in quo requiescas. Ista duo humano generi neces|saria erant. Sed habere ea in se omnino non poterant; quia « caritas |Dei diffusa est in cordibus nostris », non ex nobis, sed « per Spiritum |sanctum qui datus est nobis^d » : ipso adiuvante, qui vivit et regnat |in saecula saeculorum. Amen.

^d Rom. 5, 5.

aime ton prochain, c'est-à-dire, porte le fardeau afin de pouvoir trouver le repos. Ces deux biens étaient nécessaires au genre humain. Mais d'eux-mêmes les hommes ne pouvaient nullement les posséder, car « la charité de Dieu est répandue dans nos cœurs », non par nous, mais « par l'Esprit saint qui nous a été donné[d] », avec l'aide de celui qui vit et règne pour les siècles des siècles. Amen.

SERMO XL

10 [10]**Incipit expositio quare sancti et iusti viri in hoc saeculo in peccatoribus vindicaverunt**

1. Iudicia Dei, fratres carissimi, plerumque sunt occulta,
nunquam |tamen iniusta. Et quia in aliquibus peccatoribus
legimus a sanctis |viris in praesenti saeculo vindicatum,
15 qua ratione factum sit [15]subtilissima fidei puritate debemus
aspicere. Quia enim in veteri |testamento peccata puniri
corporaliter videbantur, omnibus praebe|bantur exempla,
quotiens aliquibus inrogabantur digna supplicia. |Quod
tamen non quisque ut voluisset de populo secundum suam
|iracundiam exercebat; sed praepositi vel iudices, ut ceteri
20 metum [20]haberent, iustissime vindicabant.

Denique beatus ille Moyses, de quo |legimus quod
« mitis » fuerit « super omnes homines[a] » descendens de
monte, |quia populum idolis sacrificasse cognovisset, tria
milia de populo iussit |interfici, non ut iracundiae suae
satisfaceret, sed ut Dei iniuriam vin|dicaret, et ut ceteri
25 videntes nunquam talia peccata exercere praesu[25]merent.

Sermo XL : L¹ *Laudunensis* 121   s. IX
       L² *Berolinensis theol. fol.* 355 (Rose 307)   s. IX
       T¹ *Remensis* 394 (E. 295)   s. XI

169,16 corporaliter *om.* L².

---

1 [a] Nombr. 12, 3

SERMON XL

Ici on commence à exposer pourquoi des hommes saints et justes ont en ce monde tiré vengeance de pécheurs

1. Les jugements de Dieu, frères très chers, sont ordinairement cachés, mais ils ne sont jamais injustes. Et puisque nous lisons que de saints personnages ont tiré vengeance dans le monde présent de quelques pécheurs, c'est avec une foi très pure et très pénétrante que nous devons examiner pour quelle raison il en fut ainsi. Parce que, dans l'Ancien Testament, on voyait punir par des peines corporelles les péchés, chaque fois que l'on infligeait des châtiments mérités à quelques-uns, cela servait d'exemple à tous. Cependant, il n'était pas permis à n'importe qui du peuple de se faire justice comme il le voulait, sur un mouvement de colère, mais des préposés ou des juges proportionnaient la vengeance à la faute, afin d'inspirer de la crainte à tous les autres.

Moïse   Ainsi le bienheureux Moïse[1], dont nous lisons qu'il fut « le plus doux des hommes[a] », s'étant aperçu à sa descente de la montagne, que le peuple avait sacrifié aux idoles, ordonna de mettre à mort trois mille hommes de ce peuple, non pour satisfaire sa colère, mais pour venger l'injure faite à Dieu et pour que les autres, voyant cela, n'aient plus jamais la témérité de commettre de semblables péchés. Et pour que nous

1. Cf. *Ex.* 32, 28.

Et ut intellegamus quo animo hoc fieri iusserit, regressus ad |Dominum supplicavit, dicens : « Si non dimiseris populo tuo peccatum |suum, dele me de libro tuo quem scripsisti[b]. » Ecce veram et integram |caritatem : paucos interfici iussit, ut sexcenta milia exceptis mulieribus |et parvulis liberaret; quia nisi ille zelo Dei commotus in **170** paucos (170) vindicasset, cunctos Dei iustitia perdidisset. Beatus quoque sacerdos |Finees unum de principibus cum alienigena concumbentem manu |propria gladio interfecit. Et quo animo hoc egerit, Dominus ipse |testimonium dedit, **5** dicens : « Finees zelo meo commotus placavit [5]iram meam, ut non disperderem universum populum meum[c]. » Hoc |enim fecit Finees non carnali odio, sed zelo et amore divino; non |ut se vindicaret, sed ut populum de Dei iracundia liberaret.

2. Quam rem et beatum etiam Heliam perfecisse cognoscimus : |ad quem cum superbissimus et sacrilegus rex **10** quinquagenarium [10]cum suis militibus destinasset, mandans ei ut ad se veniret, beatus |Helias dolens de perditione populi sui, quem impius ad idola colenda |persuaserat, in Spiritu sancto dixit ut descenderet ignis de caelo, |et consumeret eos; ut istis percussis in corpore, alii sanarentur in |corde. Sed quia nihil apud eos medicamentum spiritale **15** praevaluit, [15]etiam et alium quinquagenarium, qui et ipse cum superbia venerat, |Spiritus sanctus per os Heliae cum suis interfici iussit. Quam |rem qua pietate Spiritus sanctus, vel quo animo Helias fecerit, humi|litas illius quinquagenarii, qui tertio loco venit, ostendit : in quo |evidenter agnovimus, quod si se prius humiliasset humana

---

[b] Ex. 32, 32   [c] Nombr. 25, 11.

---

1. Voir t. I, *Serm.* 5, 1, p. 308 et notes 1 et 2.
2. Cf. *IV Rois* 1, 9-15. Il s'agit en fait, dans la Bible, du roi Ochozias.

comprenions dans quel esprit il avait donné cet ordre,
de retour auprès du Seigneur, il le supplia en disant :
« Si tu ne remets pas à ton peuple son péché, efface-moi
du livre que tu as écrit[b]. » Voici la vraie et parfaite charité ;
il fit mettre à mort un petit nombre pour en sauver
six cent mille, sans compter les femmes et les enfants.
Car, s'il n'avait pas exercé sa vengeance sur un petit
nombre, emporté par le zèle de Dieu, la justice divine les
aurait tous exterminés. Le bienheureux prêtre Phinées[1]
aussi tua de sa propre main, d'un coup d'épée, un des chefs
qui couchait avec une étrangère. Et dans quel esprit il le
fit, le Seigneur lui-même en a rendu témoignage, en disant :
« Phinées emporté par mon zèle a apaisé ma colère, si bien
que je n'ai pas détruit le peuple tout entier[c]. » En effet,
Phinées n'a pas agi ainsi par haine personnelle, mais par
zèle et amour de Dieu ; non pour se venger lui-même, mais
pour sauver le peuple de la colère de Dieu.

Élie   **2.** Nous apprenons ce qu'accomplit
de même le bienheureux Élie[2] : alors
qu'un roi très arrogant et sacrilège lui avait envoyé un
officier avec ses cinquante soldats pour lui ordonner de venir
le trouver, le bienheureux Élie, pénétré de douleur pour
la perte de son peuple qu'un impie avait entraîné au culte
des idoles, dit, sous l'inspiration de l'Esprit saint, au feu
du ciel de descendre et de les consumer, afin que leur
châtiment corporel servît à guérir le cœur des autres. Mais
ce remède spirituel n'ayant eu aucun effet sur eux, l'Esprit
saint par la bouche d'Élie fit mourir, avec ses cinquante
hommes, un autre officier qui était venu lui aussi avec
arrogance. Par quelle bonté l'Esprit saint et dans quel
esprit Élie agirent-ils ainsi, l'humilité de cet officier qui
vint en troisième lieu le montre ; nous voyons là avec
évidence que si les premiers s'étaient humiliés comme il

20 fragilitas, [20]statim indulgentiam dedisset divina miseri-
cordia. Neque enim cre|dendum est quod illi ideo ad
Heliam missi fuerint, ut illum inter|ficerent, sed potius ut
ad regem vocarent. Et ideo beatus Helias |non iracundiae
suae satisfecit, sed Dei potius iniuriam vindicavit. |Hoc
etiam de sacerdotibus idolorum in monte Carmelo exercuit,
25 [25]quando omnes interfici iussit; scilicet ut falsa religio cum
suis extincta |doctoribus verae religioni locum in humanis
cordibus daret.

Quod |totum beatus Helias non sua virtute, sed potentia
sancti Spiritus |exercuisse credendus est. Denique si vis
scire solus ipse Helias qualis |fuerit, quando eum paulisper
30 sancti Spiritus gratia, ut eum probaret, [30]deseruit, unius
meretricis minas ferre non potuit, sed fugit in deserto
|viam quadraginta dierum. Ille ergo, qui suppeditante
gratia Dei per |Spiritum sanctum caelum verbo clauserat,
et ultrices flammas de |supernis venire fecerat, unius
meretriculae sermonem sustinere non |potuit. Hoc ideo
dixi, ut agnoscamus quia totum illud non tam Helias,
35 [35]quam Spiritus sanctus exercuit per Heliam. Et ideo nefas
est credi |quod beatus Helias in his, quos fecit interfici,
se voluerit vindicare.

171   (171) **3.** Hoc etiam de beato Heliseo sentire debemus,
cui cum luxu|riantes pueri clamarent « Ascende calve,
ascende calve[a] », Spiritus |sanctus, qui in ipso habitabat,
imperavit ut ascenderent duo ursi, et |lacerarent quadra-
5 ginta duos pueros. Quod licet in mysterio factum [5]fuerit,

---

171,4 factum *om.* L[1.2]

---

3 [a] IV Rois 2, 23

---

1. Cf. *III Rois* 18, 40.
2. Cf. *III Rois* 19, 1-8. La courtisane dont il est question ici
est Jézabel.

convient à la faiblesse humaine, la miséricorde divine
aurait aussitôt pardonné. Et il ne faut pas croire, en effet,
que ces hommes avaient été envoyés vers Élie pour le
mettre à mort, mais bien pour le convoquer auprès du roi.
Le bienheureux Élie n'a donc pas satisfait sa colère, mais
bien plutôt a vengé l'outrage fait à Dieu. Il fit de même
encore sur le mont Carmel[1], quand il ordonna que soient
mis à mort tous les prêtres des idoles ; c'était afin que
la fausse religion, éteinte avec ses docteurs, laissât la
place dans le cœur des hommes à la vraie religion.

Et il faut croire que le bienheureux Élie fit tout cela
non par sa propre force mais par la puissance de l'Esprit
saint. Car veux-tu savoir quel fut Élie laissé à lui-même,
quand la grâce de l'Esprit saint, pour l'éprouver, l'aban-
donna pendant quelque temps ? Il ne put supporter les
menaces d'une simple courtisane[2], mais s'enfuit au désert
et y marcha quarante jours. Donc, cet homme qui, soutenu
par la grâce divine, avait fermé le ciel d'un mot[3] par la
puissance de l'Esprit saint et avait fait descendre du
ciel des flammes vengeresses, ne put supporter la parole
d'une simple courtisane de rien du tout. J'ai dit cela pour
que nous voyions bien que c'est moins Élie qui accomplit
tous ces actes que l'Esprit saint par l'intermédiaire d'Élie.
Et c'est pourquoi il est impie de croire que le bienheureux
Élie ait voulu se venger de ceux qu'il a fait mettre à mort.

Élisée   **3.** Nous devons en juger de même
pour le bienheureux Élisée[4] ; alors
que des enfants sans retenue lui criaient : « Monte chauve,
monte chauve[a] », l'Esprit saint qui habitait en lui ordonna
à deux ours de monter et de mettre en pièces quarante-deux
enfants. Et, certes, cela eut lieu en figure et signifie la

3. Cf. *III Rois* 17, 1.
4. Cf. *IV Rois* 2, 23-24.

et significaverit Domini passionem, quando inridentes
Iudaei |clamaverunt « Crucifigatur, crucifigatur[b] », sicut
illi clamaverunt |« Ascende calve, ascende calve », id est,
ascende in crucem in loco |Calvariae, tamen etiam secun-
dum litteram ideo pauci percussi sunt, |ut plurimi sana-
rentur; ut quia prophetas Iudaei non solum contemne-
10 ¹⁰bant, sed etiam inridebant, tali plaga percussi agnoscerent
potentiam |Spiritus sancti. Sed quia se emendare noluerunt,
clamat ipse Spiritus |sanctus alibi per prophetam : « Percussi
filios vestros, et disciplinam |non recepistis[c]. » Si ergo hoc
Spiritus sanctus operatus est, nefas est |beato Heliseo
aliquid inputari, quia et revera tantam potentiam solus
15 ¹⁵homo sine sancto Spiritu habere non potuit. Nam si
sancto Heliseo |aliquid inputamus, quasi de Dei iusto
iudicio disputare praesumimus.

4. Et ne forte hoc in solo veteri testamento factum
fuisse putemus, |adtende illum beatissimum et mitissimum
apostolum Petrum, et vide |quid per eum de Anania et
20 Saffira fuerit Spiritus sanctus operatus. ²⁰Quod utique non
ideo factum est, ut se beatus apostolus vindicaret, |qui
nullam ab eis pertulisse iniuriam videbatur : sed Spiritus
sanctus |per os eius pullulantem exemplum pessimum
infidelitatis in ipsa radice |succidit. Haec ergo omnia
spiritaliter et fideliter cogitantes, nihil |sinistrum de
25 sancto iustorum zelo vel iudicio suspicemur : quam ²⁵rem
nobis ipse Dominus et Salvator noster praestare dignetur,
qui |cum Patre et Spiritu sancto vivit et regnat in saecula
saeculorum. |Amen.

22 pullulantem : pullulans L²ᴰᶜ pullulantes L¹.

---

[b] Matth. 27, 23   [c] Jér. 2, 30.

Passion du Seigneur, le moment où les Juifs le tournèrent en dérision et crièrent : « Qu'il soit crucifié, qu'il soit crucifié[b] », de même que ces enfants crièrent : « Monte chauve, monte chauve », c'est-à-dire : monte sur la croix dressée sur le Calvaire ; cependant, même si l'on s'en tient à la lettre, un petit nombre a été châtié pour qu'un plus grand nombre fût guéri et que les Juifs qui non seulement méprisaient les prophètes, mais même les tournaient en dérision, frappés d'un tel châtiment, reconnussent la puissance de l'Esprit saint. Mais parce qu'ils ne voulurent pas s'amender, l'Esprit saint lui-même leur fait ailleurs ce reproche par la bouche du prophète : « J'ai frappé vos fils et vous n'avez pas accueilli ma leçon[c]. » Donc, si c'est l'Esprit saint qui a agi ainsi, il est impie de reprocher quelque chose au bienheureux Élisée, car en vérité un homme seul, sans l'Esprit saint, n'aurait pu avoir une aussi grande puissance. Si nous reprochons quelque chose au bienheureux Élisée, c'est comme si nous avions l'audace de contester la justice du jugement de Dieu.

4. Et ne pensons pas que cela soit arrivé seulement dans l'Ancien Testament ; regarde ce bienheureux apôtre Pierre, si plein de douceur, et vois ce que l'Esprit saint a accompli par lui dans le cas d'Ananie et de Saphire[1]. Et, à coup sûr, le bienheureux apôtre n'a pas agi ainsi pour se venger, lui qui apparemment n'avait reçu d'eux aucun outrage ; mais l'Esprit saint par sa bouche détruisit à sa racine un exemple pernicieux d'infidélité prêt à se propager. Si nous réfléchissons donc sur tout cela en esprit et avec foi, nous ne concevrons aucun odieux soupçon sur le saint zèle des justes ni sur leur jugement. Que notre Seigneur et Sauveur daigne nous l'accorder, lui qui avec le Père et l'Esprit saint vit et règne pour les siècles des siècles. Amen.

1. Cf. *Act.* 5, 1-10.

SERMO XLI

De indigna familiaritate extranearum mulierum et de martyrio

1. Nemo dicat, fratres carissimi, quod temporibus nostris mar⎮tyrum certamina esse non possint : habet enim
5 et pax martyres ⁵suos. Nam, sicut frequenter suggessimus, iracundiam mitigare, libi⎮dinem fugere, iustitiam custodire, avaritiam contemnere, superbiam ⎮humiliare, pars magna martyrii est. Non incongrue dictum est, ⎮fratres, avaritiam contemnere, iracundiam mitigare, libidinem fugere. ⎮Contemnenda est enim avaritia, quae nobis ideo iniqua lucra
10 pro¹⁰curat, ut nos suos faciat; nostri enim essemus, si illa nostra non ⎮essent. Contemnenda, inquam, est avaritia, quae velut ignis, quanto ⎮plus acceperit, tanto amplius quaerit. Iracundia vero mitiganda est, ⎮quae prius nocituris inpedit quam nocendis.

Quod autem libidinem ⎮fugiendam esse suggerimus,
15 apostolus Paulus evidenter ostendit, qui, ¹⁵cum omnibus vitiis praedicaverit resistendum, dum contra libidinem

---

Sermo XLI : W¹ *Wirceburgensis* Mp. th. f. 28   s. VIII
           G¹ *Monacensis lat.* 6298 (*Frising.* 98)   s. VIII
           Z¹ *Stuttgartensis th. f.* 201 (*Zwifalten* 49) s. XI
           H⁵ *Pierpont-Morgan Library* M. 17   s. VII/VIII
           H²³ *Coloniensis Bibl. Capitul.* 171   s. IX
           H²⁴ *Trecensis* 1430   s. XII

SERMON XLI

D'une familiarité inconvenante avec les femmes étrangères à la famille et du martyre[1]

1. Que personne ne dise, frères très chers, qu'à notre époque les luttes des martyrs ne peuvent exister ; car la paix aussi a ses martyrs. En effet, comme nous l'avons laissé entendre fréquemment, adoucir la colère, fuir le désir charnel, garder la justice, mépriser la cupidité, humilier l'orgueil, voilà une grande partie du martyre. Ce n'est pas hors de propos, frères, que nous avons dit : mépriser la cupidité, adoucir la colère, fuir le désir. En effet, il faut mépriser la cupidité qui nous procure des gains injustes dans le seul but de nous faire siens ; car nous serions à nous si ces gains n'étaient pas nôtres. Il faut mépriser la cupidité, dis-je, qui, comme le feu, demande d'autant plus qu'elle a reçu davantage. Il faut aussi adoucir la colère dont les premières victimes sont ceux qu'elle étreint.

Mais qu'il faille, comme nous l'avons indiqué, fuir le désir charnel, l'apôtre Paul le montre avec évidence, lui qui, alors qu'il a prôné de résister à tous les vices, n'a pas

---

172,2 martyrio G[1] : sollemnitate martyrum W[1]Z[1] ‖ 6-7 superbiam humiliare *om.* W[1]H[5] ‖ 15 dum *om.* H[5]

---

1. En fait, le *Monacensis lat.* 6298 (G[1]) ne contient que le titre de ce sermon.

|loqueretur, non dixit, Resistite, sed « Fugite fornicatio-
nem[a]. » Ac sic |contra reliqua vitia Deo auxiliante debemus
in praesenti resistere, |libidinem vero fugiendo superare.
Sic et alibi in scripturis divinis |legimus : « Noli, inquid,
20 adtendere in faciem virginis, ne te scan[20]dalizet vultus
eius[b]. » Et beatus Ioseph ut inpudicam dominam posset
|evadere, pallium quo adprehensus fuerat reliquit, et fugit.
Ergo |contra libidinis impetum adprehende fugam, si vis
obtinere victoriam; |nec tibi verecundum sit fugere, si
castitatis palmam desideras obtinere. |Unde, fratres caris-
25 simi, ab omnibus christianis, praecipue tamen [25]a clericis
vel monachis, indigna et inhonesta familiaritas fugienda
|est : quia sine ulla dubitatione, qui familiaritatem non
vult vitare |suspectam, cito dilabitur in ruinam.

173　　　(173) **2.** Sed forte neglegens quisque et minus de animae
suae salute |sollicitus respondet et dicit : Ecce ego et
familiaritatem extranearum |mulierum habeo, et tamen
castitatis ornamenta custodio. Infelix est |et nimium
periculosa ista praesumptio : multi enim dum se putabant
5 |vincere, victi sunt. Sed dicit aliquis : Ego inter mulieres
extraneas |habitans, continentiam teneo, et volo habere

24-25 praecipue — monachis *om.* W[1].

---

1 [a] I Cor. 6, 18　　[b] Sir. 9, 5.

---

1. Cf. la lettre *Vereor*, p. 138, dans laquelle Césaire, s'adressant
aux moniales, utilise à plusieurs reprises les mêmes termes que dans
ce sermon. Par exemple, lignes 10-12 : « Audi apostolum dicentem :
Fugite fornicationem. Contra reliqua vitia oportet nos omni virtute
resistere : contra libidinem vero non expedit repugnare, sed fugere. »

2. C'est la seule citation de ce verset dans l'œuvre homilétique
de Césaire. Peu fréquent chez les Pères, il n'y apparaît jamais sous
cette forme.

3. Cf. *Gen.* 39, 12.

4. Cf. *Concile d'Agde* (506), c. 10 (éd. Munier, p. 199-200), inter-

dit quand il parlait du désir : Résistez, mais : « Fuyez la
fornication[a]. » Et ainsi, nous devons, avec l'aide de Dieu,
résister en face à tous les autres vices, mais c'est par la
fuite que nous devons vaincre le désir[1]. Et voici ce que
nous lisons ailleurs dans les Écritures divines : « Ne prête
pas attention, est-il dit, à l'aspect d'une vierge, de peur
que son visage ne soit pour toi une occasion de péché[b2]. »
Et le bienheureux Joseph, pour pouvoir échapper à une
maîtresse impudique, laissa le manteau par lequel il avait
été saisi, et s'enfuit[3]. Donc, contre l'assaut du désir prends
la fuite si tu veux obtenir la victoire, et n'aie pas honte
de fuir si tu désires obtenir la palme de la chasteté. Il
s'ensuit, frères très chers, que tous les chrétiens, mais en
particulier les clercs et les moines, doivent fuir une familiarité inconvenante et contraire à l'honnêteté[4] ; car, sans
doute aucun, celui qui ne veut pas éviter une familiarité
suspecte se perdra par une chute rapide.

**Présomption
et imprudence**

2. Mais, peut-être, quelque négligent, fort peu soucieux du salut de
son âme, répond en disant : Moi,
par exemple, je vis dans la familiarité de femmes étrangères
à ma famille et cependant je garde la parure de la chasteté.
Ta présomption est malheureuse et excessivement dange-
reuse ; beaucoup, en effet, ont été vaincus alors qu'ils
croyaient vaincre. Mais quelqu'un dit : Moi, tout en habitant au milieu de femmes, je reste continent ; je veux

---

disant à toute femme de vivre dans la maison d'un clerc, à l'exception de sa mère, sœur, fille ou nièce : « Id etiam ad custodiendam
vitam et famam speciali ordinatione praecipimus, ut nullus clericorum
extraneae mulieri qualibet consolatione aut familiaritate iungatur.
Et non solum in domum illius extranea mulier non accedat, sed
nec ipse frequentandi ad extraneam mulierem habeat potestatem, sed
cum matre tantum, sorore, filia et nepte, si habuerit aut voluerit,
vivendi liberam habeat potestatem, de quibus nominibus nefas est
aliud, quam natura constituit, suspicari. »

quod vincam. Quid est ᴵdicere, volo habere quod vincam,
nisi, vivere desidero sub ruina? ᴵSed ego, inquid, libidinis
impetum tamquam adversarium meum ᴵvolo captivum
10 iugiter retinere. Vide ne contra te incipiat ipsa capti¹⁰vitas
praevalere, et ubi te putabas obtinere triumphum, inde
aeternum ᴵincurras obprobrium. Inter omnia christianorum
certamina sola duriora ᴵsunt proelia castitatis, ubi cotidiana
pugna est, et rara victoria : ᴵgravem castitas sortita est
inimicum, qui cotidie vincitur, et timetur.

ᴵEt ideo, sicut iam dictum est, nemo se falsa securitate
15 decipiat, nemo ¹⁵de suis viribus periculose praesumat, sed
audiat Apostolum dicentem : ᴵ« Fugite fornicationemᵃ. »
David enim ille sanctissimus in mille passibus ᴵmulierem
nudam vidit, et statim homicidium fecit et adulterium;
ᴵet aliqui in una domo cum extraneis mulieribus habitantes
putant ᴵse castitatis obtinere triumphum : ignorantes
20 dupliciter se apud ²⁰Deum reos existere, dum et se ipsos
in periculum inmittunt, et aliis ᴵexemplum perversae
familiaritatis ostendunt. Quanticumque enim ᴵillorum
stultitiam imitantes per inhonestam familiaritatem castitatis ᴵornamenta perdiderint, illorum animae ab illis in die
iudicii requiᴵrentur, qui eis exemplum perditionis ostendunt.

25   ²⁵3. Et ideo, fratres carissimi, contra mortifera blandi-
menta et ᴵcontra adiutores diaboli, qui familiaritatem

173,11 obprobrium : Considerate, fratres carissimi, quia *add.* W¹ ∥
14-15 nemo de : nec de W¹Z¹H⁵

---

2 ᵃ I Cor. 6, 18.

---

1. Cf. la lettre *Vereor*, p. 138 : « Ideo familiaritatem non fugio,
quia volo habere quod vincam, et adversarium meum cupio tenere
captivum. »
2. Cf. *ibid.*, p. 138 : « Vide ne contra te adversarius incipiat
rebellare : vide ne te ducat captivitas ista in captivitatem. »
3. Cf. *ibid.*, p. 143 : « ... inter omnia certamina, quibus semper

avoir de quoi vaincre[1]. Que signifie : je veux avoir de quoi
vaincre, sinon : je désire vivre en péril de mort ? Mais moi,
dit-il, je veux continuellement retenir captif l'assaut
du désir comme mon adversaire. Prends garde à ne pas
commencer par devenir captif toi-même[2] et, là où tu
pensais obtenir le triomphe, à ne pas encourir un opprobre
éternel. De toutes les batailles que livrent les chrétiens,
uniques dans leur âpreté sont les combats pour la chasteté.
Là, la lutte est quotidienne et rare la victoire. La chasteté
a reçu en partage un pénible ennemi, à vaincre et à craindre
chaque jour[3].

Et c'est pourquoi, comme il a déjà été dit, que personne
ne se laisse abuser par une fausse sécurité, que personne
ne présume dangereusement de ses forces, mais qu'on
écoute la parole de l'Apôtre : « Fuyez la fornication[a]. »
Car David[4], cet homme si saint, vit une femme nue à mille
pas et aussitôt il commit homicide et adultère. Et certains
pensent cohabiter avec des femmes et obtenir le triomphe
de la chasteté ! Ils ignorent qu'il sont doublement coupables auprès de Dieu en se jetant eux-mêmes dans le danger
et en montrant aux autres l'exemple d'une familiarité
vicieuse. En effet, ceux qui montrent l'exemple de la
perdition auront à rendre compte au jour du Jugement
des âmes de tous ceux qui, imitant leur folie, auront
perdu la parure de la chasteté à cause d'une familiarité
contraire à l'honnêteté.

3. Et c'est pourquoi, frères très
chers, contre les séductions mortelles
et contre les suppôts du diable qui
ne craignent ni ne rougissent d'entretenir des relations

Occasions de martyre
et de chute

---

comes est christiana militia, sola duriora sunt praelia castitatis ubi
cottidiana pugna est et rara victoria. Gravem castitas sortita est
inimicum, qui cotidie vincitur et timetur ; cotidie, inquam, vincitur,
et non desinit provocare. »

4. Cf. *II Sam.* 11, 2-17.

suspectam habere nec |metuunt nec erubescunt, ne nos
exemplo suo decipiant, Dei adiu|torium iugiter inploremus,
ut nos « de laqueo venantium[a] » liberare |dignetur : scientes
30 quod in his malis, quae supra diximus, christianis [30]coti-
diana martyria deesse non possunt. Si enim castitas et
veritas |et iustitia Christus est, sicut ille qui eis insidiatur
persecutor est, |ita et ille qui haec et in aliis defensare et
174 in se custodire voluerit, (174) martyr erit.

Et ideo qui haec tota animi virtute et ipse diligit, et
ut |alii diligant et verbis simul et exemplis ostendit, et
ubicumque veritas |vel iustitia sive castitas laborant,
quantum praevalet se etiam ultro |ingerit, et secundum
5 quod vires habuerit defensare contendit, non [5]unam sed
plures coronas Domino remunerante percipiet. Et ut haec
|obtinere cum Dei adiutorio mereamur, non solum extra-
nearum |mulierum sed etiam ancillarum nostrarum, vel
quorumcumque vici|norum aut filiae aut alumnae aut
ancillae unusquisque familiaritatem |vel secretam conlo-
10 cutionem vitare contendat : quia quanto earum [10]vilior
condicio, tanto ruina facilior est.

De familiaritate enim talium |Salomon nos ammonet,
dicens : « Numquid alligabit quis ignem |in sinu suo, et
vestimenta eius non ardebunt? Aut ambulabit |quis super
prunas, et non comburentur plantae eius?[b] » Et illud :
|« Pretium enim meretricis vix dimidium unius panis;

29 his malis W[1]H[5] : malis omnibus Z[1] ‖ christianis : omnibus
christianis H[6].

174,2 veritas : pax H[5] ‖ 4-5 non — coronas : martyrii coronam
H[5] ‖ 5 percipiet : percepit W[1] *qui sermonem sic concl.* : quam rem
vobis Dominus pro sua pietate concedat, qui cum Patre *etc.* ‖ 7-8
quorumcumque vicinorum H[5·24] : quarumcumque vicinarum Z[1] ‖
8 aut alumnae *om.* H[5·24] ‖ 10 De — talium : denique de tale familiaritate H[5] ‖ 12 et — ardebunt : ut alimenta eius non ardeant H[5] ut
vestimenta eius non comburantur H[24]

3 [a] Ps. 90, 3   [b] Prov. 6, 27.28

d'une familiarité suspecte, et de peur d'être trompés par leur exemple, implorons sans cesse l'aide de Dieu, afin qu'il daigne nous libérer « du piège des chasseurs[a] », nous qui savons qu'au milieu de ces maux que nous avons mentionnés plus haut, les occasions d'un martyre quotidien ne peuvent manquer aux chrétiens. Car si le Christ est chasteté et vérité et justice, de même que celui qui tend des pièges à ces vertus est un persécuteur, ainsi, également, celui qui aura voulu défendre ces vertus chez les autres et les garder en lui sera un martyr.

Et c'est pourquoi, celui qui personnellement aime ces vertus de toute la force de son esprit et qui les enseigne à la fois par ses paroles et ses exemples pour que les autres les aiment, qui, partout où souffre la vérité, la justice ou la chasteté, intervient de lui-même, spontanément, autant qu'il le peut et lutte selon ses forces pour les défendre, celui-là recevra non pas une mais plusieurs couronnes du Seigneur rémunérateur. Et pour qu'avec l'aide de Dieu nous méritions de les obtenir, que chacun s'efforce d'éviter familiarité et entretiens secrets, non seulement avec les femmes des autres, mais même avec ses servantes et avec la fille, la pupille ou la servante de n'importe quel voisin, car plus la condition des femmes est basse, plus la chute est facile.

En effet, Salomon nous met en garde contre de telles relations en disant : « Quelqu'un cachera-t-il du feu dans son sein sans que ses vêtements brûlent ? Ou bien marchera-t-il sur des charbons ardents sans que la plante de ses pieds ne soit brûlée ?[b1] » Et ceci : « Le prix d'une courtisane vaut à peine la moitié d'un pain ; mais la femme captive

---

1. Le verset *Prov.* 6, 27 est, ici, légèrement différent du texte de la Vulgate. On trouve *alligabit* chez AMBROISE, *In Ps.*, I, 27, 4 ; chez JÉRÔME, *Ep. 18 ad Eustochium* ; chez AUGUSTIN, *Enarr. in Ps.*, 57, 17, li. 51.

15 mulier autem ¹⁵pretiosam viri animam capitᶜ. » O quanta
iniquitas et quam lugenda ᑊperversitas, ut animam, quam
Christus suo sanguine redemit, luxuᑊriosus quisque propter
unius momenti delectationem libidinis diabolo ᑊvendat!
Vere enim nimium plangenda et miseranda condicio est,
ᑊubi cito praeterit quod delectat, et permanet sine fine
20 quod cruciat. ²⁰Sub momento enim libidinis impetus
transit, et obprobrium infelicis ᑊanimae permanet.

4. Sed dicit aliquis : Homo iuvenis sum, facio quod mihi
delectat, ᑊet postea paenitentiam ago. Hoc est dicere :
Percutio me crudeli ᑊgladio, et postea ad medicum vado;
25 et nescit quod unius horae ²⁵puncto vulnus accipitur, sed
vix longo tempore ad sanitatem priᑊstinam revocatur. Qui
enim adulterans dicit se postea paenitentiam ᑊacturum,
quare non timet, ne eum subitanea febricula superveniens
ᑊrapiat, et pereat illa delectatio, et succedat aeterna
damnatio?

Et ᑊquia de infelici libidine, unde supra diximus, creden-
30 dum est illud ³⁰dictum esse quod propheta dixit, « Quomodo
175 confractus est malleus (175) universae terrae?ᵃ » quamvis
post adventum Domini nostri Iesu ᑊChristi per innumerabilia monasteria et per clericos vel etiam laicos ᑊcasti-
tatem servantes quasi confractus esse malleus ille videatur,
ᑊadhuc tamen, quod peius est, multo plures sunt, qui ab
5 ipso malleo ⁵cotidie confringuntur, quam illi qui de ruina
vel conlisione ipsius ᑊliberantur.

Unde iterum atque iterum rogo, ut diligentius conside-

18 est *om.* Z¹ ‖ 27 subitanea febricula : subito febricola H⁵ ‖ 28
illa : illi H⁵.

175,1 nostri Iesu Christi *om.* Z¹H⁵

ᶜ Prov. 6, 26.

4 ᵃ Jer. 50, 23

l'âme précieuse de l'homme[c1]. » Ô quelle grande iniquité
et quelle perversité digne de pleurs ! Faut-il que l'âme
que le Christ a rachetée de son sang, tout débauché la
vende au diable pour la volupté d'un seul moment !
Car, en vérité, c'est une condition trop déplorable et trop
misérable que celle où le plaisir s'évanouit aussitôt et
où demeure sans fin ce qui torture. En effet, la violence
du désir passe en un instant, mais l'opprobre de l'âme
infortunée demeure pour toujours.

4. Mais quelqu'un dit : Je suis un homme jeune, je fais
ce qui me plaît et après je fais pénitence. C'est dire : Je me
transperce d'un glaive cruel et après je vais chez le médecin.
Ne sait-il pas qu'un seul instant suffit pour recevoir une
blessure, mais qu'un long espace de temps permet à peine
de recouvrer la santé passée ? En effet, pourquoi l'adultère
qui dit qu'il fera pénitence plus tard ne craint-il pas
qu'une petite fièvre survenant brusquement l'emporte,
que disparaisse ce plaisir et qu'y succède la damnation
éternelle ?

Et il faut croire que c'est du malheureux désir charnel
dont nous avons parlé plus haut que le prophète a dit :
« Comment le marteau de la terre entière a-t-il été brisé ?[a] »
Bien qu'après la venue de notre Seigneur Jésus-Christ
ce marteau semble avoir été comme brisé grâce à d'innombrables monastères et grâce aux clercs et même aux laïcs
qui gardent la chasteté, cependant, encore maintenant,
le pire est que ceux qui sont brisés chaque jour par ce
même marteau sont beaucoup plus nombreux que ceux
qui sont à l'abri du choc de sa chute.

C'est pourquoi je vous en prie encore et encore : consi-

---

1. La Vulgate utilise *scorti* à la place de *meretricis*, que l'on retrouve
cependant plusieurs fois chez les Pères. En revanche, Césaire est le
seul à réduire encore la valeur d'une courtisane, par le mot *dimidium*,
qu'il reprend dans le *Serm.* 189, 4.

re|mus, et quantum possumus timeamus illud, quod
Dominus in evan|gelio dixit : « Qui viderit mulierem ad
concupiscendum eam, iam |moechatus est eam in corde
suo[b]. »

10   10**5.** Pro qua re, sicut iam dictum est, non solum ab
extraneis |mulieribus, sed etiam ab ancillis propriis refre-
nanda est et secreta |familiaritas, et oculorum incauta
fragilitas, ne illud inpleatur in nobis, |quod Dominus per
prophetam terribiliter clamat dicens : « Intravit |mors in
animas vestras per fenestras vestras[a]. » Per quas enim
15 fenestras 15mors ad animas nostras ingreditur, nisi aut per
visum oculorum, |aut per auditum aurium ? Si per linguam
aut amico aut servo tuo |iusseris ut ad te meretrix addu-
catur, per os tuum ad animam tuam |gladius aeternae
mortis ingreditur. Si autem consilium malum libenter
|audieris, si detrahentem vel aliquid luxuriose loquentem
20 aut etiam 20cantica turpia proferentem non respuis, per
aurium tuarum fenestras |mors intravit ad animam tuam.
Et quia Dominus dixit « Qui viderit |mulierem ad concu-
piscendum eam, iam moechatus est eam in |corde suo[b] »,
intellegitur quod voluntas perfecta faciendi reputabitur
|pro opere facti ; ac sic, dum aliquis mulierem animo
25 libidinoso 25considerat, per fenestram corporis in secretum
cordis venenum |mortis instillat.

Talis enim cogitatio, etiamsi aliquo inpedita casu |non
impleat voluntatem suam, nihilominus actionis crimine
condemna|tur a Domino : ac sic et illa casta est, cum qua

---

8 ad concupiscendum : ad concupiscentiam H[5] ‖ 11 refrenanda
est : inhonesta ista *add.* H[5] ‖ 13 dicens *om.* H[5] ‖ 14 in [ad H[24]] animas vestras : *om.* Z[1]H[5] ‖ 15-16 aut per ... aut per... : per ... et ... Z[1] ‖
25 in H[5] : *om.* Z[1]

---

[b] Matth. 5, 28.

5 [a] Jer. 9, 21   [b] Matth. 5, 28

dérons avec le plus grand soin et toute la crainte dont nous sommes capables ce que le Seigneur a dit dans l'Évangile : « Celui qui a vu une femme pour la convoiter, a déjà commis l'adultère avec elle dans son cœur[b]. »

Les fenêtres du corps   **5.** Pour cette raison, comme nous l'avons déjà dit, une familiarité secrète non seulement avec les femmes étrangères à la famille, mais même avec nos propres servantes doit être réfrénée, ainsi que les regards imprudents pour notre faiblesse, de peur que ne s'accomplisse en nous ce que le Seigneur proclame de façon terrible par la bouche du prophète : « La mort est entrée dans vos âmes par vos fenêtres[a]. » En effet, par quelles fenêtres la mort pénètre-t-elle dans nos âmes sinon par ce que voient nos yeux ou bien par ce qu'entendent nos oreilles ? Si, par l'intermédiaire de ta langue, tu ordonnes à ton ami ou à ton serviteur de t'amener une courtisane, le glaive de la mort éternelle pénètre dans ton âme par ta bouche. Mais si tu écoutes volontiers un mauvais conseil, si tu ne refuses pas d'entendre un calomniateur ou celui qui dit des paroles licencieuses ou même chante des chansons honteuses, la mort est entrée dans ton âme par les fenêtres de tes oreilles. Et parce que le Seigneur a dit : « Celui qui voit une femme pour la convoiter a déjà commis l'adultère avec elle dans son cœur[b] », on comprend que l'intention arrêtée de faire sera tenue pour œuvre faite ; et ainsi, tandis qu'on regarde une femme en la désirant, on instille le poison de la mort dans le secret du cœur par la fenêtre du corps.

En effet, même si quelque hasard empêche une telle pensée de réaliser son objet, elle n'en encourt pas moins de la part du Seigneur la condamnation due à une action criminelle. Dans ce cas la femme avec laquelle l'homme

libidinis malum voluit |exercere, et ille iam adulter tenetur
30 in corde. Et ideo audiamus prophe³⁰tam dicentem :
« Omni custodia serva cor tuumᶜ »; et illud : « Averte
|oculos meos, ne videant vanitatemᵈ. »

    Quomodo enim si aliquis |carbones ignis adprehendat,
176 si eos cito proiecerit, nihil illum nocebunt, (176) si vero
diutius tenere voluerit, sine vulnere eos iactare non
poterit, |ita et ille qui ad concupiscendum oculorum
defixerit aspectum, et libi|dinis malum in corde suscipiens
moras in suis cogitationibus habere |permiserit, excutere
eas a se sine animae plaga non poterit.

5   Et ideo ⁵cum propheta iugiter clamemus : « Oculi mei
semper ad Dominum, |quia ipse evellet de laqueo pedes
meosᵉ. » Quod ipse praestare dignetur, |qui cum Patre et
Spiritu sancto vivit et regnat in saecula saeculorum. |Amen.

    32 illum H⁵ : *om.* Z¹.

    176,1 iactare : proiecere H⁵ ‖ 3 suscipiens : si *add.* H⁵ ‖ 6 dignetur :
ut supra *add.* Z¹ *qui doxol. om.*

a voulu assouvir son mauvais désir reste chaste, mais lui est déjà tenu pour adultère dans son cœur. Et c'est pourquoi écoutons ce que dit le prophète : « Mets une garde sans faille à ton cœur[c] », et ceci : « Détourne mes yeux pour qu'ils ne voient pas la vanité[d]. »

En effet, que quelqu'un saisisse des charbons ardents : s'il les rejette aussitôt, ils ne lui nuiront en rien, mais s'il veut les tenir trop longtemps, il ne pourra les rejeter sans blessure ; de la même façon, celui qui fixe avec convoitise son regard sur une femme et, accueillant dans son cœur un mauvais désir, se permet de s'attarder dans ses pensées, celui-là ne pourra les arracher de lui sans que son âme soit blessée.

Et c'est pourquoi, crions sans cesse avec le prophète : « Mes yeux sont toujours tournés vers le Seigneur, car c'est lui qui délivrera mes pieds du piège[e]. » Que daigne l'accorder celui qui avec le Père et l'Esprit saint vit et règne pour les siècles des siècles. Amen.

[c] Prov. 4, 23   [d] Ps. 118, 37   [e] Ps. 24, 15.

SERMO XLII

Castigatio ad eos qui uxores habentes adulteria
10   [10]committere nec erubescunt nec metuunt ; arguit
etiam illos qui sibi ante uxores aut post uxores
concubinas infelici consortio voluerint adhibere

1. Rogo vos, fratres, ut adtentius cogitemus causam
salutis nostrae : [et ut illa omnia mala quae de futuro
15 iudicio scripta sunt possimus [15]evadere, et ad illam beatitudinem quae nobis promissa est mereamur [feliciter
pervenire, quantis possumus viribus, cum Dei adiutorio
[caritatem iustitiam misericordiam simul et castitatem
servare tota [intentione animi studeamus; ut ista tamquam
caelesti et spiritali [quadriga ad principalem paradisi
20 patriam rapiamur. Eamus illuc [20]interim corde, ut, cum
dies iudicii venerit, sequamur et corpore; [ut in nobis
impleatur illud quod Apostolus dixit : « Nostra autem

Sermo XLII : L[1] *Laudunensis* 121   s. IX
          L[2] *Berolinensis theol. fol.* 355 (Rose 307)   s. IX
          L[6] *Trecensis* 710   s. XII
176,12 adhibere *edd.* : adhiberi L[1,2,6].

---

1. Ce char qui enlève au ciel est peut-être un souvenir de *IV Rois*
2, 11. Quant aux quatre vertus cardinales, elles ont une longue
histoire dans l'Antiquité. PLATON, dans *Rép.* III, 402 C et IV, 427 D,
divise la vertu en quatre parties : σοφρωσύνη, ἀνδρεία, ἐλευθεριότης

SERMON XLII

Réprimande à ceux qui étant mariés ne rougissent ni ne craignent de commettre des adultères ; blâme aussi à ceux qui, avant ou après leur mariage, voudraient entretenir une malheureuse union avec des concubines

Le quadrige des vertus 1. Je vous en prie, frères, réfléchissons avec beaucoup d'attention à la question de notre salut, et, pour pouvoir échapper à tous ces malheurs dont parle l'Écriture au sujet du jugement à venir et mériter de parvenir heureusement à cette béatitude qui nous a été promise, appliquons-nous dans un effort de tout l'esprit à garder, avec l'aide de Dieu, de toutes les forces en notre pouvoir, la charité, la justice, la miséricorde en même temps que la chasteté, afin d'être emportés comme par ce quadrige céleste et spirituel vers notre première patrie, le paradis[1]. En attendant, allons là-bas de cœur afin que, lorsque viendra le jour du Jugement, notre corps suive aussi ; ainsi s'accomplira en nous la parole de l'Apôtre : « Notre

---

et μεγαλοπρεπεία. Les Stoïciens reprendront cette division, ἀνδρεία étant plus tard remplacé par δικαιοσύνη. Les Romains nous les ont léguées sous les noms de *prudentia*, *fortitudo* ou *magnanimitas*, *temperantia* ou *continentia*, *iustitia*. C'est ainsi qu'AMBROISE dans son *De Officiis*, I, 24, 115 les emprunte directement à Cicéron. — Il est à remarquer que Césaire remplace ici *prudentia* et *fortitudo* par les deux vertus qui lui tiennent le plus à cœur : *caritas* et *misericordia*.

ˡconversatio in caelis estª », et illud : « Cum Christus
apparuerit vita ˡvestra, tunc et vos cum ipso apparebitis
in gloriaᵇ. » Nullam ergo ˡde istis quattuor virtutibus
25 minus quam expedit diligamus. Quid ²⁵enim prodest tibi,
177 si caritatem habere videaris, et iustitiam habere (177) non
velis? Aut quid te adiuvare poterit, si misericordiam
habere te ˡdicas, et castitatem non habendo te ipsum odio
habeas, secundum ˡillud quod scriptum est : « Qui diligit
iniquitatem, odit animam ˡsuamᶜ »?

5   ⁵2. Et quia castitatem valde paucos habere velle cognoscimus, ˡde ipsa nunc caritatem vestram adtentius admo-
nemus, propter illud ˡquod scriptum est : « Neque fornicarii,
neque molles, neque mascuˡlorum concubitores regnum
Dei possidebuntª »; et illud : « Neque ˡadulteri, neque
ebriosi regnum Dei possidebuntᵇ. »

10   Sed, quod peius ¹⁰est, multi sunt qui etiam cum uxores
videantur habere, persuadente ˡdiabolo castitatem dissimulant custodire; sed aut cum suis aut cum ˡalienis ancillis,
vel etiam uxoribus aut filiabus extraneis, libidinis ˡfurore
succensi, ita adulteria committere nec metuunt nec
erubescunt, ˡut nec Deum timeant, nec homines reverean-
15 tur. Sed iustum erat, ¹⁵fratres, ut apud illos qui tales sunt
deberent tam frequentes et tot ˡannorum ammonitiones
nostrae proficere : ut nec de medicamentis ˡsibi vulnera
facerent, nec inde se occiderent, unde se vivificare potue-
ˡrant; quia castigatio sacerdotis, sicut oboedientibus ad
gloriam, ita ˡinoboedientibus erit ad poenam.

20   Et quia illi, sicut iam dixi, nec Deum ²⁰reverentur, nec
hominem metuunt, vos, qui Christo inspirante ˡet fidem

177,10 etiam cum *om.* L¹·² ‖ 12 vel — extraneis *om.* L¹·² ‖ 13 nec
metuunt *om.* L¹·²

---

1 ª Phil. 3, 20   ᵇ Col. 3, 4   ᶜ Ps. 10, 6.
2 ª I Cor. 6, 9.10   ᵇ *ibid.*

vie est dans les cieux[a] », et celle-ci : « Lorsque le Christ, votre vie, apparaîtra, alors vous aussi vous apparaîtrez avec lui dans la gloire[b]. » Donc, ne chérissons aucune de ces quatre vertus moins qu'il ne convient. En effet, à quoi te sert-il de paraître avoir la charité si tu ne veux pas avoir aussi la justice ? Ou bien, en quoi cela pourra-t-il t'aider de dire que tu as la miséricorde si tu te hais toi-même en n'ayant pas la chasteté, selon ce qui est écrit : « Celui qui aime l'iniquité hait son âme[c] » ?

2. Et parce que nous savons qu'à peine quelques-uns veulent avoir la chasteté, c'est sur elle, maintenant, que nous allons attirer particulièrement l'attention de votre charité, à cause de cette parole de l'Écriture : « Ni fornicateurs, ni dépravés, ni homosexuels ne posséderont le royaume de Dieu[a] », et de celle-ci : « Ni adultères, ni ivrognes ne posséderont le royaume de Dieu[b]. »

L'adultère Mais le pire est que beaucoup d'hommes, bien qu'ils soient mariés, refusent à l'instigation du diable de garder la chasteté ; au contraire, enflammés par la fureur du désir, ils ne craignent ni ne rougissent de commettre des adultères avec leurs servantes ou avec celles des autres, ou même avec les épouses ou les filles d'autrui, sans crainte de Dieu ni respect envers les hommes. Mais normalement, frères, nos avertissements si fréquemment réitérés et depuis tant d'années auraient dû profiter à de tels êtres, leur éviter qu'ils ne se blessent avec des remèdes ou ne se tuent avec ce qui pouvait leur donner la vie ; car la réprimande de l'évêque conduira à la gloire ceux qui sont dociles comme elle conduira au châtiment ceux qui ne le sont pas.

Et parce que ces hommes, comme je l'ai déjà dit, n'ont ni respect de Dieu ni crainte des hommes, vous, qui, sous l'inspiration du Christ, gardez fidèlement la foi et la

et castitatem fideliter custoditis, si quando aliquos tam
�;sacrilega peccata committere cognoveritis, et semel et
secundo et �;tertio castigate; et si vos audire noluerint, nec
conloquium cum �;illis habete, nec ad vestrum eos convivium
25 revocate, nec in aliorum ²⁵mensis cybum cum eis sumite,
secundum illud quod de talibus �;ait Apostolus : « Cum
huiuscemodi nec cybum sumereᶜ »; ut vel sic erubes᾿cant,
dum se vident ab honestis et Deum timentibus exsecrari.

Si ᾿enim hoc quod suggero non fuerit factum, quicumque
ille est qui ᾿fratrem aut vicinum suum adulteria committere
30 novit, si illum ³⁰arguere noluerit, in peccatis eius particeps
illius erit, secundum ᾿illud quod scriptum est : « Si videbas
furem, simul currebas cum eo, ᾿et cum adulteris portionem
tuam ponebasᵈ »; et illud quod ait ᾿Apostolus : « Non solum
qui faciunt ea, sed etiam et qui consentiunt ᾿facientibusᵉ. »
Illi autem qui adulteros nec ipsi arguunt, nec in notitiam
178 (178) sacerdotis secretius ponunt, suspectionem nobis
faciunt, quod ideo ᾿illos non arguunt, quia et ipsi talia
peccata committunt.

Mihi enim ᾿sufficit, quod cum grandi dolore animi et
infinito gemitu clamo. ᾿Vos vero si et a vestris et ab
5 alienis peccatis liberi esse vultis, nolite ⁵parcere talibus;
et si vos secretius et frequentius ammonentes audire
᾿noluerint, facite hoc ad humilitatis nostrae notitiam
pervenire, secun᾿dum illud quod Dominus de peccatoribus
in evangelio dixit : « Corripe ᾿illum inter te et ipsum
solum : si te audierit, lucratus eris ᾿fratrem tuum; si
10 autem non te audierit, dic ecclesiaeᶠ », id est, ¹⁰pone in

30 in peccatis eius *om.* L¹⋅².
178,8 eris : es L²

ᶜ I Cor. 5, 11   ᵈ Ps. 49, 18   ᵉ Rom. 1, 32   ᶠ Matth. 18, 15.17

1. Cf. *Statuta virginum*, n. 24, p. 107 : « Si quam vero liberius
quam decet agere videritis, secretius corripite ut sororem : si audire

chasteté, si vous connaissez, par hasard, certaines personnes
commettant des péchés aussi sacrilèges, reprenez-les une
fois, deux fois, trois fois et, s'ils ne veulent pas vous
écouter, ne leur parlez plus, ne les conviez pas à partager
votre repas, ne prenez pas de nourriture avec eux à la
table d'autrui, selon ce que dit l'Apôtre de leurs pareils :
« Ne pas prendre de nourriture avec des gens de cette
espèce[c] », afin qu'ainsi ils rougissent de se voir exécrés
par les personnes honnêtes et craignant Dieu.

En effet, si l'on ne fait pas ce que je conseille, quiconque,
sachant que son frère ou son voisin commet des adultères,
ne veut pas le blâmer, se rendra complice des péchés de
cet homme, selon cette parole de l'Écriture : « Si tu voyais
un voleur, aussitôt tu courais avec lui et tu étais de
connivence avec les adultères[d] », et selon ce que dit
l'Apôtre : « Non seulement ceux qui commettent ces
actions, mais aussi ceux qui approuvent ceux qui les
commettent[e]. » Ceux qui ne blâment pas eux-mêmes les
adultères et ne les font pas connaître en secret à l'évêque
nous font soupçonner qu'ils ne les blâment pas parce
qu'eux-mêmes commettent aussi de tels péchés.

A moi, en effet, il appartient et suffit de crier et gémir
sans fin, l'esprit plein de douleur. Mais vous, si vous
voulez être libérés de vos péchés et de ceux d'autrui, ne
ménagez pas de tels gens ; et, s'ils ne veulent pas écouter
vos fréquentes exhortations en privé, faites en sorte que
cela parvienne à la connaissance de notre humilité, selon
les paroles du Seigneur dans l'Évangile au sujet des
pécheurs : « Reprends-le seul à seul : s'il t'écoute, tu auras
gagné ton frère ; mais s'il ne t'écoute pas, dis-le à l'Église[f] »,
c'est-à-dire, porte-le à la connaissance de l'évêque[1], « et

---

neglexerit, matri in notitiam ponite. Ne vos iudicetis esse malivolas,
quando hoc sancto animo indicatis ; magis enim innocentes non estis,
et peccato ipsius participes vos facitis, si sororem vestram, quam
castigando corrigere potuistis, tacendo perire permittatis. »

notitiam sacerdotis; « si nec ecclesiam audierit, sit tibi
|tamquam ethnicus et publicanus[g]. »

Sed quod peius est, dum illi, |qui tantum malum
committunt, ab aliquibus non solum non corri|piuntur,
verum etiam palpantur et blande accipiuntur, ideo ipsa
|sacrilega crimina nutriuntur, et sine ullo timore ac
15 verecundia perpe[15]trantur. Sed nos timere debemus illud
quod de Achar, qui de Iericho |regulam auream furatus
fuerat, scriptum est; quando pro unius hominis |peccato
super omnes ira Dei desaeviit, et nec requievit furor Dei
a |populo, donec ille qui malum fecerat Domino iubente
contereretur.

3. Cum enim illi de quibus loquimur uxores suas castas
20 esse [20]velint, qua conscientia adulteria nefanda committunt,
et dicunt |sibi licere quod eis omnino non licet; quasi alia
praecepta Deus |dederit viris, alia feminis? Dicat qui-
cumque ille est, qua lege per|mittente crimina ista com-
mittat, cum a divina et ab humana lege |omne adulterium
25 puniatur. Ideo tamen hoc malum non prohibetur, [25]quia
a multis committitur. Sed quanto ab hominibus minus
distrin|gitur, tanto magis divino iudicio gravius vindicatur.

Nam illud quale |est, quod aliqui in hanc inpudentiam
prorumpunt, ut dicant haec |tam crudelia mala viris
licere, et feminis non licere? Nec adtendunt |quod et viri
30 et feminae aequaliter Christi sanguine sunt redemti, [30]et
simul sacrosancto lavacro sunt abluti, et ad altare Domini

---

17 requievit : quievit L[6] ‖ 30-31 et[2] — accipiunt *om.* L[1.2].

---

[g] Matth. 18, 17.

---

1. Cf. *Jos.* 8, 1-26.
2. En fait, dans ses sanctions, le droit romain avait toujours
maintenu une distinction entre l'homme et la femme adultères.

s'il n'écoute pas l'Église, qu'il soit pour toi comme un païen et un publicain[g]. »

Mais il y a pire : tandis que ces hommes, coupables d'un si grand péché, non seulement ne sont pas corrigés par certains mais sont même flattés et reçus avec des caresses, à cause de cela les crimes sacrilèges eux-mêmes sont nourris et perpétrés sans aucune crainte ni vergogne. Mais nous devons craindre ce qui a été écrit au sujet d'Achar[1], qui avait dérobé un lingot d'or venant de Jéricho ; alors, à cause du péché d'un seul homme, la colère de Dieu sévit avec violence sur tous et la fureur de Dieu s'abattit sur le peuple jusqu'à ce que celui qui avait fait le mal eût été anéanti sur l'ordre du Seigneur.

3. En effet, alors que ceux dont nous parlons veulent que leurs épouses soient chastes, avec quelle conscience commettent-ils ces adultères abominables et disent-ils que leur est permis ce qui ne leur est absolument pas permis ? Comme si Dieu avait donné des commandements différents aux hommes et aux femmes ! Qu'un de ceux-là nous dise quelle loi lui permet de commettre ces crimes, alors que tout adultère est puni et par la loi divine et par la loi humaine[2]. Cependant, si ce mal n'est pas réprimé, c'est que beaucoup le commettent. Mais d'autant moins le punissent les hommes, d'autant plus sévère sera le châtiment au jugement divin.

Égalité des sexes devant la loi divine

En effet, que signifie ce que certains, dans leur impudence effrénée, vont jusqu'à dire, à savoir que ces méfaits si cruels sont permis aux hommes et ne le sont pas aux femmes ? Et ils ne prennent pas garde qu'hommes et femmes, également, ont été rachetés par le sang du Christ, qu'ils ont été lavés ensemble dans le bain sacré du baptême,

---

Théodoric est le premier à les condamner tous les deux également à la peine de mort.

accedentes |corpus et sanguinem Domini simul accipiunt,
et non est apud Deum |discretio masculi et feminae, « Nec
est personarum acceptor Deus[a]. »

179   (179) Ergo quod feminis non licet, similiter et viris nec
licuit umquam |nec licere poterit : sed quia infelix intro-
missa est consuetudo, ut, |si uxor inventa fuerit cum servo
suo, puniatur, si autem vir cum |multis ancillis in libidinis
5 cloaca volutetur, non solum non puniatur, [5]verum etiam
a suis similibus conlaudetur; et sibi invicem loquentes,
|quis hoc amplius fecerit, cum risu et cachinno stultissimo
confitentur. |Sed istorum risus in die iudicii vertetur in
planctum, et eorum ioca |convertentur in vulnera. Sed
hoc illi faciunt, qui futurum iudicium |nec credunt omnino
nec metuunt.

10   [10]**4.** Ego enim cum libera conscientia clamo pariter et
contestor, |quod quicumque habens uxorem adulteria
commiserit, nisi paeni|tentia prolixa et uberes elymosinae
subvenerint, et a peccato ipso |non cessaverit, et si quomodo
solet fieri subito mortuus fuerit, in |aeternum peribit, nec
15 illi nomen christianum proderit : quia non [15]solum non
fecit quod Dominus iussit, verum etiam quod Christus
|prohibuit perpetravit. Cum enim etiam uxorem cognoscere
excepto |desiderio filiorum peccatum sit, quid de se cogitare,
aut quam spem |sibi promittere possunt, qui coniugia
habentes per adulterium hoc |sibi praeparant, unde ad
20 inferni profunda descendant, nec volunt [20]Apostolum audire
dicentem : « Tempus breve est, superest ut qui |habent

179,4 volutetur : volutatur L[1.2] ‖ 5 conlaudetur : conlaudatur
L[1.2] ‖ 6 confitentur : confitetur L[1.2] ‖ 15-16 quod[2] — prohibuit *om.* L[1.2]
contra eius iussa L[2pc] contra eius praecepta scelera L[6] ‖ 17 cogitare
edd. : cogitant L[1.2.6]

---

3 [a] Act. 10, 34.

---

1. Cf. *Jac.* 4, 9.

qu'ils s'approchent de l'autel du Seigneur pour y recevoir ensemble son corps et son sang et que devant Dieu il n'est pas de différence entre masculin et féminin : « Dieu ne fait pas acception des personnes[a]. »

Donc, ce qui n'est pas permis aux femmes, de la même façon n'a jamais été permis aux hommes et ne pourra jamais l'être. Mais un malheureux usage s'est introduit, selon lequel on punit une femme mariée si on l'a trouvée avec son esclave, tandis que si un homme se vautre avec quantité de servantes dans le cloaque de la débauche, non seulement on ne le punit pas mais il est même félicité par ses pareils ; et se parlant entre eux, ils se vantent avec de gros rires stupides, à qui en aura fait le plus. Mais leur rire au jour du Jugement se changera en lamentation et leurs plaisanteries se transformeront en blessures[1]. Mais agissent ainsi ceux qui ne croient pas du tout au Jugement à venir et qui ne le craignent pas.

4. Pour moi, en effet, la conscience libre, je proclame et en même temps j'atteste que tout homme marié qui commet des adultères, à moins qu'une longue pénitence et de larges aumônes ne lui viennent en aide, et qu'il ne renonce à son propre péché, périra pour l'éternité s'il meurt subitement, comme il arrive fréquemment, et que le nom de chrétien ne lui servira à rien ; car non seulement il n'a pas fait ce que le Seigneur a ordonné, mais il a même perpétré ce que le Christ a interdit. En effet, alors que c'est déjà un péché de connaître sa femme sans le désir d'avoir des enfants, que peuvent penser d'eux ou quel espoir peuvent se promettre ceux qui, étant mariés, se préparent d'avance par l'adultère de quoi descendre vers les profondeurs de l'Enfer, et ne veulent pas écouter la parole de l'Apôtre : « Le temps est court ; il reste[2] à ceux

---

2. *Superest ut* est l'expression qui revient le plus souvent chez les Pères comme chez Césaire, dans la traduction de ce verset.

uxores tamquam non habentes sint[a] »; et illud : « Ut sciat
ᶦunusquisque suum vas possidere in honore et sanctifica-
tione, ᶦnon in passione desiderii, sicut et gentes quae
spem non habent[b] »?

ᶦConsiderate quia qui uxores excepto desiderio filiorum
25 utuntur, ²⁵si assiduas elymosinas non dederint, sine peccato
esse non possunt. ᶦEt si hoc de matrimonio legitimo
dicitur, putas quid de illis futurum ᶦsit in die iudicii, qui
aut publica aut occulta adulteria committere ᶦsine ulla
divini timoris consideratione praesumunt. De quibus
scriᶦptum est : « Peccatores et adulteros iudicabit Deus[c] »;
30 et illud Apostoli, ³⁰quod iam supra dictum est : « Neque
adulteri regnum Dei possidebunt[d]. » ᶦQuid tibi prodest,
infelix quicumque ille es, quod christianus vocaris, ᶦsi per
peccatum adulterii a regno Dei excludi merueris?

180   (180) **5.** Et hoc rogo, fratres carissimi, et ammoneo
caritatem vestram, ᶦut quicumque uxores accepturi sunt,
virginitatem usque ad nuptias ᶦcustodiant : quia quomodo
nullus est qui sponsam violatam velit ᶦaccipere, sic nullus
5 se debet ante nuptias adulterina commixtione ⁵corrumpere.

Sed quod peius est, plures sunt qui sibi concubinas
ᶦadhibent, ante quam uxores accipiant : et quia grandis
multitudo ᶦest, excommunicare omnes non potest episcopus,
sed cum gemitu ᶦet multis suspiriis tolerat et expectat,
si forte pius et misericors ᶦDominus det illis fructuosam

23 spem non habent : ignorant Deum L⁶.
180,7 cum *om.* L¹⁻²

4 ᵃ I Cor. 7, 29   ᵇ I Thess. 4, 4.5.13   ᶜ Hébr. 13, 4   ᵈ I Cor. 6,
9.10.

1. Césaire cite à plusieurs reprises ces deux versets, terminant

qui sont mariés de vivre comme s'ils ne l'étaient pas[a] »,
et ceci : « Que chacun sache posséder le vase qui lui appartient dans l'honneur et la sanctification, non dans la
passion du désir comme les païens qui n'ont pas d'espérance[b1] » ?

Considérez que ceux qui vont avec leurs femmes sans
désir d'avoir des enfants, à moins de fréquentes aumônes,
ne peuvent être sans péché. Et si l'on dit cela du mariage
légitime, pense à ce qui attend, au jour du Jugement,
ceux qui osent commettre des adultères publiquement ou
en secret, sans jamais avoir à l'esprit la crainte de Dieu.
A leur sujet il est écrit : « Dieu jugera les pécheurs et les
adultères[c] », ainsi que ce que nous avons cité plus haut
de l'Apôtre : « Les adultères non plus ne posséderont pas
la royaume de Dieu[d]. » A quoi te sert-il, malheureux, qui
que tu sois, de t'appeler chrétien si, par le péché d'adultère,
tu as mérité d'être exclu du royaume de Dieu ?

5. Frères très chers, je vous demande aussi cela, et
j'exhorte votre charité : que tous ceux qui ont l'intention
de se marier gardent la virginité jusqu'à leurs noces ;
car, de même qu'ils n'est personne qui veuille prendre
une épouse déflorée, de même personne ne doit se souiller
avant ses noces par une union adultère[2].

Le concubinage Mais il y a pire : nombreux sont
ceux qui ont des concubines avant de
se marier ; et parce que c'est le cas d'un grand nombre,
l'évêque ne peut pas les excommunier tous, mais en
gémissant et avec bien des soupirs il les tolère et attend,
dans l'espoir que peut-être, un jour, le Seigneur dans sa

toujours par les mots : *sicut et gentes quae spem non habent,* alors
que la Vulgate donne : *sicut et gentes quae ignorant Deum.* Nous
n'avons trouvé nulle part une citation conforme à celle de Césaire.
Il s'agit apparemment d'une contamination de *I Thess.* 4, 13.

2. Cf. t. I, Introd., p. 132-133.

10 paenitentiam, per quam possint ad indul[10]gentiam pervenire.

Et quia hoc malum ita in consuetudine est missum |ut
putetur non esse peccatum, ecce coram Deo et angelis eius
profiteor, |quia sive ante uxorem, sive post uxorem,
quicumque sibi concubinam |adhibuerit, adulterium com-
mittit; et ex hoc peiorem adulterium, quia, |cum nulla
ratione liceat, publice hoc sine ulla verecundia quasi ex
15 [15]lege committit. Denique etiam ex hoc agnoscimus non
leve esse |peccatum, ut quoscumque ipsae concubinae
conceperint, non liberi, |sed servi nascantur. Unde etiam
post acceptam libertatem heredi|tatem patris nulla lege
et nullo ordine accipere permittuntur. Et iam |videte
utrum sine peccato esse possit, ubi decus generosi sanguinis
20 [20]ita humiliatur, ut de hominibus nobilissimis servi
nascantur.

Nam |in tantum grave peccatum est, ut in civitate
Romana qui voluerit |uxorem ducere, si se virginem non
esse cognoscit, ad accipiendam |benedictionem nuptialem
venire penitus non praesumat. Etiam videte |quam durum
25 sit, ut cum illa, quam optat ducere, benedictionem [25]non
mereatur accipere.

---

13 peiorem : peius L[1pc-2pc] peius est L[6] || 18 accipere *edd.* : *om.*
codd. || permittuntur : habere *add.* L[6] || 23 praesumat *edd.* : prae-
sumet L[1ac] praesumit *cett.* || 25 accipere : qui eam debet ducere *add.*
L[2sl].

---

1. Césaire prend ici « adultère » au sens large d'union en dehors du
mariage. Le fait que Césaire condamne l'union d'un célibataire avec
une concubine montre bien qu'il pense à une union passagère, simple
situation d'attente, comme dans le *Serm.* 43, 4, et non à cette union
inférieure que reconnaîtra encore le code de Justinien.

2. Césaire sous-entend que la femme est esclave, ce qui était

bonté et sa miséricorde leur donnera de faire une pénitence fructueuse par laquelle ils puissent parvenir au pardon.

Et parce que ce mal est si bien passé dans les mœurs qu'on ne le tient pas pour péché, voici que devant Dieu et ses anges je déclare que quiconque vit avec une concubine, soit avant, soit après son mariage, commet un adultère[1], et un adultère d'autant plus grave, qu'alors que rien ne l'y autorise, il le commet publiquement, sans aucune vergogne, presque légalement. Enfin, nous reconnaissons que la faute n'est pas légère, par le fait même que tous les enfants conçus par des concubines naissent non pas libres mais esclaves. De là vient que, même après qu'ils ont reçu la liberté, aucune loi ne leur permet à aucun titre de recevoir l'héritage paternel. Et voyez, maintenant, s'il peut ne pas y avoir péché, là où l'honneur d'un sang généreux est si bien humilié que d'hommes de la meilleure noblesse naissent des esclaves[2].

En effet, c'est un si grave péché qu'à Rome celui qui veut se marier, s'il reconnaît qu'il n'est pas vierge, n'ose absolument pas venir recevoir la bénédiction nuptiale[3]. Voyez aussi combien il est dur de ne pas être digne de recevoir la bénédiction avec celle que l'on choisit d'épouser.

---

certainement le cas le plus fréquent. Or le droit romain oblige les enfants à suivre la condition de leur mère, à leur naissance, s'ils sont nés en dehors du « matrimonium legitimum ».

3. Les *Statuta ecclesiae antiqua* la mentionnent déjà, sous-entendant que les deux époux sont vierges, n. 101 (éd. Munier, p. 184-185) : « Sponsus et sponsa, cum benedicendi sunt a sacerdote, a parentibus suis vel a paranymphis offerantur. Qui cum benedictionem acceperint, eadem nocte, pro reverentia ipsius benedictionis, in virginitate maneant. » — La *Vita Caesarii*, I, 59, p. 321, nous montre que Césaire avait fixé cette bénédiction à trois jours avant le mariage : « Statuit etiam regulariter, ut nubentes ob reverentiam benedictionis ante triduum coniunctionis eorum eis benedictio in basilica daretur. »

6. Sed quando ista suggerimus, timeo ne sint aliqui, qui
nobis |potius quam sibi velint irasci. Sermo enim noster
quasi speculum |caritati vestrae proponitur : et ideo
quomodo matrona, quando |speculum adtendit, in se
30 potius quod tortum viderit corrigit, et non ³⁰speculum
frangit, ita et unusquisque vestrum quotiens in aliqua
prae|dicatione cognoscit foeditatem suam, iustum est ut
magis se corrigat, |quam contra praedicationem velut
contra speculum velit irasci; |sicut et illi, qui aliquas
plagas accipiunt, magis volunt vulnera curare, |quam
medicamenta contempnere.

35   Ne ergo etiam ex hoc aliquis ³⁵dupliciter peccet, si contra
181 spiritalia medicamenta irasci voluerit, (181) non solum
patienter, sed etiam libenter accipiat quae dicuntur :
|quia iam ex aliqua parte a malo cognoscitur declinare,
qui salubrem |castigationem voluerit libenter accipere; et
cui mala sua displicent, |iam illi ea quae bona sunt placent;
5 ac sic quantum se a vitiis separa⁵verit, tantum se virtutibus
propinquabit. Quod ipse praestare dignetur, |qui cum
Patre et Spiritu sancto vivit et regnat in saecula saeculo-
rum. |Amen.

181,4 ea : et L¹·² ‖ 5 se : si L¹ᵃᶜ.

**Un sermon
est un miroir**

6. Mais quand nous donnons ces conseils, je crains que certains ne s'emportent plutôt contre nous que contre eux-mêmes. Car notre discours se présente comme un miroir à votre charité ; aussi, de même qu'une dame, lorsqu'elle regarde avec attention dans un miroir, au lieu de briser le miroir, corrige plutôt sur elle ce qu'elle a vu de défectueux, ainsi il est juste que chacun d'entre vous, chaque fois qu'il reconnaît sa souillure dans une prédication quelconque, se corrige au lieu de se laisser aller à s'emporter contre le miroir de la prédication. De la même façon, ceux qui reçoivent des blessures veulent plutôt soigner leurs plaies que mépriser les médicaments.

Donc, de peur de pécher même doublement en se laissant aller à s'emporter contre des médicaments spirituels, que l'on reçoive, non seulement patiemment, mais même de bon cœur, ce qui est dit, car on reconnaît déjà que se détourne dans une certaine mesure du mal celui qui accepte de recevoir de bon cœur une réprimande salutaire ; et celui auquel ses maux déplaisent déjà se plaît à ce qui lui est bon, et, ainsi, autant il s'éloignera des vices, autant il s'approchera des vertus. Que daigne l'accorder celui qui avec le Père et l'Esprit saint vit et règne pour les siècles des siècles. Amen.

SERMO XLIII

Ammonitio ut iugalis castitas conservetur, et concubinae non habeantur

10   [10]1. Quando castitatis bonum, fratres carissimi, secundum quod decet [et] expedit commendamus, forte aliqui adulescentes et adhuc in viridi [aetate positi dicunt : Iuvenes homines sumus, continere nos non [valemus. Quibus nos respondere et possumus et debemus, ne forte [ideo castitatem custodire non possint, quia plus mandu-
15   cant quam [15]expedit, et vinum amplius accipiunt quam oportet, et familiaritatem [mulierum vitare nolunt, atque earum suspectam societatem habere [nec metuunt nec erubescunt.

Qui tales sunt, audiant Apostolum [dicentem : « Fugite fornicationem[a] »; et illud : « Nolite inebriari vino [in quo est luxuria[b] »; et illud Salomonis : « Vinum et mulieres
20   aposta[20]tare faciunt etiam sapientes, et arguunt sensatos[c]. » Illi vero qui [dicunt quod castitatem servare non possint, respondeant nobis [utrum uxores habeant, an non. Si
182 habent, quare non adtendunt illud, (182) quod Dominus

Sermo XLIII : Z¹   *Stuttgartensis theol. fol.* 201 (*Zwifalten* 49)   s. XI
              G⁸   *Romanus   Angelicus* 81 (A.7.20)   s. X
              H³⁸ *Oxoniensis Bodleianus Selden.* 62   s. XIV

181,8 Ammonitio : sancti Augustini *add.* H³⁸ ‖ iugalis Z¹ : coniugalis H³⁸ ‖ 8-9 et — habeantur *solus habet* Z¹ ‖ 19-20 apostatare : a Deo *add.* G⁸ ‖ 22 uxores habeant : uxorem habet G⁸ ‖ illud *om.* G⁸.

Exhortation à conserver la chasteté conjugale et à ne pas avoir de concubines

1. Quand nous recommandons le bien de la chasteté, frères très chers, comme il est séant et de votre intérêt, peut-être quelques jeunes gens et des hommes encore dans la verdeur de l'âge disent-ils : Nous sommes des hommes jeunes, nous ne pouvons être continents. A ces hommes nous pouvons et devons répondre qu'il se pourrait qu'ils ne puissent garder la chasteté parce qu'ils mangent plus qu'il n'est à propos et qu'ils prennent plus de vin qu'il ne faut et qu'ils ne veulent pas éviter la familiarité des femmes, enfin qu'ils ne craignent ni ne rougissent d'entretenir avec elles des relations suspectes.

Que ceux qui sont tels écoutent la parole de l'Apôtre : « Fuyez la fornication[a] », et celle-ci : « Ne vous enivrez pas de vin dans lequel est la luxure[b] », et cette parole de Salomon : « Le vin et les femmes font apostasier même les sages et convainquent d'erreur les gens sensés[c]. » Quant à ceux qui se prétendent incapables d'observer la chasteté, qu'ils nous disent s'ils sont mariés ou non. S'ils le sont, pourquoi ne prêtent-ils pas attention à ce que dit

1 [a] I Cor. 6, 18   [b] Éphés. 5, 18   [c] Sir. 19, 2

in evangelio ait, « Omnia quaecumque vultis ut faciant
ᴵvobis homines bona, et vos facite illis similiter[d] »; et quare
non ᴵservant fidem uxoribus suis, quam sibi ab eis servari
desiderant? ᴵCum enim vir a virtute nomen acceperit, et
5 mulier a mollitie, id est ⁵a fragilitate, quare contra crude-
lissimam bestiam libidinem vult ᴵunusquisque uxorem
suam esse victricem, cum ipse ad primum ᴵlibidinis ictum
victus cadat?

2. Hoc loco forte, qui adhuc uxoribus non sunt coniuncti,
dicunt ᴵse excusare posse, quia coniugia non habent,
10 quibus fidem servare ¹⁰debeant; et propterea se continere
non possint. Istis, qui istam ᴵfalsam et miserabilem
excusationem conantur praetendere, iustissime ᴵresponderi
et potest et debet, quia nullus magis inlicita vitare debet,
ᴵquam qui respuit quae licebant. Cum enim uxorem
accipere liceat, ᴵet contra omnium scripturarum auctori-
15 tatem adulterium committere ¹⁵numquam liceat, quare
cum Dei gratia non accipis quod licet, et cum ᴵDei offensa
praesumis committere quod non licet?

Velim tamen ᴵscire, si illi qui uxores non habent, et,
prius quam coniugiis copulentur, ᴵadulteria committere
nec metuunt nec erubescunt, utrum vellent ᴵsponsas suas,
ante quam ad nuptias veniant, ab aliquibus adulteris
20 ²⁰violari. Cum enim nullus sit, qui hoc patienter accipiat,
quare unusᴵquisque sponsae suae non servat fidem, quam
sibi ab ipsa servari ᴵdesiderat? Quare uxorem virginem
optat accipere, cum sit ipse ᴵcorruptus? Quare viventi
uxori desiderat copulari, cum per adulᴵterium iam in
anima sit ipse mortuus, secundum illud quod scriptum

182,2 et vos : ita et vos Z¹ ita G⁸ ‖ 10 Istis qui *om.* G⁸ ‖ 11 praetendere : quibus *add.* Z¹G⁸ ‖ 17 si *om.* G⁸

---

[d] Matth. 7, 12.

le Seigneur dans l'Évangile : « Tout le bien que vous voulez
que les hommes vous fassent, faites-le leur également[d] » ;
et pourquoi ne gardent-ils pas à leur femme une fidélité
qu'ils désirent qu'elle leur garde ? En effet, alors que
l'homme tire son nom du mot force et la femme du mot
faiblesse, c'est-à-dire fragilité, pourquoi chacun veut-il
que sa femme soit victorieuse de la bête la plus cruelle,
le désir charnel, alors que lui-même tombe vaincu à la
première atteinte du désir ?

2. Ici, ceux qui ne sont pas encore
La chasteté requise unis à une épouse disent peut-être
des célibataires qu'ils peuvent s'excuser parce qu'ils
n'ont pas de femme à qui ils doivent garder leur foi, et
qu'à cause de cela ils ne peuvent rester continents. A ceux
qui s'efforcent de mettre en avant cette fausse et misérable
excuse, on peut et doit répondre en toute justice que nul
ne doit éviter davantage ce qui n'est pas permis que celui
qui repousse ce qui l'est. En effet, alors qu'il est permis de
prendre femme et qu'il ne l'est jamais de commettre un
adultère contre l'autorité de toutes les Écritures, pourquoi
avec l'agrément de Dieu ne prends-tu pas ce qui est permis
et oses-tu, en offensant Dieu, commettre ce qui ne l'est pas ?

Je voudrais cependant savoir si ceux qui ne sont pas
mariés et qui ne craignent ni ne rougissent de commettre
des adultères avant leur mariage voudraient qu'avant
les noces leur épouse soit flétrie par quelques adultères !
En effet, alors qu'il n'est personne qui accepterait cela
patiemment, pourquoi chacun ne garde-t-il pas à son
épouse une fidélité qu'il désire qu'elle lui garde ? Pourquoi
désire-t-il recevoir une épouse vierge, alors que lui-même
a été corrompu ? Pourquoi souhaite-t-il s'unir à une femme
vivante, alors que par l'adultère lui-même a désormais
une âme morte, selon ce qui est écrit : « L'âme qui a péché,

25 ²⁵est : « Anima quae peccaverit, ipsa morietur[a] »; et illud,
quod terri|biliter clamat Apostolus : «Fornicatores et
adulteros iudicabit Deus[b] »; |et illud : « Neque adulteri
regnum Dei possidebunt[c] »; et iterum : |« Omnes adulte-
rantes, tamquam clibanus corda eorum[d] »?

3. Sed forte putant aliqui, quod feminis ante nuptias
30 fornicari ³⁰non liceat, viris liceat. Ista punienda et nimium
gravia mala, quod |peius est, ideo a multis viris sine ullo
timore Domini committuntur, |quia ita a pluribus in
183 consuetudinem missa sunt, et ita vilia vel levia (183) ducuntur, ut iam gravia crimina non conputentur. Nam in fide
|catholica, quicquid mulieribus non licet, omnino nec viris
licet. |Uno enim pretio, id est, Christi pretioso sanguine
redemuntur et |vir simul et femina : in unam fidem
5 vocantur, et in uno ecclesiae ⁵corpore congregantur :
simul baptismi sacramenta percipiunt, simul |ad altare ad
accipiendum corpus et sanguinem Christi accedunt, |simul
utrique sexui praecepta donata sunt.

Cum haec ita sint, qua |fronte vel qua conscientia, quod
et viris simul et mulieribus non |licet agere, soli viri se
10 credunt inpune committere? Sed illi qui hoc ¹⁰facere
praesumunt, pro certo cognoscant, quod, si cito non emen-
|daverint, et fructuosa poenitentia non subvenerit, et sic
subito de |hac luce rapti fuerint, aeterna illos flamma sine
ullo remedio cruciabit.

30 viris : viris enim Z¹ ‖ Ista : sententia *add.* G⁸ ‖ punienda :
pudenda H³⁸ ‖ 32 pluribus : plurimis Z¹H³⁸.
183,1 ducuntur *edd.* : dicuntur Z¹G⁸H³⁸ ‖ 9 Sed : et *add.* Z¹ ‖ 11 sic
edd. : si Z¹G⁸H³⁸.

2 [a] Éz. 18, 20   [b] Hébr. 13, 4   [c] I Cor. 6, 9.10   [d] Os. 7, 4.

1. La plupart des Pères citent la fin de ce verset comme Césaire.

elle mourra[a] », et selon ce que crie de terrible façon l'Apôtre :
« Dieu jugera les débauchés et les adultères[b] », et ceci :
« Les adultères non plus ne posséderont pas le royaume
de Dieu[c] », et encore : « Tous ceux qui sont en train de
commettre un adultère, leur cœur brûle comme un four[d1] » ?

3. Mais certains pensent peut-être[2] qu'aux femmes
il n'est pas permis de se débaucher avant leurs noces,
mais qu'aux hommes cela est permis. Pire encore : parce
que beaucoup d'hommes les commettent sans aucune
crainte du Seigneur, ces méfaits punissables et extrêmement graves ont, du fait de leur nombre, si bien dégénéré
en coutume et sont estimés si communs et si légers qu'ils
ne sont pas tenus désormais pour de graves péchés. En
réalité, dans la foi catholique, ce qui n'est pas permis
aux femmes ne l'est absolument pas aux hommes. Car
homme et femme ensemble ont été rachetés à un seul prix,
à savoir le sang précieux du Christ ; ils sont appelés à une
seule foi et ils sont réunis dans le corps unique de l'Église ;
ensemble ils reçoivent le sacrement du baptême, ensemble
ils s'approchent de l'autel pour recevoir le corps et le sang
du Christ, à l'un et l'autre sexe ensemble ont été donnés
les commandements.

Alors qu'il en est ainsi, de quel front et avec quelle
conscience les hommes seuls croient-ils commettre impuné-
ment ce qu'il est interdit de faire tout ensemble aux hommes
et aux femmes ? Mais que ceux qui osent agir ainsi sachent
avec certitude, qu'à moins de s'amender rapidement et
qu'une pénitence fructueuse ne leur vienne en aide, la
flamme éternelle les torturera sans nul remède si la vie
leur est brusquement ravie dans cet état.

Même JÉRÔME, qui le cite de beaucoup le plus souvent, près de vingt
fois, ne présente que deux fois la version de la Vulgate, dans *In
Os.* 2 et *In Jér.* 5, 67.

2. Tout cet alinéa reprend le paragraphe 3 du sermon précédent.

4. Et illud quale est, quod multi virorum ante nuptias concu|binas sibi adsumere non erubescunt, quas post
15 aliquot annos dimittant, ¹⁵et sic postea legitimas uxores accipiant? Tractant enim apud se, |ut prius de multis calumniis et rapinis iniustas divitias et iniqua |lucra conquirant, et postea contra rationem plus nobiles quam ipsi |sunt vel divitiores uxores accipiant.

Ecce quantis malis se obligant, |qui non solum luxuriae,
20 sed etiam avaritiae vel cupiditati infeliciter ²⁰servire desiderant. Unde coram Deo et angelis eius contestor atque |denuncio, Deum ista mala et semper prohibuisse, et numquam ei |placita fuisse : et praecipue temporibus christianis concubinas habere |numquam licuit, numquam licebit. Sed quod peius est, faciunt hoc |multi viri iure fori,
25 non iure caeli : non iustitia iubente, sed libidine ²⁵dominante. Cum enim Apostolus coniugia habentibus dicat : «Tempus |breve est, superest ut qui habent uxores tamquam non habentes |sintᵃ»; et illud : «Abstinete ad tempus, ut vacetis orationiᵇ», quomodo |adulteras concubinas permittit habere, qui castitatem servare etiam |et in coniugiis positis praecipit?

30 Pro qua re iterum atque iterum ³⁰voce libera clamo, quia, qui ante legitimas nuptias concubinam |sibi adhibere praesumit, peius peccatum facit, quam qui adulterium |committit : quia, qui adulterat, adhuc tam grave malum secrete vult |agere, in publico autem aut metuit aut erubescit committere; ille |vero, qui publice concubinam
35 habere voluerit, fronte inpudentissima ³⁵rem execrabilem toto populo vidente licenter se putat admittere.

4 ᵃ I Cor. 7, 29   ᵇ I Cor. 7, 5.

---

1. Nous trouvons déjà, à propos du mariage, cette distinction chez Jérôme, *Ep.* 77 : « Diverses sont les lois des Césars et celles du Christ ; et c'est autre chose qu'enseigne Papinien ou notre Paul. » En effet, le concubinat n'étant pas un lien juridique, il peut légalement être rompu à n'importe quel moment.

Le concubinage **4.** Et qu'est cela ? Beaucoup d'hommes, avant leurs noces, ne rougissent pas de prendre des concubines qu'après quelques années ils peuvent congédier pour prendre par la suite des épouses légitimes. Ils se proposent en effet intérieurement de commencer par conquérir au moyen de nombreuses calomnies et rapines des richesses injustes et des gains iniques et ensuite de prendre, contre la raison, des épouses plus nobles et plus riches qu'eux.

Voici tous les maux auxquels s'enchaînent ceux qui désirent s'asservir pour leur malheur non seulement à la luxure mais aussi à l'avarice et à la cupidité. D'où j'atteste devant Dieu et ses anges et je déclare que Dieu a toujours interdit ces méfaits et que jamais ils ne lui ont été agréables ; et qu'en particulier dans les temps chrétiens il n'a jamais été permis d'avoir des concubines et qu'il ne le sera jamais. Or, le pire est que beaucoup d'hommes agissent ainsi, conformément au droit du forum, non pas conformément au droit du ciel[1] ; non parce que la justice le commande, mais parce que le désir les dompte. Alors que l'Apôtre dit à ceux qui sont mariés : « Le temps est court ; il reste à ceux qui sont mariés de vivre comme ne l'étant pas[a] » ; et aussi : « Refusez-vous l'un à l'autre pour un temps afin de vous adonner à la prière[b] », comment permet-il l'adultère sous forme de concubinage, lui qui prescrit d'observer aussi la chasteté même dans le mariage ?

C'est pourquoi je crie à haute voix encore et encore, parce que celui qui, avant ses noces légitimes, ose vivre en concubinage, fait un péché pire que celui qui commet un adultère. En effet, celui qui commet un adultère veut commettre en secret, jusqu'à présent, un méfait aussi grave, mais craindrait ou rougirait de le commettre en public. Au contraire, celui qui veut avoir publiquement une concubine estime, le front parfaitement impudent, que cette action exécrable, il se la permet légalement à la vue de tout le peuple.

184   (184) **5.** Sed forte illi, qui isto peccato non sunt maculati, dicunt : |Quare, qui hoc agunt, a communione non suspen- duntur? Ideo enim |tantum scelus a sacerdotibus minime vindicatur, quia a multis admitti|tur. Si enim unus aut
5 duo aut quattuor vel quinque mala ista facere ⁵praesu- merent, et poterant et debebant non solum a communione |suspendi, sed etiam a conloquio vel convivio christiani populi separari, |secundum illud Apostoli : « Cum huiusmodi nec cybum quidem sumere[a] »; |multitudo tamen peccan- tium, sicut iam dictum est, prohibet sacer|dotes Domini
10 in illis distringere. Faciunt tamen boni sacerdotes ¹⁰quod possunt, et cum perfecta caritate contendunt orare et suspirare |iugiter, et gemitus ac rugitus effundunt; ut in quibus propter infini|tam multitudinem non possunt severitatem vel disciplinam eccle|siasticam exercere, monendo vel orando pro eis possint eos vel ali|quando ad paenitentiam provocare. Unde iterum atque iterum
15 rogo ¹⁵pariter et contestor, ut qui uxorem optat accipere, sicut illam virginem |invenire desiderat, ita et ipse usque ad nuptias virginitatem custodiat : |quia tam grave malum est ante nuptias violari, ut, quando ad nuptias |ventum fuerit, benedictionem accipere cum sponsa sua non merea- tur; |et inpleatur in eo illud quod scriptum est : « Noluit
20 benedictionem, ²⁰et prolongabitur ab eo[b]. »

Iam videte, si paenitentiae remedium |non subvenerit, quid de illo erit, vel quali sententiae eum necesse |erit in futuro iudicio subiacere, qui iam in hoc saeculo benedic- tionem |cum sponsa sua non fuit dignus accipere.

184,2 suspenduntur : separantur Z¹ ‖ 4 duo — quinque : duo vel III. IIII. vel seu V. Z¹ ‖ 11 effundunt : effundere Z¹ ‖ 14 atque iterum *om.* Z¹

---

5 [a] I Cor. 5, 11   [b] Ps. 108, 18.

5. Mais, peut-être, ceux qui n'ont pas été souillés par ce péché, disent-ils : Pourquoi ceux qui agissent ainsi ne sont-ils pas privés de la communion ? Si un aussi grand crime est très peu puni par les évêques, c'est qu'il est admis par beaucoup. En effet, si un ou deux ou quatre ou cinq osaient commettre ces méfaits, ils pourraient et devraient non seulement être privés de la communion, mais même être exclus de la conversation et des repas du peuple chrétien, selon cette parole de l'Apôtre : « Avec leurs pareils, il ne faut pas même prendre de nourriture[a]. » Cependant, la multitude des pécheurs, comme il a déjà été dit, empêche les évêques du Seigneur de les punir sévèrement. Les bons évêques font cependant ce qu'ils peuvent et avec une parfaite charité mettent toutes leurs forces à prier et à exhaler des soupirs continuels et donnent libre cours aux gémissements et aux cris, dans l'espoir que ceux contre lesquels, à cause de leur multitude infinie, ils ne peuvent faire preuve de sévérité ni appliquer la discipline ecclésiastique, pourront un jour être conduits à la pénitence par leurs avertissements et leurs prières. C'est pourquoi, encore et encore, je demande et déclare tout ensemble : que celui qui souhaite prendre une femme, de même qu'il désire la recevoir vierge, garde ainsi lui-même sa virginité jusqu'aux noces, car c'est un péché si grave de se souiller avant ses noces que celui qui en est coupable, lorsqu'il arrive au moment des noces, ne mérite pas de recevoir la bénédiction avec son épouse[1] et que s'accomplit en lui ce qui est écrit : « Il n'a pas voulu la bénédiction et elle s'écartera de lui[b]. »

Voyez, dès lors, ce qu'il en sera de celui qui, maintenant, dans ce siècle, n'a pas été digne de recevoir la bénédiction avec son épouse, et à quelle sentence il sera obligé de se soumettre au Jugement à venir, si le remède de la pénitence ne vient pas à son aide.

---

1. Cf. *supra*, *Serm.* 42, 5, et la note 3 de la page 307.

6. Et illud adtendite, fratres, si in tam gravi periculo
25 sunt qui ²⁵uxores non habentes, aut concubinas sibi
adhibent, aut adulteria |admittunt, quid de se infelices illi
cogitant, qui forte coniugia habentes |adulterant, et insano
furore vel crudeli infelicitate de iudicio Dei |desperant :
qui nec supplicia inferni formidant, nec praemia aeterna
|desiderant? Si enim fidem haberent, utique Deo crederent,
30 et venturum ³⁰iudicium cum tremore metuerent. Probatur
enim quia hominibus cre|dunt, et Deo non credunt; ut
publice, ubi homines vident, adulteria |metuant, et secrete,
ubi Deus videt, omnino non timeant. Si qualem|cumque
scintillam fidei haberent, sicut non permittunt servos suos
185 (185) in praesentia sua peccare, ita nec illi in conspectu
Domini sui adulterare |praesumerent. Sed de talibus per
prophetam clamat Spiritus sanctus : |« Dixit, inquid,
insipiens in corde suo : non est Deusᵃ. » Certum est |enim
quia non credit Deum esse, qui in tenebris et in occulto
5 illa ⁵praesente Deo facit, quae publice facere praesentibus
hominibus |pertimescit. Nescit infelix, quia « vultus
Domini super facientes |mala, ut disperdat de terra
memoriam eorumᵇ »?

7. Sed forte dicit aliquis : Ecce conpellente negotio aut
iubente |rege ab uxore tot mensibus aut annis separatus
10 quomodo castitatem ¹⁰servare possum? Cui iustissime
responderi potest, ut redeat ad uxorem |suam. Sed cum
hoc negotiatori dixero, potest mihi dicere, quia, |si nego-
tium dimiserit, non habeat unde vivat. Militans dicit :
Si |exercitum deseruero, iracundiam regis incurro. Istis
talibus veraciter |dici potest : si timet regem, et ideo non

26 cogitant : committant Z¹H³⁸.
185,4 in occulto : occulte Z¹

6 ᵃ Ps. 13, 1   ᵇ Ps. 33, 17.

6. Et prenez-y garde, frères : si se trouvent en un si grand péril ceux qui n'étant pas mariés vivent en concubinage ou se permettent des adultères, que peuvent penser d'eux-mêmes ces malheureux qui, peut-être mariés, commettent des adultères et, par une folle fureur ou une cruelle infortune, désespèrent du jugement de Dieu, qui ne redoutent pas les supplices de l'Enfer et ne désirent pas les récompenses éternelles ? Car s'ils avaient la foi, à coup sûr s'ils croyaient en Dieu, ils craindraient aussi avec effroi le Jugement à venir. En effet, il est prouvé qu'ils croient aux hommes et qu'ils ne croient pas en Dieu, si bien qu'en public, là où les hommes voient, ils redoutent les adultères, et, en secret, là où Dieu voit, ils ne les craignent absolument pas. S'ils avaient une quelconque étincelle de foi, de même qu'ils ne permettent pas à leurs esclaves de pécher en leur présence, de même ils n'oseraient pas commettre d'adultère à la vue de leur Seigneur. Mais de leurs pareils, l'Esprit saint s'écrie par la bouche du prophète : « L'insensé a dit en son cœur : Dieu n'est pas[a]. » Il est certain, en effet, qu'il ne croit pas que Dieu est, celui qui, dans les ténèbres et en secret, fait en présence de Dieu ce qu'il redoute de faire ouvertement en présence des hommes. Le malheureux ne sait-il pas que « le visage du Seigneur est sur ceux qui font le mal, pour anéantir de la terre leur mémoire[b] » ?

7. Mais quelqu'un dit peut-être :
L'éloignement
n'est pas une excuse
Contraint par les affaires ou par ordre du roi, je suis séparé de ma femme depuis tant de mois ou d'années. Comment puis-je garder la chasteté ? A celui-ci on peut répondre en toute justice qu'il n'a qu'à revenir auprès de sa femme. Mais lorsque je dis cela à un négociant, il peut me dire que s'il abandonne le commerce, il n'aura pas de quoi vivre. Le militaire dit : Si je déserte l'armée, j'encours la colère du roi. On peut dire avec véracité à cette catégorie de gens : si quelqu'un

15 redit ad uxorem suam pro¹⁵priam, debet timere Deum, ut
non tangat alienam. Nam quomodo ⁱillum, qui non iussus
relicto exercitu revertitur ad uxorem suam, ⁱrex potest
occidere, sic et illum, qui longe positus adulterat, potest
ⁱDeus perpetua poena damnare.

Rogo vos, fratres carissimi, si propter ⁱnegotii necessita-
20 tem et regis iussionem uno mense ab uxore sua, ²⁰interdum
etiam longo tempore separatur, quare propter Deum et
ⁱanimam suam tam longo spatio temporis castitas non
servatur? ⁱMeretur ergo negotium, meretur regis iussio,
ut tantis diebus non ⁱagnoscatur uxor propria : et non
meretur iussio Dei et amor, ut non ⁱcontingatur aliena?
25 Sed qui hoc propter negotiandi lucrum et regis ²⁵imperium
servant, et propter Deum servare dissimulant, sciant, qui
ⁱtalia agunt, quod, si eis paenitentia non subvenerit, cum
ante triⁱbunal Christi stare coeperint, ab auditu malo
liberari non poterunt, ⁱsed dicetur illis : « Discedite a me,
maledicti, in ignem aeternumᵃ. »

8. Et illud quale est, quod aliquotiens vir fortissimus
30 procedens ³⁰ad proelium forte non minus decem inimicos
occidat, et ex ipsa ⁱvictoria aliquam puellam de praeda
accipiens, dum cum illa per adulⁱterium iungitur, anima
sua peccati gladio interficitur? Et videte ⁱquantum malum
sit, ut aliquis crudelior existat in se, suam animam ⁱocci-
dendo per luxuriam, magis quam per carnalem victoriam
186 adver(186)sariorum corpora trucidando. Vere lugendum est
et dolendum, ut ⁱille qui, sicut iam dixi, decem adversarios
vicit, ab una muliere supereⁱtur; et qui tot inimicos
occidit in corpore, ab una puella iuguletur in ⁱcorde. Vere

15 Nam *om.* Z¹ ‖ 22 Meretur ergo : quod meretur Z¹ ‖ 22-23 non —
propria : non cognoscat uxorem propriam Z¹ ‖ 34 magis *om.* Z¹.

---

7 ᵃ Matth. 25, 41.

craint le roi, et pour cela ne retourne pas auprès de sa
propre femme, il doit craindre Dieu assez pour ne pas
toucher à celle d'autrui. En effet, comme le roi peut faire
tuer celui qui, sans ordre, retourne auprès de sa femme en
désertant l'armée, ainsi Dieu peut condamner au supplice
perpétuel celui qui, établi au loin, commet l'adultère.

Je vous le demande, frères : si pressé par les affaires
ou par ordre du roi on se sépare un mois de sa femme et
quelquefois même plus longtemps, pourquoi, à cause de
Dieu et de son âme, ne garde-t-on pas la chasteté un aussi
long espace de temps? Donc, les affaires, l'ordre du roi
obtiennent que pendant tant de jours on ne connaisse pas
sa propre femme, et l'amour de Dieu et son ordre n'obtiennent pas qu'on ne touche pas à la femme d'autrui? Mais
que ceux qui, à cause du profit qu'il y a à commercer et
du pouvoir du roi, s'abstiennent, et qui négligent de
s'abstenir à cause de Dieu, sachent en agissant ainsi que,
si la pénitence ne vient pas à leur secours, lorsqu'ils
viendront à comparaître devant le tribunal du Christ,
ils ne pourront échapper à la condamnation, mais qu'il
leur sera dit : « Éloignez-vous de moi, maudits, vers le feu
éternel[a]. »

8. Et qu'est cela? Quelquefois un homme très vaillant
s'avançant au combat tue d'aventure pas moins de
dix ennemis et, recevant comme butin après la victoire
une jeune fille, il tue son âme avec le glaive du péché
en s'unissant à elle de façon adultère. Et voyez combien
il est malheureux que quelqu'un se montre à ce point cruel
envers soi en tuant son âme par la luxure, bien plus cruel
qu'en massacrant, pour un succès terrestre, les corps
de ses adversaires. En vérité, il faut pleurer et s'affliger
de ce qu'un homme, après avoir vaincu dix adversaires,
comme je l'ai déjà dit, soit dominé par une femme, et de
ce que celui qui a fait périr physiquement tant d'ennemis
ait le cœur terrassé par une jeune fille. En vérité, c'est un

5 nimis grave malum est, ut vir fortis, qui ferro non vin[5]citur,
libidine superetur : et eum mollia aut blanda subvertant,
quem |dura non superant : et qui esse captivus vel servus
hominibus dedi|gnatur, servus esse peccati mereatur; cum
indignius sit mente servire |quam corpore, secundum quod
scriptum est : « A quo enim quis |vincitur, huius et servus
efficitur[a]. »

10   [10]9. Haec ergo, fratres carissimi, si vobis ego non dixero,
rationem |pro animabus vestris in die iudicii redditurus
ero. Quicumque autem |magis mihi irasci quam se emendare
voluerit, non habet unde de |ignorantia se possit ante
tribunal aeterni iudicis excusare, ut dicat |se non fuisse
15 admonitum, nec a malis prohibitum, nec ad ea quae [15]sunt
Deo placita castigatione et admonitione frequentissima
provo|catum. Sed credimus de Domini misericordia, quod
ita neglegentibus |quibusque inspirare dignabitur, ut sibi
magis vel peccatis suis quam |medicamentis sacerdotalibus
irascantur : et quomodo aegrotantes a |carnalibus medicis
20 requirunt sanitatem corporum, sic ab spiritalibus [20]medi-
camenta desiderent animarum. Sed confidimus quia
praestabit |divina misericordia, quod ita nobis de sua
emendatione studeant |gaudium facere, ut ad aeternum
mereantur praemium feliciter per|venire : praestante
Domino nostro...

186,9 huius : eius Z[1] || 12 voluerit : desiderat Z[1] || 23 *doxol. om.* Z[1].

8 [a] II Pierre 2, 19.

très grand malheur qu'un vaillant qui n'est pas vaincu par le fer soit dominé par le désir, et que des douceurs et des caresses détruisent celui que de dures épreuves ne dominent pas ; et que celui qui refuse comme une indignité d'être captif ou esclave des hommes, mérite d'être esclave du péché, alors qu'il est plus indigne d'être esclave d'esprit que de corps, selon ce qui est écrit : « On est assurément esclave de celui qui nous vainc[a]. »

9. Si je ne vous dis pas cela, frères très chers, j'aurai à répondre pour vos âmes au jour du Jugement. Mais quiconque préférera s'emporter contre moi plutôt que de s'amender ne pourra du moins prétexter de son ignorance devant le tribunal du Juge éternel : il ne pourra dire qu'il n'a pas été mis en garde, ni que le mal ne lui a pas été défendu ni qu'il n'a pas été invité, par une réprimande et une exhortation très fréquentes, à faire ce qui plaît à Dieu. Mais nous croyons que le Seigneur, dans sa miséricorde, daignera inspirer si bien tous les négligents qu'ils s'emporteront plutôt contre leurs péchés que contre les remèdes de l'évêque, et que, de même que les malades réclament des médecins du corps la santé physique, de même ils désireront recevoir des médecins spirituels des remèdes pour leur âme. Mais nous avons confiance que la divine miséricorde fera en sorte qu'ils s'appliquent à nous réjouir par leur amendement pour mériter de parvenir heureusement à la récompense éternelle ; avec l'assistance de notre Seigneur...

SERMO XLIV

187 (187) **De castitate etiam cum uxoribus conservanda : et de
avorsibus mulierum : et qualiter adveniente die
dominico vel reliquis festivitatibus debeat puritas
vel castitas custodiri**

5 |1. Magnum mihi gaudium facitis, fratres carissimi,
dum in solle|mnitatibus martyrum tanta devotione fidei
ad ecclesiam convenitis. |Sed si vultis Deo auxiliante et
vestrum profectum et nostrum gaudium |spiritaliter adin-
plere, ita inter vos et pacem et caritatem inspirante
|Domino conservate, ut contra nullum hominem odium
10 habeatis in ¹⁰corde. Pro bonis orate, ut semper ad meliora
proficiant : pro malis |adsidue supplicate, ut cito se corri-
gant; et secundum praeceptum |Domini, « Quaecumque
vultis ut faciant vobis homines, haec et |vos facite
omnibusᵃ. »

Tunc enim in veritate pax et iustitia et miseri|cordia
custoditur, quando non solum nulli homini malum facimus,
15 ¹⁵sed etiam, ubicumque potuerimus, adiuvare contendimus.
Si haec |ergo Christo auxiliante fideliter agimus, beatos

Sermo XLIV : G² *Monacensis lat.* 12610   s. XII
                G⁴ *Treverensis Seminarii* R. II 8   s. XV
                Z¹ *Stuttgartensis theol. fol.* 201 (*Zwifalten* 49) s. XI
                H² *Londinensis B.M. Addit.* 30853   s. XI/XII
                H³ *Spinaliensis* 3 (*al.* 16)   s. XII
    187,12 Quaecumque : quae G²·⁴ ‖ 12-13 et vos facite hominibus

SERMON XLIV

De la chasteté à conserver même avec son épouse, et des femmes qui avortent, et comment à l'approche du jour du Seigneur et des autres fêtes on doit garder pureté et chasteté

1. Vous me causez une grande joie, frères très chers, en venant à l'église avec une si grande piété pour les fêtes solennelles des martyrs. Mais si vous voulez, avec l'aide de Dieu, porter à son plein effet spirituel votre avancement et notre joie, gardez entre vous, sous l'inspiration du Seigneur, la paix et la charité, de telle sorte que vous n'ayez de haine dans le cœur contre aucun homme. Priez pour les bons afin qu'ils ne cessent de progresser dans le bien, suppliez continuellement pour les méchants afin qu'ils se corrigent bientôt, et, selon le commandement du Seigneur : « Tout ce que vous voulez que les hommes vous fassent, cela, faites-le aussi à tous[a]. »

C'est alors, en effet, que la paix, la justice et la miséricorde sont véritablement gardées, quand non seulement nous ne faisons de mal à personne, mais quand nous nous efforçons même d'aider, partout où nous le pouvons. Si donc, avec l'aide du Christ, nous agissons ainsi fidèle-

G² et hoc facite omnibus G⁴ hoc et vos omnibus facite Z¹H³ ‖ 14 homini H² : hominum G²·⁴

---

1 [a] Matth. 7, 12

martyres in his quae |supra diximus praecipuis et praeclaris
operibus imitantes, partem |cum illis in aeterna beatitudine
habere poterimus; et tunc pro nobis |absque ulla dubita-
20 tione sancti martyres intercedunt, quando in nobis ²⁰aliquid
de suis virtutibus recognoscunt.

Castitatem ante omnia cum |Dei adiutorio custodite,
propter illud quod scriptum est : « Neque |adulteri regnum
Dei possidebunt[b] »; et illud : « Fornicatores et adul|teros
iudicabit Deus[c]. » Pueri vel puellae, qui in coniugio
iungendi |sunt, virginitatem usque ad nuptias servent;
25 nam si ante legitimam ²⁵coniunctionem per adulterium
corrupti fuerint, ad nuptias corpore |quidem vivi veniunt,
sed in anima mortui conprobantur, quia scrip|tum est :
« Anima quae peccaverit, ipsa morietur[d]. »

2. Nulla mulier potiones ad avorsum accipiat, nec filios
aut concep|tos aut iam natos occidat; quia, quaecumque
30 hoc fecerit, ante tribunal ³⁰Christi sciat se causam cum
illis quos occiderit esse dicturam. Sed |nec illas diabolicas
188 potiones mulieres debent accipere, per quas (188) iam non
possint concipere. Mulier quaecumque hoc fecerit, quantos-
|cumque parere potuerat, tantorum homicidiorum se ream
esse cogno|scat.

Mulier autem ingenua, quae mortiferas potiones accipit
ut non |concipiat, velim scire si hoc ancillas vel colonas

---

28 filios : suos *add.* Z¹H³ ‖ 30 cum illis G⁴H³ : pro illis G² ‖ 31
mulieres *om.* G²⁻⁴.

188,1 quaecumque : autem quae Z¹H³ ‖ 2 potuerat Z¹H³ : poterat
G²⁻⁴

---

[b] I Cor. 6, 9.10   [c] Hébr. 13, 4   [d] Éz. 18, 20.

---

1. Césaire reprend ici la condamnation de l'avortement, portée
fréquemment par les Pères, mais sa position est particulièrement
rigoriste. Alors que, selon J. GAUDEMET, *L'Église dans l'Empire*

ment, imitant les bienheureux martyrs dans ces œuvres remarquables et illustres dont nous venons de parler, nous pourrons avoir part avec eux à la béatitude éternelle ; et alors, sans nul doute, les saints martyrs intercèdent pour nous quand ils reconnaissent en nous quelque chose de leurs vertus.

Gardez avant tout la chasteté, avec l'aide de Dieu, à cause de ce qui est écrit : « Les adultères non plus ne posséderont pas le royaume de Dieu[b] », et ceci : « Dieu jugera les débauchés et les adultères[c]. » Que les jeunes gens et les jeunes filles qui ont l'intention de s'unir restent vierges jusqu'à leurs noces ; car s'ils se sont corrompus par l'adultère avant l'union légitime, ils viennent à leurs noces, le corps vivant, certes, mais l'âme reconnue morte, car il est écrit : « L'âme qui aura péché, elle mourra[d]. »

2. Qu'aucune femme n'absorbe de drogues pour se faire avorter et qu'elle ne tue pas ses enfants conçus ou déjà nés[1] ; que toute femme qui aura fait cela sache, en effet, qu'elle aura à plaider sa cause devant le tribunal du Christ avec ceux qu'elle aura tués. De plus, les femmes ne doivent pas davantage absorber ces drogues diaboliques qui les rendent désormais incapables de concevoir. Que la femme qui aura fait cela apprenne qu'elle est coupable d'autant d'homicides qu'elle aurait pu avoir d'enfants.

Avortement et stérilité provoquée

Je voudrais bien savoir si une femme de condition libre qui absorbe des drogues porteuses de mort pour ne pas concevoir voudrait que ses servantes ou ses fermières en

---

Romain (IVe-Ve siècles), Paris 1958, p. 557, « la doctrine ecclésiastique ne considère pas le fœtus comme ' formé ' dès la conception, mais seulement lorsqu'il a reçu de Dieu une âme », Césaire assimile à l'homicide même la contraception. — Remarquons que le code civil romain n'a commencé, quant à lui, à légiférer contre l'avortement qu'au IIIe siècle, lorsqu'un rescrit de Sévère et Caracalla le punit de l'exil temporaire.

5 suas facere vellet. ⁵Et ideo quomodo unaquaeque vult ut
sibi nascantur mancipia, quae ᴵilli serviant, ita et illa,
quantoscumque conceperit, aut ipsa nutriat, aut ᴵnutrien-
dos aliis tradat; ne forte illos aut concipere nolit, aut,
quod est ᴵgravius, occidere velit, qui boni christiani esse
potuerant. Et qua ᴵconscientia sibi ab ancillis suis vult
10 mancipia nasci, cum ipsa nolit ¹⁰eos qui christiani possint
fieri generare?

3. Quotiens ad ecclesiam in qualibet sollemnitate venitis,
et sacraᴵmenta Christi accipere vultis, ante plures dies
castitatem servate, ᴵut cum secura conscientia ad altare
Domini possitis accedere; quam ᴵrem etiam per totam
15 quadragesimam et usque ad finem paschae ¹⁵fideliter
custodite, ut vos paschalis sollemnitas castos et puros
inveᴵniat. Qui enim bonus christianus est, non solum ante
plures dies ᴵquam communicet castitatem servat, sed

---

1. Sous la République et aux premiers siècles de l'Empire, la loi
romaine punissait très rigoureusement l'infanticide en tant que crime
contre un parent. En 374, une constitution de Valentinien Iᵉʳ écarte,
dans le cas de l'infanticide, la circonstance aggravante résultant de
la parenté, et le traite comme un homicide ordinaire, passible de mort.
Cette disposition sera maintenue par Justinien (*Cod. Iust.* IX, 16,
8). Restait cependant le droit d'exposition des nouveaux-nés, droit
que, dans l'Antiquité, Israël est seul à ne pas reconnaître au père.
Tout en le réglementant, Constantin ne l'avait pas supprimé (*Cod.
Théod.* V, 9, 1). Pour la première fois, Valentinien Iᵉʳ, dans sa constitution de 374, punit l'abandon de l'enfant et reprend les dispositions
de la loi constantinienne, garantissant celui qui recueille un enfant
abandonné contre toute réclamation ultérieure du père.
De son côté, s'appuyant sur la loi, l'Église intervient au vᵉ siècle
par des décisions conciliaires concernant l'abandon des enfants.
Voici, par exemple, celles du *concile de Vaison* de 442, assurant la
proclamation en chaire, le dimanche, de chaque cas et, après dix jours,
la perte de tout droit des parents naturels sur un enfant abandonné :
« De expositis, quia conclamata ab omnibus querela processit, eos
non misericordiae iam sed canibus exponi, quos colligere calumnia-
torum metu, quamvis inflexa praeceptis misericordiae mens humana

fissent autant. Et c'est pourquoi, de même que chacune
veut que lui naissent des esclaves pour la servir, qu'elle
nourrisse aussi elle-même tous les enfants qu'elle a conçus
ou bien qu'elle confie à d'autres le soin de les nourrir ;
qu'elle ne refuse pas de les concevoir ou, ce qui est plus
grave, qu'elle ne désire pas tuer ceux qui auraient pu
être de bons chrétiens[1]. Quelle est la conscience de celle
qui veut que des esclaves lui naissent de ses servantes
alors qu'elle-même refuse de donner la vie à ceux qui
pourraient devenir des chrétiens ?

3. Chaque fois que vous venez à l'église à l'occasion
d'une fête solennelle quelconque et que vous voulez
recevoir les sacrements du Christ, gardez la chasteté
plusieurs jours auparavant pour pouvoir vous approcher
de l'autel du Seigneur en toute sécurité de conscience ;
conservez-la aussi durant tout le Carême et jusqu'à la
fin du temps pascal, afin que les solennités de Pâques
vous trouvent chastes et purs. Le bon chrétien, en effet,
non seulement garde la chasteté plusieurs jours avant
de communier, mais il ne connaît sa femme que dans

detractat, id servandum visum est ut secundum statuta fidelissimorum,
piissimorum, augustissimorum principium, quisquis expositum colligit
ecclesiam contestetur, contestationem colligat ; nihilominus de altario
domino die minister adnuntiet, ut sciat ecclesia expositum recipiat,
si quis se comprobaverit agnovisse, collectori pro ipsorum decem
dierum misericordia, prout maluerit, aut ad praesens ab homine
aut in perpetuum cum Deo gratia persolvenda. » (c. 9, éd. Munier,
p. 100). « Sane si quis post hanc diligentissimam sanctionem exposi-
torum hoc ordine collectorum repetitor vel calumniator extiterit, ut
homicida ecclesiastica districtione feriatur. » (c. 10, p. 101). La collection dite du *second concile d'Arles* (442-506) reprend les mêmes
dispositions dans son canon 51 (éd. Munier, p. 124) et le *concile
d'Agde* de 506 y renvoie dans son canon 24 (*ibid.*, p. 204). Ici,
Césaire envisage-t-il un abandon définitif des enfants, ou une situation
provisoire ne comportant aucun élément juridique? Il est difficile
d'en décider.

uxorem suam excepto |desiderio filiorum non agnoscit :
quia uxor non propter libidinem, |sed propter filiorum
20 procreationem accipitur. Denique et ipsae ²⁰tabulae matri-
moniales hoc continent : « liberorum, inquid, procrean-
|dorum causa. » Videte quia non dixit, libidinis causa, sed
« liberorum |procreandorum ».

Vellem tamen scire, fratres carissimi, ille qui |absque
filiorum desiderio uxore sua incontinenter utitur, si,
quotiens |eam luxuria victus agnoverit, totiens suum
25 agrum in uno anno sereret, ²⁵qualem messem conligere
posset. Qui ergo se continere non volunt, |si totiens
condaminam suam, quam iam seminaverant, iterum arent
|et seminent, videamus qualiter de eius fructu gaudebunt :
quia, |sicut optime nostis, nulla terra poterit dare legiti-
mum fructum, |in qua frequenter in uno anno fuerit
30 seminatum. Quod ergo non vult ³⁰aliquis in agro suo, quare
faciat in corpore suo ?

4. Sed dicit aliquis : Homo iuvenis sum, continere me
nullatenus |possum. Ne forte ideo te non contineas, quia
plus manducas quam |expedit, et plus vinum accipis quam
189 oportet. Forte etiam et turpibus **(189)** cogitationibus
occupas mentem tuam, et luxuriosa verba non solum
|libenter sed etiam frequenter aut ipse dicere, aut ab aliis
audire |nec metuis nec erubescis. Incipe cum Dei adiutorio

---

22 Vellem : velim Z¹ ‖ 23 absque filiorum desiderio Z¹H³ : *om.*
G²⁻⁴ ‖ 26 condaminam Z¹ : condempnant animam G⁴ contempnunt
animam G² ‖ 30 faciat : facit Z¹.

---

1. Cette déclaration est, en effet, fréquente dès l'époque républi-
caine. Les Pères la reprennent et en particulier AUGUSTIN, *De nuptiis
et concup.*, 1, 13 (*CSEL*, XLII, p. 226) ; *De bono coniug.*, 6 (*CSEL*,
XLI, p. 194) etc. Dans le *Serm.* 9, 18 (*CCL*, XLI, p. 143-144), il
considère déjà comme une faute toute union sexuelle sans désir de
procréation, attitude que reprend Césaire. Voici le texte d'Augustin :
« ... Cum ipsa uxore si exceditur concumbendi modus procreandis

l'intention d'avoir des enfants, car on reçoit une épouse non pour satisfaire son désir, mais pour procréer des enfants. D'ailleurs, les contrats de mariage eux-mêmes le stipulent : « pour procréer des enfants[1] », disent-ils. Vous voyez qu'on ne dit pas : pour satisfaire son désir, mais : « pour procéer des enfants ».

Je voudrais cependant savoir, frères très chers : celui qui, sans intention d'avoir des enfants, use de sa femme avec incontinence, s'il ensemençait son champ en une année aussi souvent que, vaincu par la luxure, il connaît sa femme, quelle moisson pourrait-il récolter ? Ainsi donc, ceux qui ne veulent pas être continents, s'ils labouraient de nouveau et ensemençaient aussi souvent leur terre[2] déjà ensemencée, voyons de quel genre de récolte ils auraient à se réjouir ; car, comme vous le savez parfaitement, aucune terre fréquemment ensemencée en une seule année ne peut produire une récolte normale. Ce qu'on ne veut pas dans son champ, pourquoi donc le ferait-on dans son corps ?

4. Mais on dit : Je suis un homme
La continence jeune, je ne peux en aucune façon
dans le mariage rester continent. Peut-être n'es-tu pas
continent parce que tu manges plus qu'il ne faut et que tu prends plus de vin qu'il ne convient. Peut-être même que tu entretiens ton esprit de pensées honteuses et que tu ne crains ni ne rougis de dire toi-même, non seulement volontiers mais même fréquemment, des paroles lascives, ou d'entendre les autres en dire. Commence, avec l'aide

---

liberis debitus, iam peccatum est. Ad hoc enim ducitur uxor : nam id etiam tabulae indicant ubi scribitur : Liberorum procreandorum causa. Quando tu uti uxore amplius quam necessitas procreandorum liberorum cogit volueris, iam peccatum est. Et ipsa talia peccata quotidianae elemosinae mundant. »

2. Cf. t. I, Introd., p. 190, n. 6.

gulae concupis|centias refrenare, castis cogitationibus et
5 honestis sermonibus mentem ⁵vel linguam tuam iugiter
occupare : et videbis quia Deo auxiliante |castitatem
poteris custodire. Nec te pigeat frequentius ieiunare, |si
corporis infirmitas non prohibet, ad ecclesiam maturius
surgere, |ut possis tuam animam a libidinosis maculis
nitidam custodire. Et |si haec fideliter faciens videris te
10 adhuc carnis inpugnatione fatigari, ¹⁰et forte aliquotiens
excepto filiorum desiderio ad cognoscendam |uxorem
propriam vinceris, secundum vires tuas cotidianas elemo-
sinas |adde, quoniam scriptum est : « Sicut aqua extinguit
ignem, ita |elemosina extinguit peccatumᵃ. » Et illud quod
contra omnia peccata |magnum est et salubre medicamen-
15 tum, omnibus qui in te peccaverint ¹⁵plenam indulgentiam
tribue : ut quod per incontinentiam inquinatur, |ieiuniis
et elemosinis ac praecipue per inimicorum indulgentiam
|abluatur.

5. Sed dicis : Uxorem excepto desiderio filiorum agno-
scere, |peccatum non est. In tantum peccatum est, ut
20 propheta paenitens ²⁰clamet : « In iniquitatibus conceptus
sum, et in delictis peperit |me mater meaᵃ. » Et sicut in
veteri testamento legimus, quando populus |Iudaeorum
accessurus erat ad montem Sina, ex praecepto Domini
|dicebatur eis : « Sanctificamini, et estote parati in diem
tertium, |et ne adpropinquetis uxoribus vestrisᵇ »; et illud :
25 « Si quis nocturno ²⁵pollutus fuerit somnoᶜ, non manducet
carnes sacrificii salutaris, |ne pereat anima eius de populo
suoᵈ. »

Si post pollutionem, quae nobis |nolentibus fieri solet,
nobis communicare non licet, nisi prius prae|cedat conpunc-

189,18 agnoscere : cognoscere G²⁻⁴ ‖ 22 accessurus : ascensurus
G²⁻⁴ ‖ 24 quis : in *add.* G²⁻⁴ ‖ 25 carnes — salutaris : sacrificium salutare
G²⁻⁴.

de Dieu, par réfréner tes appétits gourmands, par occuper continuellement ton esprit de pensées chastes et ta langue de discours honnêtes et tu verras qu'avec l'aide de Dieu tu pourras garder la chasteté. Ne crains pas non plus de jeûner très souvent, à moins qu'une faiblesse physique ne t'en empêche, de te lever de bonne heure pour aller à l'église afin de garder ton âme pure des souillures du désir. Et si, faisant cela fidèlement, tu vois que tu es encore tourmenté par les assauts de la chair et si parfois, peut-être, tu te laisses aller à connaître ta propre femme sans intention d'avoir des enfants, ajoute, selon tes moyens, des aumônes quotidiennes, car il est écrit : « Comme l'eau éteint le feu, ainsi l'aumône éteint le péché[a]. » Voici encore, contre tous les péchés, un grand et salutaire remède : à tous ceux qui ont péché contre toi, accorde un pardon entier, de telle sorte que la souillure causée par l'incontinence soit lavée par les jeûnes, les aumônes et surtout par le pardon accordé à tes ennemis.

5. Mais tu dis : Connaître ma femme sans l'intention d'avoir des enfants n'est pas un péché. C'est si bien un péché que le prophète, faisant pénitence, s'écrie : « Dans l'iniquité j'ai été conçu et dans le péché ma mère m'a enfanté[a]. » Et nous lisons dans l'Ancien Testament qu'au moment où le peuple juif allait s'approcher du mont Sinaï, il leur fut dit par ordre du Seigneur : « Sanctifiez-vous et tenez-vous prêts pour le troisième jour, n'approchez pas de vos épouses[b] », et ceci : « Si quelqu'un a été pollué pendant le sommeil de la nuit[c], qu'il ne mange pas des viandes du sacrifice salutaire, de peur que son âme ne soit retranchée de son peuple[d]. »

S'il ne nous est pas permis de communier après une pollution qui nous arrive involontairement, à moins d'avoir

4 [a] Sir. 3, 33.
5 [a] Ps. 50, 7   [b] Ex. 19, 15   [c] Deut. 23, 10   [d] Lév. 7, 20.

tio et elemosina, et, si infirmitas non prohibet, etiam ⌊et
ieiunium; quis est qui possit dicere, illud quod vigilantes
30 et volentes ³⁰facimus non esse peccatum? Denique mulieres,
quando maritos ⌊accipiunt, per dies triginta intrare in
ecclesiam non praesumunt; ⌊quod etiam similiter et viri
facere deberent.

6. Sed dicis : Peccatum quidem est, sed tamen parvum.
190 Nec (190) nos dicimus quia capitale peccatum est : sed
tamen, si frequentius ⌊exerceatur, et ieiuniis vel elemosinis
non redematur, nimis inmundam ⌊animam reddit. Noli
despicere peccata tua, quia parva sunt, sed time, ⌊quia
plura sunt : nam et pluviarum guttae minutae sunt, sed
5 flumina ⁵inplent, et moles trahunt, et arbores cum suis
radicibus tollunt. ⌊Tu qui dicis quia parvum peccatum est,
vellem scire si, quotiens ⌊tale peccatum admittis, tot
parvulas plagas in corpore tuo, et tot ⌊maculas aut scissuras
in vestibus tuis fieri velles? Cum ergo nec in ⌊corpore tuo
plagas, nec in veste tua scissuras vel maculas fieri
10 acquie¹⁰scis, qua conscientia hoc facere in anima tua non
metuis? Ac sic, ⌊quicumque hoc fecerit, plus amat et
vestem et carnem suam, quam ⌊animam suam.

Cum enim ad imaginem Dei intus in anima facti simus,
⌊quotiens aliquid turpe aut loquimur aut facimus, Dei
imaginem ⌊sordidamus : et iam videte, si hoc vobis aut
15 deceat aut oporteat. ¹⁵Vere dico, fratres, quia non hoc de
nobis Deus meretur, ut in nobis ⌊imago ipsius per malas
concupiscentias iniuriam patiatur. Et cum ⌊nullus hominum velit cum tunica sordibus plena ad ecclesiam conve-
nire, ⌊nescio qua conscientia cum anima, quae per luxuriam

190,8 nec *om.* G² ‖ 12 suam *om.* Z¹ ‖ 14 vobis aut : nos Z¹ ‖ 17
hominum : homo Z¹

---

1. Cette disposition n'existe pas dans l'Ancienne Loi.

d'abord éprouvé du repentir, fait des aumônes et, si une
faiblesse physique ne nous l'interdit pas, d'avoir jeûné,
qui peut se permettre de dire que ce que nous faisons à
l'état de veille et volontairement n'est pas un péché?
Enfin, quand une femme se marie, elle n'ose pas entrer
à l'église avant trente jours[1], ce que d'ailleurs les hommes
devraient faire également.

6. Mais tu dis : C'est un péché, d'accord, mais ce n'en est
qu'un petit. Nous ne disons pas non plus que c'est un péché
mortel ; pourtant, si l'on s'y adonne trop fréquemment
et si on ne le rachète pas par des jeûnes et des aumônes,
il rend l'âme extrêmement impure. Ne néglige pas tes
péchés parce qu'ils sont petits, mais crains, parce qu'ils
sont nombreux. En effet, les gouttes de pluie aussi sont
menues, mais elles emplissent des fleuves, emportent des
digues et arrachent des arbres avec leurs racines. Toi
qui dis que ton péché est petit, je voudrais savoir si,
chaque fois que tu commets un tel péché, tu voudrais
avoir autant de petites plaies sur ton corps et autant de
taches et de déchirures à tes vêtements? Lors donc que
tu ne consens ni à avoir des plaies sur ton corps ni à avoir
des déchirures ou des taches sur ton vêtement, quelle
conscience as-tu pour ne pas craindre l'équivalent dans
ton âme? Eh bien, agir ainsi, c'est aimer son vêtement
et sa chair plus que son âme.

L'image de Dieu En effet, puisque notre âme a été
créée en nous à l'image de Dieu,
chaque fois que nous disons ou faisons quelque chose de
honteux, nous salissons l'image de Dieu ; et voyez, maintenant, si cela vous paraît décent ou convenable. En vérité,
je dis, frères, que Dieu ne mérite pas de nous que sa propre
image soit outragée en nous par de mauvaises concupiscences. Et alors que nul homme ne voudrait se rendre à
l'église avec une tunique pleine de saletés, je ne sais avec
quelle conscience une âme qui s'est souillée par la luxure

sit inquinata, |praesumit ad altare accedere, non timens
20 illud quod Apostolus dixit : ²⁰« Qui manducat corpus et
sanguinem Domini indigne, reus erit |corporis et sanguinis
Dominiª. » Et si erubescimus ac timemus eucha|ristiam
manibus sordidis tangere, plus debemus timere ipsam
eucha|ristiam intus in anima polluta suscipere. Et quia,
sicut dixi, in anima |nostra facti sumus ad imaginem Dei,
25 si in tabula aut lignea aut lapidea ²⁵faceres imaginem
tuam, et aliquis inpudens homo vellet ipsam |imaginem
aut lapidibus frangere, aut aliquibus sordibus inquinare,
|vellem scire si contra eum non moveretur animus tuus.
Rogo te, |si tuam imaginem pictam in tabula mortua sic
zelaris, putas qualem |iniuriam patitur Deus, quando in
30 nobis viva imago sua per luxuriam ³⁰sordidatur? Et ideo
si nobis non parcimus propter nos ipsos, parcamus |nobis
vel propter imaginem Dei, ad quam facti sumus.

7. Ante omnia, quotiens dies dominicus aut aliae
festivitates |veniunt, uxorem suam nullus agnoscat. Et
quotiens fluxum san|guinis mulieres patiuntur, similiter
191 observandum est, propter illud (191) quod ait propheta :
« Ad mulierem menstruatam ne accederisª. » Nam |qui
uxorem suam in profluvio positam agnoverit, aut in die
dominico |aut in alia qualibet sollemnitate se continere
noluerit, qui tunc concepti |fuerint, aut leprosi aut epi-
leptici aut forte etiam daemoniosi nascuntur.

20 et : bibit *add.* Z¹ ‖ 28 pictam — mortua : mortuam G².

191,3 sollemnitate : adveniente *add.* G² ‖ 4 epileptici : elefantici
G² ‖ daemoniosi : daemoniaci G⁴

6 ª I Cor. 11, 27.
7 ª Éz. 18, 6

1. La croyance que les enfants conçus le dimanche risquaient

ose s'approcher de l'autel sans craindre ce que l'Apôtre
a dit : « Celui qui mange le corps et boit le sang du Seigneur
indignement aura à répondre du corps et du sang du
Seigneur[a]. » Et si nous rougissons et craignons de toucher
l'Eucharistie avec des mains sales, à plus forte raison
devons-nous craindre de la recevoir à l'intérieur d'une
âme polluée. Comme je l'ai dit, notre âme a été créée à
l'image de Dieu ; or, si tu faisais représenter ton image
sur une tablette de bois ou de pierre et qu'un impudent
veuille, soit briser cette image à coups de pierres, soit la
souiller de quelques immondices, je voudrais savoir si
ton esprit ne serait pas ému contre lui. Je te le demande :
si tu es à ce point jaloux de ton image peinte sur un tableau
mort, penses-tu quelle injure souffre Dieu, quand en nous
son image vivante est souillée par la luxure ? Et c'est
pourquoi, si nous ne nous épargnons pas à cause de nous-
mêmes, épargnons-nous au moins à cause de Dieu, à l'image
duquel nous avons été créés.

7. Avant tout, chaque fois qu'approchent le jour du
Seigneur ou d'autres fêtes, que nul ne connaisse sa femme ;
et qu'il en soit de même chaque fois que les femmes ont
leurs règles, à cause de ce que dit le prophète : « Tu ne
t'approcheras pas d'une femme qui a ses menstrues[a]. »
Car celui qui connaît sa femme quand elle est indisposée
ou qui ne veut pas rester continent le jour du Seigneur
ou pendant un autre jour de fête quelconque, celui-là
conçoit alors des enfants qui naissent, soit lépreux, soit
épileptiques, soit même peut-être possédés du démon[1].

---

d'être anormaux devait être fort répandue. GRÉGOIRE DE TOURS,
dans les *Miracles de saint Martin*, II, 24 (*MGH, SSrerMer*. t. I,
p. 617), raconte l'histoire d'une femme du Berry qui, ayant mis au
monde un enfant difforme, aveugle et muet, avouait en pleurant
qu'il avait été procréé une nuit de samedi à dimanche.

5 ⁵Denique quicumque leprosi sunt, non de sapientibus
hominibus, ⌐qui et in aliis diebus et in festivitatibus castitatem custodiunt, sed ⌐maxime de rusticis, qui se continere
non sapiunt, nasci solent. Et ⌐re vera, fratres, si animalia
sine intellectu non se contingunt nisi ⌐certo et legitimo
10 tempore, quanto magis homines, qui ad imaginem ¹⁰Dei
facti sunt, hoc observare deberent! Sed, quod peius est,
sunt ⌐aliqui ita luxuriosi vel ebriosi, qui aliquotiens nec
praegnantibus ⌐uxoribus parcunt. Et ideo, si se non
emendaverint, ipsi videant si ⌐non peiores animalibus
iudicandi sint. Istis talibus clamat Apostolus, ⌐dicens :
« Ut sciat unusquisque suum vas possidere in honore et
15 ¹⁵sanctificatione; non in passione desiderii, sicut gentes
quae ⌐spem non habentᵇ. »

Et quia, quod peius est, sunt multi qui legitimam
⌐castitatem cum suis uxoribus non custodiunt, sicut supra
dixi, largas ⌐elemosinas faciant, et omnibus inimicis suis
indulgeant : ut, sicut ⌐iam dictum est, quod per luxuriam
20 sordidum efficitur, adsiduis ²⁰elemosinis abluatur.

8. Rogo vos, fratres, ut mihi indulgeatis, quia pro salute
animae ⌐vestrae cum grandi timore vel tremore, etiam et
cum verecundia ⌐de talibus rebus vos videor ammonere;
quia et mihi hoc expedit ⌐dicere, et vobis oportet audire.
25 Et ideo omnia quae a nobis auditis, ²⁵ubicumque fueritis,
semper vobis invicem dicite, et cum caritate ⌐vos ammonete.
Sicut enim ego reus ero ante tribunal Christi, si vobis
⌐non dixero, ita et vos, si ad vicem meam quoscumque
neglegentes ⌐ammonere nolueritis, timere debetis, ne vobis
necesse sit etiam et pro ⌐illis reddere rationem. Sed credi-

---

11 ita *om.* G²·⁴ ‖ vel ebriosi *om.* H³ ‖ 13 sint : sunt G²Z¹H³ ‖ 16
quod peius est *om.* G³ ‖ 27 neglegentes : agnoscitis *add.* Z¹.

ᵇ I Thess. 4, 4.5.12.

En effet, tous ceux qui sont lépreux naissent ordinairement non de personnes sages qui gardent la chasteté les jours de fête et les autres jours prescrits, mais principalement de rustres qui ne savent pas être continents. Et en vérité, frères, si les animaux dénués de raison ne s'accouplent qu'à des périodes déterminées et régulières, combien plus les hommes qui ont été faits à l'image de Dieu devraient-ils observer cette règle ! Mais il y a pire : certains sont à ce point débauchés ou ivrognes que, parfois, ils n'épargnent pas leur femme enceinte. Et c'est pourquoi, s'ils ne s'amendent pas, qu'ils voient eux-mêmes s'ils ne méritent pas d'être jugés pires que des animaux. A de tels hommes l'Apôtre dit hautement : « Que chacun sache posséder le vase qui lui appartient dans l'honneur et la sanctification ; non dans la passion du désir, comme les païens qui n'ont pas d'espérance[b]. »

Et comme, par malheur, nombreux sont ceux qui ne gardent pas la chasteté prescrite avec leur femme, qu'ils fassent, comme je l'ai dit plus haut, de larges aumônes et qu'ils pardonnent à tous leurs ennemis ; ainsi, comme il a déjà été dit, ils pourront purifier par des aumônes fréquentes ce qui a été souillé par la luxure.

8. Je vous demande, frères, de me pardonner ; c'est pour le salut de votre âme, avec une grande peur et avec tremblement, avec même de la gêne, que je me trouve en train de vous donner des conseils sur de pareils sujets, car c'est à moi qu'il revient de dire cela et il vous est avantageux d'écouter. Aussi, tout ce que vous entendez de nous, où que vous soyez, répétez-le sans cesse entre vous et exhortez-vous avec charité. En effet, de même que moi je serais coupable devant le tribunal du Christ si je ne vous avais rien dit, de même, vous aussi, si vous vous refusez à exhorter à ma place ceux qui sont négligents, vous devez craindre qu'il ne vous faille aussi rendre compte pour eux. Mais nous croyons que Dieu, dans sa

30 mus de Dei misericordia, quod ita vobis [30]agere inspirabit,
ut non solum de vestra Deo placita conversatione, sed et
|pro aliorum salute et in hoc saeculo et in futuro duplicata
vobis a Do|mino praemia repensentur, Quod ipse praestare
dignetur, qui cum |Patre et Spiritu sancto vivit et regnat
in saecula saeculorum. Amen.

miséricorde, vous inspirera d'agir de telle sorte que non
seulement pour votre conduite agréable à Dieu, mais aussi
pour le salut apporté aux autres, le Seigneur vous récom-
pensera, dans ce siècle et dans l'autre, d'une double
récompense. Que daigne l'accorder celui qui avec le Père
et l'Esprit saint vit et règne pour les siècles des siècles.
Amen.

Ammonitio per quam docemur ut cogitationes turpes debeamus fugere, et eas iugiter quae sanctae sunt cum Dei adiutorio in corde servare

1. In scripturis sanctis, fratres carissimi, legimus, quia
5 eos qui de ani⁵mae suae salute solliciti sunt cogitatio
sancta custodiat; sic enim ait ser|mo divinus : « Cogitatio
sancta custodiet teᵃ. » Si cogitatio sancta custo|dit, illa
quae non est sancta non solum non custodit, sed etiam
perdit. |Sed dicit forte aliquis : Et quis est qui possit
semper de Deo et aeterna |beatitudine cogitare, cum
10 omnibus hominibus necesse sit de victu ¹⁰vel vestitu et
domus suae ordinatione sollicitudinem gerere?

Nec |Deus hoc iubet, ut sollicitudo de praesenti vita
esse non debeat, |praecipiens per apostolum suum : « Qui
non operatur, nec manducetᵇ »; |et illud quod de se ipso

Sermo XLV : L¹ *Laudunensis* 121   s. IX
L² *Berolinensis theol. fol.* 355 (Rose 307)   s. IX
V¹ *Marcianus* VI.5   s. IX/X
A¹ *Carnotensis* 67 (8)   s. IX
A⁴ *Laurentianus* Plut. XVI, cod. 20   s. XI
A¹⁰ *Ambrosianus* I.45 sup.   s. XII
T¹ *Remensis* 394 (E. 295)   s. XI
H⁵ *Pierpont-Morgan Library* M. 17   s. VII/VIII

192,5 custodiat L¹·²A¹ᵃᶜH⁵ : custodiet A¹ˢ¹·¹⁰ ‖ 6 custodiet A⁴ :
custodiat L¹·²A¹ ‖ 8 Sed *om.* L¹·²H⁵

SERMON XLV

Exhortation par laquelle il nous est enseigné que nous devons fuir les pensées honteuses et garder continuellement dans notre cœur, avec l'aide de Dieu, celles qui sont saintes

1. Dans les saintes Écritures, frères très chers, nous lisons qu'une sainte pensée doit garder ceux qui sont soucieux du salut de leur âme ; en effet, la parole divine s'exprime ainsi : « Une pensée sainte te gardera[a][1]. » Si une pensée sainte est une garde, celle qui n'est pas sainte, non seulement ne garde pas mais même elle perd. Mais quelqu'un dit peut-être : Et qui pourrait penser toujours à Dieu et à la béatitude éternelle, alors que tous les hommes sont tenus d'apporter leurs soins à la nourriture, au vêtement et à la marche de leur maison ?

Légitimité des soins terrestres Dieu n'ordonne pas cela non plus ; il ne dit pas que nous ne devons pas nous occuper de la vie présente, faisant même prescrire par son apôtre : « Que celui qui ne travaille pas, ne mange pas non plus[b]. » Le même apôtre

---

1 [a] Prov. 2, 11 [b] II Thess. 3, 10

---

1. Le texte de Césaire suit la Septante. Ce verset, relativement peu cité par les Pères, l'est presque toujours sous la forme bâtarde qu'utilise AUGUSTIN, dans *Enarr. in Ps.*, 36, *serm.* 3, 5, li. 22 ; 118, *serm.* 24, 6, li. 11, etc.

idem apostolus dixit : « Nocte et die operantes, |ne quam
15 vestrum gravaremus[c]. » Isti enim cogitationi, per quam [14]de
victu et vestitu rationabiliter cogitatur, quia hoc specia-
liter Deus |praecepit, si avaritia et cupiditas, quae luxuriae
servire solent, iunctae |non fuerint, quicquid agitur,
quicquid cogitatur, sanctum esse iu|stissime creditur.
Tantum est, ut non sint ita nimiae ipsae occupationes, |ut
nos Deo vacare non sinant, propter illud quod scriptum
20 est : [10]« Inpedimenta mundi fecerunt eos miseros[d]. » Et
quia necessitas cor|poris parvis rebus expletur, et cupiditas
nullis umquam, etiamsi |totum mundum adquirat, satiatur,
respuamus cogitationes impias, |quae de venenosa cupi-
ditatis radice nascuntur; et illas tantummodo |diligamus,
quibus ad aeternum praemium pervenitur : ut inpleatur
25 [15]in nobis illud quod prius dictum est : « Cogitatio sancta
custodiet |te. » Et quia duo genera cogitationum, bonarum
et malarum, cordibus |nostris se iugiter conantur inserere,
193 cum Dei adiutorio toto corde (193) et toto animo illas quae
sanctae sunt festinemus recipere, ut libidinosas |aut
inprobas possimus excludere.

Sed forte dicit aliquis : Ita consuetu|dinem fecerunt
malae et turpes cogitationes in corde meo, ut eas |a me
nulla possim ratione repellere. Omnibus enim notum est,
5 quia [5]amor amore vincitur : incipiamus bonas cogitationes
diligere, et statim |nos Deus ab illis quae malae sunt
dignabitur liberare. Locum quem |in corde libidinosa et
sordida cogitatio tenebat, castitas occupet; |quem avaritia
vastabat, misericordia reparet; quem superbia destrue|bat,

---

20 Inpedimenta : huius *add.* H[5] || 22 satiatur : non satiatur L[1.2] ||
25 custodiet : custodit L[2] custodiat L[1pc]H[5pc].

193,2-3 Ita — malae H[5] : ita fecerunt [vel se ferunt A[1sl] flxae
sunt T[1]] malae consuetudines *plerique codd.* LA || 6 quem A[1pc] : quod
V[1]

---

[c] I Thess. 2, 9 (= II Thess. 3, 8)　　[d] ? (*voir Serm.* 34, 6[a])

a dit aussi de lui-même : « Travaillant nuit et jour pour n'être à charge à aucun de vous[c]. » En effet, en ce qui concerne la préoccupation raisonnable de la nourriture et du vêtement, parce que Dieu l'ayant spécialement prescrite, si l'avarice et la cupidité qui ont coutume d'être au service de la luxure ne s'y joignent pas, quoi qu'on fasse, quoi qu'on pense, on le tient à très juste titre pour saint ; à condition seulement que ces occupations ne soient pas excessives au point de nous empêcher de nous libérer pour Dieu, à cause de ce qui est écrit : « Les entraves du monde les ont rendus malheureux[d]. » Et parce que peu de choses suffit à satisfaire les besoins du corps et que la cupidité, même si elle acquerrait le monde entier, ne serait jamais rassasiée par rien, rejetons les pensées impures qui naissent de la racine vénéneuse de la cupidité et chérissons seulement celles par lesquelles on parvient à la récompense éternelle, afin que s'accomplisse en nous ce qui a été dit plus haut : « Une pensée sainte te gardera. » Et parce que deux sortes de pensées, les bonnes et les mauvaises, s'efforcent continuellement de s'implanter dans nos cœurs, hâtons-nous, avec l'aide de Dieu, de recevoir de tout cœur et avec toute notre âme celles qui sont saintes, afin que nous puissions chasser les pensées voluptueuses ou de mauvais aloi.

Les mauvaises pensées

Mais quelqu'un dit peut-être : Des pensées mauvaises et honteuses ont si bien fait leur nid dans mon cœur que je ne peux, par aucun moyen, les éloigner de moi. En fait, il est connu de tous que l'amour est vaincu par l'amour ; commençons donc à chérir les bonnes pensées et aussitôt Dieu daignera nous libérer de celles qui sont mauvaises. La place qu'une pensée voluptueuse et vile tenait dans le cœur, que la chasteté l'occupe : celle que l'avarice ravageait que la miséricorde la remette en état ; celle que l'orgueil détruisait, que l'humilité la reconstruise ;

humilitas reaedificet; quem malitia vel invidia tamquam
10 vipereo ¹⁰veneno percusserat, caritatis vel benignitatis
dulcedo conponat.

2. Quod autem luxuriosas cogitationes non debeamus
in corde ˡsuscipere, evidentibus exemplis possumus adpro-
bare. Adtende, quaeso ˡte, quomodo, si aliquis in vestimentis nostris fleumata vel sputa ˡproiciat, ita nobis
horrorem faciunt, ut nec oculis aspicere, nec summis
15 ¹⁵saltim digitis vellimus adtingere. Et si nobis sputa,
quae sine peccato ˡproiciuntur, horrorem faciunt in vestibus
nostris, putas cogitationes ˡlibidinosae, quas diabolus
ingerit, qualem horrorem faciunt Deo ˡin animabus
nostris? Et si sputa vel fleumata sic perhorrescimus, ˡquae
utique inviti excipimus, quantum magis cogitationes
20 sordidas, ²⁰quas cum nostra voluntate in corde nostro
moras habere permittimus, ˡopus est ut cum Dei adiutorio
celerius respuamus? Et hoc considerate, ˡquod si in
templo Dei de lignis et lapidibus facto quique porcos ˡvel
canes introducat, aut lutum mittat, aut stercora spargat,
ita offenˡditur animus noster, ut illum per quem negle-
25 gentia ipsa facta est ²⁵flagellari vellimus.

Et cum haec ita sint, quid de nobis cogitamus, ˡsi in
animabus nostris, ubi sunt templa Dei viventia, multum
peiores, ˡquam stercora sunt, cogitationes luxuriosas vel
malignas suscipientes, ˡDeo qui in nobis habitare dignatur
iniurias inrogemus? Et ideo ˡlicet multum plus oporteat,
30 tamen vel sic ab inmunditia peccatorum ³⁰studeamus
nostras animas custodire, quomodo nec templum Dei ˡnec
vestes nostras volumus aliquibus sordibus inquinari.

---

13 fleumata V¹A¹ᵃᶜH⁵ : flegmata A¹ˢˡ fleimada L¹ᵃᶜ flecma L¹ˢˡ ||
14 ut : ea *add.* H⁵ || 21 considerate L¹·² : considerare H⁵ || 22 facto
om. A¹·⁴ || 26 peiores : peiore L¹·²

celle que la ruse et l'envie avaient frappée comme par un venin de vipère, que la douceur de la charité et de la générosité l'apaise.

2. Que nous ne devions pas accueillir dans notre cœur des pensées luxurieuses, nous pouvons le démontrer à l'aide d'exemples évidents. Fais attention, je t'en prie ; d'où vient que si quelqu'un projette sur nos vêtements des mucus ou des crachats, ils nous font tellement horreur que nous ne voulons ni y jeter les yeux, ni les toucher, fût-ce du bout des doigts ? Si des crachats, qui sont projetés involontairement, nous font horreur sur nos vêtements, penses-tu quelle horreur font à Dieu dans nos âmes les pensées voluptueuses que le diable apporte ? Et si nous avons ainsi en horreur crachats et mucus que nous recevons certainement contre notre gré, combien plus faut-il repousser très vite, avec l'aide de Dieu, les pensées viles auxquelles nous permettons volontairement de s'attarder dans notre cœur ! Considérez ceci encore : si dans le temple de Dieu fait de bois et de pierres quelqu'un introduisait des porcs ou des chiens ou bien jetait de la boue ou répandait des excréments, notre âme en serait si choquée que nous voudrions que le coupable de cette négligence soit fouetté.

Le vêtement souillé

Et alors qu'il en est ainsi, que penser de nous, si en accueillant dans nos âmes, où sont les temples vivants de Dieu, bien pire que des immondices, des pensées voluptueuses ou mauvaises, nous infligeons des injures à Dieu qui daigne habiter en nous ? Et c'est pourquoi, bien qu'il convienne de faire beaucoup plus, appliquons-nous à tout le moins à garder nos âmes des immondices des péchés, comme nous voulons que ni le temple de Dieu ni nos vêtements ne soient souillés de quelque saleté.

Et illud ⌐dic mihi, quaeso : si te in conventu populi
194 aliqua famosa meretrix (194) expansis manibus amplecti
aut osculari conetur, utrum hoc patienter ⌐aut libenter
excipias, et non magis eam et manibus repellas, et in
⌐faciem conspuas, timens ne forte, quicumque viderint,
ex consuetu⌐dine hoc eam fecisse diiudicent? Certum est
5 enim, quod non solum ⁵qui honesti vel casti sunt hoc erga
se fieri non permittunt, sed etiam ⌐et illi, qui in secretis
luxoriae serviunt, meretricum amplexus in con⌐ventu
hominum perhorrescunt, plus timentes opprobria hominum
⌐in publico, quam Dei praesentiam in occulto. Si ergo
propter iudicia ⌐hominum nullus est qui vellit publice a
10 meretricibus osculari, quare ¹⁰in secreto conscientiae
nostrae inmundissimas meretrices, id est cogi⌐tationes
luxuriosas et impias, non solum frequenter suscipere, sed
⌐etiam non parvas moras habere permittimus?

3. Est et alia similitudo, quam prudenter considerare
debemus. ⌐Et hoc adtendite, fratres, quia si aliquis carbo-
15 nem vivum, quamvis ¹⁵grandem, adprehendat in manu
sua, et eum statim proiciat, nec ⌐conbusturam habere
poterit nec dolorem : si vero eum vel unius ⌐horae momento
tenuerit, sine vulnere iactare non poterit. Hoc ergo, ⌐quod
de carbonibus vivis observamus in corpore, quare de
cogita⌐tionibus malis non timemus in corde?

20 Est et aliud, unde hoc quod ²⁰diximus probare possumus.
Dic mihi, quaeso te, numquid est ullus ⌐homo, qui super
secessum vel cloacam vermibus plenam vellit stare, ⌐et
eorum putredinem ventilare? Conpara nunc foetorem
cloacae ⌐et cogitationes luxoriae, et vide quae pars maiorem

---

32 quaeso : rogo T¹.

194,2 repellas L¹·² : repellis *cett*. ‖ 3 conspuas L²ᵖᶜ : conspues *vel*
conspuis *cett*. ‖ 23 luxoriae : luxoriosae A¹ᵖᶜ luxuriosas H⁵ luxuriosis
A¹¹.

Une prostituée en public

Et dis-moi, je t'en prie : Si, dans une réunion du peuple, une prostituée bien connue essayait, les mains tendues, de t'embrasser ou de te baiser, le supporterais-tu patiemment ou avec plaisir ; ne la repousserais-tu pas plutôt de tes mains et ne lui cracherais-tu pas à la face, dans la crainte que tous ceux qui pourraient te voir ne jugent qu'elle a agi ainsi par habitude ? Car il est certain que non seulement ceux qui sont honnêtes et chastes ne permettent pas qu'on se conduise ainsi envers eux, mais que même ceux qui en secret sont esclaves de la volupté ont horreur des embrassements des prostituées dans une assemblée publique, craignant davantage la réprobation publique des hommes que la présence de Dieu dans le secret. Si donc, à cause du jugement des hommes, il n'est personne qui veuille être baisé en public par des prostituées, pourquoi dans le secret de notre conscience acceptons-nous non seulement d'accueillir fréquemment mais même d'entretenir longuement les prostituées les plus immondes, à savoir les pensées voluptueuses et impies ?

3. Il est aussi une autre ressemblance que nous devons considérer avec prudence. Faites-y attention, frères : si quelqu'un, ayant saisi dans sa main un charbon ardent, aussi gros soit-il, le rejette aussitôt, il pourra éviter brûlure et douleur ; mais s'il le tient, fût-ce seulement l'espace d'un moment, il ne pourra le rejeter indemne. Donc, l'effet des charbons ardents que nous observons sur notre corps, pourquoi ne le craignons-nous pas des mauvaises pensées sur notre cœur ?

Les odeurs fétides

Un autre exemple vient encore corroborer ce que nous avons dit. Dis-moi, je t'en prie : existe-t-il un homme qui voudrait rester dans des latrines ou dans un égout plein de vers et agiter leur pourriture ? Compare maintenant l'infection d'un égout à des pensées de luxure et vois ce qui est

possit exhalare ¦putorem. Si bene et iuste iudicas, incon-
25 parabiliter graviorem putorem ²⁵reddunt cogitationes
luxoriosae, quam cloacae : quia illi foetores ¦animarum
sunt, isti corporum; et sine dubio quantum melior est
¦anima quam corpus, tantum maiorem foetorem reddunt
sordidae ¦cogitationes in anima, quam in carne secessus
aut cloacae. Quomodo ¦ergo in loco foetoribus pleno diu
30 stare nolumus corpora nostra, sic ³⁰cogitationes luxoriosas
et sordidas ne ad momentum quidem moras ¦habere
permittamus in animabus vel in sensibus nostris.

4. Et quia inter reliquas cogitationes maxime iracundia
cupiditas ¦et luxoria cordibus nostris iugiter conantur
obripere, si eas volumus ¦Christo auxiliante repellere,
195 sanctis cogitationibus studeamus nostrum (195) animum
occupare. Habemus enim multa in scripturis sanctis, per
¦quae nobis Dominus noster et sanctorum praemia polli-
cetur, et pecca¦torum supplicia comminatur, misericorditer
admonens, ut et iusti ¦perseverent in bonis, et impii
5 revocentur a malis; quae si frequentius ⁵aut ipsi legere,
aut aliis legentibus voluerimus libenter audire, num¦quam
nobis poterunt cogitationes malae subripere.

Quae cum ita sint, ¦fratres carissimi, non sine grande
verecundia et possumus et debemus ¦cogitare, quod cum
in arca ubi sunt vestimenta nostra, qualemcumque ¦scin-
tillam ignis intrare nolumus, per iniquas tamen cogitationes
10 ¹⁰intus in arca conscientiae nostrae flammas iracundiae
non solum ¦intrare permittimus, sed etiam falsis suspectionibus ad maiorem ¦incendium provocamus atque
succendimus. Et quam excusationem ¦apud Deum habere

195,8 cogitare A¹ : *om.* L¹·² *plerique codd.* VA ‖ 11 suspectionibus
L¹·² : suspicionibus *cett.*

susceptible d'exhaler la plus grande puanteur. Si tu juges
bien et avec un sens droit, les pensées voluptueuses
répandent une puanteur incomparablement plus grande
que les égouts ; car ces odeurs fétides viennent des âmes,
les autres des corps, et, sans nul doute, autant l'âme vaut
mieux que le corps, autant les pensées viles produisent
dans l'âme une odeur plus fétide que ne le font pour les
sens des latrines ou des égouts. Donc, de même que nous ne
voulons pas que notre corps reste longtemps dans un lieu
plein d'odeurs fétides, de même ne permettons pas aux
pensées luxurieuses et viles de séjourner même un moment
dans nos âmes ou dans nos cœurs.

4. Et parce que, parmi toutes les autres pensées, ce sont
surtout la colère, la cupidité et la luxure qui s'efforcent
continuellement de s'insinuer dans nos cœurs, si nous
voulons, avec l'aide du Christ, les écarter, appliquons-nous
à tenir notre âme occupée de pensées saintes. Nombreux,
en effet, sont les passages dans les saintes Écritures où
notre Seigneur nous annonce les récompenses des saints
et où il menace les pécheurs de supplices, exhortant
miséricordieusement les justes à persévérer dans le bien
et les impies à revenir du mal. Si, très fréquemment, nous
voulons soit les lire nous-même soit écouter de bon cœur
les autres nous les lire, jamais les pensées mauvaises ne
pourront nous surprendre.

**L'âme
et le vêtement**
Puisqu'il en est ainsi, frères très
chers, ce n'est pas sans un grand
sentiment de honte que nous pouvons
et devons penser que nous, qui ne voulons pas que pénètre
la moindre étincelle de feu dans le coffre où sont nos
vêtements, cependant, par des pensées iniques, non
seulement nous permettons aux flammes de la colère
d'entrer dans le secret de notre conscience, mais même
par de faux soupçons nous provoquons et attisons un plus
grand incendie. Et quelle excuse pourrons-nous avoir

poterimus, qui plus amamus vestem nostram ǀquam
animam nostram? Nec grave nec durum nec inpossibile
15 est ¹⁵quod a nobis requiritur, fratres carissimi : nam licet
incomparabiliter ǀamplius debeamus custodire animas
nostras quam vestes nostras, ǀtamen non parvum profec-
tum habet, qui vel sic custodit animam ǀsuam, ut ne a
malis vel turpibus cogitationibus sordidetur, quomodo
ǀcustodit vestem suam, ne aut a tineis aut muribus
corrumpatur.

20   ²⁰Rogo, fratres, quid nobis mali meruit anima nostra ad
Dei imaginem ǀfacta, ut vel tantam custodiam ei nollimus
inpendere, quantum ǀvidemur de nostris vestibus cogitare?
Et cum corpora nostra videant ǀoculi hominum, et animas
nostras inspiciant oculi angelorum, nescio ǀqua conscientia
25 ornamus et conponimus pretiosis rebus carnem ²⁵nostram,
quam post paucos dies aut annos vermes devoraturi sunt
ǀin sepulchro, et animam nostram non ornamus bonis
operibus, ǀquae Deo et angelis praesentanda erit in caelo.

5. Et ideo mutata in melius vice corporibus nostris
mediocrem ǀac sufficientem victum et vestitum providea-
30 mus; ut totum quod melius ³⁰habere possumus animae
nostrae in aeternum beatitudinem per elyǀmosinam pauperum reponamus : ne forte si plus de carne quam ǀde anima
cogitamus, cum ad illud nuptiale convivium non bonis
ǀoperibus ornati, sed magis vitiorum pannis sordentibus
196 involuti (196) venerimus, dicatur nobis : « Amice, quomodo
huc intrasti non habens ǀvestem nuptialem?ᵃ » Avertat
Deus a nobis illud quod sequitur : ǀ« Ligate, inquit, illi

---

15 requiritur *abhinc def.* L¹ ǁ 21 nollimus : nolumus L²T¹ ǁ 25
quam A¹ᵖᶜ : quae L²A¹ᵃᶜ ǁ 27 caelo : caelis L²H⁵ ǁ 30 habere : iubare
A¹.

auprès de Dieu, nous qui aimons davantage notre vêtement que notre âme? Ce qui nous est demandé n'est ni
lourd, ni dur, ni impossible, frères très chers ; car, bien
que nous dussions garder nos âmes sans comparaison plus
que nos vêtements, cependant il n'a pas peu progressé
celui qui garde au moins son âme de la souillure des
pensées mauvaises ou honteuses comme il garde son
vêtement de l'atteinte des mites ou des souris.

Je demande, frères, quel mal notre âme, créée à l'image
de Dieu, a mérité que nous lui fassions, pour que nous ne
voulions pas même lui accorder une sollicitude égale à
celle que l'on nous voit déployer pour nos vêtements?
Et alors que les yeux des hommes voient nos corps, mais
que les yeux des anges examinent nos âmes, je ne sais
par quelle aberration de la conscience nous ornons et
embellissons de choses précieuses notre chair que dans un
petit nombre de jours ou d'années les vers vont dévorer
dans le tombeau, et nous n'ornons pas de bonnes œuvres
notre âme qui aura à se présenter dans le ciel à Dieu et
aux anges.

5. Et c'est pourquoi, changeons pour le mieux ; assurons
à notre corps une nourriture et des vêtements corrects et
suffisants, et tout ce que nous pouvons avoir de meilleur,
plaçons-le, pour la béatitude éternelle de notre âme, en
aumône faite aux pauvres, de peur que si nous pensons,
par hasard, plus à notre chair qu'à notre âme, lorsque
nous viendrons à ce banquet divin, non pas ornés de
bonnes œuvres mais plutôt enveloppés des haillons
sordides des vices, on ne nous dise : « Ami, comment es-tu
entré ici sans la robe nuptiale?[a] » Que Dieu écarte de nous
ce qui suit : « Liez-lui, dit-il, les mains et les pieds, et

5 [a] Matth. 22, 12

manus et pedes, et proicite in tenebras exte|riores, ubi est
fletus et stridor dentium[b]. »

5 Ecce qualem sententiam ⁵audire merebitur, qui per
vanitatem et luxoriam ornat carnem suam, |et propter
vitam aeternam bonis operibus dissimulat ornare animam
|suam. Sed credimus de Dei misericordia, quod ita nobis
inspirare |dignabitur, ut et cor nostrum a malis cogita-
tionibus ipso auxiliante |custodiamus inlaesum, et corpus
10 nostrum in omni castitate et sobrietate ¹⁰nitidum conser-
vemus; ut cum ante tribunal aeterni iudicis venire |merue-
rimus, non pro malis actibus poenam mereamur excipere,
|sed pro bonis operibus ad aeterna praemia pervenire :
praestante |Domino nostro Iesu Christo, qui cum Patre
et Spiritu sancto vivit et |regnat in saecula saeculorum.
Amen.

196,12-14 praestante Domino *etc.* : ipso adiuvante qui vivit *etc.* L².

---

[b] Matth. 22, 13.

jetez-le[1] dans les ténèbres extérieures, où sont les pleurs
et les grincements de dents[b]. »

Voilà quelle sentence méritera d'entendre celui qui par
vanité et amour du luxe orne sa chair, et néglige d'orner
son âme de bonnes œuvres en vue de la vie éternelle. Mais
nous croyons que Dieu, dans sa miséricorde, daignera
nous inspirer de telle sorte qu'avec son aide nous gardions
notre cœur à l'abri des mauvaises pensées et que nous
conservions notre corps parfaitement pur par la chasteté
et la sobriété. Ainsi, lorsque nous aurons à comparaître
devant le tribunal du Juge éternel, nous mériterons non
de subir le châtiment dû à nos mauvaises actions, mais de
parvenir pour nos bonnes œuvres aux récompenses
éternelles. Avec l'assistance de notre Seigneur Jésus-Christ,
qui avec le Père et l'Esprit saint vit et règne pour les
siècles des siècles. Amen.

---

1. Césaire, qui cite ce verset onze fois dans les sermons, utilise
toujours le verbe *proicite*, à la place de *mittite* ; c'est aussi ce que fait
presque toujours AUGUSTIN, sauf dans *Enarr. in Ps.*, 139, 15, li. 41
où il emploie le verbe de la Vulgate.

SERMO XLVI

15   ¹⁵**Ammonitio ut ebrietatis malum totis viribus caveatur**

1. Licet propitio Christo, fratres carissimi, credam vos ebrietatis ¹malum velut inferni foveam expavescere, et non solum ipsi non velitis ¹amplius bibere, sed nec alios adiurare
20 vel cogere plus quam oportet ²⁰accipere, tamen quia non potest fieri nisi sint aliqui neglegentes ¹qui sobrii esse non velint, vos, qui semper convivia sobria exhibetis, ¹nolite ad vestram iniuriam revocare, quia nobis necesse est alios ¹ebriosos arguere.

Cum enim, fratres carissimi, ebrietatis malum ¹nimium sit grave et Deo odibile, ita per universum mundum a
25 pluribus ²⁵in consuetudinem missum est, ut ab illis, qui Dei
197 praecepta cognoscere (**197**) nolunt, iam nec putetur aut credatur esse peccatum : in tantum ¹ut in conviviis suis inrideant eos qui minus bibere possunt, et per ¹inimicam amicitiam adiurare se homines non erubescant, ut potum ¹amplius quam oportet accipiant. Qui enim alterum cogit

Sermo XLVI : L¹ *Laudunensis* 121   s. IX
            L² *Berolinensis theol. fol.* 355 (Rose 307) s. IX
            L⁶ *Trecensis* 710   s. XII
            Z¹ *Stuttgartensis theol. fol.* 201 (*Zwifalten* 49)   s. XI
            H²⁵ *Londinensis B.M. Arundel* 213   s. VII/VIII
            H⁴⁷ *Parisinus lat.* 16352   s. XII
            H⁷⁰ *Turicensis* C 64 (286)   s. VIII/IX

SERMON XLVI

Exhortation à se garder de toutes ses forces du mal de l'ivresse

1. Bien que je croie, frères très chers, que par la grâce du Christ vous redoutez le mal de l'ivresse comme la fosse de l'enfer et que non seulement vous ne voudriez pas vous-mêmes boire à l'excès, mais que vous ne voudriez pas encourager les autres ou les forcer à absorber plus qu'il ne faut, cependant, parce qu'il ne peut se faire qu'il n'y ait quelques négligents qui refusent la sobriété, vous, qui toujours prenez des repas sobres, ne soyez pas offensés s'il nous est nécessaire de blâmer les autres qui s'enivrent.

En effet, frères très chers, alors que le mal de l'ivresse est extrêmement grave et détesté de Dieu, il a si bien dégénéré en habitude chez une multitude d'hommes, de par le monde entier, que ceux qui ne veulent pas connaître les commandements de Dieu jugent maintenant ou croient que ce n'est pas un péché. C'est au point que dans leurs banquets ils se moquent de ceux qui ne peuvent pas boire autant et que des hommes ne rougissent pas de s'encourager par une amitié ennemie à prendre plus de boisson qu'il ne faut. Car celui qui en force un autre à s'enivrer en buvant

5 ut se plus [5]quam opus est bibendo inebriet, minus malum
ei erat, si carnem [ ]eius gladio vulneraret, quam animam
eius per ebrietatem occideret.

2. Et quia corpora nostra terrena sunt, quomodo,
quando pluvia [ ]nimium grandis et diuturna fuerit, ita
terra infunditur et in lutum [ ]resolvitur, ut nulla in ea
10 cultura possit fieri, sic et caro nostra, quando [10]nimio potu
fuerit inebriata, nec spiritalem culturam accipere, nec
[ ]fructus animae necessarios poterit exhibere. Et ideo,
quomodo omnes [ ]homines ita sufficientem pluviam in
agris suis accipere desiderant, [ ]ut et culturam valeant
exercere, et de fructuum ubertate gaudere, [ ]ita et in agro
15 corporis hoc tantum deberent bibere quod oportet; [15]ne
per nimiam ebrietatem ipsa corporis terra velut in paludem
con[ ]versa magis vermes et serpentes vitiorum generare,
quam fructus [ ]bonorum operum possit adferre. Omnes
enim ebriosi tales sunt, [ ]quales paludes esse videntur. Quid
enim in paludibus nascatur, [ ]non ignorat caritas vestra :
20 totum enim, quod ibi nascitur, nullum [20]fructum habere
cognoscitur. Nascuntur ibi serpentes, sanguisugae; [ ]nascun-
tur ranae et diversa genera vermium, quae magis horrorem
[ ]possint generare, quam aliquid quod ad victum proficiat
exhibere. [ ]Ipsae enim herbae vel arbores, quae aut in
ipsis paludibus aut circa [ ]ripas earum nasci solent, nihil
25 utilitatis habere videntur, in tantum [25]ut annis singulis
incendio concrementur. Videte quia, quod de ebrie[ ]tate
nascitur, igni praeparatur.

3. Tales enim sunt, sicut iam dixi, omnes ebriosi :
quorum [ ]prandia ducuntur usque ad noctem, quorum cenas
lucifer videt, qui [ ]stare non possunt etiam cum videntur
30 esse ieiuni, quorum sensus tardi [30]graves obtunsi et quodam

---

5 ei *om.* L[1.2.6]H[70] ‖ 10 nimio : habundantiori Z[1] habundantiore
H[70] ‖ 26 igni : ignibus L[1.2.6]H[70]

plus qu'il n'est nécessaire lui ferait moins de mal en blessant sa chair d'un coup d'épée qu'en tuant son âme par l'ivresse.

2. Et parce que nos corps sont faits de terre, de même qu'après une très forte et longue pluie, la terre est tellement mouillée et réduite à l'état de boue qu'on ne peut en aucune façon la cultiver, de même aussi notre chair, une fois saturée par une boisson excessive, ne pourra ni recevoir une culture spirituelle ni porter les fruits nécessaires à l'âme. Et c'est pourquoi, de même que tous les hommes désirent que leurs champs reçoivent une pluie suffisante afin de pouvoir les cultiver et se réjouir de l'abondance des fruits, de même aussi on ne devrait abreuver le champ du corps qu'autant qu'il le faut, de peur que la terre même du corps, convertie comme en un marécage par l'ivresse, soit plus capable de produire les vers et les serpents des vices que de rapporter les fruits des bonnes œuvres. Car tous les ivrognes sont comme des marécages. Or, ce qui peut naître dans les marécages, votre charité ne l'ignore pas : on sait en effet que tout ce qui naît là ne porte aucun fruit. Là naissent serpents et sangsues ; les grenouilles et diverses sortes de vers y naissent, susceptibles d'engendrer l'horreur plutôt que d'offrir quelque chose d'utile pour la nourriture. En effet, d'ordinaire, les herbes et les arbres eux-mêmes qui naissent dans les marécages mêmes ou sur leurs rives n'ont, c'est visible, aucune utilité, à tel point que chaque année on y met le feu. Voyez que ce qui naît de l'ivresse est prêt pour le feu.

Portrait des ivrognes **3.** Tels sont, en effet, comme je l'ai déjà dit, tous les ivrognes : leurs déjeuners se prolongent jusqu'à la nuit, leurs dîners voient se lever l'étoile du matin ; ils ne peuvent se tenir droit même lorsqu'ils sont à jeun, leurs sens sont émoussés, hébétés, stupides, et ils sont déjà comme ensevelis. Enfin,

modo iam sepulti. Denique frequenter |in ipsa ebrietate nec se ipsos nec alios recognoscunt, nec ambulare |valent nec stare; dicere aliquid vel audire, quod ad rationem per|tineat, omnino non possunt. Frequenter etiam usque ad vomitum |se ingurgitare non erubescunt, et ad mensu-
35 ram sine mensura bibere. [35]Maiora enim pocula provi-
198 dentur, certa bibendi lege contenditur; (198) qui potuerit vincere, laudem meretur ex crimine. Inde lites et rixae |nascuntur, inde diversis et horrendis saltationibus membra torquentur, |inde adulteria et nonnunquam homicidia perpetrantur. Et quotiens |nimium potum accipiunt,
5 tamquam in paralysim resoluti, dum suis [5]pedibus ambulare non possunt, foedissima latura aliorum manibus |portantur ad lectos. Et est in illis oculorum caligo, vertigo, vel dolor |capitis, suffusio vultus, membrorum omnium tremor, animae ac |mentis stupor. In talibus impletur illud quod scriptum est : « Cui vae? |Cui tumultus? Cui irae?
10 Cui rixae? Cui sine causa vulnera? Cui [10]suffusio oculorum? Nonne his qui morantur in vino, et eis qui |investigant ubi potus fiunt, et student calicibus epotandis?[a] »

4. Sed illi qui tales esse volunt miserabiliter se excusare conantur, |dicentes : Ingratum habeo amicum meum, si, quotiens illum ad |convivium revocavero, potum ei quantum
15 voluerit ipse non dedero. [15]Sed non sit tibi amicus, qui te vult Deo facere inimicum, qui et tuus |et suus est inimicus.

---

32 dicere : nec dicere L[1.2.6] ‖ 34 mensuram : mensuras Z[1] ‖ 35 contenditur Z[1]H[70] : condita L[1pc] conditur L[2ac] condicitur L[2pc].

198,7-8 ac mentis : amentis Z[1] ‖ 9 Cui tumultus? Cui irae Z[1] : cuius patri vae *cett.* ‖ 10-11 et — fiunt Z[1] : *om. cett.* ‖ 12 se *om.* L[1.2] ‖ 14 revocavero L[1.2] : vocavero *cett.* ‖ 15 Sed H[47] : set L[1] et L[2] *om.* Z[1] ‖ Deo : Deum L[1.2]

---

3 [a] Prov. 23, 29.30.

fréquemment, dans leur ivresse ils ne reconnaissent ni eux ni les autres, et ne peuvent ni marcher ni tenir debout ; ils sont totalement incapables de dire ou d'écouter quelque chose qui relève de la raison. Souvent même ils ne rougissent pas de se bourrer jusqu'à vomir et de boire sans mesure par coupes entières. En effet, on les pourvoit de coupes plus grandes, on rivalise selon une certaine loi de la beuverie. Celui qui peut l'emporter mérite la louange due au crime. Alors naissent disputes et rixes ; alors on se disloque les membres dans d'horribles danses ; alors des adultères et parfois des meurtres sont perpétrés. Et chaque fois qu'ils ont trop bu, ces hommes comme frappés de paralysie, incapables de marcher avec leurs pieds, sont, répugnant transport, portés au lit par les mains d'autrui. Les voilà, les yeux brouillés, pris de vertige et de maux de tête, le visage congestionné, tremblant de tous leurs membres, l'âme et l'esprit saisis d'engourdissement. En leurs pareils s'accomplit ce qui est écrit : « Pour qui les malheurs ? Pour qui les désordres ? Pour qui les colères ? Pour qui les rixes ? Pour qui les blessures sans cause ? Pour qui les yeux injectés ? N'est-ce pas pour ceux qui s'attardent au vin et pour ceux qui cherchent où se trouvent les boissons et s'appliquent à vider des coupes ?[a][1] »

4. Mais ceux qui veulent être ainsi s'efforcent misérablement de s'excuser en disant : Mon ami est vexé si, chaque fois que je l'invite à un banquet, je ne lui donne pas à boire autant qu'il le veut. Mais que ne soit pas ton ami celui qui te veut ennemi de Dieu, celui qui est ton ennemi et le sien. Si tu enivres toi et autrui, tu auras un homme pour ami et Dieu pour ennemi ; et considère maintenant

---

1. Pas plus que dom Morin, nous n'avons trouvé ailleurs une version identique à celle de Césaire. Ces versets sont de toutes façons très peu cités par les Pères, jamais par Augustin.

Si et te et alium inebriaveris, habebis hominem |amicum, habebis Deum inimicum : et iam sapienter considera, si |iustum sit ut te a Deo separes, dum te ebrioso coniungis. Ad extremum |tu eum noli adiurare, noli cogere, sed in
20 potestate illius dimitte ut [20]quantum ipsi placuerit bibat : ut, si se inebriare voluerit, vel solus |pereat, et non ambo peccetis. O infelicitas generis humani ! quam |multi inveniuntur, qui ebriosos et luxuriosos amplius quam oportet |cogunt bibere, et ante ostium pauperibus peten- tibus vel unum calicem |dissimulant dare; nec adtendunt,
25 quia illud, quod luxuriosis videntur [25]ingerere, Christus in pauperibus deberet accipere, qui dixit : « Quamdiu |fecistis uni ex minimis meis, mihi fecistis[a]. » Sed qui tales sunt, quando |alios nimio potu sepeliunt, pauperi elemosinam petenti dicunt : |Vade, vade inante, et dabit tibi Deus. Et utique, cum ambulaverit, |homo ei daturus est. Quid
199 est ergo quod dicit, Vade inante, et dabit (199) tibi Deus, nisi, Vade ad illum hominem qui habet Deum, quia ipse |tibi daturus est? Ac sic ipse ore suo confitetur apud se Deum non |esse, quo inspirante possit aliquid pauperibus erogare.

Rogo, fratres |carissimi, diligenter adtendite et videte
5 quia quando equi vel reliqua [5]animalia ducuntur ad aquam, ubi satiaverint sitim suam, etiamsi |super ipsam aquam diutius teneantur, repleta siti bibere nolunt |omnino nec possunt. Considerent ebriosi, si non peiores animalibus |iudicandi sunt : cum enim animalia amplius quam eis opus est bibere |nolint, illi et duplum et triplum quam eis
10 oportet potum accipiunt; [10]et unde tribus aut quatuor

17 habebis *om.* H[25.47.70] ‖ 20 ipsi : sibi Z[1] ‖ 26 meis : istis L[1.2]H[70] ‖ qui : quia L[1.2] ‖ 28 et[1] *om.* H[70] ‖ dabit : dat L[2ac] det L[2pc.6].

199,1 ipse : Deus *add.* Z[1] ‖ 4 equi vel reliqua *om.* Z[1] ‖ 6 nolunt : nec volunt L[1.2.6] ‖ 7 Considerent : ergo *add.* L[1.2.6] ‖ 8 animalia : iam *add.* L[1.2.6] ‖ 9 triplum : quadruplum H[47] ‖ 10 tribus aut quatuor diebus : trium aut IIII. dierum Z[1]

avec sagesse s'il est juste que tu te sépares de Dieu en
t'unissant à un ivrogne. Au moins, ne l'encourage pas,
ne le force pas, laisse-le libre de boire autant qu'il lui
plaît, afin que, s'il veut s'enivrer, au moins il périsse seul
et que vous ne péchiez pas tous les deux. Ô malheur de
la race humaine ! Combien en trouve-t-on qui forcent
à boire plus qu'il ne faut des ivrognes et des débauchés
et qui négligent de donner, ne serait-ce qu'une coupe,
aux pauvres qui demandent devant leur porte ! Et ils ne
font pas attention que, ce qu'on les voit présenter à des
débauchés, le Christ devrait le recevoir dans les pauvres,
lui qui a dit : « Aussi longtemps que vous l'avez fait au
plus petit d'entre les miens, c'est à moi que vous
l'avez fait[a]. » Mais ces hommes, pendant qu'ils ensevelissent les autres sous une boisson excessive, ils disent
au pauvre qui demande l'aumône : Va, va plus loin,
et Dieu te donnera. Et sans doute, au cours de sa marche,
un homme lui donnera. Que signifie donc cette parole :
Va plus loin et Dieu te donnera, si ce n'est : Va vers
un homme qui possède Dieu, car lui, il te donnera ? Et
ainsi, lui-même avoue de sa bouche que Dieu n'est pas
en lui, pour lui inspirer de donner quelque chose aux
pauvres.

Je vous le demande, frères très chers : prêtez toute
votre attention et voyez : lorsqu'on conduit des chevaux
ou tout autre animal à l'abreuvoir, une fois leur soif
apaisée, même si on les tient plus longtemps au-dessus
de l'eau, ils ne veulent ni ne peuvent aucunement boire
au-delà de leur soif. Que les ivrognes considèrent s'ils ne
méritent pas d'être jugés pires que des animaux, car,
alors que des animaux ne voudraient pas boire plus qu'il
n'est nécessaire, ceux-ci acceptent de boire deux et trois
fois plus qu'il ne leur en faut ; et là où ils auraient pu

4 [a] Matth. 25, 40.

diebus refectionem rationabilem potuerant |habere, una die cum grandi peccato suo contendunt perdere potius |quam expendere. Atque utinam vel potum tantummodo perderent, |et non etiam ipsi perirent!

5. Quantum mali in se habeat ebrietas, etiam in Loth
15 et filiabus ¹⁵eius evidenter ostensum est : nam vino inebria-
tus cum ipsis filiabus |suis nesciens concubuit. Farao quoque inebriatus magistrum pi|storum in cruce adpendi fecit. Populus autem Iudaeorum, de quo |scriptum est « Sedit populus manducare et bibere, et surrexerunt |ludere[a] », postea quam vinum plus quam oportebat accepit,
20 idola ²⁰sibi fabricari petiit, et in honore ipsorum idolorum coepit choros |ducere, et more phrenetico diversis salta-
tionibus membra torquere. |Herodes quoque adubi nimio vino concaluit, ad unius puellae salta|tionem sanctum Iohannem Baptistam interfici iussit. Quid adhuc de |ebrietatis malo nascatur, Spiritus sanctus per Salomonem
25 testatur, ²⁵dicens : « Vinum, inquid, et mulieres apostatare faciunt sapientes, |et arguunt sensatos[b] »; et iterum : « Ne intuearis vinum quando |flavescit, cum splenduerit in vitro color eius. Ingredietur |enim blande, sed in novissimo mordebit ut coluber, et quasi |regulus venena suffundet.
30 Oculi tui videbunt extraneas, et cor ³⁰tuum loquetur perversa[c]. » Paulus etiam apostolus contra ebrietatis |malum nos admonet, dicens : « Nolite inebriari vino, in
200 quo est (200) luxuria[d]. »

---

12 expendere : propter invidiam aut ebrietatem *add.* Z¹ ‖ 15-16 cum — inebriatus : rex Z¹ ‖ 22 adubi *ex* ad ubi L¹ᵃᶜ : ubi L¹ᵖᶜ at ubi L²ᵖᶜZ¹ ‖ 23 Baptistam *om.* Z¹ ‖ 25 faciunt : a Deo *add.* Z¹ ‖ 27 Ingredietur L¹·²·⁶ : ingreditur Z¹ ‖ 29 suffundet : defundet Z¹.

---

5 [a] Ex. 32, 6   [b] Sir. 19, 2   [c] Prov. 23, 31.32   [d] Éphés. 5, 18

---

1. Cf. *Gen.* 19, 32-36.
2. Cf. *Gen.* 40, 2-3 et 22. Il n'est pas question dans la Bible de

avoir de quoi se restaurer convenablement pendant
trois ou quatre jours, ils s'efforcent de tout dissiper en
un jour, pour leur plus grand péché, plutôt que de le
donner. Et plût au ciel qu'ils n'aient perdu du moins
que la boisson et qu'ils ne périssent pas eux-mêmes aussi !

Exemples bibliques **5.** Quel mal est en soi l'ivresse,
cela nous est montré avec évidence
par l'exemple de Lot et de ses filles[1], car enivré de vin
il coucha sans le savoir avec ses propres filles. Pharaon
aussi[2], en état d'ébriété, fit mettre en croix le chef des
boulangers. Et le peuple juif, dont il est écrit : « Le peuple
s'assit pour manger et boire et ils se levèrent pour jouer[a] »,
après avoir pris plus de vin qu'il ne fallait[3], demanda à
se fabriquer des idoles et se mit à conduire des chœurs
en l'honneur de ces idoles et à se contorsionner à la façon
des fous dans diverses danses. Hérode aussi[4], dès qu'il fut
échauffé par l'excès de vin, ordonna de faire tuer saint
Jean-Baptiste, pour la danse d'une seule jeune fille.
Quel mal naît encore de l'ivresse, l'Esprit saint en témoigne
par la bouche de Salomon : « Le vin, dit-il, et les femmes
font apostasier les sages et convainquent d'erreur les gens
sensés[b] » ; et encore : « Ne regarde pas le vin quand il
flamboie, lorsque sa couleur resplendit dans un verre,
car il commence par caresser, mais il mordra bientôt
comme un serpent et comme un basilic il versera son
poison. Tes yeux verront les étrangères et ton cœur dira
des paroles perverses[c]. » L'apôtre Paul aussi nous met
en garde contre le mal de l'ivresse en disant : « Ne vous
enivrez pas de vin, dans lequel est la luxure[d]. »

l'ivresse de Pharaon et le grand panetier est pendu, non crucifié.
  3. Césaire transforme l'histoire biblique. Il n'y est nulle part
question d'ébriété, et le verset *Ex.* 32, 6 se place après la fabrication
du veau d'or, au moment de la fête qui le célèbre.
  4. Cf. *Matth.* 13, 6-10. Il n'est pas question d'ébriété dans
l'Évangile.

Iterum atque iterum quid mali in se habeat ebrietas eis, |qui illam diligunt, sanctarum scripturarum testimoniis evidenter |ostendimus. In Salomone scriptum est : « Qui amat vinum et pinguia, |non ditabitur^e »; et iterum :
5 « Noli regibus dare vinum, quia nullum ⁵secretum est ubi regnat ebrietas; ne forte bibant, et obliviscan|tur iudiciorum Dei, et mutent causam filiorum pauperum^f. » Item |illic : « Operarius ebriosus non locupletabitur^g »; et iterum : « Vinum |si bibas moderate, eris sobrius^h. » Item illic : « Vinum in iocunditatem |creatum est, non in ebrietatem
10 ab initio. Exultatio animae ¹⁰et cordis, vinum moderate potatum; infirmitas animae et corporis, |vinum multum potatum : inritationem et iram et ruinas multas |facit. Amaritudo animae, vinum multum potatum : ebrietas, |animositas, inprudentis offensio, minorans virtutem, et faciens |vulneraⁱ. »

15 ¹⁵6. Sed quando ista suggerimus, forte irascuntur contra nos ebriosi, |et murmurant. Et quamvis non desint qui irascantur, Deo tamen |propitio multi erunt, qui libenter salubre consilium audientes de |isto tam gravi peccato per Dei misericordiam liberabuntur. Ipsi |tamen qui contra
20 coalumnam et amicam suam ebrietatem loquen²⁰tibus irascuntur, libera a nobis voce audiant, quia quicumque ebriosus |paenitentiam pro ipsa ebrietate non egerit, sed usque ad mortem |suam in ipsa ebrietate permanserit, in aeternum profecto peribit; |quia non mentitur Spiritus

---

200,3 ostendimus : ostendamus L^{1s1} ‖ scriptum est *om.* L^{1.2.6} ‖ 18 liberabuntur : liberentur L^{1.2pc} libentur L^{2ac} ‖ 19 coalumnam *m.* : columnam L² alumnam Z¹ *om.* L¹ ‖ 21 pro : de Z¹ ‖ 22 profecto *om.* L^{1.2}

---

^e Prov. 21, 17   ^f Prov. 31, 4.5   ^g Sir. 19, 1   ^h Sir. 31, 32   ⁱ Sir. 31, 35-40.

Encore et encore nous allons vous montrer avec évidence,
par des témoignages tirés des saintes Écritures, quel mal
porte en elle l'ivresse pour ceux qui l'aiment. Dans
Salomon, il est écrit : « Celui qui aime le vin et la bonne
chère ne s'enrichira pas[e] » ; et encore : « Ne donne pas de
vin aux rois, car il n'y a rien de secret là où règne l'ivresse
et de peur que peut-être en buvant ils n'oublient les
jugements de Dieu et n'abandonnent la cause des fils
des pauvres[f]. » De même ailleurs : « L'ouvrier ivrogne ne
s'enrichira pas[g] », et encore : « Si tu bois du vin modéré-
ment, tu seras sobre[h]. » De même plus loin : « Le vin a été
créé pour la joie, au commencement, non pour l'ivresse.
Exaltation de l'âme et du cœur, l'usage modéré du vin ;
maladie de l'âme et du corps, l'abus du vin ; il cause
irritation et colère et beaucoup de ruines. Amertume de
l'âme, l'abus du vin ; il cause ivresse et animosité ;
occasion de chute pour l'imprudent, il diminue la force
et provoque les coups[i]. »

6. Mais quand nous exposons cela, peut-être que des
ivrognes s'emportent contre nous et murmurent. Pourtant,
bien que ceux qui s'emportent ne manquent pas, il y en
aura cependant beaucoup, par la grâce de Dieu, qui,
écoutant de bon gré un conseil salutaire, seront libérés
par la miséricorde de Dieu de ce si grave péché. Quant à
ceux qui s'emportent contre ceux qui critiquent leur amie
et fidèle compagne[1], l'ivresse, qu'ils nous entendent dire
à haute voix que tout ivrogne qui ne fera pas pénitence
pour cette ivresse, mais demeurera jusqu'à la mort dans
cette ivresse, périra assurément pour l'éternité, car
l'Esprit saint ne ment pas, lorsqu'il dit par la bouche

---

1. Le mot *coalumna* est apparemment un *hapax*.

sanctus per Apostolum dicens : « Neque |ebriosi regnum
Dei possidebunt^a. »

25   Et ideo quicumque sunt ebriosi, ²⁵melius faciunt, ut
non nobis sed sibi potius irascantur, et cum Dei |adiutorio
de luto faecis se excutere, vel de cloaca ebrietatis, dum
|adhuc tempus paenitentiae est, festinent quanta possunt
celeritate |Deo auxiliante consurgere, et totis animae
viribus cum propheta |supplicantes Domino dicant : « Eripe
30   me de luto, ut non inhaeream^b »; ³⁰et illud : « Non me
demergat tempestas aquae, neque absorbeat |me profun-
dum, neque urgeat super me puteus os suum^c. »

201   Ebrietas (201) enim quasi inferni puteus, quoscumque
susceperit, nisi digna sub|venerit paenitentia, et emendatio
fuerit subsecuta, ita fortiter sibi |vindicat, ut eos de ipso
tenebroso inferni puteo ad castitatis vel sobrie|tatis lucem
redire penitus non permittat.

5   ⁵7. Et hoc ante omnia intellegere et scire debemus, quia
non una |die efficiuntur homines ebriosi, sed dum paulatim
adiurantibus et |cogentibus crudelissimis inimicis potius
quam amicis per singulos |dies singulos sibi aut binos
calices ad potum consuetudinarium |addunt; adubi hoc
10   in usum miserint, ita eos ipsius ebrietatis ardor ¹⁰occupat,
ut illos semper sitire conpellat. Sed qui se ab hoc malo
|desiderat liberare, quomodo sibi per intervalla dierum
potum addendo |ad ebrietatis tenebras pervenit, ita
paulatim subtrahendo ad sobrietatis |lucem redeat : quia
si semel totum quod amplius accipiebat subtraxerit,

---

27 paenitentiae est : est penitendi Z¹.

201,9 adubi *ex* ad ubi Z¹ : et ubi L¹⁻² ‖ 13 redeat Z¹ : festinet L¹ᵃˡ
om. L².

---

6 ^a I Cor. 6, 10   ^b Ps. 68, 15   ^c Ps. 68, 16.

---

1. Le verbe *inhaeream* ne correspond ni à la Septante, ni à la

de l'Apôtre : « Les ivrognes non plus ne posséderont pas le royaume de Dieu[a]. »

Et c'est pourquoi, les ivrognes feraient mieux, au lieu de s'emporter contre nous, de s'emporter contre eux-mêmes et, avec l'aide de Dieu, de se hâter avec toute la célérité possible de s'arracher à leur boue fangeuse et de se dégager de l'égout de l'ivresse, tant qu'il est encore temps de faire pénitence. Qu'ils disent au Seigneur, de toutes les forces de leur âme, en suppliant avec le prophète : « Arrache-moi de la boue pour que je ne m'y attache pas[b][1] » ; et encore : « Que la tempête ne m'engloutisse pas, et que les profondeurs ne me fassent pas disparaître, et que le gouffre ne me happe pas[c]. »

En effet, l'ivresse comme un gouffre d'enfer retient si fort tous ceux qu'elle reçoit qu'à moins qu'une pénitence convenable et immédiatement suivie d'amendement ne vienne à leur secours, elle ne permet absolument pas qu'ils reviennent de ce gouffre ténébreux de l'enfer à la lumière de la chasteté et de la sobriété.

Comment guérir   **7.** Et nous devons comprendre et savoir avant tout que les ivrognes ne se font pas en un jour, mais que peu à peu des ennemis très cruels plutôt que des amis les encourageant et les forçant, ils ajoutent chaque jour une ou deux coupes à leur boisson ordinaire. Dès que cela est devenu une habitude, le désir ardent de se désaltérer les tient si bien qu'il les contraint à toujours boire. Mais celui qui désire se libérer de ce mal, de même qu'il est parvenu aux ténèbres de l'ivresse en ajoutant chaque jour à sa boisson, qu'ainsi, en soustrayant peu à peu, il revienne à la lumière de la sobriété, car s'il supprime en une fois tout ce qu'il prenait en plus, dès

Vulgate, mais c'est lui qu'on rencontre le plus souvent chez les Pères. Les versions, d'ailleurs, varient.

ladubi nimia siti coeperit exardescere, cum grandi amari-
15 tudine ¹⁵clamat et dicit, malle se mori, quam sibi bibendi
vel inebriandi consueltudinem tollere; nec adtendit quod
tolerabilius erat illi in carne lmori, quam animam per
ebrietatem interficere. Et ideo, ut nec ardorem lnimium
patiatur, et de tam gravi peccato liberetur, sicut iam
dictum lest, per intervalla dierum sibi aliquid de nimietate
20 potus subtrahat, ²⁰quo usque ad rationabilem bibendi
consuetudinem redeat. Qui hoc lita ut diximus per partes
subducere voluerit, et de ebrietate liberabitur, let illum
intolerabilem ardorem non patietur.

8. Ego, fratres carissimi, dum haec suggero, absolvo me
apud lDeum : quicumque me audire contempserit, et ad
25 bibendum aut ²⁵ipse pronus fuerit, vel in convivio suo
alios adiurare vel cogere voluerit, let pro se et pro illis
in die iudicii reus erit. Et quia, quod peius est, letiam
aliqui clerici, qui hoc deberent prohibere, ipsi cogunt
aliquos lplus quam expedit bibere, a modo incipiant et
se ipsos corrigere, let alios castigare : ut, cum ante tribunal
30 Christi venerint, non de sua ³⁰vel aliorum ebrietate
incurrant supplicium, sed magis, dum et ipsi lse emendant,
et alios castigare non cessant, pervenire ad aeternum
lpraemium mereantur.

202   Et illud ante omnia rogo, et per tremendum (202) diem
iudicii vos adiuro, ut quotienscumque vobis invicem
convivia lexhibetis, illam foedam consuetudinem, per quam

---

14 adubi *Mor.* : at ubi Z¹ ubi L¹·²·⁶ ‖ 15 sibi *om.* L¹·² ‖ 22 illum
L¹ᵖᶜ : illam L²Z¹ ‖ ardorem : poenam Z¹ ‖ 25 vel¹ — alios L¹ : aut
convivas suos *cett.* ‖ 32 mereantur : *hic per doxol. des.* L¹·²·⁶H⁷⁰.

---

1. Les conciles légifèrent à plusieurs reprises au sujet de l'ébriété
des clercs. Voir, par exemple, le *concile d'Agde* (506), c. 41 (éd. Munier,
p. 210) : « Ante omnia clericis vetetur ebrietas, quae omnium vitiorum
fomes ac nutrix est. Itaque eum quem ebrium fuisse constiterit, ut

qu'une soif violente commence à l'enflammer, il dit et crie avec une grande amertume qu'il préfère mourir plutôt que de s'ôter l'habitude de boire et de s'enivrer, et il ne fait pas attention qu'il lui serait préférable de mourir dans sa chair plutôt que de tuer son âme par l'ivresse. Et c'est pourquoi, pour ne pas subir une soif trop ardente et pour se libérer d'un si grave péché, comme on l'a déjà dit, qu'il diminue chaque jour quelque chose à l'excès de boisson, jusqu'à ce qu'il soit revenu à l'habitude de boire raisonnablement. Celui qui voudra réduire progressivement, comme nous l'avons dit, se libérera de l'ivresse sans subir cette intolérable ardeur.

8. Quant à moi, frères très chers, en conseillant cela, je m'absous devant Dieu. Quiconque aura méprisé de m'écouter et, soit se sera porté à boire, soit aura voulu encourager ou forcer ses convives à boire, sera responsable pour lui et pour eux au jour du Jugement. Et parce que, ce qui est pire, même quelques clercs[1], qui devraient le défendre, forcent eux-mêmes certains à boire plus que de raison, qu'ils commencent tout de suite à se corriger eux-mêmes et à réprimander les autres, afin que, lorsqu'ils viendront devant le tribunal du Christ, ils n'encourent pas de châtiment pour leur ivresse et celle des autres, mais méritent plutôt en s'amendant eux-mêmes et en ne cessant de réprimander les autres, de parvenir à une récompense éternelle.

Abominable coutume païenne

Et avant tout, je vous demande et vous adjure, à cause du jour terrifiant du Jugement, chaque fois que vous vous conviez à la table les uns des autres, de bannir de vos banquets comme un poison diabolique

---

ordo patitur, aut triginta dierum spatio a communione statuimus submovendum, aut corporali subdendum supplicio. » La même peine était déjà édictée par le *concile de Vannes* (461-491), c. 13 (*ibid*, p. 155).

grandi mensura |sine mensura tres homines aut volentes
aut inviti solebant bibere, |tamquam venenum diaboli de
5 vestris conviviis respuatis : quia ista ⁵infelix consuetudo
adhuc de paganorum observatione remansit. |Et quicumque
hoc in suo convivio aut alieno fieri acquieverit, diabolo |se
sacrificasse non dubitaverit. De qua bibitione non solum
anima |occiditur, sed etiam corpus debilitatur.

Sed credo de Dei misericordia, |quod ita vobis inspirare
10 dignabitur, ut tam lugendum et tam erubes¹⁰cendum
malum ita vobis in horrorem veniat, ut illud numquam
|fieri permittatis; sed quod in illa ebrietate periturum erat,
in pauperum |refectionem proficiat : praestante Domino
nostro Iesu Christo, qui |cum Patre et Spiritu sancto vivit
et regnat in saecula saeculorum. |Amen.

cette coutume repoussante d'après laquelle trois hommes, volontaires ou non, étaient tenus de boire sans mesure des coupes démesurées ; car cette malheureuse coutume nous est restée jusqu'à maintenant d'une observance païenne. Et quiconque aura accepté de faire cela lors d'un banquet, chez lui ou chez autrui, qu'il ne doute pas d'avoir sacrifié au diable. Par cette beuverie, non seulement l'âme est tuée, mais le corps même est rendu débile.

Mais je crois que Dieu dans sa miséricorde daignera vous inspirez de telle sorte qu'un mal aussi déplorable et digne qu'on en rougisse viendra à vous être en telle horreur que jamais vous ne le permettrez, mais que ce qui aurait disparu dans cette ivresse profitera à l'entretien des pauvres, avec l'assistance de notre Seigneur Jésus-Christ, qui avec le Père et l'Esprit saint vit et règne pour les siècles des siècles. Amen.

SERMO XLVII

15   **¹⁵Item ammonitio contra ebrietatis malum**

1. Frequenter caritatem vestram, fratres dilectissimi,
paterna pietate ˡcommonui, ut ebrietatis malum tamquam
inferni foveam vitare vel ˡfugire deberetis. Et licet apud
plures profecerit castigatio nostra, ˡmulti tamen sunt, qui,
20   dum nec Deum timent, nec eos qui honesti ²⁰sunt vel
sobrii reverentur, tantum bibunt, ut interdum necesse
ˡhabeant viscera nimio potu plena per vomitum relaxare;
et tamquam ˡfractae aut naufragae naves ita ipsius ebrietatis horrendis fluctibus ˡfatigantur, ut nec ubi sint reco-
gnoscant, et dicere aliquid vel audire ˡquod ad rationem
pertinet omnino non valeant.

25   Illud vero quale est, ²⁵quod ipsi infelices ebriosi, quando
se nimio vino ingurgitant, rident ˡet vituperant eos, qui
rationabiliter hoc tantum quod sufficit bibere ˡvolunt,
dicentes eis : Erubescite, et verecundum sit vobis; quare
non ˡpotestis bibere quantum nos? Dicunt enim eos non
203   esse viros. Et (203) videte miseriam ebriosorum : se dicunt
esse viros, qui in ebrietatis ˡcloaca iacent; et illos dicunt
non esse viros, qui honesti et sobrii ˡstant. Iacent prostrati,

Sermo XLVII : L¹ *Laudunensis* 121   s. IX
            L² *Berolinensis theol. fol.* 355 (Rose 307)   s. IX
            L⁶ *Trecensis* 710   s. XII
            Z¹ *Stuttgartensis theol. fol.* 201 (*Zwifalten* 49) s. XI

SERMON XLVII

Admonition du même genre contre le mal de l'ivresse

1. Fréquemment, par bienveillance paternelle, j'ai averti votre charité, frères bien-aimés, que vous deviez éviter et fuir le mal de l'ivresse comme une fosse d'enfer. Et bien que notre réprimande ait eu de l'effet auprès d'un grand nombre, il y en a cependant beaucoup qui, ne craignant pas Dieu et ne révérant pas ceux qui sont honnêtes et sobres, boivent tant qu'il est parfois nécessaire qu'ils libèrent par des vomissements leurs entrailles pleines d'un excès de boisson ; et, comme des navires brisés et naufragés, ils sont rendus tellement malades par les horribles vagues de l'ivresse qu'ils sont absolument incapables de reconnaître où ils se trouvent et de dire ou d'écouter quelque chose de raisonnable.

Mais qu'est cela ? Ces mêmes infortunés ivrognes, quand ils s'imbibent à l'excès de vin, se moquent et insultent ceux qui raisonnablement ne veulent boire que ce qui leur suffit, en leur disant : Rougissez et la honte soit sur vous ; pourquoi ne pouvez-vous boire autant que nous ? Ils disent en effet que ce ne sont pas des hommes. Et vous voyez le malheur des ivrognes : ils se disent des hommes, eux qui gisent dans le cloaque de l'ivresse et ils disent que ne sont pas des hommes ceux qui, honnêtes et sobres, se

202,17 commonui : admonui Z¹ ‖ 19 dum *om.* Z¹ ‖ 22 aut : ac L¹·² ‖ 24 quale : quid L¹·²·⁶ ‖ 25 rident : foetent L¹ᵖᶜ·² roetent L¹ᵃᶜ.
203,3 stant : sunt L¹·²

et viri sunt; stant recti, et viri non sunt? [1]Victor ebrietatis
5 vituperatur, et victus ebrietate laudatur. Inridetur [5]sobrius,
qui et se et alios potest regere; et non inridetur, immo non
[1]plangitur ebriosus, qui nec se nec alios potest agnoscere.

2. Solent tamen ebriosi ita se excusare velle, ut dicant :
Persona [1]potens me coegit ut amplius biberem, et in
convivio suo vel regis [1]non potui aliud facere. « Ad excu-
10 sandas excusationes in peccatis[a] » [10]ista praetendimus; et,
quod inplere nolumus, non potuisse nos dicimus. [1]Nolle
in culpa est, nam non posse praetenditur. Etiamsi usque
[1]ad hoc veniretur, ut tibi diceretur, Aut bibes, aut morieris;
melius [1]erat ut caro tua sobria occideretur, quam per
ebrietatem anima [1]moreretur. Sed excusatio ista falso
15 obicitur. Ipsi enim reges et qui[15]cumque alii sunt potentes,
quia Deo propitio et christiani sunt et [1]prudentes, et sobrii
et toto corde Deum timentes, si te viderint definisse [1]ut
eis non adquiescas pro timore Dei inebriari, forte sub hora
videntur [1]irasci, postea vero te in grandi admiratione
suscipiunt dicentes : [1]Quantum cum illo egimus, quantis
20 eum minis et terroribus fatigavimus! [20]et tamen numquam
eum a sobrietate separare potuimus. Nam et Deus, [1]qui
te videt pro suo amore inebriari non velle, ipse tibi gratiam
etiam [1]illorum dabit, qui te ut amplius biberes videbantur
hortari vel cogere.

[1]Nemo dicat, fratres carissimi, quod in istis temporibus
martyres non [1]sint : cotidie martyres fiunt. Martyr enim

4+5 inridetur : ridetur L[1.2.6] ‖ 8 suo vel *solus habet* Z[1] ‖ 11 usque
om. Z[1] ‖ 17 pro timore Dei *om.* L[1.2]

---

2 [a] Ps. 140, 4.

---

1. Cette remarque permet-elle de dater ce sermon de la fin de
l'épiscopat de Césaire, lorsqu'Arles appartenait aux rois francs catholiques?
2. Cf. *supra*, Serm. 41, 1.

tiennent debout. Ils gisent prostrés et ce sont des hommes ;
les autres se tiennent droits et ce ne sont pas des hommes ?
Le vainqueur de l'ivresse est vilipendé et celui qui est
vaincu par l'ivresse est loué. On raille celui qui est sobre,
qui peut se conduire et conduire les autres ; et on ne raille
pas, on ne pleure même pas l'ivrogne, qui ne peut reconnaître ni lui ni les autres.

Vaines excuses   **2.** Cependant, les ivrognes ont coutume de vouloir s'excuser en disant :
Une personne puissante m'a forcé à boire davantage, et
dans son festin ou dans celui du roi, je n'ai pu faire autrement. Nous prétendons cela, « cherchant des excuses pour
excuser nos péchés[a] » ; et ce que nous ne voulons pas faire,
nous disons que nous n'avons pas pu le faire. La faute est
de ne pas vouloir, mais on prétend ne pas pouvoir. Même
si on en venait jusqu'au point où l'on te dirait : Ou bois
ou meurs, il serait préférable que ta chair soit tuée en état
de sobriété et que ton âme ne meure pas d'ébriété. Mais
cette excuse est faussement mise en avant. En effet, les
rois eux-mêmes et les autres personnages puissants, quels
qu'ils soient, parce que, Dieu aidant, ils sont chrétiens[1]
et prudents, sobres et craignant Dieu de tout leur cœur,
s'ils te voient bien résolu à ne pas accepter de t'enivrer
par crainte de Dieu, peut-être sur le moment semblent-ils
courroucés, mais ensuite ils t'accueillent avec une grande
admiration, en disant : Nous avons tant fait avec cet
homme, nous l'avons tant éprouvé par des menaces et
des terreurs ! et cependant, jamais nous n'avons pu le
séparer de la sobriété. Car Dieu aussi, qui te voit refuser
par amour pour lui de t'enivrer, te donnera lui-même la
faveur de ceux qui semblaient t'exhorter ou te forcer à
boire davantage.

Que personne ne dise, frères très chers, qu'à notre
époque il n'y a pas de martyrs ; chaque jour il y en a[2].

25 testis interpretatur. Quicum²⁵que ergo pro veritate testi-
monium dederit, et omnes causas cum iusti|tia iudicaverit,
quicquid pro testimonio veritatis vel iustitiae pertulerit,
|totum ei Deus pro martyrio computabit. Ac sic et ille
qui ebrietati re|sistit, si cum Dei adiutorio perseverare
voluerit, et pro ipsa re aliquas |pertulerit tribulationes,
omnia ei Deus ad martyrii gloriam reputabit.

30   ³⁰3. Velim tamen scire, fratres carissimi, quicumque
dominus |habet plures servos, si vel unum ex illis velit
fieri ebriosum? Sine |dubio nullus est, qui hoc voluerit
aliquando aut velit. Et qua fronte, |qua conscientia, qui
servum non vult habere ebriosum, ipse vult |fieri ebriosus?
Ecce de donis Dei tu habes servum, et te habet Deus
204   (204) servum : qualiter vis ut tibi serviat servus tuus,
taliter et tu servire |debes domino tuo. Dic mihi, rogo te,
si iustum tibi videtur, et tu |habeas servum sobrium, et
Deus habeat ebriosum? Ac sic te dignum |iudicas, cui
servus sobrius serviat; et Deum indignum putas, cui tu
5 ⁵sobrius servire debeas? Haec ergo, fratres carissimi,
diligenter adten|dite, et considerate quia non est iustum
ut faciamus Deo, quod nolu|mus nobis fieri. Forte dices :
Quomodo Deo facio quod mihi fieri |nolo? Audi quomodo :
tibi non placet servum ebriosum habere, |et tu non vis
sobrius Deo servire.

10   ¹⁰4. Ideo enim, carissimi, tanta facilitate se inebriant
homines, |quia putant ebrietatem aut parvum aut nullum
esse peccatum. Sed |pro ista ignorantia maxime sacerdotes
in die iudicii reddituri sunt |rationem, si commissis sibi

---

25 ergo *om.* L¹ᵃᶜˑ²Z¹ ‖ 31-32 Sine — est : nec dubium nullus tam
malus Z¹.

204,7 Forte dices *om.* L¹ˑ²ˑ⁶

Car martyr signifie témoin. Donc, quiconque a témoigné pour la vérité et a jugé toutes causes avec justice, quoi qu'il ait enduré pour témoigner de la vérité ou de la justice, Dieu le lui comptera entièrement pour martyre. Et ainsi celui qui résiste à l'ivresse, s'il a voulu persévérer avec l'aide de Dieu, et s'il a souffert quelques tribulations pour cela, Dieu les lui comptera toutes pour la gloire du martyre.

3. Je voudrais savoir cependant, frères très chers, quel est le maître ayant plusieurs esclaves, qui voudrait qu'un seul d'entre eux soit ivre ? Sans nul doute il n'y en a jamais eu autrefois et il n'y en a pas maintenant. Et de quel front, avec quelle conscience celui qui ne veut pas avoir un esclave ivre, veut-il l'être lui-même ? Voici que tu tiens des dons de Dieu un esclave et que Dieu t'a comme esclave : comme tu veux que ton esclave te serve, de la même façon tu dois, toi aussi, servir ton seigneur. Dis-moi, je t'en prie, s'il te semble juste que tu aies un esclave sobre et que Dieu en ait un qui soit ivre ? Et ainsi, tu te juges digne d'être servi par un esclave sobre, et tu penses que Dieu est indigne que tu aies le devoir de le servir dans la sobriété ? Faites donc bien attention à cela, frères très chers, et réfléchissez qu'il n'est pas juste que nous fassions à Dieu ce que nous ne voulons pas qu'on nous fasse. Peut-être diras-tu : Comment ferais-je à Dieu ce que je ne veux pas qu'on me fasse ? Écoute comment : il ne te plaît pas d'avoir un esclave ivre et tu ne veux pas servir Dieu dans la sobriété.

Conséquences de l'ivresse

4. En effet, très chers, les hommes s'enivrent avec une si grande facilité, parce qu'ils pensent que l'ivresse est un tout petit péché ou pas un péché du tout. Mais de cette ignorance les prêtres tout particulièrement auront à rendre compte au jour du Jugement, s'ils n'ont pas voulu

populis, quae vel quanta mala de ebrietate ⎮nascantur,
assidue noluerint praedicare. Qui ergo credit ebrietatem
15 ¹⁵parvum esse peccatum, si se non emendaverit, et pro
ipsa ebrietate ⎮paenitentiam non egerit, cum adulteris et
homicidis aeterna illum ⎮poena sine remedio cruciabit,
secundum illud quod ipsi bene nostis ⎮beatum Apostolum
praedicasse : « Neque, inquit, fornicarii, neque ⎮idoles
servientes, neque molles, neque masculorum concubitores,
20 ²⁰neque avari, neque adulteri, neque ebriosi regnum Dei
possidebunt[a]. » ⎮Videte quia ebriosos cum fornicatoribus
et idolis servientibus et ⎮masculorum concubitoribus et
adulteris iuncxit. Et illud : « Nolite ⎮inebriari vino, in quo
est luxuria[b]. » Et ideo definiat ac deliberet ⎮unusquisque
apud se, ebrietatem grave peccatum esse; et tunc aut
25 ²⁵numquam aut difficile eum ebrietas poterit superare.

Cum enim non ⎮solum in futuro saeculo propter ebrietatem torquendi sint homines, ⎮sed etiam in praesenti per
ipsam ebrietatem multis frequenter infir⎮mitatibus fati-
gentur, vel morbum corporis timeant, qui de animae ⎮suae
salute non cogitant : oculorum suffusionem atque caliginem,
30 ³⁰capitis vertiginem et membrorum tremorem expavescant,
qui inferni ⎮supplicia non formidant. Et hoc quidem non
solum laicis, sed etiam ⎮et clericis dicimus : quia, quod
peius est, multi sunt etiam maioris ⎮ordinis clerici, qui
cum aliis sobrietatis bonum deberent iugiter ⎮praedicare,
non solum hoc non faciunt, sed etiam et se et alios ine-
35 ³⁵briare non erubescunt nec metuunt. Sed agnoscant et
doleant, qui⎮cumque tales sunt, quia, si se noluerint
emendare, et pro se et pro ⎮aliis necesse eis erit aeterna
supplicia sustinere.

24 tunc *om.* L¹·²Z¹.

---

4 [a] I Cor. 6, 9.10   [b] Éphés. 5, 18.

prêcher assidûment aux fidèles qui leur ont été confiés la nature et l'importance des maux qui naissent de l'ivrognerie. Eh bien, celui qui croit que l'ivresse est un petit péché, s'il ne s'est pas amendé et s'il n'a pas fait pénitence pour son ivresse, un châtiment éternel le torturera sans remède avec les adultères et les homicides, selon ce que vous savez bien que le bienheureux Apôtre a prêché : « Ni les fornicateurs, dit-il, ni les idolâtres, ni les efféminés, ni les homosexuels, ni les avares, ni les adultères, ni les ivrognes ne posséderont le royaume de Dieu[a]. » Voyez qu'il a joint les ivrognes aux fornicateurs, aux idolâtres, aux homosexuels et aux adultères. Et encore : « Ne vous enivrez pas de vin, dans lequel est la luxure[b]. » Aussi, que chacun prenne position et reconnaisse en lui-même que l'ivresse est un péché grave ; et alors, l'ivresse ne pourra jamais le vaincre, ou difficilement.

Vraiment, alors que des hommes non seulement seront torturés à cause de l'ivresse dans le siècle à venir, mais aussi sont souvent affligés dès le siècle présent de nombreuses infirmités à cause de cette même ivresse, qu'ils craignent la maladie du corps, eux qui ne pensent pas au salut de leur âme ; qu'ils redoutent congestion des yeux et glaucome, les vertiges et le tremblement des membres, eux qui ne redoutent pas les supplices infernaux. Et nous disons cela non seulement aux laïcs, mais aussi aux clercs ; car le pire est que, même des clercs majeurs qui devraient sans cesse prêcher aux autres le bien de la sobriété, non seulement ne le font pas, mais ne rougissent ni ne craignent de s'enivrer et d'enivrer les autres. Mais, ceux qui sont tels, qu'ils reconnaissent et déplorent leur faute, car, s'ils ne veulent pas s'amender, il leur faudra subir pour eux et pour les autres les supplices éternels[1].

---

1. Cf. *supra*, *Serm.* 46, 8 et la note 1 de la page 372.

205   (205) **5.** Illud vero quale est, quod iam transacto convivio
et expleta |siti, cum amplius bibere nec possint nec
debeant, tunc quasi novelli, |et qui ipsa hora supervenerint,
diversis nominibus incipiunt bibere, |non solum vivorum
5 hominum, sed etiam angelorum et reliquorum ⁵antiquorum
sanctorum, aestimantes quod maximum illis honorem
|inpendant, si se in illorum nominibus nimia ebrietate
sepeliant : |ignorantes quod nullus tam gravem iniuriam
sanctis angelis vel sanctis |hominibus agnoscitur inrogare,
quam illi qui in eorum nominibus |bibendo per ebrietatem
suas animas probantur occidere.

10   Sunt enim ¹⁰aliqui, qui sola ex causa aliqua salsatiora
sibi ordinant fieri, ut per |ipsam salsitudinem nimia se
possint ebrietate obruere. Haec enim |si pagani qui Deum
ignorant faciant, nec mirandum est, nec nimis |dolendum;
quia et in Deo spem non habent, et antiquam parentum
|suorum consuetudinem servant. Christiani vero, quos
15 Deus de tene¹⁵bris reduxit ad lucem, de morte vocavit ad
vitam, quibus omnes |scripturae clamant ebrietatem fugere,
sobrietatem diligere, quare |turpissimas illorum ebrietates
imitantur, de quorum perfidia liberari |per Dei gratiam
meruerunt? Et ideo rogo, et per tremendum diem |iudicii
vos adiuro, ut quantum potestis ebrietatis malum auxi-
20 liante ²⁰Domino fugiatis, et iam vobis incipiat verecundum
esse, quod huc |usque gentibus et paganis in ebrietatis
turpitudine vos voluistis |similes exhibere. Et ideo quia
Deo propitio illis dissimiles estis in |fide, similes esse in
ebrietate penitus non debetis : quia, etiamsi |reliqua

205,4 vivorum : vero L⁶ ‖ 4-5 et — sanctorum Z¹ : antiquorumque
L¹·²·⁶ ‖ 10 salsatoria L² : salsationes L¹ᵖᶜ salsa cibaria Z¹ ‖ 11 salsitu-
dinem : salsidinem L¹ᵖᶜ salsedinem L²ᵖᶜ ‖ 15 reduxit : eduxit Z¹ ‖
omnes *om.* L¹·²

---

1. Cette coutume empruntée à la religion païenne apparaît déjà

5. Mais qu'est cela ? Voici que le
banquet est déjà terminé et la soif
étanchée ; alors qu'on ne peut ni ne
doit boire davantage, à ce moment-là, comme si on était
frais et tout juste arrivé, on commence à porter des toasts
à divers noms, non seulement à des vivants mais même
à des anges et aux autres saints personnages du passé,
estimant qu'on leur manifeste le plus grand honneur si
l'on s'ensevelit en leur nom dans la plus excessive ivresse[1],
ignorant que nul ne se rend coupable d'infliger une plus
grave injure aux saints anges ou aux saints que ceux qui
s'essaient, en buvant à leur nom, à tuer leurs âmes par
l'ivresse.

Mauvaise coutume des toasts

Il y en a certains qui veillent à ce qu'on leur serve des
mets exagérément salés pour la seule raison qu'ils pourront,
grâce à cette salaison excessive, s'enfouir dans une complète
ivresse. Si les païens qui ne connaissent pas Dieu agissent
ainsi, il n'y a rien d'étonnant ni de trop déplorable, car
ils n'ont pas d'espoir en Dieu et conservent l'antique
coutume de leurs ancêtres. Mais pourquoi des chrétiens,
que Dieu a ramenés des ténèbres à la lumière, qu'il a
appelés de la mort à la vie, auxquels toutes les Écritures
crient de fuir l'ivresse, d'aimer la sobriété, pourquoi
imitent-ils les plus honteuses ivresses de ceux dont, par
la grâce de Dieu, ils ont mérité d'être délivrés de l'infidélité ?
Et c'est pourquoi je vous demande et vous adjure par le
terrible jour du Jugement de fuir avec l'aide de Dieu,
autant que vous le pouvez, le mal de l'ivresse et de commencer désormais à avoir honte d'avoir voulu jusqu'à
maintenant paraître semblables aux gentils et aux païens
dans la turpitude de l'ivresse. Et parce que, grâce à Dieu,
vous êtes différents d'eux dans la foi, vous ne devez
absolument pas leur être semblables dans l'ivresse. Même

chez Homère. Elle devait résister, au moins sous une forme profane,
à tous les efforts de Césaire.

peccata christiani non admittant, sola eos, si frequens
25 fuerit, ²⁵ebrietas, et emendatio ac paenitentia non subvenerit, in inferni pro¦funda praecipitat, secundum illud
quod iam dictum est : « Neque ¦ebriosi regnum Dei possi-
debunt^a. » Sed dicit aliquis : Ego regnum Dei ¦nolo, aeternam tantum requiem obtinere desidero. Nemo se decipiat,
¦fratres, duo enim loca sunt, tertius non est ullus : Qui
30 cum Christo ³⁰regnare non meruerit, cum diabolo absque
ulla dubitatione peribit.

6. Ad extremum, qui amico suo nimium propinando in
anima ¦efficitur inimicus, et corpus eius debilitare, et
animam probatur ¦occidere. Melius erat, ut ex illo, quod
206 una die plus eum accipere (206) cogit quam expedit, per
duos aut tres dies ipsum amicum ad suum ¦convivium
revocaret; et unde eum una die nimium bibendo debilitat,
¦ipsum in aliis diebus sufficiente potu reficeret, ut nec ille
potum ¦perderet, nec amicum deciperet : aut certe, quod
5 est melius, quicquid ⁵in nimio potu peritura erat gula,
pauperibus daretur in elemosynam, ¦ut et caro rationabiliter
bibendo reficeretur, et per misericordiam ¦pauperum animae
redemptio praepararetur.

Et nos quidem istam ¦castigationem non propter eos
qui sunt honesti et sobrii diximus : ¦quia Deo propitio
10 multos novimus parca et sobria convivia praeparare. ¹⁰Et
ideo vos, qui Dei amore hoc tantum bibitis quod oportet,

33 ut ex illo : ut illud L¹Z¹ ‖ accipere : bibere Z¹.
206,2 debilitat : debilitatus erat Z¹ ‖ 5 in¹ *om.* Z¹ ‖ perditura :
perdiderat Z¹ ‖ 7 praepararetur : pararetur Z¹ ‖ 9 Deo propitio : cum
Dei subsidio Z¹ ‖ 10 bibitis : sumitis Z¹

5 ^a I Cor. 6, 10.

1. Cf. *Vita Caesarii*, II, 6, p. 326 : «... tunc per somnum lenta
voce clamabat : Duo sunt, nihil est medium, duo sunt : aut in caelo

si des chrétiens ne commettent aucun autre péché, l'ivresse, à elle seule, si elle est fréquente et que l'amendement et la pénitence ne surviennent, les précipite dans les profondeurs de l'Enfer, selon ce qui a déjà été dit : « Les ivrognes non plus ne posséderont pas le royaume de Dieu[a]. » Mais on dit : Moi, je ne veux pas le royaume de Dieu ; je désire seulement obtenir le repos éternel. Que personne ne s'y trompe, frères : il y a deux lieux, il n'y en a pas un troisième[1]. Sans nul doute, celui qui n'a pas mérité de régner avec le Christ périra avec le diable.

6. Enfin, celui qui, en invitant son ami à boire avec excès devient son ennemi spirituel, doit savoir qu'à la fois il débilite son corps et tue son âme. Il serait préférable d'inviter le même ami à dîner deux ou trois jours, plutôt que de le forcer à accepter en un jour plus qu'il ne lui faut ; et ainsi, celui qu'il affaiblit à trop le faire boire en un jour, il le réconforterait en le faisant boire à sa suffisance les autres jours, si bien qu'il ne perdrait pas sa boisson et ne tromperait pas son ami ; ou bien, mieux encore : tout ce que le gosier aurait perdu en boisson excessive serait donné aux pauvres en aumône, pour qu'à la fois la chair soit raisonnablement fortifiée par la boisson et la rédemption de l'âme préparée par la miséricorde envers les pauvres.

Certes, cette réprimande n'est pas adressée à ceux qui sont honnêtes et sobres, car, grâce à Dieu, nous savons que beaucoup préparent des repas frugaux et sobres. Et c'est pourquoi, vous qui pour l'amour de Dieu ne buvez que ce qu'il convient, évertuez-vous à mettre en réserve

ascenditur, aut in infernum descenditur. De foris cella ego revertens, ille evigilavit ... dixit ad me : Cuidam per somnum cum grandi intentione clamabam : Duo sunt, duo sunt, non est quicquam medium : aut in infernum, aut in caelo itur ... »

satagite ˡut, quod ab ebriosis in terra perditur, a vobis
per elemosinam in ˡcaelo reponatur. Non vobis sufficiat
quod vos honesti et sobrii estis, ˡsed quantum potestis ita
castigate et corripite ebriosos, ut eis numquam ˡliceat
vobis praesentibus amplius bibere quam oportet : sed dum
15 ¹⁵et ipsi sobrietatem diligitis, et alios per vestram ammo-
nitionem ab ˡebrietatis perditione revocatis, non solum
pro vestra, sed etiam et ˡpro aliorum salute duplicia vobis
praemia in aeterna beatitudine ˡpraeparetis.

7. Et illud quam lugendum et erubescendum est, fratres
20 carissimi, ²⁰quod dicuntur aliqui rustici, quando aut vinum
habuerint, aut alia ˡsibi pocula fecerint, quasi ad nuptiale
convivium, ita ad bibendum ˡvicinos vel proximos suos
invitare, ut eos per quatuor aut quinque ˡdies teneant, et
nimia ebrietate sepeliant, et tamdiu ad domos suas de
ˡilla lugenda potatione non redeant, donec omnem potum,
25 quem ille ²⁵qui eos invitaverat habuit, perexpendat; et
unde se vel per duos ˡaut tres menses cum omni familia
sua rationabiliter reficere potuit, ˡquatuor aut quinque
diebus dolenda aut erubescenda bibitione ˡconsumat.

Ego, fratres carissimi, dum haec humiliter et cum
grandi ˡcaritate pro sollicitudine paterna commoneo,
30 absolvo apud Deum ³⁰conscientiam meam. Qui vero
libenter audire me, et fideliter quod ˡei praedicatum est
implere voluerit, habebit praemium aeternum; ˡqui autem
contemserit, timeat ne ei necesse sit sine ullo fine sustinere
ˡsupplicium. Sed credimus de misericordia Dei, quod ita
omnes ˡebriosi de ebrietatis malo ad bonum sobrietatis
35 sunt per Dei gratiam ³⁵redituri, ut et nobis gaudium
faciant, et ipsi feliciter ad aeternum ˡpervenire mereantur
praemium. Amen.

---

18 praeparetis : *hic per doxol. des.* L¹·² ‖ 23 domos : domus Z¹ ‖
28 consumat : consumant Z¹.

au ciel par l'aumône ce que les ivrognes perdent sur terre. Qu'il ne vous suffise pas d'être honnêtes et sobres, mais autant que vous le pouvez, reprenez et corrigez les ivrognes, pour qu'il ne leur soit jamais possible de boire en votre présence plus qu'il ne faut ; mais en aimant vous-mêmes la sobriété et aussi en retirant les autres par vos remontrances de l'ivresse qui les perd, puissiez-vous vous préparer non seulement pour votre salut mais pour le leur de doubles récompenses dans la béatitude éternelle.

Beuverie **7.** Et voici de quoi pleurer et rougir, frères très chers ; on dit que certains paysans, quand ils ont du vin ou qu'ils se sont fait d'autres breuvages, invitent leurs voisins et leurs proches, comme pour un repas de noces, et les retiennent à boire pendant quatre ou cinq jours ; là, ils s'ensevelissent dans la plus complète ivresse et ne rentrent chez eux de cette lamentable beuverie que lorsqu'il ne reste plus rien à boire chez leur hôte ; et ainsi, ce dont il aurait pu se réconforter raisonnablement avec toute sa famille pendant deux ou trois mois, il le consume en quatre ou cinq jours par une beuverie déplorable et honteuse.

Quant à moi, frères très chers, en vous mettant en garde par sollicitude paternelle, humblement et avec une grande charité, j'absous ma conscience devant Dieu. Celui qui aura voulu m'écouter avec bonne volonté et accomplir fidèlement ce qui lui a été prêché, aura une récompense éternelle ; mais que celui qui l'aura méprisé craigne qu'il ne lui faille subir un supplice sans fin. Mais nous croyons de la miséricorde de Dieu que tous les ivrognes reviendront, par la grâce divine, du mal de l'ivresse au bien de la sobriété pour faire notre joie et mériter eux-mêmes de parvenir heureusement à la récompense éternelle. Amen.

Ammonitio quae ostendit quod ab initio saeculi omnes scripturae humiles benedixerint, et eos qui perseverant in superbia maledixerint

1. In scripturis sanctis, fratres carissimi, incessabiliter
5 pauperes ᵇbenedicuntur, et peccatores maledici videntur.
Primum ergo, sicut ǀipsi frequenter et legendo et psallendo
cognoscitis, qualiter scripturae ǀdivinae pauperes benedicunt, paucis sententiis caritati vestrae suggero; ǀet postea
quid de peccatoribus legatur insinuo. De pauperibus enim
ǀdicitur : « Iste pauper clamavit, et Dominus exaudivit
10 eumᵃ »; et iterum : ¹⁰« Viduae eius benedicens benedicam,
pauperes eius saturabo panibusᵇ »; ǀet iterum, « Beati
pauperes spiritu, quoniam ipsorum est regnum ǀcaelorumᶜ »;
et iterum : « Tibi derelictus est pauper, pupillo tu eris
ǀadiutorᵈ »; et iterum : « Quoniam exaudivit pauperes
Dominusᵉ. »

De ǀpeccatoribus vero dicitur : « Convertantur peccatores
15 in infernum, ¹⁵omnes gentesᶠ »; et iterum : « Quoniam
peccatores peribuntᵍ »; et iterum : ǀ« Conteres brachium
peccatoris et maligniʰ »; et illud : « Calix in manu ǀDomini
vini meri plenus est mixto, bibent ex eo omnes peccatores

Sermo XLVIII : L¹ *Laudunensis* 121   s. IX
                L² *Berolinensis theol. fol.* 355 (Rose 307)   s. IX
207,10 Viduae : viduam L¹·²ᵖᶜ

SERMON XLVIII

Monition qui montre que depuis le début du monde toutes les Écritures ont béni les humbles et maudit ceux qui persévèrent dans l'orgueil

1. Dans les Écritures saintes, frères très chers, les pauvres sont bénis sans cesse et on voit que les pécheurs sont maudits. Donc tout d'abord, comme vous-mêmes avez fréquemment l'occasion de vous en rendre compte par la lecture et la psalmodie, je vais représenter en peu de phrases à votre charité comment les saintes Écritures bénissent les pauvres, puis expliquer ce qu'on lit des pécheurs. Des pauvres, en effet, il est dit : « Ce pauvre a crié, et le Seigneur l'a exaucé[a] », et encore : « Bénissant, je bénirai sa veuve, je rassasierai ses pauvres de pains[b] », et encore : « Bienheureux les pauvres en esprit, car le royaume des cieux est à eux[c] », et encore : « Le pauvre a été laissé à tes soins, tu seras le secours de l'orphelin[d] », et encore : « Parce que le Seigneur a exaucé les pauvres[e]. »

Mais au sujet des pécheurs il est dit : « Que les pécheurs retournent vers l'Enfer, tous ces païens[f] », et encore : « Parce que les pécheurs périront[g] », et encore : « Tu rompras le bras du pécheur et du méchant[h] », et ceci : « Dans la main du Seigneur il y a une coupe pleine d'un mélange de vin fort ; tous les pécheurs de la terre en

1 [a] Ps. 33, 7   [b] Ps. 131, 15   [c] Matth. 5, 3   [d] Ps. 9, 14   [e] Ps. 68, 34
[f] Ps. 9, 18   [g] Ps. 36, 20   [h] Ps. 9, 15

ˡterraeˡ »; et iterum : « Omnia cornua peccatorum confrin-
gamʲ. » In ˡomnibus enim scripturis huiuscemodi sententiae
20 abundanter inveniun²⁰tur, quibus pauperes conlaudantur,
et e contra in peccatoribus durae ˡsententiae diriguntur.

2. Sed cum haec ita sint, forte aliquis intra se cogitat
et dicit : ˡQuomodo nobis in scripturis divinis praecipitur :
« Benedicite, et nolite ˡmaledicereᵃ »; et illud : « Neque
25 maledici regnum Dei possidebuntᵇ », ²⁵et « Benedicite
persequentibus vosᶜ »? Quomodo ipsae scripturae divinae,
ˡquae nobis hoc prohibent, totiens maledicunt? Maledic-
208 tiones istae, (208) fratres carissimi, non optantis sed
praedicentis animo proferuntur. ˡNon enim volunt ut hoc
peccatoribus veniat : sed quia sine dubio ˡventurae sunt,
ipsae maledictiones prophetiae esse probantur. Et ˡideo
quicumque peccatores se esse cognoscunt, et per scripturas
5 ˢsacras magis benedici quam maledici desiderant, cito ad
paenitentiae ˡmedicamenta confugiant; ne forte, si illos
in peccatis suis perseveˡrantes mors inopinata praevenerit,
omnes maledictiones, quae ab ˡinitio mundi in scripturis
sanctis leguntur, ita in ipsos veniant, ut ˡeos liberari de
poena perpetua non permittant.

10 ¹⁰**3.** Et tamen, fratres, quando pauperes in scripturis
divinis beneˡdicuntur, et peccatores maledicuntur, qui
sensus scripturae divinae ˡdiligenter adtendit, non hoc de
omnibus peccatoribus, nec de uniˡversis pannosis pauperibus dictum intellegit. In peccatoribus enim ˡquos scrip-

---

23 Benedicite : benedicere Lˡᵖᶜ·² ‖ 25 vos *edd.* : vobis Lˡ·².
208,6 illos Lˡᵖᶜ : illius L²

---

¹ Ps. 74, 9   ʲ Ps. 74, 11.
2 ᵃ Rom. 12, 14   ᵇ I Cor. 6, 10   ᶜ Rom. 12, 14.

boiront[11] », et encore : « Je briserai toutes les cornes des pécheurs[j]. » En effet, dans toutes les saintes Écritures on trouve abondamment des phrases de cette sorte, où les pauvres sont comblés de louanges et où, au contraire, de dures phrases sont dirigées contre les pécheurs.

2. Mais devant ces textes, peut-être quelqu'un songe-t-il en lui-même : Comment nous est-il prescrit dans les Écritures divines : « Bénissez et ne maudissez pas[a] », et ceci : « Ceux qui maudissent ne posséderont pas le royaume de Dieu[b] », et : « Bénissez ceux qui vous persécutent[c] » ? Comment les Écritures divines elles-mêmes, qui nous le défendent, maudissent-elles si souvent ? Ces malédictions, frères très chers, sont proférées par l'esprit non de gens qui les souhaitent mais qui les prédisent, car ils ne veulent pas que cela arrive aux pécheurs ; mais parce que, sans aucun doute, cela arrivera, les malédictions mêmes se trouvent être des prophéties. Et c'est pourquoi tous ceux qui se savent pécheurs, et qui désirent être plutôt bénis que maudits dans les Écritures sacrées, n'ont qu'à vite se réfugier dans les remèdes de la pénitence, de peur que, peut-être, si une mort inattendue les surprenait persévérant dans leurs péchés, toutes les malédictions qu'on lit depuis l'origine du monde dans les Écritures saintes ne se dressent contre eux, ne leur permettant pas d'être libérés du châtiment perpétuel.

Pécheurs et pauvres signifient orgueilleux et humbles — **3.** Et cependant, frères, quand on bénit les pauvres dans les Écritures divines, et qu'on maudit les pécheurs, celui qui prête attention avec zèle au sens de l'Écriture divine comprend que cela n'est pas dit de tous les pécheurs ni de l'ensemble des pauvres en haillons. Car, en ce qui concerne les pécheurs que les

---

1. Césaire ne cite que la première et la dernière partie du verset.

turae divinae maledicere videntur, non omnes peccatores,
15 [15]sed tantummodo superbi intelleguntur, qui non solum
mala faciunt, [I]verum etiam mala ipsa fronte inpudentissima
defensare non erubes[I]cunt. Ipsi enim sunt de quibus
scriptum est : « Confundantur superbi, [I]quia iniuste
iniquitatem fecerunt in me[a] »; et illud : « Tu, inquit,
[I]oculos superborum humiliabis[b] »; et illud : « Superbi
20 inique agebant [20]usquequaque[c] »; et illud : « Deus superbis
resistit[d]. »

Innumerabilia sunt [I]huiuscemodi testimonia, quibus
superborum arrogantia denotatur. [I]Et ideo quotiens in
scripturis auditis peccatores maledici, sicut iam [I]dixi, de
superbis, hoc est, peccata sua defendentibus intellegite.
[I]Et quotiens auditis pauperes conlaudari, nolite hoc de
25 omnibus [25]pauperibus accipere, sed de bonis tantummodo
christianis, qui mites [I]sunt et humiles corde, de quibus
scriptum est : « Super quem requiescit [I]spiritus meus, nisi
super humilem et quietum et trementem [I]verba mea?[e] »

4. Multi enim sunt pauperes iracundi vel superbi,
30 quibus nihil [30]prodest quod sunt facultatibus indigentes,
cum vitiis et malis moribus [I]sint locupletes. Et multi sunt
divites humiles et mansueti, de quibus [I]dictum est :
« Beatus vir qui post aurum non abiit, nec speravit [I]in
thesauris suis[a] »; et illud : « Dispersit, dedit pauperibus,
iustitia [I]eius manet in saeculum saeculi[b]. » Quid enim
209 prodest pauperi divitias (209) non habere, si voluntatem

---

33 thesauris suis L[2] : pecunia thesauri sui L[1].

---

3 [a] Ps. 118, 78   [b] Ps. 17, 28   [c] Ps. 118, 51   [d] Prov. 3, 34   [e] Is.
66, 2.
4 [a] Sir. 31, 8   [b] Ps. 111, 9

---

1. Césaire suit le texte de la Septante, comme *Jac.* 4, 6 et *I Pierre*
5, 5 (c'est aussi la version qu'utilise toujours Augustin), mais il ne

Écritures divines semblent maudire, il ne faut pas comprendre tous les pécheurs, mais seulement les orgueilleux,
qui non seulement font le mal mais ne rougissent même pas
de s'en faire effrontément les champions. Car c'est d'eux
qu'il est écrit : « Que les orgueilleux soient confondus,
car ils ont injustement commis l'iniquité contre moi[a] »,
et ceci : « Toi, dit-il, tu humilieras les yeux des orgueilleux[b] », et ceci : « En toute occasion les orgueilleux agissent
avec iniquité[c] », et ceci : « Dieu résiste aux orgueilleux[d1].»

Les témoignages de cette sorte sont innombrables par
lesquels l'arrogance des orgueilleux est dénoncée. Et c'est
pourquoi, chaque fois que vous entendez maudire les
pécheurs dans les Écritures, comme je l'ai déjà dit,
comprenez les orgueilleux, c'est-à-dire ceux qui prennent
la défense de leurs péchés. Et chaque fois que vous
entendez combler les pauvres de louanges, n'entendez pas
cela de tous les pauvres, mais seulement des bons chrétiens
qui sont doux et humbles de cœur, de ceux dont il est écrit :
« Sur qui repose mon esprit, sinon sur celui qui est humble
et tranquille et qui craint mes paroles ?[e2] »

4. En effet, il y a beaucoup de pauvres irascibles et
orgueilleux, auxquels il ne sert à rien de manquer de biens
alors qu'ils sont riches de vices et de mauvaises mœurs.
Et il y a beaucoup de riches humbles et bienfaisants dont
il est dit : « Bienheureux l'homme qui n'a pas couru après
l'or et n'a pas mis son espoir dans ses trésors[a] », et ceci :
« Il a prodigué son bien, il a donné aux pauvres, sa justice
demeure pour l'éternité[b]. » Car à quoi sert-il au pauvre
de n'avoir pas de richesses, s'il a la volonté de posséder,

précise jamais s'il cite ce verset des *Proverbes* à travers le Nouveau
Testament. Cf. *Serm.* 49, 2.
   2. Ce verset, très souvent cité par les Pères, notamment par
Cyprien, Ambroise, Jérôme et Augustin, l'est presque toujours comme
par Césaire, à quelques variantes de temps près.

habuerit possidendi, cum Apostolus non ᶦhabentem divitias,
sed cupientem condemnaverit, dicens : « Qui volunt ᶦdivites
fieri, incidunt in temptationem et laqueum diaboliᶜ »? ᶦAut
quid ei prodest non habere facultatem, si ardet cupiditate?
5 ⁵Quid, inquam, prodest pauperi quia pauper est, si magis
superbus ᶦquam humilis esse voluerit? Aut quid nocet
diviti copiosa facultas, ᶦsi in eo fuerit perfecta humilitas;
si de divitiis suis non luxuriae ᶦservire, sed elemosinas
erogare, et humilitatem ac mansuetudinem ᶦtoto corde,
toto animo voluerit custodire? Denique, sicut iam dixi,
10 ¹⁰omnes scripturae humiles pauperes laudant, et divites
superbos ᶦvituperant; pauperibus aeternum promittunt
praemium, divitibus ᶦsuperbis perenne minantur supplicium, secundum illud : « Redde ᶦretributionem superbisᵈ »;
et : « Perdet Deus memoriam superborumᵉ »; ᶦet : « Odibilis
coram Deo superbiaᶠ. »

15   Sed si forte est aliquis, qui sibi ¹⁵sine humilitate de
religione vel quibuscumque bonis operibus gloᶦriatur,
diligenter adtendat et contremiscat, quia ipsum archan-
gelum ᶦsuperbia de caelo deposuit. Et si tantum ac talem
deiecit, tu cum sis ᶦterra et cinis, speras te cum superbia
in caelum conscendere? Et ᶦideo consideret unusquisque
20 conscientiam suam : et si in se superbiae ²⁰malum dominari
cognoscit, ad humilitatis medicamenta confugiat : ᶦquia si
usque ad exitum vitae suae in superbia voluerit perdurare,
ᶦnecesse habet cum diabolo, cuius imitator est, inferni
supplicia ᶦsustinere, secundum illud : « Qui confidunt in
superbia, illi caduntᵍ. »

     ᶦQui vero facultates minores habent, et pauperes sunt,
25 si volunt ut ²⁵ad ipsos respiciat omnium scripturarum
benedictio, veram humiᶦlitatem teneant, et audiant sibi

209,14 Odibilis coram Deo superbia : odibiles — superbi L¹ ‖
23 illi L¹ᵖᶜ : illic L².

ᶜ I Tim. 6, 9   ᵈ Ps. 93, 2   ᵉ Sir. 10, 21   ᶠ Sir. 10, 7   ᵍ Prov. 11, 28

alors que l'Apôtre condamne non celui qui a des richesses mais celui qui les désire, en disant : « Ceux qui veulent devenir riches tombent dans la tentation et le piège du diable[c] » ? Ou, à quoi sert-il de n'avoir pas de richesses, si l'on brûle de désir ? A quoi, dis-je, sert-il au pauvre d'être pauvre, s'il veut être plutôt orgueilleux que humble ? Ou en quoi son abondante richesse nuit-elle au riche, si demeure en lui la parfaite humilité ; s'il veut utiliser ses richesses non pour le luxe mais pour distribuer des aumônes et s'il veut garder l'humilité et la bienveillance de tout son cœur, de toute son âme ? Enfin, comme je l'ai dit déjà, toutes les Écritures louent les pauvres humbles et blâment les riches orgueilleux ; elles promettent aux pauvres la récompense éternelle, elles menacent les riches orgueilleux du supplice perpétuel, selon cette parole : « Rends aux orgueillleux leur salaire[d] », et : « Dieu perdra la mémoire des orgueilleux[e] », et : « L'orgueil est odieux devant Dieu[f]. »

Mais s'il est quelqu'un d'aventure qui se glorifie sans humilité de sa piété ou de n'importe quelle bonne œuvre, qu'il fasse bien attention et tremble, car l'orgueil a chassé du ciel l'archange lui-même. Et s'il a tellement abaissé un tel être, toi, alors que tu es terre et cendre, espères-tu t'élever au ciel avec de l'orgueil ? Et c'est pourquoi, que chacun considère sa conscience, et s'il se rend compte que le mal de l'orgueil le domine, qu'il se réfugie dans les remèdes de l'humilité, car s'il veut persister dans son orgueil jusqu'à la fin de sa vie, il aura nécessairement à endurer avec le diable, dont il est l'imitateur, les supplices de l'Enfer, selon cette parole : « Ceux qui se fient à l'orgueil, ceux-là tombent[g][1]. »

Mais ceux qui ont peu de biens et qui sont pauvres, s'ils veulent que la bénédiction de toutes les Écritures repose sur eux, qu'ils gardent une vraie humilité et qu'ils

---

1. Verset très peu représenté et jamais sous cette forme.

dicentem Dominum : « Discite a me ⌐quia mitis sum et
humilis corde[h] »; et timeant illud quod scriptum ⌐est :
« Ante Dominum inmundus est omnis qui exaltat cor
suum[1]. » ⌐Secundum haec quae supra suggessi, evidenter
30 agnoscite, quia nec [30]pauperes iuvat quod pauperes sunt,
si humiles esse noluerint; et ⌐divitibus nihil nocet quia
divites sunt, si humilitatem ac misericor⌐diam vel iustitiam
tenere contenderint.

5. Et quia duae partes hominum et quasi duo populi,
210 humilium (210) scilicet et superborum, ab initio mundi in
duabus civitatibus con⌐struuntur : et una earum dicitur
Hierusalem, quod interpretatur visio ⌐pacis, altera Baby-
lonia, quod interpretatur confusio : unam aedificat ⌐Christus
aliam diabolus; omnes qui perseveraturi sunt in superbia,
5 ⌐ad Babyloniam pertinent, ad Hierusalem vero qui in
humilitate ⌐sunt permansuri. Omnes sancti et omnes
scripturae eos qui sunt ⌐humiles benedixerunt et iugiter
benedicunt, secundum illud : « Benefac, ⌐Domine, bonis et
rectis corde[a] »; et eos qui sunt superbi maledixerunt ⌐et
assidue maledicunt.

10 Unde, sicut iam dixi, unusquisque recurrat [10]ad conscientiam suam : et si in se radicem superbiae dominari
⌐cognoscit, dum ei licet, et tempus bene faciendi in sua
potestate ⌐consistit, quanta potest velocitate cum Dei
adiutorio stirpet superbiam, ⌐et plantet humilitatem,
certissime sciens quod ei, quaelibet bona opera ⌐fecerit,
prodesse non poterunt, quamdiu in superbiae tumore
15 per[15]manserit. Nec contentus sit quasi per fictam et

[h] Matth. 11, 29   [i] Prov. 16, 5.
5 [a] Ps. 124, 4

---

1. Césaire suit le texte de la Septante comme les autres Pères,
à quelques variantes près.

entendent le Seigneur leur dire : « Instruisez-vous auprès de moi car je suis doux et humble de cœur[h] », et qu'ils craignent ce qui est écrit : « Devant le Seigneur est impur tout homme qui s'enorgueillit dans son cœur[i1]. » Selon ce que j'ai exposé plus haut, reconnaissez avec évidence que cela n'aide pas les pauvres d'être pauvres s'ils ne veulent pas être humbles, et qu'il ne nuit en rien aux riches d'être riches s'ils désirent vivement garder l'humilité, la miséricorde et la justice.

Les deux cités   **5.** Deux parties de l'humanité et comme deux peuples, à savoir celui des humbles et celui des orgueilleux, construisent depuis l'origine du monde deux cités. On appelle l'une d'elles Jérusalem, ce qu'on interprète « vision de paix », l'autre Babylone, ce qu'on interprète « confusion ». Le Christ édifie l'une, le diable l'autre[2] ; tous ceux qui vont persévérer dans l'orgueil appartiennent à Babylone, mais ceux qui vont demeurer dans l'humilité sont de Jérusalem. Tous les saints et toutes les Écritures ont béni les humbles et ne cessent de les bénir, selon cette parole : « Fais du bien, Seigneur, à ceux qui sont bons et droits de cœur[a] », et ceux qui sont orgueilleux, ils les ont maudits et les maudissent sans cesse.

D'où, comme je l'ai déjà dit, que chacun retourne à sa conscience et, s'il se rend compte que la racine de l'orgueil domine en lui, tant que cela lui est permis et que le temps de bien faire subsiste en son pouvoir, qu'il extirpe aussi vite qu'il le peut avec l'aide de Dieu, l'orgueil et qu'il plante l'humilité, sachant en toute certitude que, quelles que soient ses bonnes œuvres, elles ne pourront lui servir, aussi longtemps que persistera la tumeur de l'orgueil. Et qu'il ne se contente pas d'ôter seulement ses

---

2. Césaire s'inspire certainement d'AUGUSTIN, *De catechiz.*, I, 20-21, *PL* 40, 336-337.

simulatam humilitatem |velut ramos eius tantummodo
tollere : sed radicem ex corde conetur |evellere, si vult illi
placere, qui cor dignatur inspicere. Quam rem |qui implere
noluerit, maledictis scripturarum omnium subiacebit, et
|impletur in eo illud quod scriptum est : « Dominus iustus
20 concidet ²⁰cervices peccatorum[b] »; et illud : « Pluet super
peccatores laqueos |ignis[c]. »

6. Istam sententiam quando audiunt peccatores, contre-
mescunt |et dicunt : Si Dominus iustus omnium peccatorum
cervices concidet, |nos, qui peccatores sumus, quomodo
25 evadere possumus? Absit ut ²⁵de pietate Domini despe-
retur : cito enim nos suscipit divina miseri|cordia, si
paenitentia vel emendatio fuerit subsecuta. Et tamen
hoc |loco peccatores superbos intellegi voluit, pro eo quod
et ipsi peccatum |suum defendunt, et a suis similibus
conlaudantur, et dicitur eis : |Bene et prudenter egisti.
30 Sic respondere, sic te defendere gratularis, ³⁰quia vicisse
videris hominem; et non plangis, quia vitio superbiae
|victus es. Quanto melius tibi erat Christum humilem
sequi, quam per |superbiam diaboli pedibus conculcari.

« Dominus, inquit, concidet |cervices peccatorum[a]. »
Quod autem hoc non de omnibus peccatoribus, |sed
tantummodo de superbis et debeat et possit intellegi, ex
35 illo ³⁵membro ubi percutiuntur agnoscite. Non dixit,
Dominus iustus |concidet manus vel pedes peccatorum;
211 sed « cervices peccatorum ». (211) Quare hoc? Quia omnes
superbi cervicati sunt. Et ideo solos superbos |ista plaga

---

[b] Ps. 128, 4   [c] Ps. 10, 7.
6 [a] Ps. 128, 4

---

1. Cf. Augustin, *Enarr. in Ps.*, 128, 9, d'où Césaire tire peut-être
cette idée : « Dominus iustus concidet cervices peccatorum. Non puto,
fratres mei, quia omnium peccatorum ; sed in membro quod percutit,
ibi designat quos peccatores percutiat. Non enim dixit : Dominus
iustus concidet manus peccatorum ; aut Dominus iustus concidet pedes

rameaux, comme par une humilité feinte et simulée ;
mais qu'il s'efforce d'arracher de son cœur la racine, s'il
veut plaire à celui qui daigne visiter son cœur. Celui qui
refuse d'accomplir cela sera sous le coup des malédictions
de toutes les Écritures, et s'accomplira en lui ce qui est
écrit : « Le Seigneur juste abattra les têtes des pécheurs[b] »,
et ceci : « Il pleuvra sur les pécheurs des filets de feu[c]. »

6. Quand les pécheurs entendent cette sentence, ils
tremblent et disent : Si le Seigneur juste doit abattre les
têtes de tous les pécheurs, nous, qui sommes pécheurs,
comment pouvons-nous échapper[1] ? Que le Seigneur nous
préserve de désespérer de sa bonté ; car la divine miséricorde nous accueille aussitôt si la pénitence et l'amendement suivent. Et du moins, ici, c'est des pécheurs orgueilleux qu'il a voulu parler, parce qu'ils défendent eux-mêmes
leurs péchés et sont comblés de louanges par leurs semblables. On leur dit : Tu as bien agi et prudemment. Tu te
félicites de voir répondre ainsi, de te défendre, car tu
sembles avoir vaincu un homme ; et tu ne pleures pas
d'être vaincu par le vice de l'orgueil. Combien préférable
il eût été pour toi de suivre le Christ humble, plutôt que
d'être foulé aux pieds du diable par orgueil.

« Le Seigneur, est-il dit, abattra les têtes des pécheurs[a]. »
Or, cela ne peut et ne doit pas s'entendre de tous les
pécheurs, mais seulement des orgueilleux ; le membre
où ils sont frappés le prouve. Il n'a pas dit : Le Seigneur
juste abattra les mains ou les pieds des pécheurs, mais
« les têtes des pécheurs ». Pourquoi cela ? Parce que tous
les orgueilleux sont têtus. Et sachez que c'est pour cette
raison que seuls les orgueilleux doivent être frappés de

peccatorum, non dixit ; sed quia peccatores superbos volebat intellegi,
superbi autem omnes cervicati sunt, qui non solum faciunt mala,
sed nec agnoscere volunt, et quando obiurgantur, iustificant se. »
(*CCL*, XL, p. 1886-87).

percutiendos esse cognoscite. Qui ergo humiles sunt, Deo |gratias agant, et usque in finem vitae suae in humilitate permaneant : |ut angelorum et patriarcharum et prophe-
5 tarum et apostolorum et ⁵omnium scripturarum benedictio, quae omnibus in humilitate perse|verantibus datur, super ipsos veniat, et cum ipsis benedictionibus |ad praemia aeterna perveniant, et impleatur in illis illud quod scriptum |est : « Benedictio Domini super caput iusti[b]. » Illi vero qui superbiae |tyrannidem in se dominari cognoscunt, sicut
10 iam supra suggessimus, ¹⁰repudiata elatione arrogantiae, per quam in se ipsis Domini templa |destruxerant, funda-mentum verae humilitatis in se conlocare fe|stinent; ut per humilitatem surgere mereantur ad gloriam, qui per |superbiam ceciderant in ruinam.

7. Sed dum de exsecrando superbiae malo et adpetendo
15 humilitatis ¹⁵bono loquimur, forte aliquis intra se cogitat, et dicit : Quid est quod |in hoc sermone de istis duabus tantummodo loquitur, et de funda|mento bonorum caritate, et radice malorum omnium cupiditate |nihil dicit? Hoc ideo interdum facimus, fratres carissimi, quia illae |duae sine istis duabus esse non possunt : numquam enim vel
20 cupi²⁰ditas sine superbia, vel caritas sine humilitate, aut potuit esse aliquando |aut poterit. Ac sic quicumque humi-litatem laudat, cum illa et cari|tatem, de qua nascitur, praedicat; et e contrario qui superbiam |accusat, simul et cupiditatem, sine qua esse non potest, damnat.

|Quomodo enim caritas et humilitas velut duae alae
25 sunt, quibus ²⁵humiles animae levantur ad caelum, et si una defuerit, alia prodesse |nihil poterit; ita et e contrario

---

211,14 de *edd.* : *om.* L¹⁻².

---

[b] Prov. 10, 6.

---

1. Cf. *I Tim.* 6, 10.

ce coup. Ceux donc qui sont humbles, qu'ils rendent grâces à Dieu, et qu'ils persévèrent jusqu'à la fin de leur vie dans l'humilité, pour que la bénédiction des anges et des patriarches, des prophètes et des apôtres et de toutes les Écritures, réservée à ceux qui persévèrent dans l'humilité, vienne sur eux ; et, qu'avec ces bénédictions, ils parviennent aux récompenses éternelles et que s'accomplisse en eux ce qui est écrit : « La bénédiction du Seigneur est sur la tête du juste[b]. » Mais ceux qui savent que la tyrannie de l'orgueil les domine, qu'ils se hâtent, comme nous l'avons déjà conseillé, de répudier l'arrogance altière par laquelle ils avaient détruit en eux-mêmes le temple du Seigneur et d'établir ensuite en eux le fondement de la vraie humilité, pour mériter de s'élever par l'humilité vers la gloire, eux qui étaient tombés en ruine à cause de l'orgueil.

Les deux racines : charité et cupidité

7. Mais tandis que nous disons que le mal de l'orgueil doit être exécré et le bien de l'humilité recherché, quelqu'un songe peut-être en lui-même : Pourquoi, dans ce sermon, parle-t-il seulement de ces deux choses, et ne dit-il rien de la charité, fondement des biens, et de la cupidité, racine de tous les maux[1] ? Il nous arrive de faire cela, frères très chers, parce que les deux dernières ne peuvent exister sans les deux premières. En effet, jamais la cupidité n'a pu être un jour ou ne pourra être sans l'orgueil, ni la charité sans l'humilité. Et quiconque loue ainsi l'humilité prêche avec elle aussi la charité qui l'engendre ; en sens inverse, celui qui accuse l'orgueil condamne aussi en même temps la cupidité sans laquelle il ne peut être.

En effet, la charité et l'humilité sont comme les deux ailes sur lesquelles les âmes humbles sont élevées au ciel, et si l'une fait défaut, l'autre ne pourra servir à rien ; de même, à l'opposé, la cupidité et l'orgueil se présentent

cupiditas et superbia velut duae |conpedes esse probantur,
cum quibus infelices superborum animae, |dum se per
elationem in altum erigunt, iusti Deo iudicio in inferni
|profunda descendunt. Et ideo quotiens in scripturis
30 divinis aut in ³⁰quibuscumque praedicationibus audieritis
laudes humilitatis, ibi |etiam praeconia caritatis agnoscite;
sicut e diverso vituperationem |superbiae, cupiditatis
exsecrationem intellegite. Et quia de cupiditate |superbia
nascitur, et de caritate humilitas generatur, ita sibi invicem
|copulantur, ut unaquaeque mater sine filia sua esse non
35 possit. Quicum³⁵que ergo se desiderat de malo superbiae
liberari, prius in se cupidi|tatem, de qua nascitur, conetur
extinguere; sicut e contrario qui |veram humilitatem
212 concupiscit iugiter obtinere, caritatem matrem (212) ipsius
contendat fideliter custodire.

Unde totis viribus Dei miseri|cordiam deprecemur, ut
nos de malo superbiae vel cupiditatis liberare, |et bonum
humilitatis et caritatis per suam misericordiam largiri
|dignetur : ut non superbiae principem diabolum imitando
5 descendamus ⁵in infernum, sed sequendo magistrum humi-
litatis Christum ad ipsum |ascendere mereamur in caelum.
Quod ipse praestare dignetur, qui |cum Patre et Spiritu
sancto vivit et regnat in saecula saeculorum. Amen.

212,1 Unde *edd.* : inde L¹·² ‖ 2 vel *edd.* : et vel L² et L¹ᴰᶜ ‖ 4
principem *edd.* : malum L¹·².

comme deux entraves avec lesquelles les malheureuses âmes des orgueilleux, tandis qu'elles se dressent vers le ciel avec arrogance, descendent par un juste jugement de Dieu dans les profondeurs de l'Enfer. Et c'est pourquoi, chaque fois que dans les Écritures divines ou dans n'importe quelle prédication vous entendez louer l'humilité, reconnaissez là aussi les éloges de la charité ; comme, dans l'autre sens, comprenez, lorsqu'on critique l'orgueil, qu'on exècre la cupidité. Et parce que l'orgueil naît de la cupidité et que l'humilité s'engendre de la charité, ces choses sont si étroitement unies l'une à l'autre que chaque mère ne pourrait exister sans sa fille. Donc, quiconque désire être libéré du mal de l'orgueil doit s'efforcer d'abord d'éteindre en lui la cupidité qui l'engendre, comme, à l'inverse, celui qui désire ardemment obtenir sans cesse la vraie humilité doit s'efforcer de garder fidèlement sa mère la charité.

Aussi, supplions la miséricorde de Dieu de toutes nos forces, afin qu'il daigne nous libérer du mal de l'orgueil et de la cupidité et nous prodiguer avec bonté le bien de l'humilité et de la charité, afin que nous ne descendions pas en Enfer à l'imitation du diable, prince de l'orgueil, mais qu'en suivant le Christ, maître de l'humilité, nous méritions de monter jusqu'au ciel. Que daigne l'accorder celui qui avec le Père et l'Esprit saint vit et règne pour les siècles des siècles. Amen.

SERMO XLIX

Quomodo in scriptura viduae et pupilli vel pauperes intellegantur

10   [10]1. In scripturis divinis, fratres dilectissimi, frequenter viduae ac |pupilli vel pauperes cum benedictione nominantur, sicut in psalmis |legimus : « Viduam eius benedicens benedicam, et pauperes eius |saturabo panibus[a] »; et iterum : « Orphanum et viduam suscipiet[b] »; et |illud : « Iste pauper clamavit, et Dominus exaudivit eum[c]. »

15   Hoc totum [15]quando auditis, de universa ecclesia catholica intellegite, et de omnibus |qui in sancta ecclesia boni sunt, humiles, misericordes, iusti, modesti, |casti vel sobrii. Licet etiam et de istis viduis pupillis atque pauperibus |cura sit Deo, et, si humiles fuerint, libenter eos exaudiat, tamen in |scripturis divinis sub persona istorum tota

20 ecclesia intellegitur. [20]Omnes enim qui ita agunt, ut ad aeternam vitam perveniant, ipsi |quasi vidua, quasi pauper ac velut pupillus adsidue benedicuntur. |Quare autem ecclesia vidua intellegitur, nisi quia vir eius Christus |quasi

Sermo XLIX : H[2] *Londinensis B.M. Addit.* 30853   s. XI/XII
                   H[3] *Spinaliensis* 3 (*al.* 16)   s. XII

212,8 Quomodo — intellegantur : item sextus H[2] ‖ 12 legimus : legitur H[3] ‖ et *om.* H[3] ‖ 16 boni *om.* H[3] ‖ modesti *om.* H[3]

1 [a] Ps. 131, 15   [b] Ps. 145, 9   [c] Ps. 33, 7

SERMON XLIX

Ce qu'il faut entendre dans l'Écriture par veuves et pupilles ou par pauvres[1]

1. Dans les Écritures divines, frères bien-aimés, on accompagne souvent d'une bénédiction l'appellation de veuves et de pupilles ou celle de pauvres, comme nous le lisons dans les Psaumes : « Bénissant, je bénirai sa veuve et je rassasierai ses pauvres de pains[a] », et encore : « Il soutiendra l'orphelin et la veuve[b] », et ceci : « Ce pauvre a crié, et le Seigneur l'a exaucé[c]. »

Quand vous entendez tout cela, comprenez qu'il s'agit de l'Église catholique universelle et de tous ceux qui, dans la sainte Église, sont bons, humbles, miséricordieux, justes, modestes, chastes et sobres. Bien que Dieu, assurément, prenne soin aussi de ces veuves, pupilles et pauvres et, s'ils sont humbles, les exauce volontiers, cependant dans les Écritures divines c'est toute l'Église qui est comprise sous leur nom. En effet, tous ceux qui agissent de façon à parvenir à la vie éternelle sont eux-mêmes continuellement bénis comme s'il s'agissait d'une veuve, d'un pauvre ou d'un orphelin. Mais pourquoi l'Église est-elle conçue comme une veuve, sinon parce que son époux le Christ

1. Sermon édité pour la première fois par G. Morin et présenté par lui dans *RB*, XXIII (1906), p. 364-366.

absens esse videtur? Ille vir, inquam, de quo Apostolus ad
eccle|siam dicit : « Spondi vos uni viro virginem castam
25 exhibere Christo^d »; ²⁵et iterum : « Diligat unusquisque
uxorem suam sicut Christus |ecclesiam^e. »

Quare autem ecclesia pauper intellegitur, nisi quia
213 humilis (213) est, et non sperat in honoribus vel facultatibus
saeculi huius, sed |in Domino Deo solo? De ipso dicitur :
« Beati pauperes spiritu, quoniam |ipsorum est regnum
caelorum^f. » Quare et orphanis et pupillis ecclesia |signifi-
catur, nisi quia ipse Dominus et Salvator dixit : « Nolite
5 vobis ⁵dicere patrem habere in terra : unus est enim pater
vester cae|lestis^g »; et quomodo orphani et pupilli, qui non
habent patrem de |quo superbiant, humiles sunt, sic et in
sancta ecclesia quicumque |sunt boni, non tam ex necessi-
tate quam ex voluntate sunt humiles |et mansueti?

Isti tales etiam si habeant honores vel divitias huius
10 ¹⁰mundi, non superbe sapiunt, nec sperant in incerto
divitiarum; |et sic de pauperibus, quo modo de ipsis,
sollicitudinem gerunt, |rerum suarum dispensatores magis
quam possessores esse videntur, |et de facultatibus suis
etiam se ipsos rationabiliter inter reliquos |pauperes
pascunt.

15 ¹⁵2. Sic ergo ex nomine viduarum, pupillorum vel paupe-
rum in |illis qui boni sunt ecclesia intellegitur, quomodo
ex nomine peccatorum |et superborum hii qui in ecclesia

---

23 inquam *om.* H² ‖ 25 sicut : et *add.* H³.
213,2 ipso : ipsis H³ ‖ 3 orphanis et pupillis *Mor.* : orfanus et
pupillus H² orphani et pupilli H³ ‖ 4 Salvator : noster *add.* H³ ‖
5 habere : habemus H³ ‖ caelestis : qui in caelis est H³ ‖ 8 tam :
tamen H² ‖ 9 si : sibi H² ‖ 12 suarum : et *add.* H² ‖ 15 Sic *Mor.* : si
codd. ‖ nomine : numero H³

---

^d II Cor. 11, 2   ^e Éphés. 5, 25   ^f Matth. 5, 3   ^g Matth. 23, 9.

---

1. Version légèrement différente de celle de la Vulgate. Nous la

semble être pour ainsi dire absent? Cet époux, dis-je,
dont l'Apôtre dit à l'Église : « Je vous ai fiancés à un
époux unique, comme une vierge pure à présenter au
Christ[d] », et encore : « Que chacun aime sa femme comme
le Christ aime l'Église[e]. »

Mais pourquoi l'Église est-elle conçue comme un pauvre,
sinon parce qu'elle est humble et n'espère pas dans les
honneurs et les biens de ce siècle, mais dans le Seigneur
seul? De ce pauvre il est dit : « Bienheureux les pauvres
en esprit, car le royaume des cieux est à eux[f]. » Et pourquoi
désigne-t-on l'Église par les orphelins et les pupilles,
sinon parce que le Seigneur et Sauveur lui-même a dit :
« Ne dites pas que vous avez un père sur terre ; car votre
unique père est au ciel[g][1] »? Et de même que les orphelins
et les pupilles qui n'ont pas de père de qui s'enorgueillir
sont humbles, ainsi dans la sainte Église aussi tous ceux
qui sont bons ne sont-ils pas humbles et bienveillants,
non tant par nécessité que par choix?

Les vrais pauvres Leurs pareils, même s'ils possèdent
les honneurs et les richesses de ce
monde, ne se conduisent pas avec orgueil et n'espèrent
pas dans des richesses incertaines[2] ; ils se préoccupent
des pauvres en quelque sorte comme d'eux-mêmes,
paraissant être plutôt les dispensateurs que les possesseurs
de leurs biens et se servant également de leurs richesses
pour se nourrir raisonnablement au milieu des autres
pauvres.

2. Ainsi donc, sous le nom de veuves, pupilles ou pauvres,
on entend l'Église dans ceux qui sont bons, comme on
désigne sous le nom de pécheurs et d'orgueilleux ceux qui,

---

trouvons presque identique chez AUGUSTIN, *Enarr. in Ps.*, 127, 12,
li. 22 ; on rencontre, en outre, plusieurs fois la première partie du
verset, toujours avec le verbe *dicere*, notamment dans les *Enarrationes*
et les *Sermons*.

2. Cf. *I Tim.* 6, 17.

mali sunt designantur. Cognoscant ⌐ergo omnes superbi,
quia ab initio mundi in omnibus scripturis ⌐et maledicti
sunt et maledicuntur et maledicendi sunt; omnes vero
20 ²⁰humiles et mansueti tam in veteri quam in novo testamento et bene⌐dicti sunt et benedicuntur et benedicendi
sunt; quia non mentitur ⌐ille qui dixit : « Deus superbis
resistit, humilibus autem dat gratiamᵃ. »

⌐Ubicumque auditis in scripturis dici « Convertantur
peccatores ⌐in infernumᵇ », et iterum « Quoniam peccatores
25 peribuntᶜ », et illud ²⁵« Obscurentur oculi eorum ne videant,
et dorsum illorum semper ⌐incurvaᵈ »; quotiens talia et
his similia auditis de peccatoribus recitari, ⌐non de omnibus,
sed tantum de superbis et paenitentiam agere ⌐dissimu-
lantibus intellegite, secundum illud quod in psalmo legitur :
⌐« Tu populum humilem salvum facies, et oculos superborum
30 humi³⁰liabisᵉ »; et illud : « Confundantur superbi, quia
iniuste iniquitatem ⌐fecerunt in meᶠ. »

3. Nos vero, fratres, simus pauperes, id est, mansueti et
214 humiles; (214) simus etiam in membris illius viduae, de
qua scriptum est « Viduam ⌐eius benedicens benedicamᵃ. »
Non sit auxilium nostrum nisi in uno ⌐Deo; simus et
pauperes spiritu, de qualibus dictum est « Et pauperes ⌐eius
saturabo panibusᵇ. » De divitibus enim Apostolus dicit :
5 « Divitibus ⁵huius saeculi praecipe non superbe sapere,
neque sperare in ⌐incerto divitiarum suarum, sed in Deo
vivoᶜ. » Quid ergo faciant de ⌐divitiis suis? Sequitur, et

28 in psalmo : in psalmis Hᵃ.
214,6 suarum *om.* Hᵃ ‖ faciant : faciunt H² ‖ 7 suis² *om.* Hᵃ

---

2 ᵃ Prov. 3, 34   ᵇ Ps. 9, 18   ᶜ Ps. 36, 20   ᵈ Ps. 68, 24   ᵉ Ps. 17, 28
ᶠ Ps. 118, 78.

3 ᵃ Ps. 131, 15   ᵇ *ibid.*   ᶜ I Tim. 6, 17

dans l'Église, sont mauvais. Que tous les orgueilleux
sachent donc que depuis le commencement du monde,
dans toutes les Écritures, ils ont été, sont et seront maudits
et qu'au contraire tous les humbles et les doux, tant dans
l'Ancien que dans le Nouveau Testament, ont été, sont
et seront bénis ; car il ne ment pas celui qui a dit : « Dieu
résiste aux orgueilleux, mais il donne sa grâce aux humbles[a][1]. »

Partout où vous entendez qu'il est dit dans les Écritures :
« Que les pécheurs retournent vers l'enfer[b] », et encore :
« Parce que les pécheurs périront[c] », et ceci : « Que leurs
yeux soient obscurcis pour qu'ils ne voient pas, et courbe
leur dos pour toujours[d] » ; chaque fois que vous entendez
lire à haute voix de telles paroles ou d'autres semblables
à propos des pécheurs, comprenez qu'il ne s'agit pas de
tous mais seulement des orgueilleux qui négligent de faire
pénitence, selon ce qu'on lit dans le psaume : « Tu sauveras
ton peuple humilié, et tu humilieras les yeux des orgueilleux[e] », et ceci : « Que les orgueilleux soient confondus,
car ils ont injustement commis l'iniquité contre moi[f]. »

3. Quant à nous, frères, soyons des pauvres, c'est-à-dire
soyons doux et humbles ; soyons aussi des membres
dignes de cette veuve dont il a été écrit : « Bénissant,
je bénirai sa veuve[a]. » Que notre secours soit en Dieu
seul ; soyons aussi des pauvres en esprit dont il a été dit :
« Et je rassasierai ses pauvres de pains[b]. » En effet, l'Apôtre
dit des riches[2] : « Conseille aux riches de ce siècle de ne
pas se conduire en orgueilleux et ne pas mettre leur espoir
dans leurs richesses incertaines, mais dans le Dieu vivant[c]. »
Que peuvent-ils donc faire de leurs richesses ? Il continue

---

1. Césaire semble donner ce verset des *Proverbes* repris dans les
Épîtres Catholiques comme l'exemple d'une vérité commune aux
deux Testaments.
2. Ce passage est imité d'AUGUSTIN, *Enarr. in Ps.*, 131, 26,
CCL, XL, p. 1924-1925.

dicit : « Divites sint in operibus suis bonis, ¹facile tribuant,
communicent, thesaurizent sibi fundamentum ¹bonum in
futurum, ut adprehendant veram vitam[d]. » Quamdiu
10 veram ¹⁰vitam non adprehenderint, pauperes sunt; cum
vero adprehenderint, ¹tunc erunt divites.

   Scire debetis, fratres carissimi, quod omnes qui ¹volunt
adprehendere bonam vitam, in Christo divites sunt; et
omnes ¹humiles corde et in caritate gemina constitutos,
etiam si divitias ¹habuerint in hoc saeculo, inter pauperes
15 suos numerat Deus. Nam ¹⁵et beatus Abraham, Isaac et
Iacob, Ioseph etiam et David, et multi ¹alii sancti in veteri
testamento divites fuerunt, et nihil eis divitiae ¹nocuerunt.
In novo autem testamento et Zachaeus dives fuit, et
Cor¹nelius centurio; similiter dives fuit et ille alius centurio,
de quo ¹Dominus dixit, « Non inveni tantam fidem in
Israhel[e]. »

20   Isti ergo quam²⁰vis divites fuerint, quia non in divitiis
sed in Deo vivo spem suam ¹posuerunt, inter Dei pauperes
numerari, et benedici, et aeternam ¹beatitudinem accipere
meruerunt. Et e contrario multi de istis pan¹nosis pauperibus ardent nimia cupiditate, et vel in eo quod possunt
¹frequenter spiritu superbiae extolluntur. Sicut enim illis
25 divitibus ²⁵nihil inpediunt divitiae, qui de illis non praesumunt; ita istos nihil ¹iuvat paupertas, quos cotidie cruciat
habendi cupiditas.

   11 divites : *doxol. hic inser.* H² *qui reliqua inscrib.* : Item sep-
timus ‖ Scire debetis fratres *om.* H² ‖ quod *om.* H² ‖ 12 bonam *om.* H³ ‖
omnes *om.* H³ ‖ 13 gemina : germana H³ ‖ 14 suos *om.* H³ ‖ numerat :
enumerat H³ ‖ 17 et Zachaeus *om.* H² ‖ 18 similiter dives fuit *om.*
H² ‖ 20 fuerint : non eis nocuit *add.* H³ ‖ 24 illis divitibus : illos
divites H³.

   [d] I Tim. 18, 19   [e] Matth. 8, 10

et dit : « Qu'ils soient riches de leurs bonnes œuvres, qu'ils partagent facilement, mettent en commun, qu'ils s'amassent un bon fonds pour l'avenir afin de saisir la vraie vie^d. » Aussi longtemps qu'ils ne se sont pas saisis de la vraie vie, ils sont pauvres, mais lorsqu'ils s'en seront saisis, alors ils seront riches.

Vous devez savoir, frères très chers, que tous ceux qui veulent se saisir d'une bonne vie sont riches en Christ ; et tous ceux qui sont humbles de cœur et ancrés dans une double charité, même s'ils ont des richesses dans ce siècle, Dieu les compte parmi ses pauvres. En effet, le bienheureux Abraham, Isaac et Jacob, Joseph aussi et David, et beaucoup d'autres saints dans l'Ancien Testament ont été riches, et leurs richesses ne leur ont nui en rien. Et dans le Nouveau Testament, il y eut aussi le riche Zachée[1] et le centurion Corneille[2] ; de même il était riche aussi cet autre centurion dont le Seigneur a dit : « Je n'ai pas trouvé une aussi grande foi en Israël^e. »

Donc ces hommes, bien qu'ils aient été riches, parce qu'ils ont placé leur espoir non dans des richesses mais dans le Dieu vivant, ont mérité d'être comptés parmi les pauvres de Dieu et d'être bénis et de recevoir la béatitude éternelle. Et au contraire, beaucoup de pauvres en haillons brûlent d'une cupidité démesurée et quand ils le peuvent s'exaltent fréquemment par esprit d'orgueil. En effet, de même que les richesses n'entravent pas ces riches qui ne mettent pas leur confiance en elles, de même la pauvreté n'aide en rien ceux que la cupidité de posséder torture chaque jour.

1. Cf. *Lc* 19, 2.
2. Cf. *Act.* 10, 1-2.

Simus ergo |humiles, fratres dilectissimi, ut in nobis impleatur illud quod scri|ptum est : « Beati pauperes spiritu, quoniam ipsorum est regnum |caelorumᶠ. » Quod
30 ipse praestare dignetur, cui est honor et imperium ⁸⁰cum Patre et Spiritu sancto in saecula saeculorum. Amen.

ᶠ Matth. 5, 3.

Soyons donc humbles, frères bien-aimés, pour que s'accomplisse en nous ce qui a été écrit : « Bienheureux les pauvres en esprit, car le royaume des cieux est à eux[1]. » Que daigne l'accorder celui à qui appartiennent l'honneur et la puissance avec le Père et l'Esprit saint pour les siècles des siècles. Amen.

SERMO L

De expetenda magis sanitate animae quam corporis, et vitandis sortilegis

1. Nostis, fratres carissimi, omnes homines sanitatem corporis ǀquaerere : sed hoc debemus agnoscere, quia, 5 quamvis bona sit sanitas ⁵corporis, multo melior est sanitas cordis. Unde omnes christiani ǀdebent specialiter semper orare, ut illis Deus sanitatem animae digneǀtur pro sua pietate concedere. Orandum est pro sanitate corporis, ǀsed dupliciter et multipliciter pro salute animae suppli-candum. ǀNec nimium nocet, si caro infirmatur in mundo; 10 tantum est ut ¹⁰anima incolomis ascendat in caelo. Nam qui de sola corporis sanitate ǀsollicitudinem gerit, anima-libus et bestiis similis est. Quam multi ǀsunt, quod peius est, qui, si infirmari coeperint in corpore, dolent; ǀsi autem in anima non solum vulnerentur, sed etiam moriantur, ǀnec sentiunt omnino, nec dolent! Atque utinam, quando 15 in ipso ¹⁵corpore infirmantur, ad ecclesiam currerent, et medicinam de Christi ǀmisericordia postularent : sed, quod dolendum est, sunt aliqui, qui ǀin qualibet infirmitate

Sermo L : W¹ *Wirceburgensis* Mp. th. f. 28   s. VIII
     G¹ *Monacensis lat.* 6298 (*Frising.* 98)   s. VIII
     G² *Monacensis lat.* 12610   s. XII
     G⁴ *Treverensis Seminarii* R. II 8   s. XV
     H² *Londinensis B.M. Addit.* 30853   s. XI/XII
     H⁹ *Parisinus lat.* 3785   s. XI
     H¹⁸ *Vaticanus lat.* 4951   s. XII

215,1-2 De — sortilegis : *inscriptionem ex* H¹⁸ *pos. Mor.* ǁ 4 hoc — agnoscere *om.* G¹·²·⁴H⁹·¹⁸ ǁ 7 sua pietate : omni remuneratione H²

SERMON L

Du devoir de désirer plus ardemment la santé de l'âme que celle du corps et de se garder des sortilèges[1]

1. Vous savez, frères très chers, que tous les hommes cherchent la santé corporelle ; mais nous devons comprendre que, bien que la santé du corps soit une bonne chose, bien meilleure est celle du cœur. Aussi tous les chrétiens doivent-ils toujours spécialement prier pour que Dieu daigne, pour leur piété, leur accorder la santé de l'âme. Il faut prier pour la santé du corps, mais il faut supplier deux fois et de multiples fois pour le salut de l'âme. Il n'est guère nuisible que la chair soit débile dans ce monde ; il suffit que l'âme monte au ciel saine et sauve. En effet, celui qui a souci de la santé du corps seulement est semblable aux animaux et aux bêtes brutes. Et le comble est que nombreux sont ceux qui se plaignent si leur corps commence à s'affaiblir ; cependant, si leur âme est non seulement blessée mais morte, ils ne le sentent aucunement et ne se plaignent pas. Et plût au ciel qu'ils courent à l'église quand leur corps lui-même s'affaiblit et qu'ils sollicitent un médicament de la miséricorde du Christ ; mais, ce qui est déplorable, certains, dans n'importe quel cas de maladie, se mettent en quête de sortilèges,

---

1. Ce sermon édité par A. MAI, dans *NPB*, t. I, p. 220, *Serm.* 105, sous le nom d'Augustin, a été restitué à Césaire par G. MORIN, *Anecdota Maredsolana*, t. I, 1893, p. 418.

sortilegos quaerunt, aruspices et divinos |interrogant, praecantatores adhibent, fylacteria sibi diabolica et |caracteres adpendunt.

20 Et aliquotiens ligaturas ipsas a clericis ac reli[20]giosis accipiunt; sed illi non sunt religiosi vel clerici, sed adiutores |diaboli. Videte, fratres, quia contestor vos, ut ista mala, etiam si a |clericis offerantur, non adquiescatis accipere : quia non est in illis |remedium Christi, sed venenum diaboli, unde nec corpus sanatur, |et infelix anima infide-
25 litatis gladio iugulatur. Etiam si vobis dicatur, [25]quod res sanctas et lectiones divinas filacteria ipsa contineant, nemo |credat, nemo de illis sanitatem sibi venturam esse confidat :
216 quia (216) etiam si per ipsas ligaturas aliqui sanitatem receperint, diaboli hoc |calliditas facit; qui ideo aliquotiens de carne infirmitatem tollit, |quia iam animam iugulavit.

Diabolus enim non tantum carnem, |quantum animam
5 optat occidere : et ideo ad probandum nos per[5]mittitur aliqua infirmitate percutere carnem nostram, ut, dum illi |postea consentimus ad praecantatores vel ad filacteria, occidat animam |nostram. Et ideo interdum filacteria ipsa valere et prodesse aliquotiens |videntur : quia, ubi diabolus per consensum percusserit animam, |desinit persequi
10 carnem. Qui enim filacteria facit, et qui rogant [10]ut fiant, et quicumque consentiunt, toti pagani efficiuntur; et, nisi |dignam egerint paenitentiam, non possunt evadere poenam. Vos |vero, fratres, sanitatem de Christo requirite,

21 vos W¹G²H¹⁸ : vobis G¹·⁴H⁹ ‖ mala etiam W¹G² : malitiam G¹H¹⁸ ‖ 22 offerantur : offeratur G¹H¹⁸ ‖ 24 et : in flamma infidelitatis *add.* H¹⁸ in infidelitate *add.* G⁴ inflammatur infidelitate *add.* G¹ ‖ infide-litatis *Mor.* : infelicitatis W¹ ‖ gladio : diaboli *add.* G¹H¹⁸ ‖ 25 res : vere H¹⁸ ‖ 25-26 nemo credat *solus habet* W¹ ‖ 26 quia W¹G²·⁴ : qui G¹H⁹ quin H¹⁸.

216,5 aliqua — nostram W¹G² : ut aliqua infirmitas accedat H¹⁸ ‖ ut *om.* G¹·⁴H⁹ ‖ 6-7 occidat — filacteria *solus habet* G² ‖ 7 aliquotiens *om.* W¹G² ‖ 9 desinit persequi : desinet persequere W¹ ‖ 12 Christo : Deo W¹G²H²

interrogent haruspices et devins, ont recours aux magiciens,
suspendent sur eux des phylactères diaboliques et des
grimoires[1].

Procédés du diable   Et quelquefois, ils reçoivent ces
amulettes même de clercs et de
religieux ; mais ceux-ci ne sont pas des religieux ou des
clercs, mais des suppôts du diable. Voyez, frères, je vous
supplie de ne pas accepter de recevoir ces objets maléfiques,
même si ce sont des clercs qui vous les offrent ; car ce
n'est pas le remède du Christ mais le poison du diable
qui est en eux ; le corps n'en est même pas sauvé et l'âme
infortunée est égorgée par le glaive de l'infidélité. Et
même si l'on vous dit que les phylactères eux-mêmes
contiennent des choses saintes et des versets saints, que
personne ne le croie, que personne ne se fie à eux pour
recouvrer la santé, car même si certains reçoivent la santé
grâce à ces amulettes, c'est la ruse du diable qui le fait ;
s'il fait quelquefois disparaître l'infirmité physique, c'est
parce qu'il a déjà égorgé l'âme.

En effet, le diable ne désire pas tant tuer le corps que
l'âme ; et pour cette raison, pour nous mettre à l'épreuve,
il est autorisé à frapper notre chair de quelque infirmité,
de telle sorte qu'il tue notre âme tandis que nous consentons
finalement pour notre chair aux magiciens et aux phylactères. Et c'est pourquoi, de temps en temps, les phylactères
semblent parfois efficaces et utiles, car, lorsque le diable
a frappé l'âme consentante, il cesse de poursuivre la chair.
En effet, celui qui fait des phylactères et ceux qui demandent qu'on en fasse et tous ceux qui y consentent, tous
démontrent qu'ils sont païens ; s'ils ne font pas une
pénitence convenable, ils ne peuvent échapper au châtiment. Mais vous, frères, demandez la santé au Christ,

---

1. Voir t. I, Introd., p. 141-142 et F. ECKSTEIN et J. H. WASZINK,
art. « Amulett », dans *RAC*, t. I, 1950, col. 408-410, sur les « phylactères » chrétiens.

qui est vera lux; ad |ecclesiam recurrite, oleo vos benedicto perungite, eucharistiam |Christi accipite. Haec si facitis, 15 non solum corporis, sed etiam animae [15]sanitatem recipietis.

2. Consideremus, dilectissimi, perspicaci animo, et diligenti |investigatione actus nostros perscrutemur, ne forte latenter nobis |malignus irrepat spiritus, ne nos specie bonitatis decipiat, si aperte |decipere non possit. « Mille 20 enim nocendi artes » habet, et his omnibus [20]ad deceptionem humani generis abutitur. « Non enim ignoramus, |ait Apostolus, versutias eius[a]. » Hos enim filacterarios in Phariseis |ipse arguit Christus, dicens : « Dilatant enim filacteria sua, et magni|ficant fimbrias[b]. » Melius est in corde verba Dei retinere, quam scripta |in collo suspendere. 25 De istis enim, qui obligationes portant, dicitur : [25]« Declinantes autem in obligationes adducet Dominus cum operan|tibus iniquitatem[c]. » De illis autem scriptum est : « Beati mundo corde, |quoniam ipsi Deum videbunt[d]. » Aeterna enim beatitudo est, et beata |aeternitas, Christum Deum cum sanctis suis in gloria perpetua visione |videre, et incessabili voce laudare; ut impleatur illud in nobis : 30 [30]« Videbitur Deus deorum in Sion[e] »; et iterum : « Beati qui habitant |in domo tua Domine, in saecula saeculorum laudabunt te[f]. »

217 (217) **3.** Ante omnia, fratres, stateras dolosas et mensuras duplices, |per quas fraudem vicinis aut proximis vestris faciatis, non adquiescatis |habere, quia scriptum est : « In

---

12-13 qui — recurrite *om.* W[1]H[2] || 12 lux : medicina G[2] || 13 benedicto : benedictionis H[9] || 16-31 Consideremus — laudabunt te *solus habet* G[2].

217,2 fraudem — faciatis [faciebatis W[1] facitis H[2]] : aliquid fraudulenter vendatis [venditis H[9]] G[1.2.4]H[9]

---

2 [a] II Cor. 2, 11   [b] Matth. 23, 5   [c] Ps. 124, 5   [d] Matth. 5, 8   [e] Ps. 83, 8   [f] Ps. 83, 5.

qui est la vraie lumière ; recourez à l'église, oignez-vous d'huile bénite, recevez l'eucharistie du Christ. Si vous agissez ainsi, vous recevrez non seulement la santé du corps, mais aussi celle de l'âme.

2. Considérons nos actes, bien-aimés, d'un esprit clairvoyant et scrutons-les dans une enquête soigneuse de peur que l'esprit malin ne se glisse secrètement en nous, ne nous trompe par une apparence de bonté s'il ne peut nous tromper ouvertement. Car il a « mille façons de nuire[1] », et il se sert de toutes pour tromper le genre humain. « Nous n'ignorons pas, en effet, dit l'Apôtre, ses ruses[a]. » Car le Christ lui-même a attaqué ces phylactères chez les Pharisiens, en disant : « Car ils élargissent leurs phylactères et allongent leurs franges[b]. » Il est préférable de retenir dans son cœur les paroles de Dieu que de suspendre ses écrits à son cou. En effet, de ceux qui portent ces liens il est dit : « Quant à ceux qui dévient, le Seigneur les mettra dans les liens avec les faiseurs d'iniquité[c]. » Mais des autres il est écrit : « Bienheureux les cœurs purs, car ils verront Dieu[d]. » Car c'est une béatitude éternelle et une éternité bienheureuse de voir d'une vision perpétuelle et de louer d'une voix incessante le Christ Dieu, dans la gloire, avec ses saints, alors que s'accomplira en nous cette parole : « Le Dieu des dieux sera vu dans Sion[e] », et encore : « Bienheureux ceux qui habitent dans ta maison, Seigneur ; ils te loueront pour les siècles des siècles[f]. »

3. Avant tout, frères, n'acceptez pas d'avoir des balances trompeuses et des mesures fausses, par lesquelles vous portiez préjudice à vos voisins ou à vos proches, car il est écrit : « Vous serez mesurés avec la mesure dont

Obligations chrétiennes

---

1. VIRGILE, *Énéide*, 7, 338.

qua mensura mensi fueritis, reme|tietur vobis[a]. » Et
5 quotiens causas auditis, iustum iudicium iudicate, [5]et
munera super innocentem nolite accipere; ne, dum lucra
corpo|ralia adquiritis, praemia aeterna perdatis. In ecclesia
stantes nolite |vos invicem otiosis fabulis occupare : sunt
enim, quod peius est, |aliqui viri, et praecipue mulieres,
qui tantum in ecclesia verbosantur, |ut verbum Dei nec
10 ipsi audiant, nec alios audire permittant. Qui [10]tales sunt,
et pro se et pro aliis reddituri sunt rationem in die iudicii.

|Filios, quos in baptismo suscipitis, scitote vos pro ipsis
fideiussores |apud Deum extitisse : et ideo semper eos
castigare et corripere debetis; |ut, quod ad iustitiam et
castitatem, sobrietatem vel ad misericordiam |pertinet,
observare contendant. Nec solum eos verbis, sed etiam
15 [15]exemplis ad bona opera provocate : ut cum vos in id
quod iustum |et Deo placitum est imitantur, pervenire
vobiscum ad aeterna praemia |mereantur.

4. Iterum atque iterum, fratres dilectissimi, rogo, et
paterna |pietate commoneo, et totis viribus supplico, ut
20 qui in vobis boni sunt, [20]semper in bonis operibus fidelem
ac felicem perseverantiam teneant, |quia scriptum est :
« Qui perseveraverit usque in finem, hic salvus |erit[a] » :
qui vero mala opera se exercere cognoscunt, sine mora se
|corrigant et emendent : ut cum dies iudicii venerit, et
perseverantes |in bono, et correcti a malo, simul ad praemia
25 aeterna perveniant : [25]adiuvante ipso, qui cum Patre et
Spiritu sancto vivit et regnat in saecula |saeculorum. Amen.

---

12 castigare et corripere debetis : castigate W[1]H[2] || 13 sobrietatem
om. W[1]H[2] || 15 id : eo G[2.4]H[18] || 16 et Deo placitum W[1]H[2] : *om. cett.* ||
20 fideliter ac felicem *solus habet* W[1].

---

3 [a] Matth. 7, 2.
4 [a] Matth. 10, 22.

vous aurez mesuré[a]. » Et chaque fois que vous écoutez
des causes, jugez d'un juste jugement et n'acceptez pas
de présents au détriment de l'innocent, de peur, en
acquérant des richesses matérielles, de perdre les récompenses éternelles. Debout dans l'église, ne passez pas votre
temps en bavardages oiseux. Le comble est que certains
hommes et surtout des femmes bavardent tellement à
l'église qu'eux-mêmes n'entendent pas la parole de Dieu
et qu'ils ne permettent pas aux autres de l'entendre. Ceux
qui sont tels auront à rendre compte au jour du Jugement
et pour eux et pour les autres.

Les fils que vous recevez dans le baptême, sachez que
vous vous en êtes portés garants auprès de Dieu ; aussi,
devez-vous toujours les reprendre et les corriger, pour
qu'ils s'efforcent d'observer ce qui touche la justice et
la chasteté, la sobriété et la miséricorde. Excitez-les aux
bonnes œuvres, non seulement par des paroles, mais
aussi par des exemples, afin qu'en vous imitant en ce qui
est juste et plaît à Dieu, ils méritent de parvenir avec
vous aux récompenses éternelles.

4. Je vous prie encore et encore, frères bien-aimés, et
vous avertis avec une sollicitude paternelle et vous supplie
de toutes mes forces, afin que les bons parmi vous persévèrent toujours fidèlement et heureusement dans les
bonnes œuvres, car il est écrit : « Celui qui aura persévéré
jusqu'à la fin, celui-ci sera sauvé[a] » ; et que ceux qui
savent qu'ils font le mal se corrigent et s'amendent sans
tarder pour que, lorsque viendra le jour du Jugement,
et ceux qui auront persévéré dans le bien et ceux qui se
seront corrigés du mal, parviennent ensemble aux récompenses éternelles, avec l'aide de celui qui avec le Père et
l'Esprit saint vit et règne pour les siècles des siècles. Amen.

SERMO LI

(218) De his qui filios per aliquas sacrilegas superstitiones habere volunt

1. Solent, fratres carissimi, aliqui viri vel aliquae mulieres, cum se ᶦviderint in coniugiis positos filios non
5 habere, nimium contristantur ˢet, quod peius est, aliquotiens ita praeveniuntur, ut non de Deo sed ᶦde nescio quibus sacrilegis medicamentis vel arborum sucos filios se ᶦhabere confidant. Quam rem quicumque forte aliquo amico diaboli ᶦcircumventus admisit, cum grandi conpunctione paenitentiam agat; ᶦqui vero auxiliante Domino non
10 admisit, videat ne aliquando comᶦᵒmittat. Et non solum ipse non faciat, sed quantum potest etiam alios ᶦsalubri consilio facere non permittat; ut de fideles christianos, si eis ᶦDeus filios dare noluerit, nullum exinde laborem animi patiantur : ᶦquia et quando donat Deus filios, gratiae sunt

Sermo LI : W¹ *Wirceburgensis* Mp. th. f. 28   s. VIII
218,4 coniugiis *Mor.* : coniugis W¹.

---

1. Ce sermon ainsi que les deux suivants n'est connu que par la collection W, elle-même représentée essentiellement par le manuscrit de Burchard, du viiiᵉ siècle. G. Morin a présenté ce recueil d'homélies mérovingiennes dans *RB*, XIII (1896), p. 97-111. J. G. von Eckhart avait édité pour la première fois ces sermons dans son ouvrage *Commentarii de rebus Franciae Orientalis*, Würzburg, t. I, 1729, p. 840-843. Eckhart corrige parfois le manuscrit. G. Morin,

SERMON LI

Au sujet de ceux qui veulent avoir des enfants par des pratiques sacrilèges[1]

1. Certains hommes et certaines femmes, frères très chers, ont coutume, lorsqu'ils voient que leur mariage demeure sans enfant, de s'affliger exagérément et, ce qui est pire, succombent même parfois si bien à la tentation qu'ils s'en remettent, pour avoir des enfants, non à Dieu mais à je ne sais quels médicaments sacrilèges, par exemple à de l'ambre[2]. Quiconque, trompé d'aventure par quelque ami du diable, a commis une chose pareille doit faire pénitence avec un grand repentir ; quant à celui qui, grâce au Seigneur, n'a pas commis cela, qu'il veille à ne pas s'en rendre coupable un jour. Et que non seulement il n'agisse pas ainsi lui-même, mais que dans la mesure de ses possibilités il en détourne les autres grâce à son conseil salutaire, afin que si Dieu ne veut pas donner d'enfants à de fidèles chrétiens[3], ceux-ci n'en éprouvent aucun chagrin dans leur esprit, car, lorsque Dieu donne

---

RB, XIII (1896), p. 200-210, a réédité ces sermons en les restituant à Césaire.

2. Le cas de *sucos* est étrange. L'apparat de Morin montre qu'Eckhart avait cru devoir corriger ici le manuscrit. Le terme lui-même est d'ailleurs peu clair. Nous avons trouvé déjà *sucinos* dans les *Serm.* 13, 5 et 14, 4. Il s'agit probablement de l'ambre jaune, venu de la Baltique et déjà recherché à l'époque préhistorique.

3. *Fideles christianos* à l'accusatif est aberrant après *de*.

agendae; et quando ⌐non donat, nihilominus illi sunt
15 gratiae referendae. Ipse enim melius ¹⁵novit quid nobis
expedit.

2. Multi enim malo suo filios habuerunt, et multi suo
bono non ⌐habuerunt. Quamvis non hoc omnes faciant,
plures tamen sunt, ⌐qui, dum suis filiis in terra nimium
thesaurizant, suas animas aeterna ⌐mendicitate condem-
20 nant; et dum de rapinis ac fraudibus divites ²⁰filios volunt
in hoc mundo relinquere, non solum elymosinas dissi⌐mu-
lant erogare, sed etiam res alienas conantur invadere.
Et timen⌐dum est, ne dum eorum filii de illorum divitiis in
saeculo luxoriantur, ⌐illi aeterno supplicio consumantur.

Quod ita factum etiam in illo ⌐divite purpurato, qui
25 fratres suos divites reliquerat, evangelii textus ²⁵eloquitur.
Nam qui in saeculo dives fuerat, et fratribus suis omnem
⌐substantiam detulerat, in inferno guttam refrigerii ardens
quaerebat, ⌐et inpetrare non poterat. Illi vero qui filios
non habent, aut omnes, ⌐aut prope omnes, dum non habent
quibus terrenam substantiam ⌐derelinquant, redemere
30 animas suas elimosinarum largitate non ³⁰cessant; et securi
de hoc mundo ad aeternam beatitudinem trans⌐euntes, ab
auditu malo liberati audire merebuntur : « Venite bene⌐dicti
percipite regnum, quia esurivi, et dedistis mihi manducare[a]. »

3. Nemo ergo de sterelitate filiorum contristetur aut
219 doleat, (219) cum viderit tantos clericos, iunctos monachos
aut sanctimoniales, sine ⌐carnalibus filiis usque ad vitae
suae terminum in Dei servitio per⌐manere. Qui magis ideo

---

2 [a] Matth. 25, 34.

---

1. Cf. *Lc* 16, 19.
2. Morin suggère de corriger ici le texte du manuscrit.

des enfants, il faut lui rendre grâces, et quand il n'en donne pas, il n'en faut pas moins lui rendre grâces. En effet, lui sait mieux ce qui nous convient.

Fécondité charnelle et fécondité spirituelle

2. Beaucoup, en effet, ont eu des enfants pour leur malheur et beaucoup n'en ont pas eu pour leur bonheur. Bien que tous ne le fassent pas, nombreux sont pourtant ceux qui, tandis qu'ils thésaurisent sans mesure sur terre pour leurs enfants, condamnent leur âme à la mendicité éternelle ; et, tandis qu'ils veulent laisser des enfants riches dans ce monde, au prix de fraudes et de rapines, non seulement ils se dispensent de distribuer des aumônes, mais ils s'efforcent même de s'emparer des biens d'autrui. Et il est à craindre que, tandis que leurs enfants étalent dans le siècle le luxe dû à leurs richesses, eux ne soient consumés par un supplice éternel.

Que cela soit arrivé ainsi dans le cas de ce fameux riche couvert de pourpre, qui avait laissé ses frères riches, le texte de l'Évangile le dit éloquemment[1]. En effet, celui qui avait été riche dans le siècle, et avait laissé tous ses biens à ses frères, tout brûlant en enfer, demandait une goutte d'eau fraîche et ne pouvait l'obtenir. Mais ceux qui n'ont pas d'enfants, tous, ou presque tous, n'ayant personne à qui laisser leurs biens terrestres, ne cessent de racheter leur âme par de larges aumônes et, passant en sécurité de ce monde à la béatitude éternelle, ils mériteront d'entendre, exemptés de la condamnation : « Venez, bénis, prenez possession du royaume, car j'ai eu faim et vous m'avez donné à manger[a]. »

3. Donc, que personne ne s'attriste ou ne se plaigne de l'absence d'enfants, alors qu'il voit tant de clercs, de saints[2] moines ou de saintes religieuses, demeurer au service de Dieu jusqu'à la fin de leur vie sans enfants

maiorem coronam et ampliorem gloriam [consequentur,
quia carnaliter stereles esse voluerunt, implentes illud
5 [5]quod Christus per Apostolum clamat : « Superest, et qui
habent [uxores, sint tamquam non habentes[a]. » « Tempus,
inquid, breve est, [volo vos sine sollicitudine esse[b]. » Et
ideo qui sterelitatem habent [corporum, fecunditatem
custodiant animarum; et qui filios carnales [habere non
possunt, spiritales generare contendant.

10 Omnia opera [10]bona filii nostri sunt : qui cotidie opera
bona faciunt, spiritales filios [<habere> non desinunt.
Isti sunt filii nostri, qui non solum non moriun[tur, sed
etiam nec parentes suos in aeternum mori permittunt.
Nam [isti carnales filii, ubi ad aetatem maiorem pervenerint,
difficile est [ut non plures ex ipsis parentum suorum
15 mortem desiderent. Nec [15]hoc ideo diximus, quod omnes
filios malos esse credamus, aut hoc [persuadere videamur,
ut aliquis in coniugio positus filios habere non [velit; sed,
sicut iam supra suggessimus, si vellit dare Deus, sive non
[velit, ipsi sunt gratiae agendae, qui melius novit quid
nobis oporteat.

4. Et ideo, cui Deus filios dare noluerit, non eos de
20 aliquis erbis [20]vel diabolicis characteribus aut sacrilegis
ligaturis habere conentur. [Unde ante omnia et decet et
expedit christianis ne contra dispen[sationem Christi crudeli
et impio ausu pugnare videantur. Sicut enim [mulieres,
quas Deus vult plures habere filios, nullas potationes
debent [accipere, <per> quas conceptum habere non

219,8 custodiunt W[1] ‖ 11 habere *conj. J. G. von Eckhart* : *om.* W[1] ‖
19 aliquis : aliquos W[1ac] ‖ 21 decet : decit W[1] ‖ christianis : christiani
W[1] ‖ 24 per *suppl. Mor.* : *om.* W[1] ‖ conceptum *Mor.* : contemptum W[1]

3 [a] I Cor. 7, 29   [b] I Cor. 7, 32.

1. Cf. *supra*, *Serm.* 42, 4 et la note 2 de la page 303.

charnels. Ceux-là recevront une plus grande couronne et davantage de gloire, parce qu'ils ont voulu être stériles selon la chair, exécutant ce que le Christ proclame par la bouche de l'Apôtre : « Il reste[1] à ceux qui sont mariés de vivre comme s'ils ne l'étaient pas[a]. » « Le temps, dit-il, est court, je veux que vous soyez sans préoccupation[b]. » Aussi, que ceux dont le corps est stérile gardent une âme féconde ; et que ceux qui ne peuvent avoir d'enfants selon la chair s'efforcent d'en engendrer de spirituels.

Toutes les bonnes œuvres sont nos enfants : ceux qui font chaque jour des œuvres bonnes ne laissent pas <d'avoir> des enfants spirituels. Voici nos enfants, qui non seulement ne meurent pas mais ne permettent pas davantage que leurs parents meurent pour l'éternité. En effet, les enfants charnels, lorsqu'ils sont devenus grands, il est difficile que beaucoup d'entre eux ne désirent pas la mort de leurs propres parents. Et nous n'avons pas dit cela parce que nous croyons que tous les enfants sont mauvais, ou pour sembler conseiller que quelqu'un de marié se refuse à avoir des enfants ; mais, comme nous l'avons déjà suggéré plus haut, que Dieu veuille donner ou non, mêmes grâces doivent lui être rendues, à lui qui sait mieux que nous ce qui nous convient.

Loi naturelle, loi divine

4. Et c'est pourquoi, que ceux auxquels Dieu n'a pas voulu donner d'enfants, n'essaient pas d'en avoir au moyen d'herbes ou de grimoires diaboliques ou d'amulettes sacrilèges. Il appartient donc avant tout à des chrétiens et il leur convient de ne pas paraître lutter avec une audace cruelle et impie contre la volonté du Christ. En effet, de même que les femmes auxquelles Dieu veut donner de nombreux enfants ne doivent prendre aucun médicament <propre à> les empêcher d'avoir ce qui a

25 possint, ita et illae, ²⁵quas Deus stereles voluit permanere,
de solo Deo hoc debent desiderare ᶦvel petere; ita tamen
ut hoc divinae dispensationi committant, et ᶦhoc semper
in orationibus dicant, ut, quomodo illis oportet, sic Deus
ᶦadnuere pro sua pietate dignetur. Illae enim mulieres,
quas Deus ᶦvult esse fecundas, quantoscumque conceperint,
30 aut ipsae nutriant, ³⁰aut nutriendos aliis tradant : quia
quantoscumque aut iam conceptos ᶦaut iam natos occide-
rint, tantorum homicidiorum reatu ante tribunal ᶦaeterni
iudicis tenebuntur. Et quia aliquae mulieres, dum per
sacriᶦlegas potiones filios suos in seipsis occidere conantur,
etiam ipsae ᶦpariter moriuntur, efficiuntur trium criminum
220   reae : homicidae suae, (220) Christi adulterae, necdum nati
filii parricidae. Unde et illae male ᶦfaciunt, si eos quibuscumque sacrilegis medicamentis habere volueᶦrint; et illae
gravius peccant, quae aut iam conceptos aut iam natos
ᶦoccidunt, vel certe unde non concipiant potiones sacrilegas
5 acci⁵piendo damnant in se naturam, quam Deus voluit
esse fecundam. ᶦQuantoscumque filios parere potuerant,
tanta homicidia fecisse non ᶦdubitent.

5. Et ideo consideremus quod Apostolus ait : « Quid
oremus, sicut ᶦoportet, nescimusᵃ. » Semper nos Dei iudicio
10 et divinae misericordiae ¹⁰committamus, nec contra voluntatem illius contendamus habere ᶦquod ille <non> vult
tribuere; <ne>, dum terrena filiorum solacia ᶦquaerimus,
praemia aeterna perdamus. Magis ergo iugiter in oratione
ᶦdominica toto corde dicamus : « Fiat voluntas tua sicut

---

29 conceperint : conciperent W¹ ǁ 31 reatu : reatum W¹ ǁ 34
homicidae : homicidiae W¹.

220,7 dubitent : dubitant W¹ ǁ 10 contendamus : contendimus W¹ ǁ
11 non... ne *suppl. Mor.* : *om.* W¹.

---

5 ᵃ Rom. 8, 26

été conçu, de même aussi celles dont Dieu a voulu qu'elles demeurent stériles ne doivent désirer d'enfants que de Dieu seul et ne les demander qu'à lui, de façon cependant à remettre cela à la libéralité divine et à dire toujours ceci dans leurs prières : que Dieu daigne dans sa bienveillance accorder ce qui leur convient. Assurément, ces femmes que Dieu veut fécondes doivent ou nourrir elles-mêmes ou donner à nourrir à d'autres tous les enfants qu'elles ont conçus ; car elles seront tenues pour coupables devant le tribunal du Juge éternel d'autant d'homicides qu'elles auront tué d'enfants déjà conçus ou déjà nés. Et parce que certaines femmes, en essayant de tuer en elles leurs enfants par des potions sacrilèges, périssent également, elles se rendent coupables de trois crimes : d'homicide envers elles-mêmes, d'adultère envers le Christ et d'infanticide envers des enfants non encore nés. Donc, celles qui veulent avoir des enfants par des médicaments sacrilèges, quels qu'ils soient, font mal ; et celles-là pèchent très gravement qui tuent des enfants déjà conçus ou déjà nés, ou condamnent en elles une nature que Dieu a voulu féconde, en prenant des potions sacrilèges qui les empêchent de concevoir. Qu'elles ne doutent pas d'avoir commis autant d'homicides qu'elles auraient pu avoir d'enfants[1].

5. Aussi, réfléchissons à ce que dit l'Apôtre : « Nous ne savons que demander pour prier comme il faut[a]. » Remettons-nous toujours au jugement de Dieu et à la miséricorde divine et n'essayons pas d'avoir contre sa volonté ce qu'il < ne > veut nous accorder ; < de peur > qu'en recherchant les consolations terrestres d'une progéniture, nous ne perdions les récompenses éternelles. Disons donc plutôt sans cesse de tout cœur dans l'Oraison dominicale : « Que

1. Cf. *supra*, *Serm.* 44, 2 et la note 1 de la page 330.

in caelo ᴵet in terraᵇ. » Si enim spem nostram in dispensa-
15 tionem Dei voluerimus ¹⁸fideliter ponere, et in hoc saeculo
eum poterimus habere propitium, ᴵet in futuro in conspectu
eius cum bona conscientia fiducialiter ᴵveniemus. Quod
ipse praestare dignetur, cui est honor et gloria in ᴵsaecula
saeculorum. Amen.

ᵇ Matth. 6, 10.

ta volonté s'accomplisse sur la terre comme au ciel[b]. »
Car si nous voulons placer fidèlement notre espoir dans la
libéralité de Dieu, nous pourrons dans ce siècle avoir sa
faveur et dans le monde à venir nous viendrons en sa
présence avec la confiance d'une bonne conscience. Que
daigne l'accorder celui à qui appartiennent l'honneur
et la gloire pour les siècles des siècles. Amen.

SERMO LII

De martyribus et de lunae defectu
20 ## ²⁰et de avorsibus vel filacteriis

1. Sicut frequenter ammonui, fratres carissimi, iterum suggero, ut ¹nemo ex vobis credat temporibus nostris martyres esse non posse. ¹Martyr graecus sermo est, et latine dicitur testis. Sicut enim iam ¹saepe diximus, quicumque testimonium pro iustitia dederit Christo, 221 (221) sine dubio martyr erit; et quicumque defensoribus luxuriae et per¹secutoribus castitatis pro Dei amore restiterit, martyrii coronam ¹accipiet. Sunt ergo et nostris temporibus martyres : nam et qui ¹male agentes cum 5 iustitia et caritate castigat, qui ammonet non ⁵facile iurandum, non periurandum, non detrahendum, non male-di¹cendum, qui pro istis rebus quae Deo placent testimonium perhibet, ¹Christi martyr erit. Et ille qui castigat, ut non observentur auguria, ¹filacteria non adpendantur, nec praecantatores vel aruspices requi¹rantur, dum contra 10 istas temptationes diaboli loquitur, pro Christo ¹⁰testimonium dare cognoscitur.

Sermo LII : W¹ *Wirceburgensis* Mp. th. f. 28   s. VIII

221,2 restiterit *Mor.* : stiterit W¹ᵃᶜ exstiterit W¹ᵖᶜ

1. Cf. *supra, Serm.* 51 et la note 1 de la page 424.

SERMON LII

Des martyrs et de l'éclipse de lune,
ainsi que des avortements et des phylactères[1]

1. Comme je vous y ai fréquemment exhorté, frères très chers, je conseille de nouveau qu'aucun de vous ne croie que de notre temps il ne peut y avoir des martyrs[2]. Martyr est un mot grec qui en latin signifie témoin. Or, comme nous l'avons déjà dit souvent, quiconque aura rendu témoignage au Christ pour la justice sera sans nul doute un martyr ; et quiconque aura résisté pour l'amour de Dieu aux défenseurs de la luxure et aux persécuteurs de la chasteté recevra la couronne du martyre. Il y a donc de notre temps aussi des martyrs, car celui qui réprimande avec justice et charité ceux qui se conduisent mal, qui exhorte à ne pas prêter facilement des serments, à ne pas se parjurer, à ne pas faire de tort, à ne pas maudire, qui rend témoignage pour les choses qui plaisent à Dieu, sera un martyr du Christ. Et celui qui réprimande, afin qu'on ne tienne pas compte des augures, qu'on ne pende pas sur soi de phylactères, qu'on ne fasse appel ni aux magiciens ni aux haruspices, il sait qu'en parlant contre ces tentations du diable il rend témoignage pour le Christ.

2. Cf. *supra*, Serm. 41, 1.

2. Et in hoc, fratres carissimi, adversarii nec parva temptatio est, |quando stulti homines dies et calendas, solem et lunam colenda |esse arbitrantur. Nam in tantum quod peius est, verum est quod |ammonemus, ut non
15 solum in aliis locis, sed etiam in hac ipsa civi¹⁵tate dicantur adhuc esse aliquae mulieres infelices, quae in honore |Iovis quinta feria nec telam nec fusum facere vellent. In istis talibus |baptismum violatur, et sacramenta Christi patiuntur iniuriam.

3. Et illud quale est, quando stulti homines quasi lunae laboranti |putant se debere succurrere, qui eius ignitum
20 globum naturali aeris ²⁰ratione certis temporibus obductum aut vicino solis occidui ardore |suffusum, quasi aliquem contra caelum carminum credunt esse con|flictum, quem bucinae sonitu vel ridiculo concussis tintinabulis |putant se superare posse tinnitu, aestimantes quod eam sibi vana |paganorum persuasione sacrilegis clamoribus propitiam
25 faciant; et ²⁵cum illa homini rationabili exhibeat Deo ordinante servitium, homo |illi ad iniuriam Dei stultum reddit obsequium? Refugiat, quaesumus, |ac detestetur quisque ille sapiens ac fidelis errores, immo furores, |ista erubescenda ludibria. Si huius luminaris elementum inferior te, |cur metuis ne eam offendas silentio tuo? Si praestantior
30 te est, cur ³⁰putas quod indigeat auxilio tuo?

4. Nonne, carissimi, aperte diabolus exercet deceptiones suas, |quando aliquibus mulieribus persuadet, ut postquam duos aut tres |filios genuerint, reliquos aut iam natos

---

21 aliquem : aliquae W¹ ‖ 27 ac detestetur *Mor.* : de hac testitur W¹.

---

1. Voir t. I, Introd., p. 139.

2. Il s'agit donc d'un sermon prononcé à Arles. Voir aussi *Serm.* 13, 5, t. I, p. 428. Il est à remarquer que quelques décennies plus tard

2. Et ce n'est pas là, frères très chers, une petite tentation de l'adversaire, lorsque des hommes stupides estiment
qu'il faut honorer jours et calendes[1], soleil et lune. En
effet, le comble est que ce dont nous parlons est tellement
vrai que non seulement en d'autres lieux, mais même dans
cette cité[2], il y a, jusqu'à ce jour, dit-on, quelques malheureuses femmes qui, en l'honneur de Jupiter, ne veulent
ni tisser ni filer le jeudi. En de telles personnes le baptême
est violé et les sacrements du Christ sont insultés.

3. Et que dire de cela ? Des hommes stupides pensent
devoir venir en aide à la lune soi-disant en travail, elle
dont le globe ardent est à des époques déterminées assombri
par une cause céleste naturelle ou teint par l'ardeur proche
du soleil couchant ; ils croient à quelque conflit d'incanta-
tions contre le ciel, pensent pouvoir l'emporter par le son
d'une trompette ou le cliquetis ridicule de clochettes
agitées, estimant qu'ils se rendent la lune propice par des
cris sacrilèges, selon une vaine superstition païenne[3].
Et alors qu'elle montre à un homme raisonnable son
assujettissement à l'ordre voulu par Dieu, un homme lui
manifeste une stupide soumission en insultant Dieu ?
Que tout homme sage et fidèle, nous l'en conjurons, fuie
et déteste ces erreurs, que dis-je, ces délires, ces dérisions
dont il faut rougir. Si ce corps céleste t'est inférieur,
pourquoi crains-tu de l'offenser par ton silence ? S'il t'est
supérieur, pourquoi penses-tu qu'il puisse avoir besoin
de ton aide ?

L'avortement   **4.** N'est-il pas vrai, très chers, que
le diable pratique ouvertement ses
tromperies, quand il persuade des femmes, après qu'elles
ont eu deux ou trois enfants, soit de tuer une fois nés

Martin de Braga ne mentionnera pas cette coutume parmi les super-
stitions qu'il reproche à ses fidèles.
3. Cf. *Serm.* 13, 5. Voir aussi t. I, Introd., p. 140, n. 4.

occidant, aut poculum avor|sionis accipiant : timentes ne
222 forte, si plures filios habuerint, divites (222) esse non
possent? Et haec facientes quid aliud credunt, nisi quod
illos, |quos Deus iusserit nasci, pascere aut gubernare non
possit? Et for|sitan illos occidunt, qui aut Deum melius
servire aut ipsis parentibus |perfecto amore potuerant
5 oboedire. Pro qua re sacrilego aut parri⁵cidali ritu vene-
natas potiones accipiunt, ut inperfectam filiorum |vitam
inmatura morte per viscera materna transmittant, et per
quod|dam remedium cum quodam potu crudele bibant
poculum orbitatis. |Lugenda persuasio! alienum a se
putant illud quod per earum haustum |transit venenum;
10 et nesciunt quia hoc genere, dum conceptum ¹⁰in visceribus
excipiunt morte, in sterelitate concipiunt. Quod si |adhuc
infantolus qui possit occidi intra sinum materni corporis
non |invenitur, non minus est quod ipsa intra hominem
natura damnatur.

|Quid, infelix mater, immo non geniti filii iam noverca,
quid medi|camenta in perpetuum nocitura de foris requiris?
15 Tecum, si velis, ¹⁵intra habes salubriora remedia. Vis iam
non habere filium? Rele|giosum cum viro conscribe
pactum : de virtute pudicitiae finem |partus accipiat.
Fidelissimae feminae sterelitas sola sit castitas.

5. Illud quoque, carissimi, sicut iam superius diximus,
funestum |est occulti persequutoris ingenium, quando
20 aliquarum mulierum ²⁰filii diversis temptationibus aut
infirmitatibus fatigantur, lugentes et |adtonitae currunt

222,4-5 parricidali ritu *Mor.* : parrã·dali tumerit ut W¹ ‖ 15 intra
habes *Mor.* : intrabis W¹ ‖ 16 pactum *Mor.* : partum W¹ ‖ pudicitiae :
pudicicia W¹ ‖ 17 accipiat : accipiet W¹ ‖ 19 ingenium : ingenio W¹ ‖
aliquarum : aliquorum W¹

---

1. Voir *Serm.* 1, 12, t. I, p. 248 ; *Serm.* 44, 2 et la note 1 de la
p. 328 ; *Serm.* 51, 4.

ceux qui viennent ensuite, soit de prendre un breuvage pour avorter ? Elles craignent peut-être, si elles ont davantage d'enfants, qu'ils ne puissent être riches ? Et en agissant ainsi, que croient-elles d'autre, sinon que Dieu ne peut nourrir et diriger ceux dont il a ordonné la naissance ? Et d'aventure, elles tuent ceux qui auraient pu, soit le mieux servir Dieu, soit obéir à leurs parents avec un parfait amour. Pour cette raison elles prennent des boissons empoisonnées, selon une coutume sacrilège ou du moins parricide, afin de transmettre à leurs enfants une vie laissée imparfaite par une mort prématurée dans les entrailles maternelles, et, en prenant une certaine drogue, elles boivent cruellement avec ce breuvage la coupe de mort. Déplorable croyance ! Elles pensent que ce poison qui a été transmis à travers leur boisson leur est étranger et elles ne savent pas que de cette façon, en retranchant par la mort ce qui a été conçu dans leurs entrailles, elles conçoivent dans la stérilité. Et s'il ne se trouve pas encore de fœtus dans le sein maternel, susceptible d'être tué, la nature n'en est pas moins condamnée à l'intérieur de l'être humain[1].

Pourquoi malheureuse mère, que dis-je, déjà marâtre d'un enfant pas même engendré, pourquoi recherches-tu au dehors des drogues qui seront nuisibles à jamais ? Avec toi, en toi, si tu le veux, tu as des remèdes plus sains. Tu ne veux plus avoir d'enfants désormais ? Signe un pacte religieux avec ton mari : que la vertu de pudeur mette un terme à l'enfantement ; que la chasteté soit la seule cause de stérilité d'une femme vraiment croyante.

Remèdes magiques   **5.** Cela aussi, très chers, comme nous l'avons déjà dit plus haut, est une habileté sinistre du persécuteur caché : quand les enfants de certaines femmes sont harcelés par diverses tentations ou maladies, les mères en larmes courent

matres; et quod peius est, non de ecclesiae medicina, |non
de auctore salutis exposcunt atque eucharistia Christi et,
cum sicut |scriptum est, oleo benedicto a presbyteris
deberent perunguere, et |omnem spem suam in Deo ponere.
25 Econtrario faciunt, et dum salutem ²⁵requirunt corporum,
mortem inveniunt animarum.

Et atque utinam |ipsam sanitatem vel de simplici
medicorum arte conquirerent. Sed |dicunt sibi : Illum
ariolum vel divinum, illum sortilegum, illam |erbariam
consulamus; vestimentum infirmi sacrificemus, cingulum
|qui inspici vel mensurari debeat; offeramus aliquos ca-
30 racteres, ³⁰aliquas praecantationes adpendamus ad collum.
223 Inter haec una (223) diaboli persuasio est : aut per avorsum
occidere crudeliter filios, aut |per caracteres sanare
crudelius.

6. Interdum solent aliquae mulieres, quasi sapientes et
chri|stianae, aegrotantibus filiis suis, aut nutricibus aut
5 aliis mulieribus, ⁵per quas diabolus ista suggerit, respondere
et dicere : Non me ego |misceo in istis talibus rebus, quia
legitur in ecclesia : « Non potestis |calicem Domini bibere,
et calicem daemoniorum; non potestis |mensae Domini
participes esse, et mensae daemoniorumᵃ. » Et cum |haec
quasi excusans se dixerit : Ite, et facite vos quomodo
10 scitis; ¹⁰expensa vobis de cellario non negatur. Quasi vero
per haec verba |possit tam detestabile crimine innoxia

28 consulamus : consolamus W¹ ‖ infirmi sacrificemus *Mor.* : infir-
mis acrefecimus W¹ ‖ 29 mensurari : mensurare W¹.
223,6 legitur : legetur W¹

6 ᵃ I Cor. 10, 20.21

1. Cf. *Serm.* 13, 3. Voir aussi *Serm.* 19, 5 et la note 1 de la p. 490.
Ce recours à l'huile bénite pour la guérison des malades était pratiqué
depuis les origines du christianisme sous forme d'onction. Assez

épouvantées ; et le pire est qu'elle ne sollicitent pas de
remède auprès de l'Église ni auprès de l'auteur du salut
et ne réclament pas l'eucharistie du Christ, alors qu'elles
devraient, comme il est écrit, les enduire d'huile bénite
par les prêtres[1] et placer en Dieu tout leur espoir. Elles
font le contraire et, cherchant le salut des corps, elles
trouvent la mort des âmes.

Et même, plût au ciel qu'elles conquièrent la santé
elle-même, du moins, par le simple art des médecins !
Mais elles se disent : Consultons cet haruspice ou ce devin,
ce faiseur de sortilèges, cette magicienne ; sacrifions un
vêtement du malade, une ceinture susceptible d'être
examinée et mesurée ; offrons des grimoires, suspendons
au cou des formules magiques. Dans tout cela, c'est le
même effet de la persuasion du diable, qu'il s'agisse de
tuer cruellement des enfants par l'avortement ou de les
guérir plus cruellement par des grimoires.

6. Cependant certaines femmes, soi-disant sages et
chrétiennes, ont coutume, quand leurs enfants sont
malades, de répondre aux nourrices ou aux autres femmes
par l'intermédiaire desquelles le diable les tente ainsi,
en disant : Non, moi je ne me mêle pas de pareilles choses,
parce qu'on lit dans l'église : « Vous ne pouvez boire le
calice du Seigneur et le calice des démons ; vous ne pouvez
partager la table du Seigneur et la table des démons[a]. »
Ensuite, comme si elle s'était disculpée avec cette phrase,
elle dit : Allez et faites comme vous, vous savez ; je ne
refuse pas la dépense ; puisez dans le cellier. Comme si
par ces paroles elle pouvait être tenue pour innocente d'un

---

curieusement, saint Martin guérit une jeune fille paralysée, non par
une onction, mais en lui faisant boire de l'huile qu'il avait bénie,
Vita S. Martini, 16, 7, *SC* 133, p. 288. Césaire, lui, reste plus classique
et c'est, soit en oignant lui-même la malade, soit en la faisant oindre,
qu'il opère trois des guérisons rapportées par la *Vita Caesarii* : I, 43,
p. 313-314 ; II, 19, p. 332-333 et 23, p. 334-335.

deteneri. Sed non ita est : ¹nam non solum mater, si permiserit, sed etiam alii, quicumque ¹consenserint, sacrilegii crimen incurrent. Sic enim Apostolus ait : ¹« Non solum qui faciunt, sed etiam qui consentiunt facientibusᵇ. »
15 ¹⁵Haec enim tam viri quam feminae, si diligenter vultis adtendere, et ¹omnes insidias diaboli fideliter contenditis evitare vel fugere, ad aeter¹nam beatitudinem cum secura conscientia poteritis pervenire : ¹praestante Domino nostro Iesu Christo.

12 permiserit *conj. A. Casamassa* : permanserit W¹ ‖ 18 praestante *Mor.* : regnante W¹.

ᵇ Rom. 1, 32.

aussi détestable crime. Mais il n'en est pas ainsi ; car non seulement la mère, si elle le permet[1], mais aussi les autres, quels qu'ils soient, qui y auront consenti, encourront le crime de sacrilège. Car l'Apôtre parle ainsi : « Non seulement ceux qui agissent ainsi, mais aussi ceux qui sont d'intelligence avec eux[b]. »

Mais vous, aussi bien hommes que femmes, si vous voulez prêter une attention diligente à cela et si vous vous efforcez fidèlement d'éviter et de fuir toutes les embûches du diable, vous pourrez parvenir avec la conscience tranquille à la béatitude éternelle, avec l'assistance de notre Seigneur Jésus-Christ.

1. La conjecture *permiserit* est due à Antonio Casamassa, des Ermites de Saint-Augustin, collaborateur romain de dom Morin.

SERMO LIII

Ammonitio ut fana destruantur

20 ²⁰1. Gratum nobis est, fratres dilectissimi, et maximas Deo gratias ˡagimus, quia vos ad ecclesiam fideliter venire videmus : quia et re ˡvera hoc docet et expedit christianis, ut <ad> matrem suam ecclesiam ˡquasi boni filii cum summo desiderio et vera pietate concurrant. Et ˡlicet hinc gaudeamus, fratres carissimi, quia vos ad ecclesiam
25 vide²⁵mus fideliter currere, contristamur tamen et dolemus, quia aliquos ˡex vobis cognoscimus ad antiquam idolorum culturam frequentius ˡambulare, quomodo pagani sine Deo et sine baptismi gratia faciunt.

224 (224) Audivimus aliquos ex vobis ad arbores vota reddere, ad fontes orare, ˡauguria diabolica observare : de qua re tantus dolor est in animis ˡnostris, ut nullam possimus consolationem recipere. Sunt enim, ˡquod peius est, infelices et miseri, qui paganorum fana non solum
5 ⁵destruere nolunt, sed etiam quae destructa fuerant aedificare nec ˡmetuunt nec erubescunt. Et si aliquis Deum cogitans aut arbores ˡfanaticos incendere aut aras diabolicas voluerit dissipare atque deˡstruere, irascuntur et

Sermo LIII : W¹ *Wirceburgensis* Mp. th. f. 28   s. VIII

223,22 ad *suppl. J. G. von Eckhart* : om. W¹.

1. Cf. *supra, Serm.* 51 et la note 1 de la page 424.

SERMON LIII

Exhortation à détruire les temples[1]

1. Il nous est agréable, frères très aimés, et nous en rendons tout particulièrement grâces à Dieu, de vous voir venir fidèlement à l'église, car, en vérité, il convient et il est utile à des chrétiens d'accourir vers leur mère l'Église comme de bons fils, avec un très grand désir et une véritable piété. Mais, tout en nous réjouissant, frères très chers, de vous voir courir fidèlement à l'église, nous nous attristons cependant et nous nous lamentons de ce que nous savons que certains d'entre vous vont assez fréquemment assister à l'ancien culte des idoles, comme font les païens sans Dieu et sans la grâce du baptême.

Nous avons entendu dire que certains d'entre vous rendent un culte à des arbres, prient auprès de fontaines, observent les augures diaboliques ; de cela nous avons une telle douleur dans notre âme que nous ne pouvons recevoir aucune consolation. En effet, le pire est qu'il existe des malheureux et des misérables qui non seulement ne veulent pas détruire les temples païens, mais même qui ne craignent ni ne rougissent de reconstruire ceux qui ont été détruits[2]. Et si quelqu'un, pensant à Dieu, veut brûler les arbres de la superstition ou mettre en pièces et détruire les autels diaboliques, ils s'emportent et

---

2. Au sujet de ces différentes pratiques, encore bien vivantes apparemment, voit t. I, Introd., p. 140-141.

insaniunt, et furore nimio succenduntur; ita ¹ut etiam
illos, qui pro Dei amore sacrilega idola conantur evertere,
10 ¹⁰aut caedere praesumant, aut forsitan de illorum morte
cogitare non ¹dubitent.

Quid faciunt infelices et miseri? Lucem deserunt, et ad
¹tenebras currunt : contemnunt Deum, amplectuntur
diabolum : vitam ¹deserunt, mortem sequuntur : Christum
repudiant, et ad sacrilegia ¹vadunt. Ut quid miseri ad
15 ecclesiam venerunt? ut quid sacramentum ¹⁵baptismi
acceperunt, si postea ad idolorum sacrilegia redituri erant?
¹Impletur enim in illis illud quod scriptum est : « Canis
reversus ad ¹vomitum suum, et porcus ad volutabrum
suumª. » Non timent illud ¹quod dixit Dominus per prophetam : « Sacrificans idolis eradicabitur, ¹nisi Domino
soliᵇ »; et in psalmis : « Omnes dii gentium daemonia,
20 ²⁰Dominus vero caelos fecitᶜ »; et iterum : « Confundantur
omnes ¹qui adorant sculptilia, qui gloriantur in simulacris
suisᵈ. »

2. Vos ergo, fratres, quicumque estis, qui tantum
malum Christo ¹propitio non fecistis, videte ne aliquando
faciatis, videte ne vos cir¹cumveniant homines perditi
25 atque perversi, ut post Christi sacra²⁵menta ad diaboli
venena redeatis; sed magis castigate quoscumque ¹tales
cognoscitis, admonete durius, increpate severius. Et si
non ¹corriguntur, si potestis, caedite illos; si nec sic emen-
dantur, et ¹capillos illis incidite. Et si adhuc perseverant,

224,9 evertere *conj. Eck.* : avertere W¹ ‖ 11 dubitent : dubitant W¹

1 ª II Pierre 2, 22   ᵇ Ex. 22, 20   ᶜ Ps. 95, 5   ᵈ Ps. 96, 7.

1. La *Vita S. Martini* nous montre en effet qu'il n'était pas toujours
sans danger de s'attaquer aux temples païens ni surtout aux arbres
sacrés. Voir ch. 13-15, *SC* 133, p. 280-286.
2. Nous n'avons pas trouvé d'autre exemple absolument conforme

perdent le sens et s'enflamment d'une extrême fureur.
C'est au point qu'ils osent même battre ceux qui, pour
l'amour de Dieu, s'efforcent d'abattre les idoles sacrilèges
ou peut-être n'hésitent pas à méditer leur mort[1].

Que font ces malheureux infortunés ? Ils abandonnent
la lumière et courent vers les ténèbres ; ils méprisent Dieu,
embrassent le diable ; abandonnent la vie, suivent la
mort ; répudient le Christ et optent pour les sacrilèges.
Pourquoi les malheureux sont-ils venus à l'église ? Pourquoi
ont-ils reçu le sacrement du baptême, s'ils devaient revenir
ensuite aux sacrilèges idolâtres ? En effet s'accomplit en
eux ce qui est écrit : « Le chien est retourné à son vomissement et le porc à sa bauge[a]. » Ils ne craignent pas ce que
le Seigneur a dit par la bouche du prophète : « Celui qui
sacrifie aux idoles sera anéanti, et non celui qui sacrifie
au seul Seigneur[b2] », et dans les psaumes : « Tous les dieux
des païens sont des démons, mais le Seigneur a fait les
cieux[c] » ; et encore : « Que soient couverts de honte tous
ceux qui adorent des images sculptées, qui se glorifient
dans leurs idoles[d]. »

2. Vous donc, frères, qui que vous soyez, qui par la
grâce du Christ n'avez pas commis un si grand méfait,
veillez à ne pas le commettre à l'avenir, veillez à ce que
des hommes perdus et pervers ne vous trompent, de sorte
qu'après avoir reçu les sacrements du Christ vous ne
reveniez aux poisons du diable ; mais, plutôt, reprenez
tous ceux que vous savez être tels, réprimandez-les très
durement, grondez-les très sévèrement. Et s'ils ne se
corrigent pas, frappez-les si vous le pouvez ; et s'ils ne
s'amendent pas ainsi, coupez-leur les cheveux. Et s'ils
persévèrent encore, liez-les de chaînes de fer, afin que ceux

---

à celui de Césaire, mais une version très proche : « sacrificans diis
eradicabitur, nisi Domino solo », en particulier chez CYPRIEN, *Liber
ad Demetr.*, 16 ; *Epist.* 59, 12 et AUGUSTIN, *De Civitate Dei*, X, 3, 7.

vinculis ferreis adligate : ᴵut quos non tenet Christi gratia,
30 teneat vel catena. Fanum ergo ³⁰reparare nolite permittere;
immo magis, ubicumque fuerit, destruere ᴵet dissipare
contendite. Arbores etiam sacrilegas usque ad radicem
ᴵincidite, aras diaboli comminuite. Et hoc scitote, fratres
carissimi, ᴵquia omnis homo, quando baptizatur, de grege
diaboli et ab exercitu ᴵillius separatur. Quod si postea ad
35 ista quae supra diximus sacrile³⁵gia celebranda redierit,
225   statim <a> Christo deseritur, et iterum a (225) diabolo
occupatur. Levius illi fuerat ad Christum non venire, quam
ᴵpostea Christum deserere, secundum quod de talibus dicit
Petrus ᴵapostolus : « Melius, inquid, illis fuerat non cognoscere viam ᴵiustitiae, quam post cognitionem retrorsum
convertiᵃ. »

5   ⁵3. Nos, fratres, quod vobis expedit dicimus : quicumque
observare ᴵnoluerit, aeterna illum poena sine ullo remedio
cruciabit. Delecta ᴵmodo aliquos inebriari, adulteria
committere, innocentes opprimere; ᴵsed postea in aeterna
flamma non delectabit ardere. Videte, fratres, ᴵcustodite
quae dicimus : non dicat aliquis, se non fuisse ammonitum.
10 ¹⁰Ecce clamamus, ecce contestamur, ecce praedicamus :
nolite contem ᴵnere praeconem, si vultis evadere iudicem.
Sed credimus de Dei ᴵmisericordia, quod est vobis, qui
fideles estis, daturus est in opere ᴵbono perseverantiam,
et eis, qui aliqua sacrilegia commiserunt, ᴵinspirare digna-
15 bitur, ut festinent agere paenitentiam; ut perseve¹⁵rantes
in bono, et correcti a malo, pariter mereantur ad aeternam
ᴵbeatitudinem pervenire : praestante Domino nostro Iesu
Christo, ᴵqui vivit et regnat in saecula saeculorum.

32 incidite *Mor.* : incedite Wᴵᵃᶜ incendite Wᴵᵖᶜ ‖ 35 aᴵ *suppl. Eck.* :
om. Wᴵ.
225,7 aliquos : aliquis Wᴵᵃᶜ ‖ 15 correcti *Mor.* : recit Wᴵᵃᶜ erecti
Wᴵᵖᶜ.

2 ᵃ II Pierre 2, 21.

que ne garde pas la grâce du Christ, la chaîne du moins
les garde. Ne permettez pas qu'on répare un temple;
bien plutôt, où que ce soit, essayez de les détruire et de
les mettre en pièces. Coupez aussi les arbres sacrilèges
jusqu'à la racine, brisez les autels du diable. Sachez
encore, frères très chers, que tout homme, quand il est
baptisé, est séparé du troupeau du diable et de son armée.
Si, par la suite, il revient à célébrer ces sacrilèges dont
nous avons parlé plus haut, sur-le-champ il est abandonné
par le Christ et réoccupé par le diable. Il eût été moins
grave pour lui de ne pas venir vers le Christ que d'abandonner le Christ par la suite, selon ce que l'apôtre Pierre
dit de tels hommes : « Il aurait mieux valu pour eux,
dit-il, ne pas connaître la voie de la justice, qu'après
l'avoir connue, revenir sur leur conversion[a]. »

3. Quant à nous, frères, nous disons ce qui vous est
salutaire : quiconque n'aura pas voulu l'observer, un
châtiment éternel le tourmentera sans nul remède. Il plaît
maintenant à certains de s'enivrer, de commettre des
adultères, d'opprimer des innocents ; mais ensuite il ne
leur plaira pas de brûler dans la flamme éternelle[1]. Veillez,
frères, à garder ce que nous disons : que personne ne dise
qu'il n'a pas été averti. Voici que nous crions à haute voix,
voici que nous conjurons, voici que nous prêchons : ne
méprisez pas le héraut si vous voulez échapper au juge.

Mais nous croyons que Dieu dans sa miséricorde vous
donnera, à vous qui êtes fidèles, de persévérer dans le bien,
et daignera inspirer à ceux qui ont commis quelques
sacrilèges de se hâter de faire pénitence, afin que ceux qui
persévèrent dans le bien et ceux qui se sont corrigés du
mal méritent également de parvenir à la béatitude éternelle,
avec l'assistance de notre Seigneur Jésus-Christ, qui vit et
règne pour les siècles des siècles.

---

1. Cf. Eusèbe le Gaulois, *Hom.* 6, *CCL*, CI, p. 69-70.

SERMO LIV

**Commonitio ad eos qui non solum auguria adtendunt,
sed quod gravius est divinos aruspices et sortilegos
20 ²⁰secundum paganorum morem inquirunt**

1. Bene nostis, fratres carissimi, me vobis frequentius
supplicasse, ᶦet paterna sollicitudine commonuisse pariter
et contestatum esse, ᶦut illas sacrilegas paganorum consue-
tudines observare minime debeᶦretis : sed quantum ad me
25 multorum relatione pervenit, apud aliquos ²⁵parum profecit
admonitio nostra. Et quia si vobis ego non dixero, ᶦet pro
me et pro vobis malam sum redditurus in die iudicii
226 rationem, (226) et vobiscum mihi erit necesse aeterna
supplicia sustinere : ego me ᶦapud Deum absolvo, dum
iterum atque iterum admoneo pariter ᶦet contestor, ut
nullus ex vobis caraios et divinos vel sortilegos requirat,
ᶦnec de qualibet eos aut causa aut infirmitate interroget.
5 Nullus sibi ⁵praecantatores adhibeat : quia quicumque
fecerit hoc malum, statim ᶦperdet baptismi sacramentum
et continuo sacrilegus et paganus ᶦefficitur; et nisi grandis

Sermo LIV : G²   *Monacensis lat.* 12610   s. XIII
          G⁴   *Treverensis Seminarii* R. II 8   s. XV
          Z¹   *Stuttgartensis theol. fol.* 201 (*Zwifalten* 49) s. XI
          Em. Monacensis lat. 14310 (*S. Emmeram.*)   a. 1422
          H³³ *Londinensis B.M. Addit.* 29972   s. VIII

225,18-20 Commonitio — inquirunt : *inscriptio ex* Z¹ *pos. Mor.* ‖
19 sortilegos : sacrilegos Z¹.

SERMON LIV

Avertissement à ceux qui non seulement prennent garde aux augures, mais, ce qui est plus grave, recherchent les devins, les haruspices et les faiseurs de sortilèges à la façon des païens

1. Vous savez bien, frères très chers, que, ainsi que je vous en ai très fréquemment suppliés et, avec une paternelle sollicitude, à la fois avertis et conjurés, vous ne devriez absolument pas observer les coutumes sacrilèges des païens ; mais d'après tout ce qui parvient jusqu'à moi par le récit de beaucoup, notre exhortation a eu peu d'effet auprès de certains. Si je ne vous dis pas cela, j'aurai à rendre un mauvais compte au jour du Jugement et de vous et de moi et il me faudra par nécessité endurer les supplices éternels ; aussi, moi, je m'absous auprès de Dieu en vous exhortant et vous conjurant tout à la fois encore et encore, afin qu'aucun de vous ne s'enquière des magiciens, des devins et des faiseurs de sortilèges ni ne les interroge pour quelque cause ou maladie que ce soit. Que nul ne recoure pour lui à des enchanteurs, car quiconque aura commis ce méfait perdra aussitôt le sacrement du baptême, devenant incontinent sacrilège et païen ; et si une large aumône et une dure et longue

226,3 caraios : caraius H³³ ‖ sortilegos : sortilogos G² ‖ 6 perdet : peribit Z¹

elymosina et dura ac prolixa paenitentia ǀsubvenerit,
statim in aeternum peribit.

Similiter et auguria observare ǀnolite, nec in itinere positi
10 aliquas aviculas cantantes adtendite, nec ¹⁰ex illarum
cantatu diabolicas divinationes adnuntiare praesumite.
ǀNullus ex vobis observet, qua die de domo exeat, qua die
iterum ǀrevertatur : quia omnes dies Deus fecit, sicut
scriptura dicit : « Et ǀfactus est dies primus[a] », et dies
secundus et dies tertius, similiter ǀet quartus, et quintus,
15 et sextus, et sabbatum; et illud : « Fecit Deus ¹⁵omnia
bona valde[b]. » Illas vero non solum sacrilegas sed etiam
ridicuǀlosas sternutationes considerare et observare nolite :
sed quotiens, ǀvobis in quacumque parte fuerit necessitas
properandi, signate vos ǀin nomine Christi, et symbolum
vel orationem dominicam fideliter ǀdicentes, securi de Dei
adiutorio iter agite.

20   ²⁰2. Et quia quando supradicta omnia sacrilegia Deo
vobis inspiǀrante contemnere vel despicere coeperitis,
moleste hoc accepturus ǀest diabolus; quia vos videt de
amicitia vel de societate sua discedere, ǀet sacrilegia per
quae vos decipiebat contemnere, aliquas nequitias ǀvobis
facturus est, aut infirmitatem aliquam inmissurus est, aut
25 ²⁵aliquod animal aut per morbum aut per evagationem est
ablaturus : ǀquia ad vos probandos hoc fieri permittit
Deus, ut agnoscat utrum ǀad ipsum fideliter venitis, et
si toto corde diaboli machinamenta ǀdespicitis, et utrum
plus valeat apud vos amor suus, quam cuiusǀcumque
animalis amissio. Sed si semel aut secundo nequitias quas
30 ³⁰diabolus inmiserit toto animo et tota fide contempseritis,

    8 statim om. G²·⁴ ǁ 10 cantatu H³³ : cantu Z¹ cantico G²·⁴ ǁ 13
factus : factum H³³ ǁ 14 illud : illa Z¹Em. ǁ 15 sed om. H³³ ǁ 18 fideliter om. H³³ ǁ 25 ablaturus : sed scitote add. G² ǁ 27 ipsum : vere
et add. Z¹ ǁ venitis : venites H³³ venietis Z¹ ǁ 28 quam : aut Z¹ ǁ
30 tota fide : toto adnisu Z¹.

pénitence ne lui viennent en aide, il périra aussitôt pour l'éternité.

De même, n'observez pas les augures et, quand vous êtes en voyage, ne prenez pas garde au chant de certains petits oiseaux et n'ayez pas l'audace d'annoncer d'après leurs chants des divinations diaboliques. Qu'aucun de vous ne tienne compte du jour où il part de chez lui, du jour où il retourne, car Dieu a fait tous les jours, comme le dit l'Écriture : « Et le premier jour fut fait[a] », et le second et le troisième et de même le quatrième, le cinquième, le sixième et le septième ; et ceci : « Dieu a fait toutes choses parfaitement bonnes[b]. » Et ne prêtez pas attention et n'accordez pas un sens non seulement sacrilège mais aussi ridicule aux éternuements, mais, chaque fois qu'il faut vous rendre en hâte en quelque lieu que ce soit, signez-vous au nom du Christ et, en disant avec foi le Symbole et l'Oraison dominicale, mettez-vous en route, sûrs de l'aide de Dieu.

Tactique insidieuse du diable **2.** Quand vous aurez commencé, sous l'inspiration de Dieu, à mépriser et dédaigner tous les sacrilèges cités plus haut, le diable prendra cela avec peine, vous voyant vous éloigner de son amitié et de sa société et mépriser les sacrilèges par lesquels il vous trompait ; aussi il vous fera quelque méchanceté ou vous enverra quelque maladie ou vous ravira quelque animal par la maladie ou la fuite, parce que Dieu permet que cela arrive pour vous éprouver, afin qu'il sache si vous venez à lui fidèlement, et si vous dédaignez de tout cœur les machinations du diable, et si son amour compte plus pour vous que la perte de n'importe quel animal. Mais si une ou deux fois vous méprisez de toute votre âme et de toute votre foi

1 [a] Gen. 1, 5   [b] Gen. 1, 31.

ita ipsum ᴵdiabolum postea a vestra infestatione Deus dignabitur repellere, ut ᴵnumquam vos possit sua calliditate decipere.

227   Homines enim negle(227)gentes et faciles, languida desideria et fidem tepidam habentes, ᴵetiam si incipiant, non diu perseverant in operibus Dei; sed ubi se ᴵde antedictis sacrilegiis abstinuerint, et vel unam diaboli nequitiam ᴵpertulerint, statim se paenitent ad Deum conversos esse,
5 et machina⁵menta diaboli reliquisse, et iterum revertuntur ad observationes ᴵauguriorum, velut canes ad vomitum suum. Vos vero, quibus Deus ᴵet sapientiam contulit, et veram fidem dedit, ita toto corde circumvenᴵtiones diaboli despicite, et fideliter vos ad Deum convertite, ut quae-ᴵcumque vobis voluerit diabolus inmittere patienter et
10 fortiter toleretis; ¹⁰ut cum beato Iob dicere possitis : « Dominus dedit, Dominus abstulit; ᴵsicut Domino placuit, ita factum estᵃ »; similiter et cum Apostolo ᴵfirmo et integro corde dicatis : « Quis nos separabit a caritate Christi? ᴵtribulatio, an persecutio, an angustia, an fames, an nuditas, ᴵan gladius, an periculum?ᵇ » Boni enim
15 christiani nec tormentis ¹⁵separantur a Christo : tepidi vero et neglegentes interdum otiosis ᴵfabulis separantur; et si vel leve damnum pertulerint, continuo ᴵscandalizantur, et contra Deum murmurare praesumunt, et ad nefanda ᴵac detestanda auguria redeunt.

3. Sed forte dicit aliquis : Quid facimus, quod auguria
20 ipsa et ²⁰caragi vel divini frequenter nobis vera adnuntiant?

227,1 tepidam : desidem *Em.* ‖ habentes : et ideo *add. codd. nonnulli* ‖ 2 incipiant : incipiunt Z¹ ‖ 3 abstinuerint : abstinuerunt Z¹ ‖ 4 pertulerint : pertulerunt Z¹ ‖ 8 ut : et Z¹ ‖ 13 an persecutio, an angustia : an angustia, an persecutio Gᵃˑ⁴Z¹ ‖ an nuditas *om.* Hᵃᵃ ‖ 14 an gladius, an periculum : an periculum, an gladius Gᵃˑ⁴ an periculum *om.* Z¹Hᵃᵃ ‖ 19 facimus : faciamus Z¹ faciemus *Em.* ‖ quod : eo quod *Em.* ‖ 20 caragi : carigi Gᵃˑ⁴ caraia Z¹

2 ᵃ Job 1, 21   ᵇ Rom. 8, 35.

les maux que le diable envoie, Dieu daignera par la suite repousser si bien le diable même et l'empêcher de vous attaquer que jamais sa fourberie ne pourra vous tromper.

En vérité, les hommes négligents et légers, ayant des désirs mous et une foi tiède, même s'ils commencent, ne persévèrent pas longtemps dans les œuvres de Dieu ; mais alors qu'ils se sont abstenus des sacrilèges susdits, s'ils ont à endurer une seule méchanceté du diable, aussitôt il se repentent de s'être convertis à Dieu et d'avoir abandonné les machinations du diable et ils recommencent à observer les augures, comme les chiens retournent à leur vomissement[1]. Mais vous, auxquels Dieu a communiqué la sagesse et donné la vraie foi, dédaignez de tout cœur les tromperies du diable et convertissez-vous à Dieu fidèlement, de telle façon que vous supportiez patiemment et avec force tout ce que le diable voudra vous envoyer, afin que vous puissiez dire avec le bienheureux Job : « Le Seigneur a donné, le Seigneur a repris ; comme il a plu au Seigneur, ainsi il a été fait[a] », et que vous disiez de même avec l'Apôtre, d'un cœur ferme et intègre : « Qui nous séparera de l'amour du Christ ? La tribulation ou la persécution ou l'angoisse ou la faim ou la nudité ou le glaive ou le péril ?[b] » En effet, les bons chrétiens ne sont pas séparés du Christ, même par les tourments, mais les tièdes et les négligents en sont quelquefois séparés par des bavardages oiseux et, s'ils ont à subir, fût-ce un léger dommage, ils sont aussitôt scandalisés et osent murmurer contre Dieu et ils retournent aux augures infâmes et détestables.

3. Mais quelqu'un dit peut-être : Que faisons-nous du fait que ce que les augures et les magiciens et les devins nous annoncent est fréquemment vrai ? A ce sujet l'Écriture

1. Cf. *Prov.* 26, 11.

De hac re scriptura ¹nos contestatur et ammonet dicens :
Etiamsi, inquit, vera vobis ¹dixerint, nolite credere eis;
« temptat enim vos Dominus Deus ¹vester, utrum timeatis
eum, an nonª. » Sed iterum dicis : Interim ¹aliquotiens, si
25 praecantatores non fuerint, aut de morsu serpentis ²⁵aut
de alia qualibet infirmitate prope usque ad mortem multi
peri¹clitantur. Verum est, fratres carissimi, quia permittit
hoc Deus diabolo, ¹sicut iam supra dixi, ad probandum
populum christianum : ut, ¹cum interdum per illa sacrilegia
aliqua remedia in infirmitate recipere, ¹et aliquid verum
30 potuerint agnoscere, facilius postea diabolo credant. ³⁰Sed
qui toto corde christianam religionem desiderat custodire,
228   oportet (228) ut haec omnia tota animi virtute contemnat,
timens illud quod ait ¹Apostolus increpans : « Dies observatis et tempora; timeo ne sine ¹causa laboraverim in
vobisᵇ. » Ecce Apostolus dicit quod, qui auguria ¹observa-
verit, sine causa doctrinam eius acceperit. Et ideo, quantum
5 ⁵potestis, circumventiones diaboli fugite.

4. Et illud ante omnia scitote, fratres, quod nec vos
ipsos, nec eos ¹qui ad vos pertinent, nec animalia vestra,
nec reliquam substantiam ¹vel in parvis rebus diabolus
potest laedere, nisi quantum a Deo pote¹statem acceperit :
10 quomodo nec sancti Iob facultates ausus fuit sub¹⁰vertere
nisi Domino permittente; et, sicut in evangelio legimus,
¹quando ab hominibus expulsi sunt daemones, rogaverunt
ut vel in ¹porcos ire permitterentur. Considerate rogo vos,
fratres : si in porcos ¹non sunt ausi introire daemones,
nisi a Domino permissionem acci¹perent, quis ita erit

23 an : aut H³³ ‖ 30 toto corde : totam *Em.*

228,2 Dies — tempora : dies et menses et tempora observatis *Em.* ‖
4 acceperit : suscipiet *Em.* ‖ 12 Considerate — fratres *om. Em.* ‖
rogo : ergo H³³

3 ª Deut. 13, 3   ᵇ Gal. 4, 10.11.

nous conjure et nous met en garde en disant : Même si,
dit-elle, ce qu'ils vous ont dit est vrai, ne les croyez pas,
« car le Seigneur votre Dieu vous éprouve pour voir si
vous le craignez ou non[a]. » Mais tu dis de nouveau :
Cependant, quelquefois, sans les magiciens, beaucoup
seraient en un danger bientôt mortel à cause de la morsure
d'un serpent ou de quelque autre maladie. Il est vrai,
frères très chers, que Dieu permet cela au diable, comme
je l'ai déjà dit plus haut, pour éprouver le peuple chrétien,
afin que, comme de temps en temps des hommes ont pu
recouvrer la santé grâce à certains de ces médicaments
sacrilèges et leur reconnaître quelque valeur, ils croient
par la suite plus facilement au diable. Mais celui qui désire
de tout cœur garder la religion chrétienne, il lui faut
mépriser tout cela de toute la force de son esprit, craignant
ce que l'Apôtre dit, dans son apostrophe : « Vous observez
les jours et les moments : je crains d'avoir travaillé en
vous pour rien[b]. » Voici que l'Apôtre dit que celui qui
observe les augures a reçu en vain sa doctrine. Et c'est
pourquoi, autant que vous le pouvez, fuyez les tromperies
du diable.

Tout vient de Dieu   **4.** Et avant tout, sachez, frères,
que le diable ne peut nuire ni à vous,
ni à qui vous appartient, ni à vos bêtes ni au reste de
votre bien, même dans de petites choses, sauf dans la
mesure où il en a reçu de Dieu la puissance. C'est ainsi
qu'il n'a pas osé détruire les richesses du saint Job sans
la permission de Dieu. Et nous lisons de même dans
l'Évangile[1] que, lorsque des démons ont été chassés des
hommes, ils ont demandé s'il leur était du moins permis
d'aller dans des porcs. Réfléchissez, je vous en prie, frères :
si les démons n'ont pas osé entrer dans les porcs sans en
avoir reçu la permission du Seigneur, qui sera assez

1. Cf. *Lc* 8, 32.

15 infidelis, ut eos bonis christianis credat aliquid [15]posse
laedere, nisi Deus pro sua dispensatione permiserit?
Permittit [l]autem hoc Deus duabus ex causis : ut aut nos
probet, si boni sumus, [l]aut castiget, si peccatores. Sed qui
patienter dispensationem Domini [l]toleraverit, et, sicut
iam dixi, quando aliquid perdiderit, dixerit [l]« Dominus
20 dedit, Dominus abstulit; sicut Domino placuit, ita [20]factum
est : sit nomen Domini benedictum[a] », pro ista Deo placita
[l]patientia aut coronam accipiet, si iustus est, aut indulgentiam, si [l]peccator.

Et hoc adtendite, fratres, quia cum omnem substantiam
[l]diabolus evertisset beati Iob, non dixit Iob, Dominus dedit,
diabolus [l]abstulit, sed : « Dominus dedit, Dominus abstu-
25 lit. » Vir enim sanctus [25]noluit istam gloriam diabolo dare,
ut aliquid potuisset tollere, quod [l]Dominus non permisisset
auferre. Cum enim nec filios, nec pueros, [l]nec camelos, nec
asinos, nec oves beati Iob, antequam Dominus [l]permitteret,
diabolus laedere potuisset, quare credimus quod chri[l]stianis
amplius aliquid faciat, quam quod iusto ac secreto iudicio
30 [30]suo divina potentia permiserit?

5. Et ideo certissime credentes quod nihil possumus
perdere, [l]nisi quantum nobis Deus permittit auferri, toto
229 corde nos ad illius (229) misericordiam teneamus, et sacrilegas observationes fideliter relin[l]quentes de illius adiutorio
semper praesumamus. Nam qui praedictis [l]malis, id est,
caragiis et divinis et aruspicibus vel filacteriis et aliis
[l]quibuslibet auguriis crediderit, etsi ieiunet, etsi oret, etsi

---

15 laedere : *hic def. cod.* H[33] ‖ permiserit : permitteret *Em.* ‖ 17
castiget : corrigat *Em.* ‖ 19-20 sicut — est *om.* Z[1] ‖ 21 accipiet :
accipit Z[1] ‖ 25 ut : ille *add.* G[2,4] ‖ 28 credimus : credamus G[4] ‖ 29 iusto :
deifico *Em.* ‖ 32 nos : nostro Z[1] *Em.*

229,1 teneamus : eamus Z[1] *Em.* ‖ 3 caragiis : carais Z[1] carigiis
G[4]

incrédule pour croire qu'ils puissent nuire en quelque chose à de bons chrétiens sans que Dieu l'ait permis selon son plan ? Mais Dieu permet cela pour deux raisons : soit pour nous éprouver, si nous sommes bons, soit pour nous châtier si nous sommes pécheurs. Mais celui qui accepte patiemment la volonté du Seigneur et qui, comme je l'ai déjà dit, lorsqu'il a perdu quelque chose, dit : « Le Seigneur a donné, le Seigneur a repris ; comme il a plu au Seigneur, ainsi il a été fait ; que le nom du Seigneur soit béni[a] », celui-là recevra pour cette patience agréable à Dieu, soit la couronne, s'il est juste, soit le pardon, s'il est pécheur.

Et faites attention à ceci, frères : alors que le diable avait détruit toute la richesse du bienheureux Job, Job n'a pas dit : Le Seigneur a donné, le diable a repris, mais : « Le Seigneur a donné, le Seigneur a repris. » Car le saint homme n'a pas voulu donner cette gloire au diable qu'il aurait pu lui prendre une chose que le Seigneur ne lui aurait pas permis d'emporter. En effet, alors que le diable n'aurait pu nuire ni aux enfants, ni aux serviteurs, ni aux chameaux, ni aux ânes, ni aux brebis du bienheureux Job avant que le Seigneur ne l'ait permis, pourquoi croyons-nous qu'il fasse à des chrétiens plus que ce que la divine puissance a permis par un juste jugement secret ?

5. Et c'est pourquoi, croyant avec une absolue certitude que nous ne pouvons rien perdre, si ce n'est dans la mesure où Dieu permet que cela nous soit enlevé, tenons-nous en de tout cœur à sa miséricorde, et laissant fidèlement les observances sacrilèges, ayons toujours confiance en son aide. Car celui qui croit aux méfaits dénoncés plus haut, c'est-à-dire au pouvoir des magiciens, des devins et des haruspices ainsi qu'aux phylactères et à n'importe quelles autres sortes d'augures, même s'il jeûne, même

4 [a] Job 1, 21.

5 iugiter [5]ad ecclesiam currat, etsi largas elemosinas faciat, etsi corpusculum |suum in omni adflictione cruciaverit, nihil ei proderit, quamdiu illa |sacrilegia non reliquerit : quia impia illa sacrilega observatio ita |omnia ista bona subruit et evertit, ut illis, qui cum his malis etiam |aliqua opera bona exercere voluerint, prodesse nihil possint; quia

10 [10]verum est quod dixit Apostolus : « Modicum fermentum totam mas|sam corrumpit[a] »; et illud : « Non potestis calicem Domini bibere, |et calicem daemoniorum; non potestis mensae Domini participes |esse, et mensae daemoniorum[b] »; et Dominus in evangelio : « Nemo |potest duobus dominis servire[c]. »

15 Pro qua re nec ad arbores debent [15]christiani vota reddere, nec ad fontes adorare, si se volunt per Dei |gratiam de aeterno supplicio liberari. Et ideo quicumque aut in agro |suo, aut in villa, aut iuxta villam aliquas arbores aut aras vel quaelibet |fana habuerit, ubi miseri homines solent aliqua vota reddere, si |eas non destruxerit atque

20 succiderit, in illis sacrilegiis, quae ibi facta [20]fuerint, sine dubio particeps erit. Nam et illud quale est, quod, quando |arbores illae ubi vota redduntur ceciderint, nemo sibi ex illis arboribus |lignum ad focum adfert? Et videte miseriam vel stultitiam generis |humani : arbori mortuae honorem inpendunt, et Dei viventis praecepta |contemnunt; ramos

25 arboris non sunt ausi mittere in focum, et se [25]ipsos per sacrilegium praecipitant in infernum. Et ideo qui hoc

---

6 suum *om. Em.* ‖ 7 sacrilega Z[1] : sacrilegii *Em.* ‖ ita *om. Em.* ‖ 8 subruit : obruit *Em.* ‖ ut illis Z[1] : ut illi G[2.4] et *Em.* ‖ 18 fana : vana *Em.* ‖ 19 succiderit : succenderit G[4] succenderint G[a] ‖ 21 sibi *om. Em.*

---

5 [a] I Cor. 5, 6   [b] I Cor. 10, 20.21   [c] Matth. 6, 24.

---

1. Dom Morin signale que cette phrase est citée dans une lettre

s'il prie, même s'il court assidûment à l'église, même s'il
fait de larges aumônes, même s'il tourmente son misérable
corps par toute sorte de souffrances, cela ne lui servira
à rien, aussi longtemps qu'il n'aura pas renoncé à ces
sacrilèges[1] ; car cette observance impie et sacrilège sape
et détruit toutes ces bonnes choses, de telle sorte que,
à ceux qui, à côté de ces méfaits, ont voulu s'adonner
à quelques bonnes œuvres, celles-ci ne peuvent servir
à rien, car elle est vraie, la parole de l'Apôtre : « Un peu
de ferment corrompt toute la pâte[a] », et ceci : « Vous ne
pouvez boire le calice du Seigneur et le calice des démons ;
vous ne pouvez partager la table du Seigneur et la table
des démons[b] », et celle du Seigneur dans l'Évangile :
« Personne ne peut servir deux maîtres[c]. »

Cultes païens survivants   Pour cette raison, les chrétiens
ne doivent ni rendre un culte à des
arbres, ni prier auprès de fontaines,
s'ils veulent être délivrés par la grâce de Dieu du supplice
éternel. Et c'est pourquoi, quiconque a, soit dans son champ,
soit dans sa propriété, soit à côté, des arbres ou des autels
ou n'importe quelle sorte de sanctuaires, où de malheureux
hommes ont coutume de rendre un culte, s'il ne les détruit
pas et ne les renverse pas, il sera sans aucun doute complice
des sacrilèges qui y auront été commis. Mais qu'est cela
aussi ? Quand ces arbres où l'on rend un culte ont été
coupés, personne n'apporte à son foyer du bois de ces
arbres[2] ! Et voyez la misère et la stupidité du genre humain !
On honore un arbre mort et on méprise les commandements
du Dieu vivant ; on n'ose pas envoyer au feu les branches
d'un arbre et on se précipite soi-même par le sacrilège
en Enfer. Et c'est pourquoi, que celui qui, jusqu'ici, n'a

de Boniface au pape Zacharie, sous le nom d'Augustin, *epist.* 49,
PL 89, col. 747 : « Et sanctus Augustinus dixit : Nam qui praedictis... »
2. Cf. *supra*, *Serm.* 53, 1.

malum ᴵhucusque non observaverit gaudeat, et Deo gratias
agat, et fideliter ᴵin bonis operibus perseverare contendat :
qui vero in istis diabolicis ᴵrebus hucusque captivandum
se diabolo tradidit, toto corde paeniᴵtentiam agat, et illa
30 supradicta sacrilegia cum omni horrore fugiat ³⁰et contemnat; ut illi Deus et indulgentiam dare, et ad aeternam
ᴵbeatitudinem ob gloriam nominis sui faciat pervenire.

6. Et quia etiam et hoc pervenit ad me, quod aliqui
230 aut per (230) simplicitatem aut per ignorantiam aut certe,
quod plus credendum ᴵest, per gulam de illis sacrilegiis
aut sacrificiis vel de illo sacrilego ᴵcybo, quae adhuc
secundum paganorum consuetudinem fiunt, manᴵducare
nec timeant nec erubescant, contestor vos, et coram Deo
5 ⁵et angelis eius denuntio, ut nec ad illa diabolica convivia,
quae aut ᴵad fanum, aut ad fontes, aut ad aliquas arbores
fiunt, veniatis. Et ᴵsi vobis inde aliquid, transmissum
fuerit, tamquam si ipsum diabolum ᴵvideatis, perhorrescite
et respuite, et ita repudiate, ut nec in domum ᴵvestram
permittatis de illo sacrilego · convivio aliquid exhiberi,
10 propter ¹⁰illud apostoli quod iam dictum est : « Non potestis
calicem Domini ᴵbibere, et calicem daemoniorum; neque
mensae Domini partiᴵcipare, et mensae daemoniorumª. »

Et quia solent aliqui dicere : Ego ᴵme signo, et sic
manduco, nullus hoc facere praesumat; quia sic ᴵest, qui
se signat, et aliquid de sacrilego cybo manducat, quomodo
15 ¹⁵si se signet in ore, et gladium sibi mittat in pectore :
quia quomodo ᴵgladio corpus occiditur, ita de illo cibo
sacrilego anima occiditur.

---

30 indulgentiam : dignetur *add. Em.* ‖ 31 pervenire : *hic per doxol.*
des. G²⁻⁴.

230,2 de — vel *om.* Z¹ ‖ de illo *om. Em.* ‖ 11-12 neque — participare :
non potestis mensae Domini participes esse Z¹ ‖ 15 si se signet : se
signat *Em.* ‖ mittat : remittet Z¹

pas commis ce méfait, se réjouisse et qu'il rende grâces à Dieu et s'efforce de persévérer fidèlement dans les bonnes œuvres ; quant à celui qui, en accomplissant ces choses diaboliques, s'est livré jusqu'ici au diable comme son prisonnier, qu'il fasse pénitence de tout son cœur et qu'il fuie avec une extrême horreur et méprise les sacrilèges mentionnés plus haut, afin que Dieu lui accorde le pardon et le fasse parvenir à la béatitude éternelle à cause de la gloire de son nom.

6. Et parce qu'il est parvenu jusqu'à moi que certains, par simplicité ou par ignorance, ou sans doute, ce qui est plus croyable, par gourmandise, ne craignent ni ne rougissent de manger de cette nourriture sacrilège provenant de ces sacrifices sacrilèges qui ont encore lieu selon la coutume des païens, je vous adjure et devant Dieu et ses anges je vous conjure de ne pas venir à ces banquets diaboliques qui ont lieu soit auprès d'un temple, soit auprès des fontaines, soit auprès de certains arbres. Et si quelque chose venant de là vous a été envoyé, ayez-le en horreur et repoussez-le, comme si vous voyiez le diable en personne, et refusez-le jusqu'à ne pas permettre que dans votre maison on montre quelque chose venu d'un tel banquet sacrilège, à cause de cette parole déjà citée de l'Apôtre : « Vous ne pouvez boire le calice du Seigneur et le calice du démon ; ni prendre part à la table du Seigneur et à la table des démons[a]. »

Et parce que certains ont coutume de dire : Pour moi, je me signe et ensuite je mange, que nul n'ait l'audace de faire cela ; car celui qui se signe et mange un morceau de nourriture sacrilège agit comme s'il se signait sur la bouche et s'envoyait un coup d'épée dans la poitrine ; car de même que le corps est tué par l'épée, ainsi l'âme est tuée par cette nourriture sacrilège.

6 [a] I Cor. 10, 20.21.

|Sed credimus de Dei misericordia, quod ita vobis agere quae sancta |sunt inspirare dignabitur, ut nunquam vobis nec in auguriis nec in |aliis, quae supra dictae sunt, sacrilegis
20 observationibus vel divina²⁰tionibus diaboli nequitia possit subripere : sed sic totam spem |vestram in Domino posituri estis, quatenus ut nunquam ad illa |nefanda mala, quae superius conprehensa sunt, redeatis : praestante |Domino nostro Iesu Christo, cui est honor et imperium in saecula |saeculorum. Amen.

17 sancta : dicta *Em.* ‖ 18 ut : et *Em.* ‖ 19-20 vel divinationi-
bus *om.* Z¹ ‖ 20-22 sed — redeatis *om. Em.*

Mais nous croyons que Dieu dans sa miséricorde daignera vous inspirer de faire ce qui est saint, si bien que la méchanceté du diable ne pourra jamais vous surprendre à prêter foi aux augures ni aux autres pratiques ou divinations sacrilèges qui ont été mentionnés plus haut, mais que vous placerez tout votre espoir dans le Seigneur à tel point que jamais vous ne reveniez à ces méfaits infâmes qui ont été dénoncés plus haut, avec l'assistance de notre Seigneur Jésus-Christ, à qui appartiennent l'honneur et la puissance pour les siècles des siècles. Amen.

Sermo castigatorius contra eos qui in festivitatibus per ebrietatem multa inhonesta committunt, et in audiendis causis munera super innocentes accipiunt

1. Magnum mihi gaudium est, fratres dilectissimi, et
5 Deo gratias ⁵ago, quia in sanctis festivitatibus pia devotione
ad ecclesiam convenitis; ˡsed licet de vestra devotione Deo
propitio gaudeamus, plures tamen ˡsunt, de quorum perditione nimium contristamur. Illos dico, qui ˡvenientes ad
ecclesiam magis litigare cupiunt, quam orare; et quando
ˡdeberent in ecclesia lectiones divinas adtentis auribus tota
10 pietate ¹⁰suscipere, tunc foris causas dicere, et diversis se
student calumniis ˡinpugnare. Aliquotiens etiam, quod
peius et, aliqui nimia iracundia ˡsuccenduntur, amarissime
rixantur, et turpiter sibi convicia et crimina ˡiaculantur;
nonnumquam etiam pugnis et calcibus invicem conli-
ˡduntur. Et melius fuerat talibus ad ecclesiam non venire,
15 quam de ¹⁵tantis malis divinam contra se iracundiam

Sermo LV : G¹ *Monacensis lat.* 6298   s. VIII
            G² *Monacensis lat.* 12610   s. XII
            G⁴ *Treverensis Seminarii* R. II 8   s. XV
            H³ *Spinaliensis* 3 (*al.* 16)   s. XII
            H⁵ *Pierpont-Morgan Library* M. 17   s. VII/VIII
            H¹⁴ *Parisinus lat.* 2628   s. XI
            H¹⁸ *Vaticanus lat.* 4951   s. XII

SERMON LV

Sévère réprimande à ceux qui pendant les fêtes commettent à cause de l'ivresse beaucoup de choses honteuses et à ceux qui, devant juger des causes, acceptent des présents au détriment des innocents

1. Ce m'est une grande joie, frères très aimés, et je rends grâces à Dieu, de ce qu'à l'occasion des saintes fêtes vous vous assemblez à l'église par pieuse dévotion ; mais, bien que nous nous réjouissions, par la grâce de Dieu, de votre dévotion, il y en a cependant beaucoup dont la perte nous attriste extrêmement. Je parle de ceux qui, en venant à l'église, désirent plutôt disputer que prier, et qui, quand ils devraient, dans l'église, accueillir les lectures divines, les oreilles attentives, avec une entière piété, mettent alors leur zèle à plaider des procès dehors et à s'attaquer avec diverses calomnies. Quelquefois même, ce qui est pire, certains s'enflamment d'une colère extrême, se disputent avec la plus grande âpreté et se lancent de honteuse façon des injures et des accusations ; il n'est même pas rare qu'ils se frappent l'un l'autre à coups de poing et de pied. Et il aurait mieux valu pour de tels gens ne pas venir à l'église, plutôt que de provoquer contre eux la colère divine par tant de méfaits ; car ces hommes,

231,1 castigatorius : sancti Augustini *add.* H⁵ ‖ festivitatibus : sanctorum *add.* H¹⁸ ‖ 13-14 invicem conliduntur : se invicem collidunt G¹·²·⁴H¹⁴

provocare : isti enim, ⎸etsi cum minore peccato ad ecclesiam veniant, cum multis criminibus ⎸de ecclesia revertuntur. Unde, licet de vestra devotione laetetur ⎸animus meus, tamen rogo vos, quicumque honesti estis et sobrii, ⎸qui iustitiam tenetis, castitatem diligitis, et misericordiam
20 custoditis, ²⁰ut detis mihi veniam, et patienter accipiatis, quia mihi necesse est ⎸istos neglegentes et tepidos castigare, qui ideo ad festivitatem veniunt, ⎸ut se otiosis fabulis occupent, non ut divinas lectiones in ecclesia ⎸fideli corde suscipiant.

2. Sunt et alii, qui pro hoc solo desiderant ad natalicia
25 martyrum ²⁵convenire, ut inebriando, ballando, verba turpia decantando, choros ⎸ducendo et diabolico more saltando, et se subvertant, et alios perdant; ⎸et qui deberent exercere opus Christi, ministerium conantur implere ⎸diaboli. Istos tales non amor Dei, sed amor luxuriae ad festivitatem ⎸consuevit adducere : quia se non ad exemplum
232 bonorum operum, (232) non ad fidei medicamentum, sed ad venenum vel ad laqueum diaboli ⎸praeparare contendunt; et dum istos tales aliqui aut exspectare ⎸volunt aut imitari, animas suas in perpetua poena condemnant.

3. Sunt et alii, qui in natale sanctorum aut in qualibet
5 alia festivi⁵tate causas aut dicere aut audire volunt; et, quod peius est, non pro ⎸vera caritate, sed pro avaritia vel cupiditate. Debent quidem causae ⎸dici, et cum iustitia deliberari, sed aliis diebus et alio tempore, non ⎸in sanctorum sollemnitate, quando omnes homines magis debent ⎸Deo vacare et orationi insistere, quam se diversis litibus
10 inpugnare. ¹⁰Sunt nonnulli, qui munuscula et exenia

---

20 quia mihi : quia me H³˙⁵ ‖ 24 alii : aliqui H³.

232,2 et — aliqui H³˙⁵ : isti tales qui G¹˙²˙⁴ ‖ exspectare : spectare G²H³ ‖ 4 alii qui : aliqui H³ ‖ 7-8 non in : dominicorum vel in add. H³ die dominico vel add. H¹⁴ ‖ 10 exenia G¹˙⁴H¹⁴ : exania H⁵ xenia G²H³

même s'ils viennent à l'église avec une faute vénielle, quittent l'église avec de nombreux et graves péchés. C'est pourquoi, bien que mon âme se réjouisse de votre dévotion, cependant, je vous demande, à vous tous qui êtes honnêtes et sobres, qui observez la justice, aimez la chasteté et gardez la miséricorde, de me pardonner et d'accepter avec patience, car il me faut réprimander ces hommes négligents et tièdes qui viennent à une fête pour s'occuper de bavardages oiseux, non pour accueillir d'un cœur fidèle, dans l'église, les lectures divines.

2. Il y en a d'autres, aussi, qui désirent venir aux fêtes des martyrs seulement pour s'enivrer, danser, chanter des chansons honteuses, conduire des chœurs et sauter de façon diabolique[1], et qui se détruisent et perdent les autres ; et eux qui devraient travailler à l'œuvre du Christ s'efforcent de remplir le ministère du diable. Ce n'est pas l'amour de Dieu, mais l'amour de la débauche qui, d'ordinaire, les conduit à une fête ; car ils s'appliquent à se pourvoir non de l'exemple des bonnes œuvres, non du médicament de la foi, mais du venin et du piège du diable ; et à vouloir regarder et imiter leurs pareils certains condamnent leur âme à un châtiment éternel.

Juges corrompus   **3.** Il y en a d'autres aussi qui veulent plaider ou juger le jour anniversaire des saints ou à l'occasion de n'importe quelle autre fête, et, ce qui est pire, non par vraie charité, mais par avarice et cupidité. Certes, les causes doivent être plaidées et examinées avec justice, mais d'autres jours et à un autre moment, non pendant la fête solennelle des saints, quand tous les hommes doivent plutôt se rendre libres pour Dieu et s'appliquer à la prière que de s'attaquer dans divers procès. Il y en a plus d'un qui accepte de petits

---

1. Cf. *Serm.* 13, 4 et 225, 5.

accipiunt, et causas iustas |depravare contendunt, sicut propheta dicit : « Ponentes lucem tene|bras, et tenebras lucem; dicentes amarum esse quod dulce est, |et dulce quod amarum^a. » Audiunt ergo causas, et iniuste iudicant : |accipiunt terrena munera, et perdunt praemia sempiterna :

15 lucrantur [15]pecuniam, et perdunt vitam aeternam. O miser, quicumque hoc |fecisti, aut facis, aut facere conaris, adtendis quid acquiris, et non |adtendis quid perdis : acquiris aurum, et offendis Deum : inpletur |arca tua, et frangitur conscientia tua. Post paucos autem dies aut annos |exit anima tua de corpore suo; aurum remanet in

20 arca, et infelix [20]anima descendit in gehennam. Quod si iuste iudicasses, si avaritiae |vel luxuriae servire infeliciter noluisses, anima tua plena Deo levaretur |ad regnum, et arca sine auro remaneret in mundo. Et ideo, fratres, |rogo vos, et per illum cuius pretioso sanguine redempti estis adiuro, |ut totis viribus in omni causa iustitiam teneatis,

25 et de animae vestrae [25]salute adtentius cogitetis.

4. Quando ad ecclesiam convenitis, nolite vos talibus rebus occupare, |unde magis peccata possitis adquirere. Nolite vos occupare |ad litigandum, sed potius ad orandum; ut non rixando Deum offendere, |sed supplicando gratiam

30 illius possitis adquirere. Nolite ad mensuram [30]sine mensura bibere : nolite in nominibus bibendo nomina vestra |delere de caelo. Sunt multi, quod peius est, qui non solum se ipsos |inebriant, sed etiam alios adiurant, ut amplius quam expedit bibant; |et, quod gravius est, etiam aliqui clerici

---

17 aurum : vel argentum *add.* G[1,2,4] et argentum *add.* H[14] ‖ 19 exit : exiit G[1,4]H[3] ‖ 29-30 ad mensuram sine mensura bibere *solus habet* H[5] : vos inebriari G[1] inebriari vos G[4] vos inebriare G[2]H[3] vos inebriare vino H[14] ‖ 30 in nominibus : sanctorum *add.* G[2].

---

3 ^a Is. 5, 20.

présents et des cadeaux et s'efforce de corrompre des
causes justes, comme dit le prophète : « Prétendant que
la lumière est ténèbres, et que les ténèbres sont lumière ;
disant qu'est amer ce qui est doux et doux ce qui est
amer[a]. » Ils écoutent donc des causes et jugent injustement ;
ils reçoivent des présents terrestres et perdent les récompenses éternelles ; ils gagnent de l'argent et perdent la vie
éternelle. Ô malheureux, qui que tu sois, qui as fait cela
ou le fais ou t'efforces de le faire, tu fais attention à ce que
tu acquiers et tu ne fais pas attention à ce que tu perds ; tu
acquiers de l'or et tu offenses Dieu ; ton coffre est plein et ta
conscience est ruinée. Mais après un petit nombre de jours
ou d'années, ton âme sort de son corps ; l'or reste dans le
coffre, et l'âme infortunée descend dans la géhenne.
Alors que si tu avais jugé selon la justice, si tu n'avais
pas voulu être esclave, pour ton malheur, de l'avarice
et de la luxure, ton âme s'élèverait pleine de Dieu vers
le Royaume, et le coffre resterait sans or dans le monde.
Et c'est pourquoi, frères, je vous demande et vous adjure,
par celui qui vous a rachetés de son sang précieux, de
maintenir de toutes vos forces la justice dans toute cause,
et de songer très attentivement au salut de votre âme.

4. Quand vous venez à l'église, ne vous occupez pas
de choses d'où vous puissiez acquérir davantage de péchés.
Ne passez pas votre temps en procès, mais plutôt en prières,
afin d'acquérir la grâce de Dieu par vos supplications au
lieu de l'offenser par vos querelles. Ne buvez pas sans
mesure des coupes démesurées[1] ; n'effacez pas vos noms
du ciel en portant des toasts. Le pire est que nombreux
sont ceux qui, non seulement s'enivrent eux-mêmes,
mais même adjurent les autres de boire plus que de raison ;
et, ce qui est plus grave, même certains clercs agissent

1. Cf. *Serm.* 46, 3 et 8 ; 47, 5.

233 hoc faciunt. O infelix, non (233) tibi sufficit quod tu ipse
peris : adhuc insuper et alios perdis. Non ╵tibi sufficit quod
in cloaca ebrietatis conruis : adhuc et alios tecum ╵trahis.
Non sufficit misero ebrioso in volutabro ebrietatis seipsum
╵inmergere, nisi et alios secum conetur involvere. Nolite,
5 fratres, nolite ⁵malum hoc facere. Audite Apostolum
dicentem : « Neque ebriosi ╵regnum Dei possidebunt[a] »; et
iterum : « Nolite inebriari vino, in ╵quo est luxuria[b]. »

Quotienscumque ad ecclesiam vel ad sollemnitates
╵martyrum convenitis, quod per gulam vel ebrietatem
solebatis perdere, ╵per elymosinam in caelo reponite.
10 Quando ad festivitatem vel ad ¹⁰missas venitis, in ecclesia
stantes lectiones divinas cum gaudio fideliter ╵audite; et
quod auditis memoria retinete, et cum Dei adiutorio
inplere ╵contendite. Nolite vos in ecclesia otiosis fabulis
occupare, nolite ╵invicem verbosari : sunt enim plurimi,
et praecipue aliquae mulieres, ╵quae ita in ecclesia garriunt,
15 ita verbosantur, ut lectiones divinas ¹⁵nec ipsae audiant,
nec alios audire permittant. Quae tales sunt, et ╵pro se
et pro aliis malam rationem Domino redditurae sunt.

Ante ╵omnia causas in festivitatibus nolite dicere aut
audire. Et quotiens ╵alio tempore causae dicuntur, sicut
iam diximus, adtendat unusquisque, ╵ne munera accipiendo
20 alterius iustam causam malam faciat poenam ²⁰suam.
Nam qui iniuste iudicaverit, accipiet pecuniae lucrum, et
incurret ╵animae detrimentum : innocens ad causam
audiendam venit, sed ╵reus abscessit. Non se circumveniat,
qui talis est; in illo inpletur ╵quod scriptum est : « In quo
iudicio iudicaveritis, iudicabitur ╵de vobis[c]. »

233,2 quod : ipse *add.* H³ ‖ 5 facere : agere H³·⁵ ‖ 10 missas H⁵ :
missam *cett.* ‖ 11 audite : audistis G¹ ‖ 16 aliis : illis G¹·²·⁴ ‖ 19 iustam
om. G¹·²·⁴H³·⁵ ‖ 22 illo : enim *add.* H³·⁵ ‖ 23-24 iudicabitur de vobis :
iudicabit de vobis Deus H¹⁴

---

4 [a] I Cor. 6, 10   [b] Éphés. 5, 18   [c] Matth. 7, 2.

ainsi. Ô infortuné, il ne te suffit pas de périr toi-même ;
tu perds aussi les autres par dessus le marché. Il ne te
suffit pas de te précipiter dans le cloaque de l'ivresse ;
par dessus le marché, tu entraînes avec toi les autres.
Il ne suffit pas à un malheureux ivrogne de se vautrer
lui-même dans le bourbier de l'ivresse, il s'efforce d'y faire
rouler aussi les autres avec lui. Non, frères, ne commettez
pas ce méfait. Écoutez ce que dit l'Apôtre : « Les ivrognes
non plus ne posséderont pas le royaume de Dieu[a] », et
encore : « Ne vous enivrez pas de vin, dans lequel est la
luxure[b]. »

Chaque fois que vous vous assemblez à l'église, que vous
vous réunissez pour les fêtes des martyrs, ce que vous
aviez coutume de perdre par la gourmandise ou l'ivresse,
placez-le au ciel grâce à l'aumône. Quand vous venez à
une fête ou à la messe, debout dans l'église, écoutez avec
foi, avec joie, les lectures divines ; et, ce que vous entendez,
gardez-le en mémoire et avec l'aide de Dieu efforcez-vous
de l'accomplir. A l'église, n'employez pas le temps en
bavardages oiseux, ne papotez pas les uns avec les autres :
en effet, il y en a beaucoup, et en particulier des femmes
qui, dans l'église, jasent si bien, papotent si bien, qu'elles
n'écoutent pas elles-mêmes les lectures divines et ne
permettent pas aux autres de les écouter. Leurs pareilles
auront à rendre un mauvais compte au Seigneur et pour
elles et pour les autres.

Avant tout, ne plaidez ni ne jugez pendant les fêtes.
Et chaque fois qu'à un autre moment l'on plaide, comme
nous l'avons déjà dit, que chacun prenne garde à ne pas
faire mauvaise pour son châtiment la juste cause de l'autre,
en acceptant des présents. En effet, celui qui aura jugé
injustement recevra le gain de l'argent et encourra la perte
de l'âme ; il est venu innocent pour écouter une cause
mais il s'est retiré coupable. Que celui qui est ainsi ne se
trompe pas ; en lui s'accomplit ce qui est écrit : « Vous
serez jugés du jugement dont vous avez jugé[c]. »

25   **²⁵5.** Forsitan quando ista praedicamus, aliqui contra nos
irascuntur, ⁣et dicunt : Ipsi, qui hoc praedicant, inplere
dissimulant; ipsi sacer⁣dotes et presbyteri vel diaconi talia
plurima conmittunt. Et quidem, ⁣fratres, aliquotiens verum
est : sunt, quod peius est, etiam et clerici ⁣qui se inebriare
solent, et causas iustas subvertere, et in festivitatibus
30   ³⁰causas dicere, et litigare, et negotia exercere non erubescunt. Sed ⁣numquid toti condemnandi sunt, quia aliqui
mali inveniuntur? ⁣Nos enim non solum saecularibus et
laicis, sed etiam clericis et nobis ⁣ipsis clamamus; nos ipsos
arguimus, ut, si usque modo fecimus, ⁣vel nunc emendemus,
234   et iam numquam de reliquo faciamus, et sic (234) agamus
paenitentiam de praeteritis, ut semper simus solliciti de
⁣futuris. Nam quando mihi dicis, quia quod praedico ego
inplere ⁣nolo, accusas quidem me, sed non excusas te. Ego
enim, etsi non ⁣facio, tamen vel ammoneo : nolo in diem
5   iudicii duplicati criminis ⁵reus esse. Ad mensam cordis
vestri offero legem divinam, quasi ⁣Domini mei pecuniam :
Christus, cum venerit, ipse exacturus erit ⁣usuram. Nam
de neglegentibus sacerdotibus, qualis ego sum, ipse ⁣Domi-
nus ad populum loquens dixit : « Quae dicunt vobis,
facite; ⁣quae autem faciunt, facere nolite : dicunt enim,
et non faciunt[a]. »
10   ¹⁰Ego enim, etsi quod bonum est ipse non facio, in aures
tamen vestras ⁣praecepta Domini Salvatoris insinuo. Sed
potens est Deus orantibus ⁣nobis, qui et vobis tribuat
libenter audire quod dicimus, et nobis ⁣concedat vobiscum
inplere posse quod praedicamus : qui cum Patre ⁣et Spiritu
sancto vivit et regnat in saecula saeculorum. Amen.

---

27 plurima : plura G¹·² ‖ 28 et *om.* G¹·² ‖ 32 etiam clericis et
om. H⁵.

234,8 vobis *om.* H³ ‖ 9 facere nolite : nolite facere H³.

---

5 [a] Matth. 23, 3.

5. Quand nous prêchons ainsi, peut-être certains s'emportent-ils contre nous en disant : Les prêcheurs eux-mêmes négligent d'accomplir ce qu'ils prêchent ; les évêques eux-mêmes et les prêtres et les diacres commettent une foule de choses semblables. Et, de fait, frères, quelquefois cela est vrai ; le pire est qu'il y a même des clercs qui ont coutume de s'enivrer et qui ne rougissent pas de renverser les causes justes, de plaider pendant les fêtes, de faire des procès et de se livrer au commerce. Mais faut-il que tous soient condamnés parce qu'il se trouve que certains sont mauvais ? Nous, en effet, nous nous récrions non seulement pour les gens du monde et les laïcs, mais aussi pour les clercs et pour nous-mêmes ; nous nous accusons nous-mêmes, afin que si, jusqu'à présent, nous avons agi ainsi, du moins maintenant nous nous amendions et que nous ne le fassions plus jamais à l'avenir et que nous fassions si bien pénitence pour le passé que nous soyons toujours vigilants quant à l'avenir. Car, lorsque tu me dis que ce que je prêche, je ne veux pas l'accomplir, tu m'accuses certes, mais tu ne t'excuses pas. Car moi, même si je ne fais pas, du moins j'exhorte ; je ne veux pas, au jour du Jugement, être coupable d'un double crime. A la table de votre cœur, j'offre la loi divine, comme l'argent de mon Seigneur ; lorsque le Christ viendra, il réclamera en personne l'intérêt. En effet, au sujet des évêques négligents dont, pour ma part, je suis, le Seigneur lui-même a dit en parlant au peuple : « Ce qu'ils vous disent, faites-le ; ce qu'ils font, ne le faites pas ; car ils disent et ne font pas[a]. »

En effet, pour moi, même si je ne fais pas personnellement ce qui est bon, cependant, je glisse dans vos oreilles les commandements du Seigneur et Sauveur. Mais Dieu a la puissance d'accorder à nos prières que vous écoutiez de bon cœur ce que nous disons et de nous concéder le pouvoir d'accomplir avec vous ce que nous prêchons ; lui qui avec le Père et l'Esprit saint vit et règne pour les siècles des siècles. Amen.

Les fautes des clercs n'excusent pas les laïcs

SERMO LV A

15 ¹⁵**Incipit castigatio sancti Agustini**
in festivitatibus sanctorum ad iudices corrigendos

1. Magnum mihi est gaudium, fratres carissimi, et Deo
gratias ¹ago, quia in sanctis festivitatibus pia devotione
ad ecclesiam convenitis; ¹sed licet de vestra sollicitudine
20 gaudeamus, plures tamen sunt, de ²⁰quorum perditione
nimium contristamur. Illos dico, qui venientes ¹ad ecclesiam
magis litigare et bacchari, irasci atque causari cupiunt,
¹quam orare; et quando deberent in ecclesia lectiones
divinas adtentis ¹auribus tota devotione et pietate auscultare... Aliquotiens etiam, ¹quod peius est, et aliqui nimia
25 iracundia succenduntur et turpiter ²⁵sibi convicia et crimina
iaculantur. Melius fuerat talibus si nati ¹non fuissent, quam
de tantis malis divinam contra se iracundiam ¹provocarent :
isti enim, etsi cum minore peccato ad ecclesiam con¹veniunt,
cum multis criminibus de ecclesia revertuntur. Unde, licet
235 (235) de vestra devotione laetetur animus meus, tamen

Sermo LV A : T¹ *Remensis* 394 (E. 295)   s. XI

234,19 sed *Mor.* : et T¹ ‖ de² *om.* T¹ ‖ 23 auscultare : *hic nonnulla*
verba desunt in T¹.

---

* Dom Morin a jugé bon d'éditer séparément le texte de cette
homélie, tel qu'il se présente dans la collection T, la partie centrale
étant, de fait, passablement différente de celle transmise par les
autres collections. Il s'en est expliqué d'ailleurs dans *RB*, XXIII

SERMON LV A*

Ici commence une réprimande de saint Augustin, pendant les fêtes des saints, pour redresser les juges

1. Ce m'est une grande joie, frères très chers, et je rends grâces à Dieu, de ce qu'à l'occasion des saintes fêtes vous vous assemblez à l'église par pieuse dévotion ; mais, bien que nous nous réjouissions de votre vigilance, il y en a cependant beaucoup dont la perte nous attriste extrêmement. Je parle de ceux qui, en venant à l'église, désirent plutôt disputer et s'enivrer, s'emporter et intenter des procès que prier, et qui, quand ils devraient, dans l'église, écouter les lectures divines, les oreilles attentives, avec une entière dévotion et piété... Quelquefois même, ce qui est pire, certains s'enflamment d'une colère extrême et se lancent de honteuse façon des injures et des accusations. Il aurait mieux valu pour de tels gens ne pas être nés, plutôt que de provoquer contre eux la colère divine par tant de méfaits ; car ces hommes, même s'ils s'assemblent à l'église avec une faute vénielle, quittent l'église avec de nombreux et graves péchés. C'est pourquoi, bien que mon âme se réjouisse de votre dévotion, cependant,

(1906), p. 36, en ces termes : « ... le manuscrit de Reims a tant de particularités en propre, variantes plus ou moins considérables, additions surtout, qu'il faut décidément le considérer comme le représentant unique d'une rédaction toute différente, due, elle aussi, sans aucun doute, à la plume de Césaire. »

rogo vos, quicumque ¦Deum timetis, quicumque gehennam
aeternam evadere desideratis ¦et sobrii estis, qui iustitiam
tenetis, castitatem diligitis, misericordiam ¦custoditis, ut
detis mihi veniam, et patienter accipiatis, quia mihi
5 ⁵necesse est istos neglegentes et tepidos ammonere, ut
blande aptent ¦qualiter diabolus in eis habitet, et ut se
subvertant et disperdant ¦hortatur; quos iam secum, quod
peius est, diabolus in multa crimina ¦alligatos ducit ad
gehennam. Venerant infelices ut exercerent opus ¦Christi,
et ministerium conantur implere diaboli. Istos tales non
10 amor ¹⁰Christi, sed amor luxuriae ad festivitatem consuevit
adducere : ¦isti tales non pro se vota reddere venerunt,
sed iniuriam Deo et sanctis ¦facere deliberarunt. Nesciunt
miseri, quia poena perpetua eos expectat. ¦Et ideo rogo
vos per maiestatem Domini nostri, ut doleatis mecum, ¦ut
se emendent et non pereant.

15 ¹⁵2. Sunt et aliqui iudices vel potentes, qui in natale
sanctorum ¦aut in qualibet alia festivitate causas dicere
aut audire cupiunt; ¦et, quod peius est, non pro vera iustitia
aut caritate, sed pro avaritia ¦et cupiditate. Debent quidem
causae dici, sed cum iustitia deliberari, ¦sed aliis diebus et
20 alio tempore, non in sanctorum sollempnitate, ²⁰quando
omnes homines convenit Deo vacare et orationi insistere.
¦Sunt aliqui iudices, qui munuscula accipiunt, ut iustitiam
perdant aut ¦vendant : non intellegentes, quia per ista
exenia portantur ad inferos. ¦Gaudendo accipiunt aliena,
ut animas suas perdant. Non intellegunt ¦vocem diaboli
25 dicentis : Sporto illos, hoc est, sportulo. Melius est ²⁵cum

je vous demande, à vous tous qui craignez Dieu, qui désirez échapper au feu éternel et qui êtes sobres, qui observez la justice, aimez la chasteté, gardez la miséricorde, de me pardonner et d'accepter avec patience, car il me faut avertir ces hommes négligents et tièdes de quel diable habite en eux pour les façonner doucement et les encourager à se détruire et à se perdre ; le pire est que le diable les conduit vers la géhenne, enchaînés désormais avec lui par de nombreux et graves péchés. Ces infortunés étaient venus pour travailler à l'œuvre du Christ et ils s'efforcent de remplir le ministère du diable. Ce n'est pas l'amour du Christ, mais l'amour de la débauche qui, d'ordinaire, les conduit à une fête ; ce n'est pas pour rendre un culte qu'ils sont venus, mais ils ont délibéré d'insulter Dieu et les saints. Les malheureux ne savent pas qu'un châtiment éternel les attend. Et c'est pourquoi, je vous demande, par la majesté de notre Seigneur, de vous affliger avec moi, pour qu'ils se corrigent et ne périssent pas.

Juges corrompus   **2.** Il y a aussi certains juges et certains grands qui désirent plaider ou juger le jour anniversaire des saints ou à l'occasion de n'importe quelle autre fête, et, ce qui est pire, non par vraie justice ou charité, mais par avarice et cupidité. Certes, les causes doivent être plaidées, et, de plus, elles doivent être examinées avec justice, mais d'autres jours et à un autre moment, non pendant la fête solennelle des saints, quand il convient que tous les hommes se rendent libres pour Dieu et s'appliquent à la prière. Il y a certains juges qui acceptent de petits présents pour perdre ou vendre la justice ; ils ne comprennent pas que par ces cadeaux ils sont emmenés vers les enfers. Ils acceptent avec joie ce qui appartient à autrui pour perdre leur âme. Ils ne comprennent pas ce que dit la voix du diable : Je les achète, c'est-à-dire, je les achète avec des

iustitia sine sportulo accipere vitam aeternam, quam cum
iniquo |ingenio suscipere poenam sempiternam; quia re
vera clamat sanctus |Apostolus, esse mortem stipendia
peccati. Piissime, quicumque haec |facis, rogo : emenda,
antequam veniat qui rapiat, et non erit qui |eripiat.
Accipiunt terrena munera, et perdunt praemia sempiterna.
30 ³⁰Omnis ergo quicumque haec fecisti, aut facis, aut facere
conaris, |adtendis quid adquiris, et non adtendis quid
perdis : aurum consi|deras pulchrum, et infernum non
metuis foedum et foetidum arden|tem : aurum tibi facis
patronum, et Deum maiestatis facis iratum : |impletur
arca tua, et frangitur conscientia tua. Post paucos annos
236 (236) aut dies exiet anima tua de corpore suo; aurum
remaneat in arca |tua, et infelix anima descendat ad
poenam sempiternam. Quod si |iuste iudicasses, et avaritiae
vel luxoriae servire infeliciter noluisses, |anima tua sancta
5 et casta levaretur ad regnum, et arca sine auro ⁵remaneret
in mundo.

3. Et ideo rogo vos, et per illum cuius pretioso sanguine
redempti |estis adiuro, ut vobis succurratis, dum potestis;
ut vos liberetis de |retia diaboli, dum vivitis; dum tempus
habetis, ut de animae vestrae |salute adtentius cogitetis,
10 et transmittatis per elimosinas, quod in ¹⁰aeternum possi-
deatis. Mihi enim requirendi eritis, et mecum stant |testes
omnes sancti et sanctae ecclesiae, haec vobis clamasse.
Nolite |ergo vos occupare ad litigandum, nolite vos ine-

235,28 emenda *Mor.* : emunda T¹.

236,1 aut dies *Mor.* : audies T¹ ‖ 10 mecum stant *Mor.* : me constat
T¹ ‖ 11 sancti : sanctos T¹

---

1. Le texte est peu clair. Le verbe *sporto* est inusité, bien que
son diminutif *sportulo*, au sens de « faire des cadeaux », apparaisse
déjà chez CYPRIEN, *Epist.* 66, *PL* 4, col. 398-399. Césaire a-t-il
éprouvé lui-même le besoin d'expliquer *sporto* par *sportulo*, ou bien

présents[1]. Mieux vaut avec justice recevoir sans présent
la vie éternelle que de recueillir avec un talent inique le
châtiment éternel, car le saint apôtre s'écrie en vérité
que le salaire du pécheur c'est la mort. Qui que tu sois
qui fais cela, je te demande avec la plus grande sollicitude :
corrige-toi avant que ne vienne celui qui ravit, quand
il n'y aura personne alors pour délivrer. Ils reçoivent des
présents terrestres et perdent les récompenses éternelles.
Donc, qui que tu sois, qui as fait cela ou le fais ou t'efforces
de le faire, tu fais attention à ce que tu acquiers et tu ne
fais pas attention à ce que tu perds ; tu considères que
l'or est beau et tu ne crains pas l'Enfer brûlant, hideux
et fétide ; tu te fais de l'or un protecteur et tu irrites le
Dieu de majesté ; ton coffre est plein et ta conscience
est ruinée. Après un petit nombre d'années ou de jours,
ton âme sortira de son corps ; l'or restera dans ton coffre,
et l'âme infortunée descendra vers le châtiment éternel.
Alors que si tu avais jugé selon la justice et n'avais pas
voulu être esclave, pour ton malheur, de l'avarice et de
la luxure, ton âme sainte et pure s'élèverait vers le
Royaume, et le coffre resterait sans or dans le monde.

3. Et c'est pourquoi, je vous demande et vous adjure,
par celui qui vous a rachetés de son sang précieux, de vous
secourir vous-mêmes tandis que vous le pouvez ; de vous
libérer du filet du diable tant que vous vivez ; tant que
vous en avez le temps, de songer très attentivement au
salut de votre âme et, grâce aux aumônes, de transformer
en biens éternels ce que vous possédez. En effet, vous
serez tenus par moi de reconnaître, et avec moi se dressent
comme témoins tous les saints et les saintes de l'Église,
que je vous ai proclamé ces vérités. Donc, ne passez pas
votre temps en procès, ne vous enivrez pas, n'effacez pas

s'agit-il de l'addition postérieure d'un scribe, ce qui paraît plus pro-
bable?

briare, nolite in nomini|bus bibendo nomina vestra de
caelo delere. Sunt multi, quod peius est, |qui non solum
seipsos inebriant, sed etiam alios adiurant, ut amplius
15 ¹⁵quam expedit bibant; et, quod peius est, aliqui clerici
hoc faciunt. |O infelix, non tibi sufficit quod ipse peris :
adhuc insuper et alios |perdis. Nolite habere concubinas,
nolite adulterare, nolite fornicari : |quia « Ebriosi et adulteri
regnum Dei non possidebuntª. »

Audite |ergo, fratres carissimi, verbum maiestatis
20 Domini, qui nos iussit ²⁰ista metuere, et mandata sancta
sua custodire, ut vivamus per Chri|stum Iesum Dominum
nostrum in sempiternum. Ipse enim neminem |perdere
vult; ideo haec per sanctam suam scripturam clamat, ut
|nemo se per gulam aut luxuriam aut per fraudulentiam
perire faciat. |Quotiescumque ad ecclesiam vel ad solem-
25 pnitatem martyrum conve²⁵nitis, quod per gulam et
ebrietatem solebatis perdere, per emenda|tionem et elemo-
synam in caelo reponite. In ecclesia quando venitis, |nolite
vos fabulis occupare : qui in ecclesia fabulas agit, per
linguam |suam poenandus erit; qui in ecclesia loquitur
cum alio, quod po|stulat pro se penitus inpetrare non
30 potest. Et ideo audite hoc, si ³⁰vultis evadere gehennam.

4. Forsitan quando ista praedicamus, aliqui contra nos
irascuntur, |et dicunt : Ipsi, qui hoc praedicant, implere
dissimulant; ipsi sacer|dotes talia plura committunt. Et
quidem, quod peius est, aliquid |est verum : sunt clerici
35 qui se inebriare solent, et causas iustas sub³⁵vertunt, et
litigare non erubescunt. Nesciunt isti tales, quod iam |non

12 in nominibus *Mor.* : in omnibus T¹ ‖ 23 se per *Mor.* : semper
T¹.

3 ª I Cor. 6, 9.10.

vos noms du ciel en portant des toasts. Le pire est que
nombreux sont ceux qui, non seulement s'enivrent eux-
mêmes, mais même adjurent les autres de boire plus que
de raison ; et, pire encore, certains clercs agissent ainsi.
Ô infortuné, il ne te suffit pas de périr toi-même ; tu perds
aussi les autres par-dessus le marché. N'ayez pas de
concubines, ne commettez pas d'adultère, ne vous livrez
pas à la débauche, car : « Les ivrognes et les adultères ne
posséderont pas le royaume de Dieu[a]. »

Écoutez donc, frères très chers, la parole du Seigneur
de majesté qui nous a ordonné de craindre ces choses et
de garder ses commandements, pour que nous vivions
par le Christ Jésus notre Seigneur pour l'éternité. Car lui
ne veut perdre personne ; c'est pour cela qu'il proclame
ces vérités par l'intermédiaire de sa sainte Écriture, afin
que personne ne se fasse périr par la gourmandise ou la
luxure ou la fourberie. Chaque fois que vous vous assemblez
à l'église, que vous vous réunissez pour la fête solennelle
des martyrs, ce que vous aviez coutume de perdre par la
gourmandise et l'ivresse, placez-le au ciel grâce à l'amendement et à l'aumône. Quand vous venez à l'église, n'employez pas le temps en bavardages ; celui qui bavarde
dans l'église aura, du fait de sa langue, à subir un châtiment ; celui qui parle dans l'église avec un autre ne peut
obtenir entièrement ce qu'il demande pour lui. Et c'est
pourquoi, écoutez cela si vous voulez échapper à la géhenne.

Les fautes des clercs n'excusent pas les laïcs — **4.** Quand nous prêchons ainsi, peut-
être certains s'emportent-ils contre
nous en disant : Les prêcheurs eux-
mêmes négligent d'accomplir ce qu'ils
prêchent ; les évêques eux-mêmes commettent une foule
de choses semblables. Et, de fait, le pire est qu'il y a là
quelque chose de vrai ; il y a des clercs qui ont coutume
de s'enivrer et qui renversent les causes justes et ne
rougissent pas de faire des procès. Ceux qui sont tels ne

sunt clerici, sed calumniatores : et ideo tam clerici quam
237 laici (237) festinemus ad emendationem, iam suggessimus,
antequam veniat ⏐qui rapiat, et non erit qui eripiat,
antequam circumdet ignis, et ⏐non erit qui extingat.

Ergo audite, carissimi, et convertatur unus⏐quisque a
via sua mala; et sic agamus poenitentiam de praeteritis,
5 ⁵ut semper simus solliciti de futuris. Nam quando mihi
dicis, quod ⏐praedico ego implere nolo, accusas quidem
me, sed non excusas ⏐te. Ego enim, si non facio, tamen vel
ammoneo : nolo in die iudicii ⏐dupplicis criminis esse reus.
Ad mensam cordis vestri offero legem ⏐divinam : quia de
10 mihi commissa pecunia Christus, cum venerit ¹⁰ipse
exacturus erit usuram. Nam de neglegentibus sacerdotibus,
⏐qualis ego sum, ipse Dominus loquens ad populum dicit :
« Quae ⏐dicunt vobis, facite; quae faciunt, facere nolite :
dicunt enim, ⏐et non faciunt[a]. » Ego enim, si quod bonum
est ipse non facio, in auribus ⏐tamen vestris praecepta
15 Domini Salvatoris insinuo. Sed potens est ¹⁵Dominus
orantibus vobis, qui vobis tribuit libenter audire quod
⏐dicimus, ut nobis concedat vobiscum implere posse quod
predicamus : ⏐adiuvante Domino nostro Iesu Christo, qui
vivit et regnat in saecula ⏐saeculorum. Amen.

237,6 excusas : accusas T¹ ‖ 8 dupplicis : dupplici T¹.

---

4 ᵃ Matth. 23, 3.

savent pas que désormais ce ne sont plus des clercs mais des calomniateurs ; et c'est pourquoi, aussi bien clercs que laïcs, hâtons-nous de nous corriger, nous avons déjà conseillé, avant que ne vienne celui qui ravit, quand il n'y aura personne alors pour délivrer, avant que le feu ne cerne, quand il n'y aura personne alors pour l'éteindre.

Donc écoutez, très chers, et que chacun se détourne de sa voie mauvaise ; et faisons si bien pénitence pour le passé que nous soyons toujours vigilants quant à l'avenir. Car, lorsque tu me dis que ce que je prêche, je ne veux pas l'accomplir, tu m'accuses certes, mais tu ne t'excuses pas. Car moi, si je ne fais pas, du moins j'exhorte ; je ne veux pas, au jour du Jugement, être coupable d'un double crime. A la table de votre cœur, j'offre la loi divine, car lorsque le Christ viendra, il réclamera en personne l'intérêt de l'argent qu'il a commis à ma garde. En effet, au sujet des évêques négligents dont, pour ma part, je suis, le Seigneur lui-même a dit en parlant au peuple : « Ce qu'ils vous disent, faites-le ; ce qu'ils font, ne le faites pas ; car ils disent et ne font pas[a]. »

En effet, pour moi, si je ne fais pas personnellement ce qui est bon, cependant, je glisse dans vos oreilles les commandements du Seigneur et Sauveur. Mais le Seigneur a la puissance d'accorder à vos prières que vous écoutiez de bon cœur ce que nous disons, afin de nous concéder le pouvoir d'accomplir avec vous ce que nous prêchons, avec l'aide de notre Seigneur Jésus-Christ, qui vit et règne pour les siècles des siècles. Amen.

SERMO XXXIII A

Incipit sermo sancti Augustini de decimis dandis

1. Scriptum est : « Domini est terra et plenitudo eius,
orbis terrarum et universi qui habitant in ea[a]. » Servi
Domini sumus pariter et coloni : et nescio quomodo non
5 omnes agnoscimus possessorem. Dicit enim : « Agnovit bos
possessorem suum, et asinus praesepium domini sui ;
Israel autem me non cognovit, et populus meus me non
intellexit[b]. » O homines stulti, iumentis omnibus ac pecoribus deteriores, quid mali imperat Deus, ut non mereatur
10 audiri? Sic enim dicit : « Primitias areae tuae et torcularis
tui non tardabis offerre mihi[c]. » Si tardius dare delictum
est, quanto peius est non dedisse. Et iterum dicit : « Honora
Dominum Deum tuum de tuis iustis laboribus et deliba
ei <de> fructibus iustitiae tuae; ut repleantur horrea
69r tua frumentis, vino quoque torcularia tua re(69r)dundent[d]. »
16 Non praestas hoc gratis, quod cito recipies magno cum
fenore. Quaeris forte cui proficiat, quod Deus accipit

---

1 [a] Ps. 23, 1   [b] Is. 1, 3   [c] Ex. 22, 29   [d] Prov. 3, 9-10

---

* Sur ce texte inédit, tiré du manuscrit *Parisinus lat.* 1771, et sur
les raisons pour lesquelles nous avons jugé utile de le publier ici, cf.
supra, p. 168, n. 1.

1. Le manuscrit de Paris comportait primitivement de nombreuses
fautes dont une main postérieure a corrigé les plus évidentes. Nous
ne signalons ici que les cas offrant quelque intérêt. C'est ainsi que,
dans ce passage, le réviseur a voulu amender la leçon *fructibus*,

SERMON XXXIII A*

Ici commence un sermon de saint Augustin
sur l'offrande des dîmes

1. Il est écrit : « Au Seigneur est la terre et sa plénitude
l'univers et tous ceux qui l'habitent[a]. » Nous sommes pa'
le fait serviteurs et fermiers du Seigneur ; et je ne sai[s]
comment nous ne le reconnaissons pas tous comme le
propriétaire. Il dit en effet : « Le bœuf reconnaît son
propriétaire, et l'âne la crèche de son maître ; mais Israël
ne me connaît pas, et mon peuple ne m'a pas compris[b]. »
Ô hommes stupides, pires que toutes les bêtes de somme
et les troupeaux, quel mal Dieu commande-t-il, pour ne
pas mériter d'être entendu ? En effet, il parle ainsi :
« Tu ne tarderas pas à m'offrir les prémices de ton aire
et de ton pressoir[c]. » Si c'est une faute de tarder à donner,
combien il est pire de n'avoir pas donné ! Et il dit encore :
« Fais hommage au Seigneur ton Dieu de tes justes travaux
et prélève pour lui < des > fruits[1] de ta justice, afin que tes
greniers se remplissent de froments[2], et que tes pressoirs
aussi regorgent de vin[d]. » Tu n'offres pas gratuitement
ce que tu récupéreras sous peu avec un gros intérêt.
Peut-être demandes-tu à qui profite ce que Dieu accepte

fautive, qu'il a remplacée par *fructus*. Mais la comparaison avec le
texte de Césaire nous permet de rétablir ici la bonne leçon, *de fructibus*.
2. Le manuscrit offre le pluriel *frumentis*, peu utilisé au sens de
« blé en grain », et que Césaire a remplacé par le singulier *frumento*.

redditurus : quaeris iterum cui proficiat, quod pauperibus
datur? Si credis, tibi proficiet : si dubitas, perdidisti.

20 Audi tamen, incredule, ipso reddente rationem : « Offer,
inquid, decimas fructuum tuorum, et veni ad levitam quia
non est illi portio neque sors tecum, et cum illo veniet
proselytos, orfanos et vidua et manducabunt, et benedicet
te Dominus Deus tuus omnibus diebus vitae tuae[e]. » Audi
25 etiam sacramentum : sacrificiis libamen imponitur, decima
vero tributa sunt egentium animarum. Redde ergo tributa
pauperibus; offer libamina sacerdotibus.

Quod si decimas non habes fructuum omnium terrenorum,
quos potest habere agricola, quodcumque te pascit inge-
30 nium Dei est; inde decimas expetit unde vivis. Aliud enim
pro terra dependimus, aliud pro usura vitae pensamus.
Redde ergo, homo, quia possides : redde, quia nasci
meruisti. Quae ut vera esse cognoscas, pro curatorem suum
Dominus sic praemonet sacerdotem : « Accipies oblationem
35 filiorum Israel quam dabunt in visitatione sua, et dabunt
singuli redemptionem animarum suarum Deo, et non erunt
in eis morbi neque casus. Haec autem merito oblationis
adveniens a vicennali anno et supra : dabunt oblationem
Deo[f]. » Ecce legitima aetas est offerendi si tecum, senex
40 avare, consideris numquam Deo vixisti. Idem, idem dicit :
« Placate pro animabus vestris[g]. »

2. Audi ergo, indevota mortalitas. Nosti quia Dei sunt
cuncta quae recipis, et de suo non commodas rerum
omnium creatori? Non eget Dominus Deus : non praemium
postulat, sed honorem; non oblationibus pascitur, sed
5 vitae nostrae vectigal est quod offerimus pro salute. Nam

[e] Deut. 26, 2.12 ; 14, 29   [f] Ex. 30, 12-14   [g] Lév. 17, 11.

1. *Offers* a été, à bon droit, corrigé en *offer*, ici et sept lignes plus
bas.

avec l'intention de le rendre ; peut-être demandes-tu encore à qui profite ce qui est donné aux pauvres ? Si tu crois, c'est à toi que cela profitera ; si tu doutes, tu as perdu.

Écoute cependant, incrédule, lui-même justifie sa demande : « Offre[1], dit-il, la dîme de tes fruits, et viens vers le lévite, car il n'a ni part ni héritage comme toi, et avec lui viendront l'étranger, l'orphelin et la veuve et ils mangeront, et le Seigneur ton Dieu te bénira tous les jours de ta vie[e]. » Écoute aussi ce mystère : l'offrande est imposée pour les sacrifices, mais la dîme est l'impôt des âmes dans le besoin. Paye donc tes impôts aux pauvres ; présente des offrandes aux prêtres.

Et si tu n'as pas la dîme de tous les fruits de la terre que peut avoir le cultivateur, tout ce que te procure ton industrie est à Dieu ; il revendique donc la dîme de tous tes revenus. Car nous payons telle somme pour la terre, telle autre pour la jouissance de la vie. Paye donc, homme, parce que tu possèdes ; paye, parce que tu as mérité de naître. Pour que tu saches que cela est véridique, le Seigneur avertit ainsi le prêtre dont il fait son curateur : « Tu recevras l'offrande des fils d'Israël qu'ils donneront lors de leur recensement, et chacun donnera à Dieu pour le rachat de son âme, et il n'y aura parmi eux ni maladies ni accidents. Et telle devra être l'offrande de qui se présentera, âgé de vingt ans et au-dessus : ils donneront une offrande à Dieu[f]. » Voici le moment légitime d'offrir si, vieillard avare, tu réfléchis en toi-même que tu n'as jamais vécu pour Dieu. Lui dit la même chose, la même chose : « Rachetez vos vies[g]. »

2. Écoute donc, mortel irréligieux. Tu sais que tout ce que tu reçois appartient à Dieu, et sur son bien tu ne fais aucune part au créateur de toutes choses ? Le Seigneur Dieu n'est pas dans le besoin ; il ne demande pas une faveur, mais un hommage ; il ne se nourrit pas d'offrandes, mais c'est l'impôt de notre vie que nous offrons pour le

dicit omnipotens Deus : « Si esuriero non dicam tibi : meus est enim orbis terrae et plenitudo eius[a]. » Non de tuo aliquid quod refundis, exigit. Primitias rerum et decimas petit et negas? Avare, quid faceres, si novem
10 partibus sumptis tibi decimam reliquisset? Quod certe iam factum est, quando messes tua ieiuna defecerit, †et digesserit vinum crapula sicitate vindemia. Quid est, avide supputator? Novem tibi partes ereptae sunt, quia decimam dare noluisti. Constat quidem, quod ipse non dederis, sed
15 Deus tamen exigit.

69v   Haec enim est Domini consuetudo, ut, si illi (69v) decima dare nolueris, tu ad decimam revocaris; scriptum est enim : « Haec dicit Dominus : quia decima agri et primitiae terrae vobiscum sunt; video vos, et fallere me estimatis; annus
20 iam consumptus est et decimas intulistis in thesauris vestris; erit direptio in domibus vestris[b]. » Dabis impio militi, quod non vis sacerdoti. « Convertimini quoque ad hoc, dicit Dominus omnipotens, ut aperiam cataractas caeli, et effundam vobis benedictionem meam desuper;
25 et non vobis corrumpentur fructus terrae, neque languebit vitis in agro vestro, et beatos vos dicent omnes gentes[c]. » Benefacere Deus semper paratus est, sed hominum nequitia prohibetur; quia a Domino Deo sibi dari vult omnia, et non vult ei quae potest offerre.
30   Quid, si diceret Deus : Nempe meus es, homo, quem feci : mea est terra, quam subigis : mea semina, quae

2 [a] Ps. 49, 12   [b] Mal. 3, 8-10   [c] Mal. 3, 10-12.

_____

1. Nous avons généralement conservé la ponctuation adoptée par dom Morin pour le _Sermon_ 33, afin de faciliter la comparaison des deux textes. Notons cependant que le manuscrit de Paris coupe différemment cette phrase : « Il demande les prémices et la dîme, et tu refuses, avare ! Que ferais-tu si ... »

2. Cette phrase fait difficulté. Césaire présente ici une autre rédaction qui ne nous permet pas de contrôler le manuscrit de Paris. Dans ces conditions, notre traduction ne peut être qu'approximative.

salut. Car le Dieu tout-puissant dit : « Si j'avais faim,
je ne te le dirais pas ; car l'univers et sa plénitude sont
à moi[a]. » Il n'exige pas que tu lui rendes quelque chose
de ton bien à toi. Il demande les prémices et la dîme et
tu refuses ? Avare[1], que ferais-tu, si ayant pris les neuf
autres parties, il t'avait laissé la dixième ! Et cela, à coup
sûr, s'est déjà produit, quand ta moisson desséchée a fait
défaut †et que, comme l'ivresse digère le vin, la vendange
l'a été par la sécheresse[2]. Pourquoi cela, avide calculateur[3] ?
Les neuf parties t'ont été arrachées parce que tu n'as pas
voulu donner la dixième. Il est évident, certes, que toi-
même tu n'as pas donné ; mais pourtant Dieu exige.

C'est en effet une coutume du Seigneur, si tu ne veux
pas lui donner le dixième, de te ramener au dixième ;
car il est écrit : « Ainsi parle le Seigneur : parce que vous
avez gardé la dîme du champ et les prémices de la terre,
je vous vois et vous pensez me tromper ; l'année est déjà
terminée et vous avez mis la dîme dans vos trésors ; dans
vos maisons ce sera le pillage[b]. » Tu donneras au soldat
impie ce que tu ne veux pas donner au prêtre. « Convertissez-vous aussi[4], dit le Seigneur tout-puissant, pour que
j'ouvre les écluses du ciel et que je répande sur vous ma
bénédiction ; et les fruits de votre terre ne pourriront pas
ni la vigne ne sera stérile dans votre champ, et toutes les
nations vous diront bienheureux[c]. » Dieu est toujours
prêt à faire le bien, mais il en est empêché par la méchanceté
des hommes ; car celle-ci veut que le Seigneur Dieu lui
donne tout, sans vouloir lui offrir ce qu'elle peut.

Et quoi, si Dieu disait : Assurément tu es mien, homme,
toi que j'ai fait ; à moi est la terre que tu laboures ; à moi

---

3. Le manuscrit portait d'abord *supputatur*, qui offrait un sens
également plausible : « on calcule avidement ».

4. Le réviseur a corrigé en *ad hoc*, qu'on lit aussi chez Césaire,
le *adhuc* du premier copiste.

spargis : mea pecora, quae fatigas : mei sunt imbres et pluviae, ventorum flamina mea sunt, mei solis ardores; et cum omnia mea sunt elementa vivendi, tu, qui manus
35 accomodas, solam decimam merebaris? Sed quia pie nos pascit omnipotens Deus, amplissimam tribuit minus laboranti mercedem; sibi tantum decimas vindicans, nobis omnia condonavit.

3. Ingrate fraudator ac perfide, divina te voce convenio. Ecce annus iam finitus est : redde Deo pluenti mercedem. Cur reddis Caesari et pluere non potest Caesar? Non habes debitor quod per Caesarem te excuses. Sic et ipsi
5 pars facta est ut decima Domino non negetur. Dicit enim Dominus Christus : « Reddite Caesari quae sunt Caesaris et Deo quae sunt Dei[a]. » Caesar non particeps Dei est, quia debitum percipit vel quia prior est nominatus. Sed Dominus Christus homines stultos inridens praebuit
10 religioni terrorem. Redime te, dum potes, homo; dum vivis, redime te; in quantum pretium in manibus habes, redime te, nedum te mors avara praeveniret, <et> vitam simul et pretium perdidisti. Frustra hoc avaris delegas heredibus, frustra hoc †nuptae forsitan coniugi. Frustra
15 marito mandas haec, mulier, qui aliam cupit ducere uxorem. Frustra parentibus ac propinquis iniugis : nemo te fideliter redimet, quia te tu redimere noluisti. Explicit sermo sancti Augustini de decimis dandis.

3 [a] Matth. 22, 21.

1. Le *Sermon* 33 justifie notre correction *praeveniret* <*et*> *vitam*, meilleure que celle du réviseur, qui a remplacé *praeveniret* par *praevenit et*.

2. Le manuscrit offre ici *nuptare* corrigé en *nuptae*; ni l'une ni l'autre de ces leçons n'est satisfaisante. Notre traduction s'inspire de la conjecture *nupturae* proposée par Maï et du *Sermon* 33.

les grains que tu sèmes ; à moi le bétail que tu fais travailler ;
à moi sont les averses et les pluies, à moi sont les souffles
des vents, à moi les ardeurs du soleil ; et alors que tous
les éléments de vie sont miens, toi, parce que tu y mets
la main, méritais-tu même le dixième ? Mais parce que
le Dieu tout-puissant nous nourrit avec bonté, il accorde
le salaire le plus élevé à celui qui travaille le moins ;
revendiquant pour lui le dixième seulement, à nous il fait
don de tout le reste.

3. Malhonnête, ingrat et perfide, je m'adresse à toi avec
la voix de Dieu. Voici que l'année est maintenant finie ;
rends son dû à Dieu qui donne la pluie. Pourquoi rends-tu
à César alors que César ne peut donner la pluie ? Débiteur,
César ne peut servir à t'excuser. Sa part a été déterminée
de telle sorte que la dîme ne soit pas refusée au Seigneur.
En effet, le Seigneur Christ dit : « Rendez à César ce qui
est à César et à Dieu ce qui est à Dieu[a]. » César n'est pas
l'associé de Dieu parce qu'il perçoit ce qui lui est dû ou
parce qu'il est nommé d'abord. Mais le Seigneur Christ,
se jouant des hommes stupides, a donné à la religion
l'appui de la crainte. Rachète-toi, homme, tandis que tu
le peux ; tandis que tu vis, rachète-toi ; dans la mesure
où tu as entre les mains de quoi payer, rachète-toi, avant
que la mort avide ne te devance, < et >[1] que tu n'aies perdu
à la fois ta vie et ton bien. C'est inutilement que tu confies
cela à des héritiers avides, inutilement que tu le confies
†à une épouse peut-être sur le point de se remarier[2]. C'est
inutilement, femme que tu en charges un mari qui désire
prendre une autre épouse. C'est inutilement que tu
l'imposes à tes parents et à tes proches ; personne ne te
rachètera pieusement, puisque toi, tu n'as pas voulu te
racheter. Fin du sermon de saint Augustin sur l'offrande
des dîmes.

TABLE DES SERMONS 21-55

(titres abrégés)

N. B. — Le tome III des *Sermons au peuple* contiendra la fin des *Admonitiones* (*Sermons* 56-80), ainsi que les index relatifs à cette partie de l'œuvre de Césaire d'Arles. Le reste des *Sermons* (81-238) sera également publié dans la collection *Sources Chrétiennes*, de même que la *Vita Caesarii*.

SOURCES CHRÉTIENNES

LISTE COMPLÈTE DE TOUS LES VOLUMES PARUS

N. B. — L'ordre suivant est celui de la date de parution (n° 1 en 1942) et il n'est pas tenu compte ici du classement en séries : grecque, latine, byzantine, orientale, te es monastiques d'Occident ; et série annexe : textes para-chrétiens.

Sauf indication contraire, chaque volume comporte le texte original, grec ou latin, souvent avec un apparat critique inédit.

La mention *bis* indique une seconde édition. Quand cette seconde édition ne diffère de la première que par de menues corrections et des *Addenda et Corrigenda* ajoutés en appendice, la date est accompagnée de la mention « réimpression avec supplément ».

1. GRÉGOIRE DE NYSSE : **Vie de Moïse.** J. Daniélou (3ᵉ édition) (1968).

2 bis. CLÉMENT D'ALEXANDRIE : **Protreptique.** C. Mondésert, A. Plassart (réimpression de la 2ᵉ éd., 1976).

3 bis. ATHÉNAGORE : **Supplique au sujet des chrétiens.** *En préparation.*

4 bis. NICOLAS CABASILAS · **Explication de la divine Liturgie.** S. Salaville, R. Bornert, J. Gouillard, P. Périchon (1967).

5. DIADOQUE DE PHOTICÉ : **Œuvres spirituelles.** É. des Places (réimpr. de la 2ᵉ éd., avec suppl., 1966).

6 bis. GRÉGOIRE DE NYSSE : **La création de l'homme.** *En préparation.*

7 bis. ORIGÈNE : **Homélies sur la Genèse.** H. de Lubac, L. Doutreleau (1976).

8. NICÉTAS STÉTHATOS : **Le paradis spirituel.** M. Chalendard. *Remplacé par le n° 81.*

9 bis. MAXIME LE CONFESSEUR : **Centuries sur la charité.** *En préparation.*

10. IGNACE D'ANTIOCHE : **Lettres** — **Lettres et Martyre de** POLYCARPE DE SMYRNE. P.-Th. Camelot (4ᵉ édition) (1969).

11 bis. HIPPOLYTE DE ROME : **La Tradition apostolique.** B. Botte (1968).

12 bis. JEAN MOSCHUS : **Le Pré spirituel.** *En préparation.*

13. JEAN CHRYSOSTOME : **Lettres à Olympias.** A.-M. Malingrey. Trad. seule (1947).

13 bis. 2ᵉ édition avec le texte grec et la **Vie anonyme d'Olympias** (1968).

14. HIPPOLYTE DE ROME : **Commentaire sur Daniel.** G. Bardy, M. Lefèvre. Trad. seule (1947).
2ᵉ édition avec le texte grec. *En préparation.*

15 bis. ATHANASE D'ALEXANDRIE : **Lettres à Sérapion.** J. Lebon. *En préparation.*

16 bis. ORIGÈNE : **Homélies sur l'Exode.** H. de Lubac, J. Fortier. *En préparation.*

17. BASILE DE CÉSARÉE : **Sur le Saint-Esprit.** B. Pruche. Trad. seule (1947).

17 bis. 2ᵉ édition avec le texte grec (1968).

18 bis. ATHANASE D'ALEXANDRIE : **Discours contre les païens.** P. Th. Camelot (1977).

19 bis. HILAIRE DE POITIERS : **Traité des Mystères.** P. Brisson (réimpression, avec supplément, 1967).

20. THÉOPHILE D'ANTIOCHE : **Trois livres à Autolycus.** G. Bardy, J. Sender. Trad. seule (1948).
2ᵉ édition avec le texte grec. *En préparation.*

21. ÉTHÉRIE : **Journal de voyage.** H. Pétré (réimpression, 1975).

22 bis. LÉON LE GRAND : **Sermons, t. I.** J. Leclercq, R. Dolle (1964).

23. CLÉMENT D'ALEXANDRIE : **Extraits de Théodote** (réimpression, 1970).

24 bis. Ptolémée : **Lettre à Flora.** G. Quispel (1966).

25 bis. Ambroise de Milan : **Des Sacrements. Des Mystères. Explication du Symbole.** B. Botte (1961).

26 bis. Basile de Césarée : **Homélies sur l'Hexaéméron.** S. Giet (réimpr. avec suppl., 1968).

27 bis. **Homélies Pascales,** t. I. P. Nautin. *En préparation.*

28 bis. Jean Chrysostome : **Sur l'incompréhensibilité de Dieu.** J. Daniélou, A.-M. Malingrey, R. Flacelière (1970).

29 bis. Origène : **Homélies sur les Nombres.** A. Méhat. *En préparation.*

30 bis. Clément d'Alexandrie : **Stromate I.** *En préparation.*

31. Eusèbe de Césarée : **Histoire ecclésiastique,** t. I. G. Bardy (réimpression, 1965).

32 bis. Grégoire le Grand : **Morales sur Job,** t. I Livres I-II. R. Gillet, A. de Gaudemaris (1975).

33 bis. **A Diognète.** H. I. Marrou (réimpr. avec suppl., 1965).

34. Irénée de Lyon : **Contre les hérésies,** livre III. F. Sagnard. *Remplacé par les nos 210 et 211.*

35 bis. Tertullien : **Traité du baptême.** F. Refoulé. *En préparation.*

36 bis. **Homélies Pascales,** t. II. P. Nautin. *En préparation.*

37 bis. Origène : **Homélies sur le Cantique.** O. Rousseau (1966).

38 bis. Clément d'Alexandrie : **Stromate II.** *En préparation.*

39 bis. Lactance : **De la mort des persécuteurs.** 2 vol. *En préparation.*

40. Théodoret de Cyr : **Correspondance,** t. I. Y. Azéma (1955).

41. Eusèbe de Césarée : **Histoire ecclésiastique,** t. II. G. Bardy (réimpression, 1965).

42. Jean Cassien : **Conférences,** t. I. E. Pichery (réimpression, 1966).

43. Jérôme : **Sur Jonas.** P. Antin (1956).

44. Philoxène de Mabboug : **Homélies.** E. Lemoine. Trad. seule (1956).

45. Ambroise de Milan : **Sur S. Luc,** t. I. G. Tissot (réimpr. avec suppl., 1971).

46. Tertullien : **De la prescription contre les hérétiques.** P. de Labriolle et F. Refoulé (1957).

47. Philon d'Alexandrie : **La migration d'Abraham.** R. Cadiou (1957).

48. **Homélies Pascales,** t. III. F. Floëri et P. Nautin (1957).

49 bis. Léon le Grand : **Sermons,** t. II. R. Dolle (1969).

50 bis. Jean Chrysostome : **Huit Catéchèses baptismales inédites.** A. Wenger (réimpr. avec suppl., 1970).

51 bis. Syméon le Nouveau Théologien : **Chapitres théologiques, gnostiques et pratiques.** J. Darrouzès. *En préparation.*

52 bis. Ambroise de Milan : **Sur S. Luc,** t. II. G. Tissot (réimpr. avec suppl., 1976).

53 bis. Hermas : **Le Pasteur.** R. Joly (réimpr. avec suppl., 1968).

54. Jean Cassien : **Conférences,** t. II. E. Pichery (réimpression, 1966).

55. Eusèbe de Césarée : **Histoire ecclésiastique,** t. III. G. Bardy (réimpression, 1967).

56. Athanase d'Alexandrie : **Deux apologies.** J. Szymusiak (1958).

57. Théodoret de Cyr : **Thérapeutique des maladies helléniques.** 2 volumes. P. Canivet (1958).

58 bis. Denys l'Aréopagite : **La hiérarchie céleste.** G. Heil, R. Roques, M. de Gandillac (réimpr. avec suppl., 1970).

59. **Trois antiques rituels du baptême.** A. Salles. Trad. seule. *Epuisé.*

60. Aelred de Rievaulx : **Quand Jésus eut douze ans.** A. Hoste, J. Dubois (1958).

61 bis. Guillaume de Saint-Thierry : **Traité de la contemplation de Dieu.** J. Hourlier (réimpression, 1977).

62. Irénée de Lyon : **Démonstration de la prédication apostolique.** L. Froidevaux. Nouvelle trad. sur l'arménien. Trad. seule (réimpr. 1971).

63. Richard de Saint-Victor : **La Trinité.** G. Salet (1959).

64. Jean Cassien : **Conférences**, t. III. E. Pichery (réimpr., 1971).

65. Gélase Ier : **Lettre contre les Lupercales et dix-huit messes du sacramentaire léonien**. G. Pomarès (1960).

66. Adam de Perseigne : **Lettres**, t. I. J. Bouvet (1960).

67. Origène : **Entretien avec Héraclide**. J. Scherer (1960).

68. Marius Victorinus : **Traités théologiques sur la Trinité**. P. Henry, P. Hadot. Tome I. Introd., texte critique, traduction (1960).

69. Id. — Tome II. Commentaire et tables (1960).

70. Clément d'Alexandrie : **Le Pédagogue**, t. I. H. I. Marrou, M. Harl (1960).

71. Origène : **Homélies sur Josué**. A. Jaubert (1960).

72. Amédée de Lausanne : **Huit homélies mariales**. G. Bavaud, J. Deshusses, A. Dumas (1960).

73 bis. Eusèbe de Césarée : **Histoire ecclésiastique**, t. IV. Introd. générale de G. Bardy et tables de P. Périchon (réimpr. avec suppl., 1971).

74 bis. Léon le Grand : **Sermons**, t. III. R. Dolle (1976).

75. S. Augustin : **Commentaire de la 1re Épître de S. Jean**. P. Agaësse (réimpression, 1966).

76. Aelred de Rievaulx : **La vie de recluse**. Ch. Dumont (1961).

77. Defensor de Ligugé : **Le livre d'étincelles**, t. I. H. Rochais (1961).

78. Grégoire de Narek : **Le livre de Prières**. I. Kéchichian. Trad. seule (1961).

79. Jean Chrysostome : **Sur la Providence de Dieu**. A.-M. Malingrey (1961).

80. Jean Damascène : **Homélies sur la Nativité et la Dormition**. P. Voulet (1961).

81. Nicétas Stéthatos : **Opuscules et lettres**. J. Darrouzès (1961).

82. Guillaume de Saint-Thierry : **Exposé sur le Cantique des Cantiques**. J.-M. Déchanet (1962).

83. Didyme l'Aveugle : **Sur Zacharie**. Texte inédit. L. Doutreleau. Tome I. Introduction et livre I (1962).

84. Id. — Tome II. Livres II et III (1962).

85. Id. — Tome III. Livres IV et V, Index (1962).

86. Defensor de Ligugé : **Le livre d'étincelles**, t. II. H. Rochais (1962).

87. Origène : **Homélies sur S. Luc**. H. Crouzel, F. Fournier, P. Périchon (1962).

88. **Lettres des premiers Chartreux**, tome I : S. Bruno, Guigues, S. Anthelme. Par un Chartreux (1962).

89. **Lettre d'Aristée à Philocrate**. A. Pelletier (1962).

90. **Vie de sainte Mélanie**. D. Gorce (1962).

91. Anselme de Cantorbéry : **Pourquoi Dieu s'est fait homme**. R. Roques (1963).

92. Dorothée de Gaza : **Œuvres spirituelles**. L. Regnault, J. de Préville (1963).

93. Baudouin de Ford : **Le sacrement de l'autel**. J. Morson, É. de Solms, J. Leclercq. Tome I (1963).

94. Id. — Tome II (1963).

95. Méthode d'Olympe : **Le banquet**. H. Musurillo, V.-H. Debidour (1963).

96. Syméon le Nouveau Théologien : **Catéchèses**. B. Krivochéine, J. Paramelle. Tome I. Introduction et Catéchèses 1-5 (1963).

97. Cyrille d'Alexandrie : **Deux dialogues christologiques**. G. M. de Durand (1964).

98. Théodoret de Cyr : **Correspondance**, t. II. Y. Azéma (1964).

99. Romanos le Mélode : **Hymnes**. J. Grosdidier de Matons. Tome I. Introduction et Hymnes I-VIII (1964).

100. Irénée de Lyon : **Contre les hérésies**, livre IV. A. Rousseau, B. Hemmerdinger, Ch. Mercier, L. Doutreleau. 2 vol. (1965).

101. Quodvultdeus : **Livre des promesses et des prédictions de Dieu**. R. Braun. Tome I (1964).

102. **Id.** — Tome II (1964).

103. Jean Chrysostome : **Lettre d'exil.** A.-M. Malingrey (1964).

104. Syméon le Nouveau Théologien : **Catéchèses.** B. Krivochéine, J. Paramelle. Tome II. Catéchèses 6-22 (1964).

105. **La Règle du Maître.** A. de Vogüé. Tome I. Introduction et chap. 1-10 (1964).

106. **Id.** — Tome II. Chap. 11-95 (1964).

107. **Id.** — Tome III. Concordance et Index orthographique. J.-M. Clément, J. Neufville, D. Demeslay (1965).

108. Clément d'Alexandrie : **Le Pédagogue,** tome II. Cl. Mondésert, H. I. Marrou (1965).

109. Jean Cassien : **Institutions cénobitiques.** J.-C. Guy (1965).

110. Romanos le Mélode : **Hymnes.** J. Grosdidier de Matons. Tome II. Hymnes IX-XX (1965).

111. Théodoret de Cyr : **Correspondance,** t. III. Y. Azéma (1965).

112. Constance de Lyon : **Vie de S. Germain d'Auxerre.** R. Borius (1965).

113. Syméon le Nouveau Théologien : **Catéchèses.** B. Krivochéine, J. Paramelle. Tome III. Catéchèses 23-34, Actions de grâces 1-2 (1965).

114. Romanos le Mélode : **Hymnes.** J. Grosdidier de Matons. Tome III. Hymnes XXI-XXXI (1965).

115. Manuel II Paléologue : **Entretien avec un musulman.** A. Th. Khoury (1966).

116. Augustin d'Hippone : **Sermons pour la Pâque.** S. Poque (1966).

117. Jean Chrysostome : **A Théodore.** J. Dumortier (1966).

118 Anselme de Havelberg : **Dialogues,** livre I. G. Salet (1966).

119. Grégoire de Nysse : **Traité de la Virginité.** M. Aubineau (1966).

120. Origène : **Commentaire sur S. Jean.** C. Blanc. Tome I. Livres I-V (1966).

121. Éphrem de Nisibe : **Commentaire de l'Évangile concordant ou Diatessaron.** L. Leloir. Trad. seule (1966).

122. Syméon le Nouveau Théologien : **Traités théologiques et éthiques.** J. Darrouzès. Tome I. Théol. 1-3, Éth. 1-3 (1966).

123. Méliton de Sardes : **Sur la Pâque (et fragments).** O. Perler (1966).

124. **Expositio totius mundi et gentium.** J. Rougé (1966).

125. Jean Chrysostome : **La Virginité.** H. Musurillo, B. Grillet (1966).

126. Cyrille de Jérusalem : **Catéchèses mystagogiques.** A. Piédagnel, P. Paris (1966).

127. Gertrude d'Helfta : **Œuvres spirituelles.** Tome I. **Les Exercices.** J. Hourlier, A. Schmitt (1967).

128. Romanos le Mélode : **Hymnes.** J. Grosdidier de Matons. Tome IV. Hymnes XXXII-XLV (1967).

129. Syméon le Nouveau Théologien : **Traités théologiques et éthiques.** J. Darrouzès. Tome II. Éth. 4-15 (1967).

130. Isaac de l'Étoile : **Sermons.** A. Hoste. G. Salet. Tome I. Introduction et Sermons 1-17 (1967).

131. Rupert de Deutz : **Les œuvres du Saint-Esprit.** J. Gribomont, É. de Solms. Tome I. Livres I et II (1967).

132. Origène : **Contre Celse.** M. Borret. Tome I. Livres I et II (1967).

133. Sulpice Sévère : **Vie de S. Martin.** J. Fontaine. Tome I. Introduction, texte et traduction (1967).

134. **Id.** — Tome II. Commentaire (1968).

135. **Id.** — Tome III. Commentaire (suite), Index (1969).

136. Origène : **Contre Celse.** M. Borret. Tome II. Livres III et IV (1968).

137. Éphrem de Nisibe : **Hymnes sur le Paradis.** F. Graffin, R. Lavenant. Trad. seule (1968).

138. Jean Chrysostome : **A une jeune veuve. Sur le mariage unique.** B. Grillet, G. H. Ettlinger (1968).

139. Gertrude d'Helfta : **Œuvres spirituelles.** Tome II. **Le Héraut. Livres I et II.** P. Doyère (1968).

175. CÉSAIRE D'ARLES : **Sermons au peuple.** Tome I. Sermons 1-20. M.-J. Delage (1971).
176. SALVIEN DE MARSEILLE : **Œuvres.** Tome I. G. Lagarrigue (1971).
177. CALLINICOS : **Vie d'Hypatios.** G.J.M. Bartelink (1971).
178. GRÉGOIRE DE NYSSE : **Vie de sainte Macrine.** P. Maraval (1971).
179. AMBROISE DE MILAN : **La Pénitence.** R. Gryson (1971).
180. JEAN SCOT : **Commentaire sur l'évangile de Jean.** É. Jeauneau (1972).
181. **La Règle de S. Benoît.** Tome I. Introduction et Chapitres I-VII. A. de Vogüé et J. Neufville (1972).
182. **Id.** — Tome II. Chapitres VIII-LXXIII, Tables et concordance. A. de Vogüé et J. Neufville (1972).
183. **Id.** — Tome III. Étude de la tradition manuscrite. J. Neufville (1972).
184. **Id.** — Tome IV. Commentaire (Parties I-III). A. de Vogüé (1971).
185. **Id.** — Tome V. Commentaire (Parties IV-VI). A. de Vogüé (1971).
186. **Id.** — Tome VI. Commentaire (Parties VII-IX), Index. A. de Vogüé (1971).
187. HÉSYCHIUS DE JÉRUSALEM, BASILE DE SÉLEUCIE, JEAN DE BÉRYTE, PSEUDO-CHRYSOSTOME, LÉONCE DE CONSTANTINOPLE : **Homélies pascales.** M. Aubineau (1972).
188. JEAN CHRYSOSTOME : **Sur la vaine gloire et l'éducation des enfants.** A.-M. Malingrey (1972).
189. **La chaîne palestinienne sur le psaume 118.** Tome I. Introduction, texte critique et traduction. M. Harl (1972).
190. **Id.** — Tome II. Catalogue des fragments, Notes et Index. M. Harl (1972).
191. PIERRE DAMIEN : **Lettre sur la toute-puissance divine.** A. Cantin (1972).
192. JULIEN DE VÉZELAY : **Sermons.** Tome I. Introduction et Sermons 1-16. D. Vorreux (1972).
193. **Id.** — Tome II. Sermons 17-27, Index. D. Vorreux (1972).
194. **Actes de la Conférence de Carthage en 411.** Tome I. Introduction. S. Lancel (1972).
195. **Id.** — Tome II. Texte et traduction de la Capitulation et des Actes de la première séance. S. Lancel (1972).
196. SYMÉON LE NOUVEAU THÉOLOGIEN : **Hymnes.** J. Koder, J. Paramelle, L. Neyrand. Tome III. Hymnes XLI-LVIII, Index (1973).
197. COSMAS INDICOPLEUSTÈS : **Topographie chrétienne, t. III.** Livres VI-XII, Index. W. Wolska-Conus (1973).
198. **Livre** (cathare) **des deux principes.** Ch. Thouzellier (1973).
199. ATHANASE D'ALEXANDRIE : **Sur l'incarnation du Verbe.** C. Kannengiesser (1973).
200. LÉON LE GRAND : **Sermons,** tome IV. Sermons 65-98, Éloge de S. Léon, Index. R. Dolle (1973).
201. **Évangile de Pierre.** M.-G. Mara (1973).
202. GUERRIC D'IGNY : **Sermons.** Tome II. J. Morson, H. Costello, P. Deseille (1973).
203. NERSÈS SNORHALI : **Jésus, Fils unique du Père.** I. Kéchichian. Trad. seule (1973).
204. LACTANCE : **Institutions divines,** livre V. Tome I. Introd., texte et trad. P. Monat (1973).
205. **Id.** — Tome II. Commentaire et index. P. Monat (1973).
206. EUSÈBE DE CÉSARÉE : **Préparation évangélique,** livre I. J. Sirinelli, É. des Places (1974).
207. ISAAC DE L'ÉTOILE : **Sermons.** A. Hoste, G. Salet, G. Raciti. Tome II. Sermons 18-39 (1974).
208. GRÉGOIRE DE NAZIANZE : **Lettres théologiques.** P. Gallay (1974).
209. PAULIN DE PELLA : **Poème d'action de grâces et Prière.** C. Moussy (1974).
210. IRÉNÉE DE LYON : **Contre les hérésies,** livre III. A. Rousseau, L. Doutreleau. Tome I. Introduction, notes justificatives et tables (1974).
211. **Id.** — Tome II. Texte et traduction (1974).
212. GRÉGOIRE LE GRAND : **Morales sur Job.** Livres XI-XIV. A. Bocognano (1974).

213. Lactance : **L'ouvrage du Dieu créateur.** Tome I. Introduction, **texte** critique et traduction. M. Perrin (1974).

214. **Id.** — Tome II. Commentaire et index. M. Perrin (1974).

215. Eusèbe de Césarée : **Préparation évangélique, livre VII.** G. Schroeder, É. des Places (1975).

216. Tertullien : **La chair du Christ.** Tome I. Introduction, texte critique et traduction. J. P. Mahé (1975).

217. **Id.** — Tome II. Commentaire et Index. J. P. Mahé (1975).

218. Hydace : **Chronique.** Tome I. Introduction, texte critique et traduction. A. Tranoy (1975).

219. **Id.** — Tome II. Commentaire et index. A. Tranoy (1975).

220. Salvien de Marseille : **Œuvres, t. II.** G. Lagarrigue (1975).

221. Grégoire le Grand : **Morales sur Job.** Livres XV-XVI. A. Bocognano (1975).

222. Origène : **Commentaire sur S. Jean.** Tome III. Livre XIII. C. Blanc (1975).

223. Guillaume de Saint-Thierry : **Lettre aux Frères du Mont-Dieu (Lettre** d'or). J. Déchanet (1975).

224. **Actes de la Conférence de Carthage en 411.** Tome III. Texte et traduction des Actes de la 2e et de la 3e séance. S. Lancel (1975).

225. Dhuoda : **Manuel pour mon fils.** P. Riché, B. de Vregille et C. Mondésert (1975).

226. Origène : **Philocalie 21-27 (Sur le libre arbitre).** É. Junod (1976).

227. Origène : **Contre Celse.** M. Borret. Tome V. Introduction et index (1976).

228. Eusèbe de Césarée : **Préparation évangélique.** Livres II-III. É. des Places (1976).

229. Pseudo-Philon : **Les Antiquités Bibliques.** D. J. Harrington, C. Perrot, P. Bogaert, J. Cazeaux. Tome I. Introduction critique, texte et traduction (1976).

230. **Id.** — Tome II. Introduction littéraire, commentaire et index (1976).

231. Cyrille d'Alexandrie : **Dialogues sur la Trinité.** Tome I. Dial. I et II. G. M. de Durand (1976).

232. Origène : **Homélies sur Jérémie.** P. Nautin et P. Husson. Tome I. Introduction et homélies I-XI (1976).

233. Didyme l'Aveugle : **Sur la Genèse.** Tome I (Sur Genèse I-IV). P. Nautin et L. Doutreleau (1976).

234. Théodoret de Cyr : **Histoire des moines de Syrie.** Tome I. Introduction et **Histoire Philothée** I-XIII. P. Canivet et A. Leroy-Molinghen (1977).

235. Hilaire d'Arles : **Vie de S. Honorat.** M. D. Valentin (1977).

236. **Rituel cathare.** Ch. Thouzelier (1977).

237. Cyrille d'Alexandrie : **Dialogues sur la Trinité.** Tome II. Dial. III-V. G. M. de Durand (1977).

238. Origène : **Homélies sur Jérémie.** Tome II. Homélies XII-XX et homélies latines, index. P. Nautin et P. Husson (1977).

239. Ambroise de Milan : **Apologie de David.** P. Hadot et M. Cordier (1977).

240. Pierre de Celle : **L'école du cloître.** G. de Martel (1977).

241. **Conciles gaulois du IVe siècle.** J. Gaudemet (1977).

242. S. Jérôme : **Commentaire sur S. Matthieu.** Tome I. Livres I et II. É. Bonnard (1978).

243. Césaire d'Arles : **Sermons au peuple.** Tome II. Sermons 21-55. M.-J. Delage (1978).

244. Didyme l'Aveugle : **Sur la Genèse.** Tome II (Sur Genèse V-XVII). Index. P. Nautin et L. Doutreleau (1978).

Hors série :

Directives pour la préparation des manuscrits (de « Sources Chrétiennes »). A demander au Secrétariat de « Sources Chrétiennes », 29, rue du Plat, 69002 Lyon.

La Règle de S. Benoît. VII. Commentaire doctrinal et spirituel. A. de Vogüé (1977).

SOUS PRESSE

CYRILLE D'ALEXANDRIE : **Dialogues sur la Trinité.** Tome III. G. M. de Durand.

THÉODORET DE CYR : **Histoire des moines de Syrie, t.** II. P. Canivet et A. Leroy-Molinghen.

La Doctrine des douze apôtres. W. Rordorf et A. Tuilier.

GRÉGOIRE DE NAZIANZE : **Discours 1-3.** J. Bernardi.

GRÉGOIRE DE NAZIANZE : **Discours 27-31** (Discours théologiques). P. Gallay.

Targum du Pentateuque. Tome I : **Genèse.** R. Le Déaut et J. Robert.

GERTRUDE D'HELFTA : **Œuvres spirituelles.** Tome IV. **Le Héraut.** Livre IV. J.-M. Clément, B. de Vregille et les Moniales de Wisques.

ORIGÈNE : **Traité des principes.** Livres I et II. H. Crouzel et M. Simonetti (2 volumes).

S. PATRICK : **Confession et Lettre à Coroticus.** R. P. C. Hanson et C. Blanc.

GRÉGOIRE LE GRAND : **Dialogues.** P. Antin et A. de Vogüé (3 volumes).

HILAIRE DE POITIERS : **Sur S. Matthieu** J. Doignon (2 volumes).

S. JÉRÔME : **Commentaire sur S. Matthieu, t.** II. E. Bonnard.

PROCHAINES PUBLICATIONS

Targum du Pentateuque. Tome II : **Exode et Lévitique.** R. Le Déaut et J. Robert.

JEAN CHRYSOSTOME : **Le sacerdoce.** H. de Lubac et A.-M. Malingrey.

PSEUDO-MACAIRE : **Œuvres spirituelles, t.** I. V. Desprez.

IRÉNÉE DE LYON : **Contre les hérésies,** livres I et II. A. Rousseau et L. Doutreleau.

THÉODORET DE CYR : **Commentaire sur Isaïe.** J.-N. Guinot.

EUSÈBE DE CÉSARÉE : **Préparation évangélique,** livres IV, 1 - V, 17. O. Zink et E. des Places.

EUSÈBE DE CÉSARÉE : **Préparation évangélique,** livres V, 18 - VI. E. des Places.

SOURCES CHRÉTIENNES

(1-244)

Également aux Éditions du Cerf :

LES ŒUVRES DE PHILON D'ALEXANDRIE
publiées sous la direction de
R. Arnaldez, C. Mondésert, J. Pouilloux.
Texte grec et traduction française.

1. **Introduction générale. De opificio mundi.** R. Arnaldez (1961).
2. **Legum allegoriae.** C. Mondésert (1962).
3. **De cherubim.** J. Gorez (1963).
4. **De sacrificiis Abelis et Caini.** A. Méasson (1966).
5. **Quod deterius potiori insidiari soleat.** I. Feuer (1965).
6. **De posteritate Caini.** R. Arnaldez (1972).
7-8. **De gigantibus. Quod Deus sit immutabilis.** A. Mosès (1963).
9. **De agricultura.** J. Pouilloux (1961).
10. **De plantatione.** J. Pouilloux (1963).
11-12. **De ebrietate. De sobrietate.** J. Gorez (1962).
13. **De confusione linguarum.** J.-G. Kahn (1963).
14. **De migratione Abrahami.** J. Cazeaux (1965).
15. **Quis rerum divinarum heres sit.** M. Harl (1966).
16. **De congressu eruditionis gratia.** M. Alexandre (1967).
17. **De fuga et inventione.** E. Starobinski-Safran (1970).
18. **De mutatione nominum.** R. Arnaldez (1964).
19. **De somniis.** P. Savinel (1962).
20. **De Abrahamo.** J. Gorez (1966).
21. **De Iosepho.** J. Laporte (1964).
22. **De vita Mosis.** R. Arnaldez, C. Mondésert, J. Pouilloux, P. Savinel (1967).
23. **De Decalogo.** V. Nikiprowetzky (1965).
24. **De specialibus legibus.** Livres I-II. S. Daniel (1975).
25. **De specialibus legibus.** Livres III-IV. A. Mosès (1970).
26. **De virtutibus.** R. Arnaldez, A.-M. Vérilhac, M.-R. Servel et P. Delobre (1962).
27. **De praemiis et poenis. De exsecrationibus.** A. Beckaert (1961).
28. **Quod omnis probus liber sit.** M. Petit (1974).
29. **De vita contemplativa.** F. Daumas et P. Miquel (1964).
30. **De aeternitate mundi.** R. Arnaldez et J. Pouilloux (1969).
31. **In Flaccum.** A. Pelletier (1967).
32. **Legatio ad Caium.** A. Pelletier (1972).
33. **Quaestiones in Genesim et in Exodum. Fragmenta graeca.** F. Petit (sous presse).
34 A. **Quaestiones in Genesim, I-II** (e vers. armen.) (sous presse).
34 B. **Quaestiones in Genesim, III-IV** (e vers. armen.).
34 C. **Quaestiones in Exodum, I-II** (e vers. armen.).
35. **De Providentia, I-II.** M. Hadas-Lebel (1973).

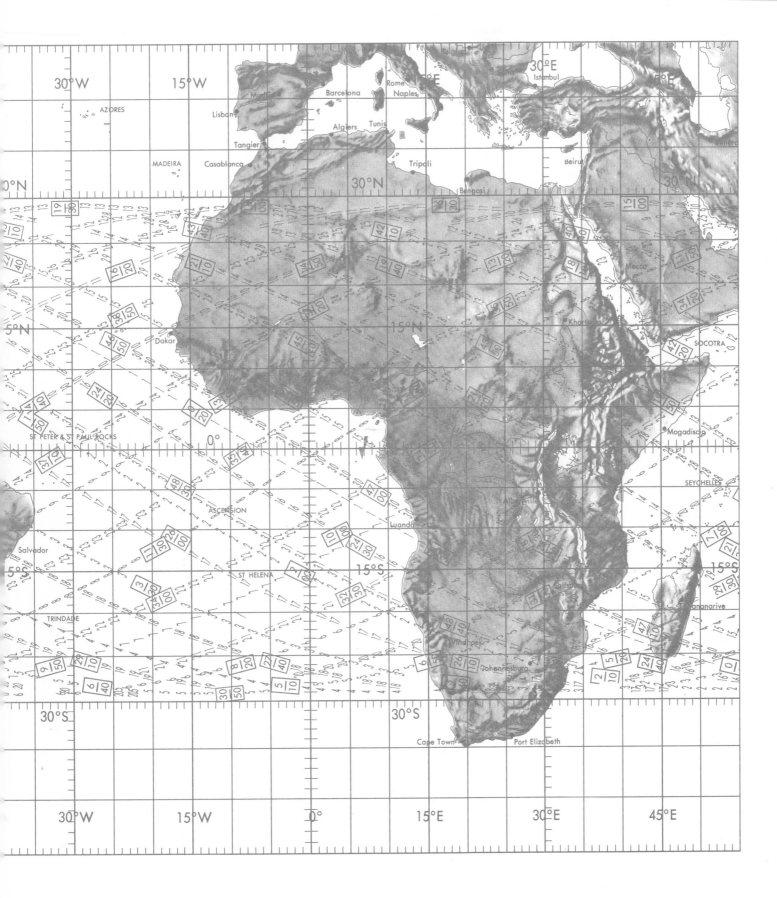

NASA SP-129

EARTH PHOTOGRAPHS
from Gemini III, IV, and V

Scientific and Technical Information Division
OFFICE OF TECHNOLOGY UTILIZATION   1967
NATIONAL AERONAUTICS AND SPACE ADMINISTRATION
Washington, D.C.

For sale by the Superintendent of Documents, U.S. Government Printing Office, Washington, D.C. 20402 - Price $7

Library of Congress Catalog Card Number 66–62098

FOREWORD

In 1962, preparations for space-science investigations on manned missions were undertaken by NASA on the assumption that man's flexibility, judgment, sensory perceptions, and manipulative abilities would be useful in performing a variety of experiments. The soundness of this assumption has been borne out by the early two-man Gemini flights when man's unique ability to control, modify, and reschedule contributed greatly to the success of the scientific portion of the missions.

The Gemini flight program has shown that man can operate and perform in the space environment. Beyond that, it has demonstrated that man's unique talents and capabilities are of tremendous value to the conduct of scientific investigations in space. Not only have astronauts been able to perform scientific tests during the operational missions, perfecting the techniques of space maneuvers, but in at least one instance the success of an experiment came from the astronaut's ability to repair a delicate instrument during flight.

The experiments conducted during manned flight have derived from a variety of disciplines, including aeronomy, astronomy, biology, physiology, geography, geology, meteorology, and space physics. As a result of Gemini photographs major geological features, hitherto unrecognized, have been identified, including a fault structure in Baja California and an extinct volcanic field in northern Mexico. Other results from these experiments include photographs of the gegenschein—the reflection of light off interplanetary particles beyond the orbital path of Earth—and photographs of twilight bands. Excellent photographs have also been obtained of the zodiacal light, the reflection of light from interplanetary particles between the sun and earth's orbital path.

The early Gemini flights have shown that man is particularly well suited to perform the scientific investigations conducted in space. He can act as a sensor to observe, monitor, and adapt his own observations. He can also evaluate data and manipulate instruments and equipment. He is able to respond creatively to unexpected phenomena and to improvise.

Although earth-science photographs were not formally scheduled on Gemini III, the astronauts did take 25 pictures, most of which showed cloud formations. On Gemini IV, two scientific experiments, Synoptic Terrain Photography (S–5) and Synoptic Weather Photography (S–6), were notably successful. More than 200 useful pictures were taken, the most significant of which are reproduced here. In Gemini V, terrain and weather photography was included in a schedule of 17 medical, engineering, and scientific investigations. Guided by the principal investigators of the S–5 and S–6 experiments, Paul Lowman of NASA's Goddard Space Flight Center and Kenneth Nagler of the U.S. Weather Bureau, the astronauts obtained almost 250 pictures.

The advances that have been made in the Nation's manned space-science program to date will contribute directly to future efforts. Many of the experiments in the Gemini missions, including photography, will be incorporated into the early Apollo earth-orbital flights, generally in a more sophisticated form. It is a goal of NASA to provide an integrated program of scientific investigation that uses both manned and unmanned spacecraft to complement each other in the important task of gaining knowledge of our universe.

GEORGE E. MUELLER,
Associate Administrator
for Manned Space Flight

HOMER E. NEWELL,
Associate Administrator
for Space Science and Applications

PREFACE

THE OVERALL AIMS of the Gemini program have been to exploit and extend the capabilities developed in the pioneering Mercury earth-orbital flights and to provide a vital link for the operating capability, the supporting technology, and astronaut proficiency in space that are so necessary to the Apollo program and to other future national efforts in space.

Specific Gemini objectives were (1) to determine how man performs in the space environment on flights of as much as 2 weeks; (2) to develop the capability to rendezvous with another craft and dock with it; (3) to maneuver the combined vehicles; (4) to provide a platform for scientific, engineering, and medical experiments; (5) to develop methods of controlling reentry flight paths to selected landing areas; and (6) to develop astronaut space-flight experience, including extravehicular activity. The Gemini III, IV, and V flights in 1965 made important contributions toward the accomplishment of these objectives.

The Gemini III two-man crew achieved the first change of orbital plane by a manned spacecraft and the first use of variable lift during reentry to "fly" to a selected landing area. The maneuvering of the spacecraft by the crew marked a major step toward rendezvous and docking objectives and set the stage for the 4-day Gemini IV mission.

Further assurance that the overall objectives of the Gemini program could be met was provided by Gemini IV, which scored success in virtually all areas of accomplishment: Station-keeping exercise associated with rendezvous, long-duration flight, extravehicular activity, and scientific experiments.

The most significant result of the Gemini V mission was to show that rendezvous and docking with another object in space should not pose a particularly difficult problem. Primary objectives met by Gemini V were crew capability for 8 days of flight with no adverse effects, spacecraft capability for long periods of flight, and evaluation of the onboard radar necessary for rendezvous and docking flights scheduled later.

In addition to accomplishing these major objectives, the three Gemini flights produced some significant experimental results, of which the photographs in this volume are a part. Most of them were obtained by Gemini IV and V in a series of synoptic weather and synoptic terrain photography experiments, formally scheduled to obtain high-quality color photos of terrain features and cloud systems for geological, geographical, and meteorological purposes. These experiments were under the direction of the Manned Flight Experiments Division of the Office of Space Science and Applications.

As can be seen in the pages that follow, the color in many of the pictures is outstanding and ground resolution remarkably high. Many small roads, canals, and similar features are clearly visible. Photos of shorelines, river courses, and details never before seen by man are included. Considerable bottom topography and water current structure is visible, making these pictures highly valuable in planning future photography for studies in oceanography and marine geology. These photographs and other Gemini experiments are the beginning of a vast increase in man's useful knowledge of Earth and its environment.

ROBERT R. GILRUTH, *Director*
Manned Spacecraft Center

ACKNOWLEDGMENTS

The material for this book grew out of the synoptic terrain and weather photography experiments which were significant parts of the Gemini science program. The idea of publishing a volume of color photographs originated with Robert R. Gilruth, Director of the Manned Spacecraft Center. Its publication is an effort to fulfill the part of NASA's charter that calls for full and prompt dissemination of scientific information. It is hoped that various scientific disciplines and other public interests will have a multitude of uses for these Gemini photographs.

The principal investigators for these two Gemini experiments, Paul Lowman, Jr., of the Goddard Space Flight Center, and Kenneth Nagler and Stanley Soules, of the U.S. Weather Bureau, contributed much of the material for the captions. They were aided in this task by Arthur Alexiou and L. V. Streeves of the U.S. Naval Oceanographic Office, and Herbert Tiedemann and Jose Toro of Goddard. Preliminary identification of the photographs was carried out by Richard W. Underwood, Manned Spacecraft Center, following each Gemini flight.

A technical panel with members from NASA and other agencies assisted in the original selection of the photographs. Panel members, in addition to Dr. Lowman, Mr. Soules, and Mr. Alexiou, were, Winston Siebert, W. D. Harris, and John T. Smith of the U.S. Coast and Geodetic Survey; Anthony Liccardi of NASA's Office of Manned Space Flight; and Jocelyn R. Gill, Gemini Science Manager. Dr. Gill was also responsible for the organization of the effort to produce the book and served as scientific editor.

WILLIS B. FOSTER, *Director*
Manned Flight Experiments Office

CONTENTS

INTRODUCTION

THE PURPOSE of this volume is to provide examples of the photographs obtained from the first three manned Gemini flights, and to make them available to scientific users in various disciplines. Most of the photographs selected are the result of the synoptic terrain photography and weather photography experiments formally scheduled for Gemini IV and V. In the case of Gemini III, photography was not a part of the scientific program, but the astronauts obtained 25 pictures during their flight, 3 of which are reproduced here.

The objective of the Synoptic Terrain Photography Experiment (S–5) in Gemini IV and V was to show major geologic structures, their form, color, and albedo. The astronauts of Gemini IV were requested to give priority to photography of east Africa, the Arabian Peninsula, Mexico, and the southwestern United States. For Gemini V, the selected land and near-shore areas were chosen not only for geologic study, but also for geographic and oceanographic investigations. The camera was a Hasselblad Model 500C modified by NASA, using a Zeiss Planar lens of 80-mm. focal length, F/2.8. The film was Ektachrome MS (S.O. 217). During the Gemini V flight, one roll of Anscochrome D–50 was taken. The film format is 55 mm. by 55 mm. on 70-mm. film rolls of over 60 exposures. A haze filter helped reduce the intensity of the ultraviolet scattering from the atmosphere.

Most of the photographs obtained on these Gemini missions were considered to be of excellent quality with respect to exposure, resolution, and orientation. Although fuel and power restrictions prevented the flight crew from always orienting the spacecraft vertically, as preferred for photography, a continuous series of 39 near-vertical views were obtained by Gemini IV covering the flight path on the 32d revolution from the Pacific coast of Mexico to central Texas. The photographs are reproduced here.

The objective of the Synoptic Weather Photography Experiment (S–6) in Gemini IV and V was to provide a set of high-resolution pictures that would cover a broad range of meteorological phenomena, with emphasis on photographs of a number of cloud systems that could be used to verify and amplify information obtained from the unmanned weather satellites. Cloud cover over the same area was photographed on successive revolutions during the Gemini V mission to study the dynamic changes at 90-minute intervals. The camera was the same NASA-modified Hasselblad 500C used in the S–5 experiment.

Results of the two photographic experiments are of value to scientists in many disciplines. Of particular interest to geologists, oceanographers, geographers, and hydrographers are the Gemini IV terrain photographs which reveal a large amount of geologic detail. Photographs taken over Baja California, for instance, show the contact between quaternary alluvium and bedrock, identify aligned linear valleys as a fault zone, and make subsidiary faults apparent. Photographs taken over a section of Mexico identified the Sierra Carizarilla as volcanoes, probably of relatively young age, judging from the fresh-appearing topography. Geologic maps of Mexico, however, show only a few isolated outcrops of volcanic rock dated as more than 1 million years old. Another photograph shows an area in which two major tectonic provinces merge without marked change of direction. Such a relationship could until now be determined only by extensive mapping in two countries.

Other examples, of interest to oceanographers, hydrographers, and hydrologists: An excellent photograph of the mouth of the Colorado River entering the Gulf of California, giving a synoptic view of sediment distribution; details in shallow-water bottom topography revealed in photos of the Bahamas; Gemini V pictures of Rongelap Atoll in the Marshall Islands, making it possible to correct existing charts of reef areas; and pictures of the Odessa-Midland area of central Texas showing the terrain darkened by heavy rainfall on the previous day.

Orbital weather photos taken during the Gemini missions, by providing a higher resolution and contrast, have aided in interpreting data obtained from weather satellites. For example, photographs obtained over Florida on three successive revolutions show changes in, and movement of, clouds at approximately 90-minute intervals. Included are photos of tropical and extra-tropical cyclones and the intertropical zones of convergence, for comparison with lower resolution pictures made with the help of meteorological satellites.

In addition to the many photographs of cloud patterns, the Gemini missions yielded photographs of other features of interest to meteorology and related fields, such as smoke from forest fires or industrial sources that may indicate the low-level wind direction and may possibly provide information on the stability of the lower atmosphere. Similarly, photographs of various types of sand dunes in the world's great deserts are of help in determining the relationship between winds and deposition patterns.

The Gemini photographs are also of potential practical importance in agriculture, forestry, water and marine resources, cartography, and the study of air pollution. The use of orbital photography to depict geological formations may lead to applications in mining. The detection from space of faults, lineaments, folds, domes, basins, or haloes may indicate areas of potential mineral or petroleum deposits. Application in forestry and agricultural mapping is particularly promising because of the wide areal coverage possible with spacecraft.

Systematic photography of Earth from space has only begun, but its feasibility and its usefulness in science, as well as for practical applications, have been demonstrated by the experiments performed by the Gemini astronauts.

Of the 550 photographs taken by the Gemini III, IV, and V flight crews, 244 have been selected for this book. They are arranged in orbital sequence within three sections, representing the three missions. Details concerning length of flight, apogee and perigee, crew, number of photos taken, and photographic equipment used preface each section. Captions accompanying the photographs identify political subdivisions, geographic features, and in some cases discuss geological and meteorological phenomena. Place names used follow the standard established by the National Geographic Atlas of the World. Following each caption is the color print number assigned by NASA as the films were developed.

The photographs are placed with the horizon at the top when applicable. In oblique angle views, the foreshortening—furthest point from the spacecraft—is at the top of the picture. When the viewing angle is nearly vertical, the pictures are often oriented with north at the top. For further reader guidance, the viewing direction is specified in many of the captions.

A geographic index and an appendix complete the volume. The index provides a guide, by page number, to photographs of major geographic areas. No subject index is included, but, in view of the large number of photographs taken of cloud formations, as a result of the S–6 experiment, these have been listed separately at the end of the geographic index.

The appendix lists, in orbital sequence, every photograph taken on the three flights. It also gives the magazine and frame number of the film; the color, as well as black and white, print number; the orbit; approximate Greenwich mean time; and geographic location. The photographs included in the book are marked by asterisks. All photographs, however, may be ordered from the National Aeronautics and Space Administration.

The map used on the inside covers represents a typical flight pattern for a Gemini mission. It was prepared by the Aeronautical Chart and Information Service, U.S. Air Force, St. Louis, Mo.

Persons interested in acquiring transparencies, color prints, or black and white prints of any of the photographs listed in the appendix may make inquiry to:

NASA Headquarters
Public Information Office
Washington, D.C. 20546

or

Manned Spacecraft Center
Public Affairs Office
Houston, Tex. 77058

GEMINI III

Gemini III was launched on March 23, 1965, and continued for three orbits or 4 hours and 52 minutes. A total of 25 pictures were taken. The camera used was a Hasselblad, Model 500C, modified by NASA. The F/2.8 lens was a Zeiss Planar, 80-mm. focal length. The 70-mm. film was Ektachrome MS (S.O.–217). Gemini III, piloted by Virgil I. Grissom and John W. Young, had an apogee of 140 miles and perigee of 100 miles. Three of the photographs taken on the mission are included in this section.

View to the northwest over northern Mexico and southern California in the vicinity of Mexicali (upper right) and El Centro, with the Pacific Ocean at upper left. The dark area in the middle foreground is cultivated land of the Imperial Valley around the delta of the Colorado River. Clouds at upper right hide the Salton Sea. The yellowish barren area in the lower right corner is the Great Sonora Desert.

S—65—18740

7

This view to the northwest shows Yuma, Arizona, and the Colorado River at upper
center and the Great Sonora Desert at lower left. The dark area at the bottom of the
photograph is Cerro del Pinacate, a large volcanic field in Sonora, Mexico.

S—65—18741

8

Long shadows emphasize the vertical development of cumuloform clouds over Madagascar Island near Tananarive. The sunset terminator line crosses the picture from upper right to lower left. Considerable cirrus cloudiness prevails as a result of numerous storms in the region. The sunlit top of a large thunderstorm is seen near the center.

S—65—18752

GEMINI IV

Gemini IV, launched on June 3, 1965, lasted 97 hours and 56 minutes. During that time the spacecraft made 62 orbits and 219 photographs were taken by the crew, James A. McDivitt and Edward H. White. This was the first flight in which the S–5 and S–6 photographic experiments were included. The camera used was a hand-held modified Hasselblad, Model 500C with a Zeiss Planar lens of 80-mm. focal length; the film was Ektachrome MS (S.O.–217). During the 4-day flight apogee reached was 175 miles, perigee was 100 miles. Included in this section are 96 of the photographs taken. A continuous series of 39 overlapping photographs of the southwestern United States is included in its entirety.

Northern Chihuahua, Mexico, viewed to the north with the Rio Grande at the top. The two lakes at left are Laguna Bustillos and, below, Laguna de los Mexicanos. The city of Chihuahua is in the cultivated valley at right center. The dark areas in the foreground are mid-Cenozoic volcanic rock of the Sierra Madre Occidental. Immediately behind lie linear ridges of folded sedimentary rock, chiefly of Cretaceous age and typical of the Sierra Madre Oriental. S—65—34633

This photograph and the three that follow were taken over a cold front in the western Pacific Ocean about 200 miles southeast of Japan. The viewing direction is west-southwest.

S—65—34647

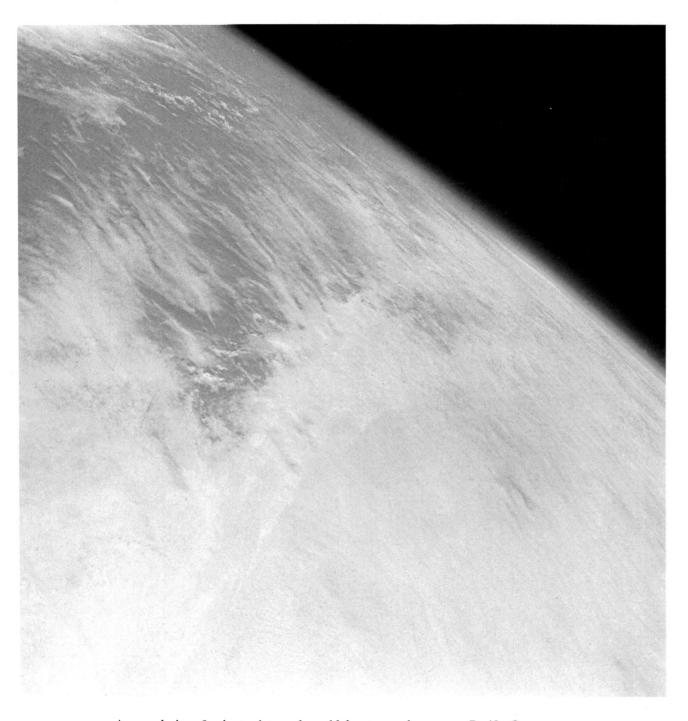

A second view, 3 minutes later, of a cold front over the western Pacific Ocean near Japan. The undercast is thickest in the vicinity of the frontal zone. Nearly all the lower cloud layers are obscured by cirrus clouds. S—65—34650

The third photograph, taken 6 minutes later, shows the cold front east of Wake Island. Various cloud layers are visible to the left of the frontal zone.   S—65—34651

16

The cold front over the Pacific Ocean east of Wake Island a moment later. This
fourth view shows a complex structure of major cloud bands, many of which are
subdivided into lesser bands.   S—65—34652

The southern edge of the Arabian Peninsula with the Gulf of Aden and the Somali
Republic in the background.   The Port of Aden is in the lower right central portion
of the picture.   S—65—34656

18

The southern tip of the Arabian Peninsula is seen in the foreground.   The view looks
south across the 200-mile wide Gulf of Aden to the Somali Republic in the background.

View to the southeast over the Hadramawt Plateau in southern Saudi Arabia. The Wadi Hadramawt, a dry river basin, shows classic dendritic drainage patterns. Note the prominent tributary (left center) which is beheading other tributaries in the background. The Hadramawt Plateau is underlain by gently dipping marine sediments.

S—65—34658

This frame overlaps the previous photograph of the Arabian Peninsula. The Hadramawt Plateau is in the lower half of the picture with the Wadi Hadramawt at lower right. The Ras Asir in the Somali Republic, the easternmost point of Africa, is visible in the upper left corner. In the center lies the Gulf of Aden, 100 fathoms deep near the shore and up to 1,000 fathoms in the middle. S—65—34659

The southeastern part of the Arabian Peninsula in a near-vertical view, showing the Sultanate of Muscat and Oman. The center of the area is about 23° N., 58° E. The dark areas at the lower right are igneous rock in the highlands bordering the Gulf of Oman (out of view).   S—65—34660

Ras al Hadd, a prominent cape at the southeastern tip of the Arabian Peninsula in a near-vertical view. The Gulf of Oman is at the top of the photo, the Arabian Sea at the bottom. Light area at lower left shows seif dunes in the Empty Quarter. Masqat, capital of Muscat and Oman, is out of view at top left. S–65–34661

The Sahara Desert in northern Sudan with a near-vertical view of a sandstone plateau with dunes. The center of the picture is about 19° N. and 27° E. The ridges at lower left are the eastern end of the Ennedi Plateau. S—65—34663

Border area of the United Arab Republic and Sudan on the west coast of the Red
Sea just south of Foul Bay. The dark areas are exposed igneous and metamorphic
rock cut by linear valleys following fractures. The viewing direction is nearly
vertical. S–65–34664

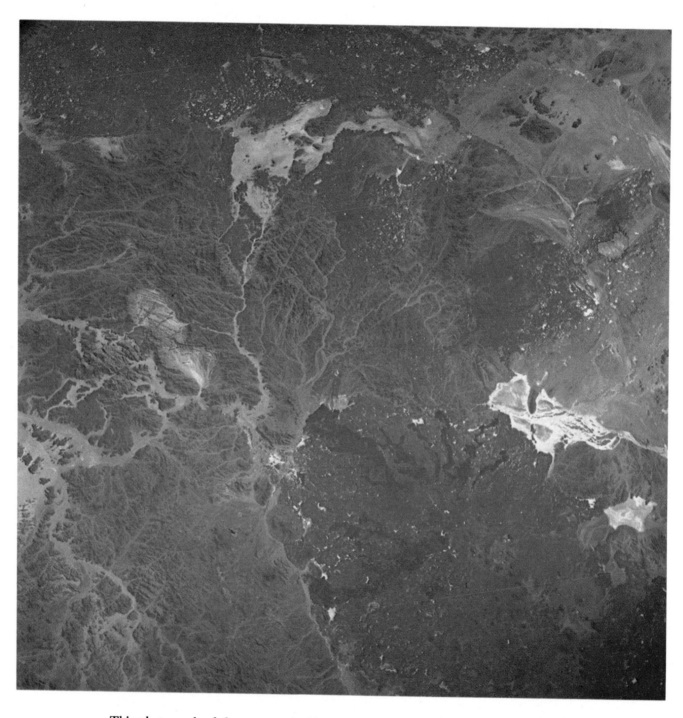

This photograph of the western Arabian Peninsula gives a clear view of the Harrat
Rahat, a volcanic mountain range (dark area at lower center).   The city of Medina,
Saudi Arabia, lies immediately above the range.   The river bed running north-south is
the Wadi al Hamd.

S—65—34665

26

An oblique view of Iran over the Zagros Mountains. The Persian Gulf is clearly seen.
Just visible at the top of the photograph are the Qatar Peninsula in Saudi Arabia
(right) and the tip of the Trucial Coast (left).   S–65–34666

The dark triangular area at the top is cultivated land of the Nile Delta in the United Arab Republic. The Mediterranean coast is seen in the upper left corner. The dark area at lower right is El Faiyum, a depression irrigated by the waters of the Nile and partially occupied by the Bohirat Quiron, a lake 148 feet below sea level. Cairo lies in the upper center to the right, at the beginning of the delta.   S—65—34668

The view is to the southeast over the Dhar Adrar in Mauritania. In the center is the
Richat Structure, a concentric series of ridges considered to be either an igneous in-
trusion or an impact feature.   S—65—34670

The Nile Delta and the Sinai Peninsula viewed to the southeast with the Mediterranean to the left. The Suez Canal and the Rosetta and Damietta branches of the Nile are seen clearly. The Dead Sea, 1,290 feet below sea level, is visible at the upper left. Parts of the United Arab Republic, Jordan, Saudi Arabia, Iraq, and Israel are shown.

S—65—34776

This cloudy region is located in the Pacific Ocean southwest of Panama. Weak
light from the setting sun reflects from protuberances in the massive undercast. Such
cover frequently extends 300 to 400 miles in tropical areas. Each bulge marks the
top of one or more convective cells nearly hidden in the top layer of cirrus cloud.

S—65—34773

A photograph of Earth's limb—the edge of the planet seen at twilight. The silhouette shadow of cloud layers can be seen in the atmosphere (white), above which lies an airglow layer (blue).   S—65—34771

Vertical view of the Florida Keys with the Everglades National Park and Cape Sable visible at the top of the photograph. The shoal areas and underwater detail from Key Largo to Boca Chica Key are seen in the center. The structure in the pattern of sun glitter on the water (whitish area) is partially due to slicks.

S—65—34766

The southern portion of Andros Island in the Bahamas.   The rest of the island and some adjacent sea areas are covered with clouds.   Sea swells form a pattern in the sun glitter region to the left.   The Tongue of the Ocean, where depths exceed 900 fathoms, is located on the right.   The Great Bahama Bank is at left.   S-65-34763

The shallow water of the Great Bahama Bank in the center has depths from 1 to 4 fathoms and bottom configurations are easily seen.   Great Exuma Island with adjacent cays is perched at the edge of Exuma Sound (right), where depths exceed 1,000 fathoms.   Cirrus clouds occasionally hide the puffy cumulus clouds which form lines in the lower atmosphere.   Pictures such as these, showing over 7,000 square miles, are valuable to oceanographers in mapping shoal waters. S—65—34762

Acklins Island (center) and the adjacent Crooked Island in the Bahamas nearly enclose the Bight of Acklins, a shallow water lagoon, where the average depth is about 9 feet. Swampy areas in the northern part of the bight are seen as light green. The tall cumulus clouds are probably induced by surface heat. Shadows of many small cumulus clouds appear as black dots against the bright background. At the top of the picture, the sun glitter reflects irregularities in waves and swells on the sea surface.

S—65—34761

A high-pressure area frequently dominates the eastern North Pacific Ocean and stratocumulus clouds commonly occur in the eastern and southern regions of the anticyclone. This picture and the four that follow were taken in sequence and show similar cloud patterns. S—65—34754

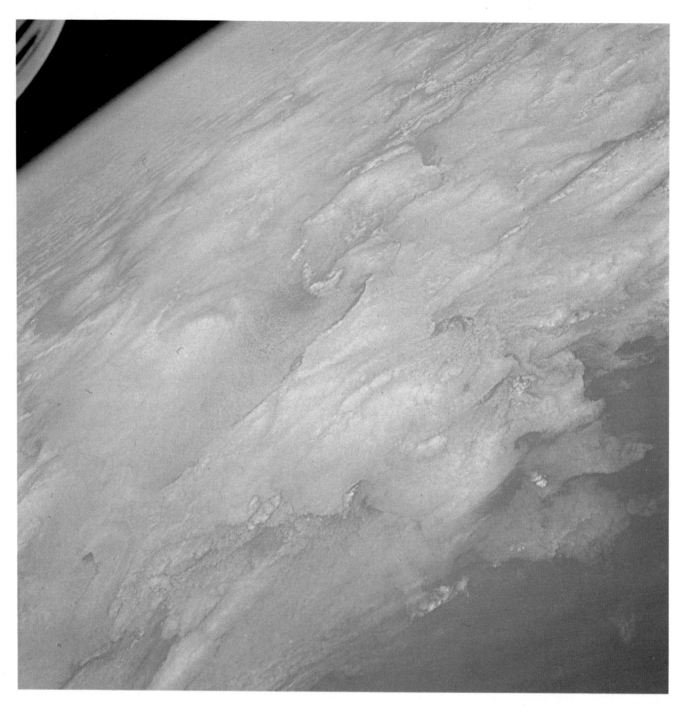

In this view, the stratocumulus clouds of the eastern North Pacific have formed irregular shaped cells whose thicknesses tend to decrease from the center outward to the perimeter.

S—65—34753

Another view of the stratocumulus clouds over the North Pacific Ocean, north of Marcus Island.   The cellular patterns on the right are shown more clearly in the next frame.   S—65—34752

39

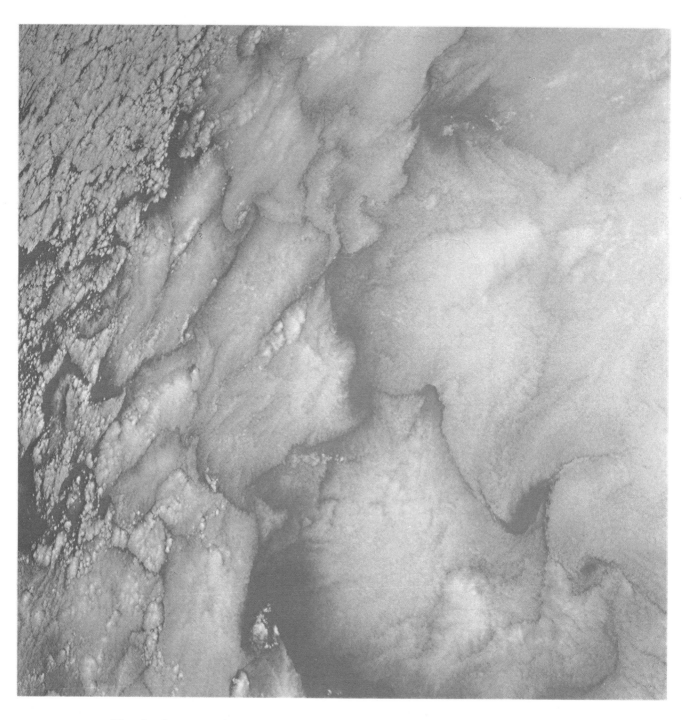

The cloud patterns shown here suggest that Benard cell circulation is occurring over this region of the Pacific Ocean. The pattern is probably a result of weak organized convection occurring in the absence of vertical wind shear. Spiral eddies have formed along the perimeters of the cells seen in the center of the photograph. An abrupt change in cell diameter can be observed at left.

S—65—34751

The small scale stratocumulus which were shown along the left edge of the previous frame are seen here covering a large area of the North Pacific Ocean. This photograph and the four preceding ones were taken during a 3-minute period. S—65—34750

Mexico's Pacific coastline in the vicinity of Jalisco and Colima appears across the center of this photo looking northeast. A line of thunderstorms over the mountains is seen at right. Other convective activity is found over broad areas of eastern Mexico near the horizon. Filaments and tufts of cirrus associated with the extreme outer fringes of tropical storm Victoria fill the foreground.

S—65—34749

This photo, taken 2 minutes after the preceding one, shows a continuation of the thunderstorms over the Central American countries to the southeast. The two towers of dense clouds near the center are probably producing tropical showers below. The rest of the cloud cover consists of a mixture of low-level cirrus and cumulus clouds.

S—65—34747

The Pacific Ocean west of Baja California, Mexico. The cool temperature of the sea surface helps to maintain stability in the lower atmosphere. A temperature inversion is found frequently near 2,000 feet and the layer of stratocumulus clouds with a partly banded or cellular structure, as seen here, may persist for days. S-65-34743

44

This picture was taken looking directly into the sun over the eastern Pacific Ocean. The light foglike area at top center is scattering resulting from a deposit on the spacecraft window. The pentagon-shaped reflection below it is caused by the camera diaphragm.   S—65—34737

A near-vertical view of Yemen in the southwestern part of the Arabian Peninsula between Al Kharab and Salamat. At top left is the western edge of the Empty Quarter, a sandy desert with complex longitudinal dunes. The dark area in the highlands is composed of faulted and jointed Precambrian igneous and metamorphic rock. The prominent scarp in the middle of the picture is probably a fault.

S—65—34726

46

This photograph shows the Empty Quarter of southern Arabia, Yemen, and Saudi
Arabia looking toward the Hadramawt Plateau. The longitudinal sand dunes in
the foreground and center are clearly visible.   S—65—34765

This picture, although poorly exposed, shows interesting land patterns of northern Chad and Libya. Plateau d'Erdebe is in the center and the Tibesti Mountains at the left. The prominent crater to the near left center is Emi Koussi, an extinct volcano, 11,204 feet high. The arcuate pattern in the center is a combination of ridges and sand dunes. The horizontal streak is a light leak.   S—65—34778

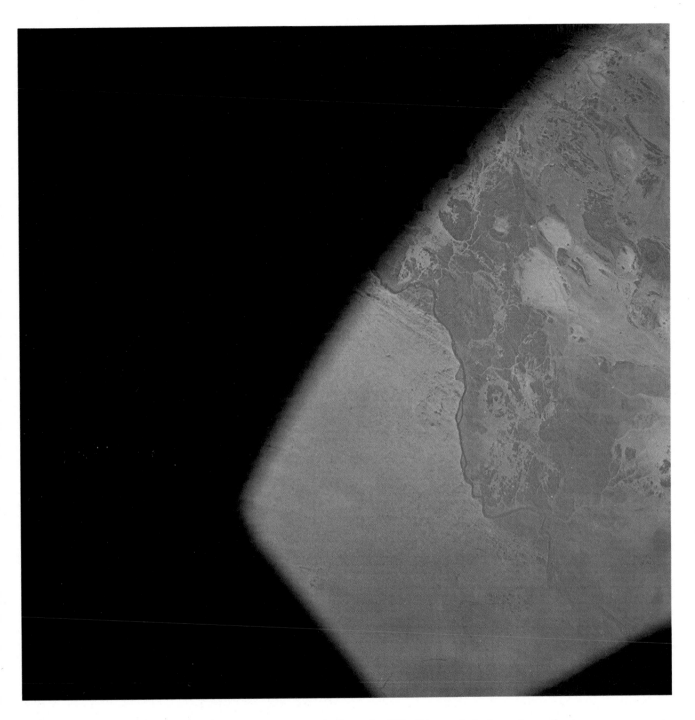

Partially obscured by the spacecraft window, the Nile River winds through northern Sudan, south of Wadi Halfa. The dark area is composed of igneous and metamorphic rock. To the left are sand and gravel flats.   S—65—34779

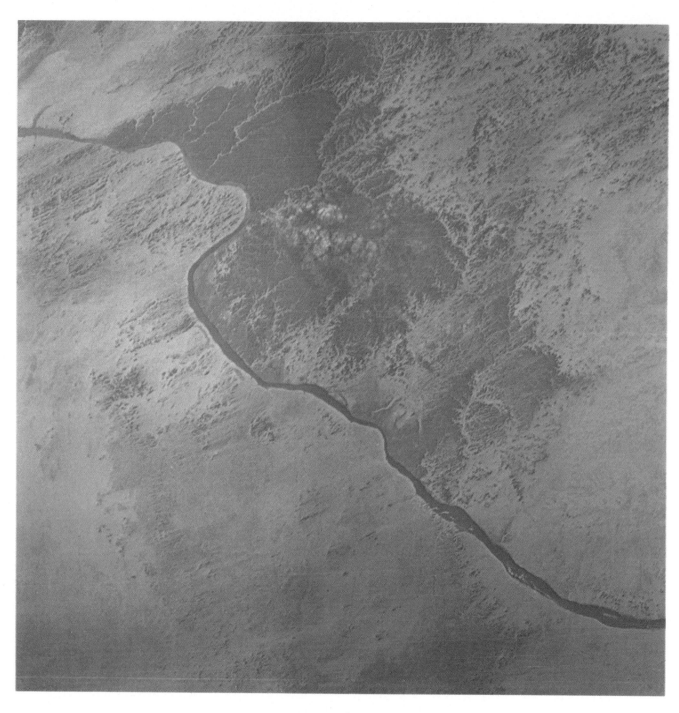

A view of the Nile River in the southern part of the United Arab Republic from the border of Sudan up to Wadi El'Allaqi. The dark areas consist of bare, igneous, metamorphic rock.

S—65—34780

50

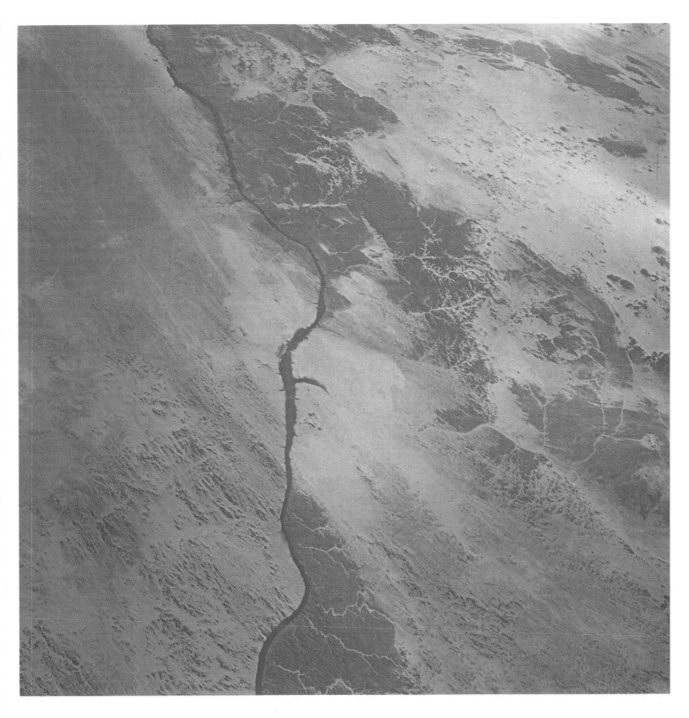

This photograph of the Nile River overlaps the preceding one, but extends further north. The Aswan Dam is visible at the top. Part of the area in the center will be covered by the future reservoir.   S−65−34781

A view of the southeastern part of the United Arab Republic, looking into the Eastern Desert in the Red Sea Province. The Nile River, just north of El'Allaqi, is visible in the lower left corner. The Hamiata Range is at the top right of the photograph. The dark areas are igneous and metamorphic rock of the Nubian Ramp, highlands bordering the Red Sea.

S—65—34782

Overlapping the previous frame, this photo of the southeast portion of the United Arab Republic shows volcanic highlands with several large extinct craters. The coast of the Red Sea is visible in the upper right corner.   S-65-34783

The coast of the United Arab Republic on the Red Sea viewed to the northeast. The peninsula at the right is Ras Banas, north of Foul Bay. At top left are the Hafafit Mountains. The drainage pattern is shown in the rectangular white lines to the right.

S—65—34784

54

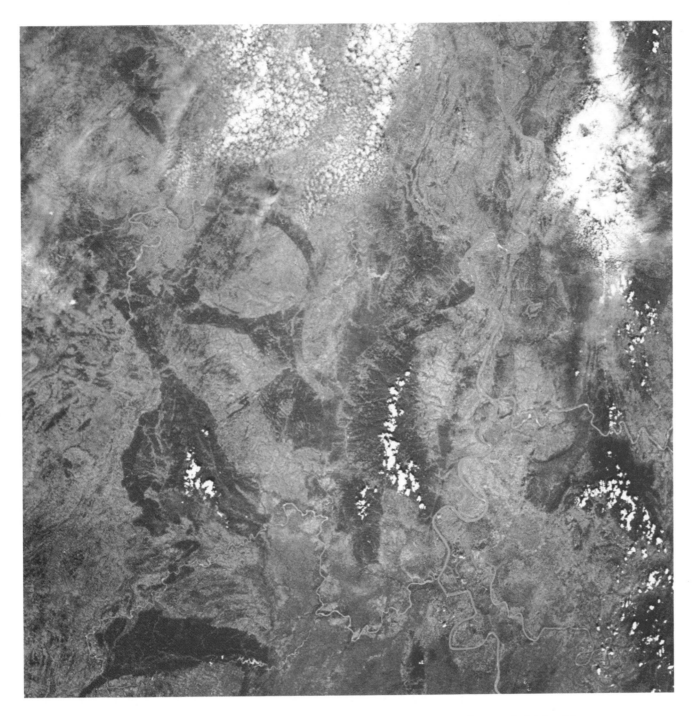

Hunan Province in mainland China, with the Hsiang River flowing north (right side of photo). The city of Hengyang is located at the triangular river junction in the lower right.

S—65—34786

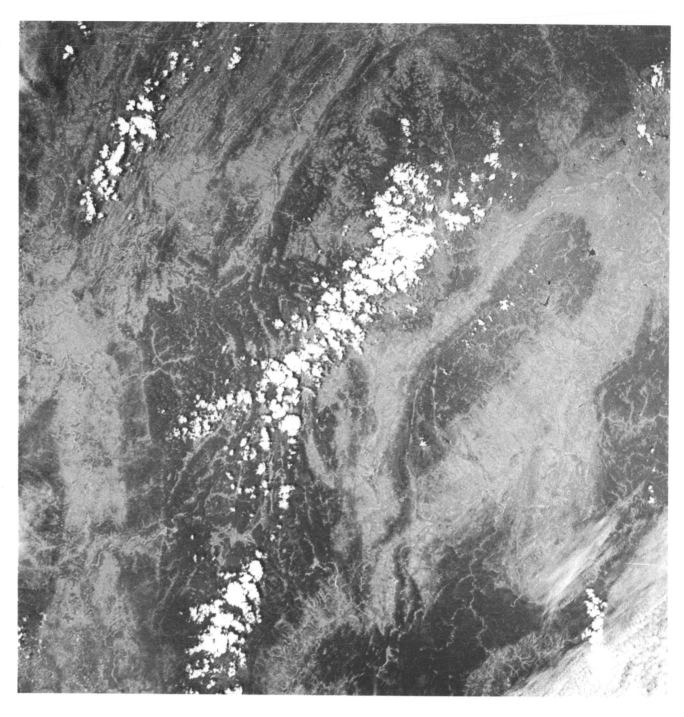

Another view of Hunan Province in mainland China just west of the area shown in the previous frame. The town of Yunghsin lies in the valley at right center. Yuhsien is in the valley at bottom left.

S—65—34787

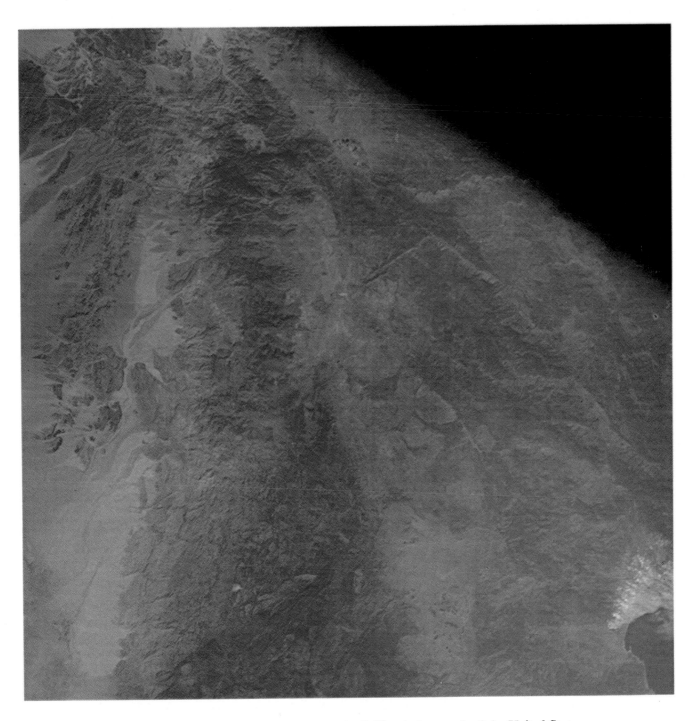

A photograph of the Mexican State of Baja California just south of the United States border, showing the Sierra de Juarez and Sierra San Pedro Martir. Linear valleys at upper right follow the Agua Blanca fault zone. Bahia de Todos Santos on the Pacific Ocean is visible in the lower right corner. This picture is the first of 39 consecutive stereoscopic frames taken over the southwestern United States and Mexico.

Moving eastward from the previous photograph, this view of northern Baja California just south of Mexicali shows the Sierra San Pedro Martir at the upper right. The Colorado River empties into the Gulf of California to the left. The white sinuous feature to the right of the gulf is a dry meandering stream.　　　　S—65—34762

The northern end of the Gulf of California and the mouth of the Colorado River dominate this view. River deposits of silt and underwater detail can be seen clearly. Baja California, Mexico, is on the right; northwest Sonora, Mexico, on the left. The large reddish area is the Great Sonora Desert. The white feature left of the Colorado River is a fault of the San Andreas system.

S—65—34673

The Great Sonora Desert in Mexico with the Gulf of California to the right. The large dark area is Cerro del Pinacate, a large volcanic field. The bottom topography of Bahia de Adair in the upper left corner is clearly discernible. S—65—34674

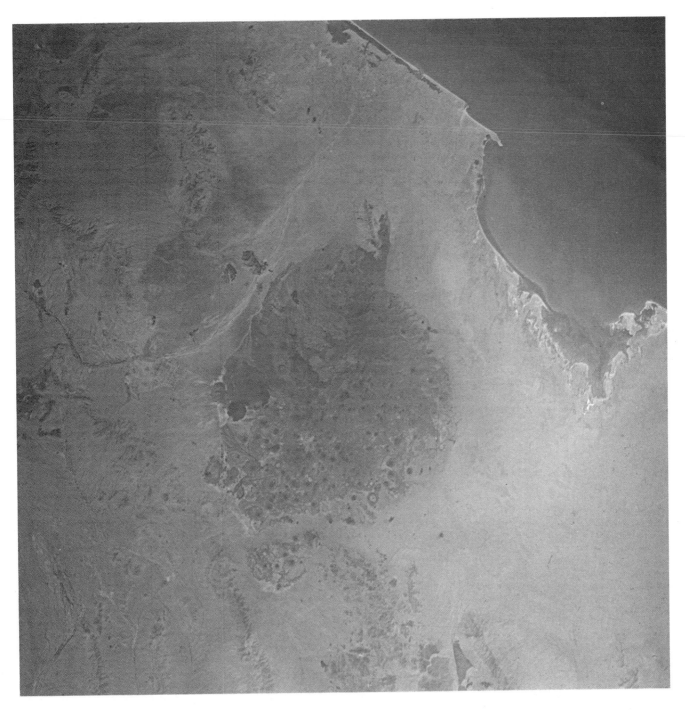

The border area between northwestern Sonora, Mexico, and southern Yuma County, Arizona. Cerro del Pinacate is in the center. The Great Sonora Desert lies at bottom.

S—65—34675

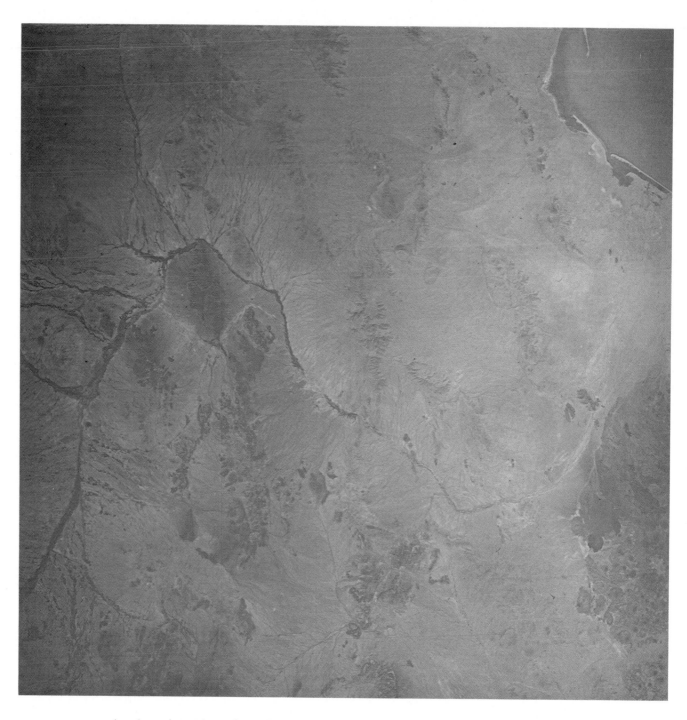

Another view of northern Sonora, Mexico, and southern Arizona, featuring the Sonoyta River. The Gulf of California and Cerro del Pinacate are visible on the right. The Mexico-United States border runs from upper left to lower right.   S—65—34676

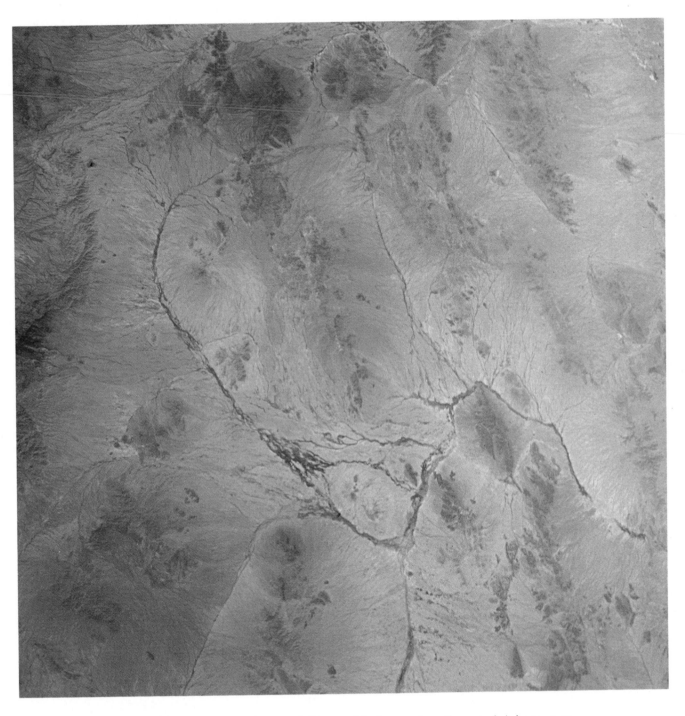

This frame showing north central Sonora, Mexico, and south central Arizona overlaps the preceding one.   In the center is the Sonoyta River.   S-65-34677

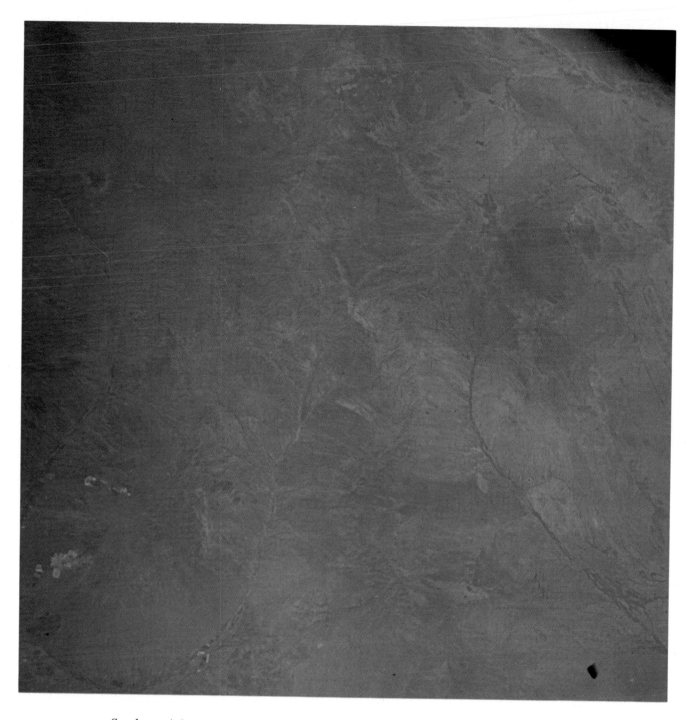

Southern Arizona and northern Sonora, Mexico, with the Baboquivari mountain range at the bottom center and the Tucson Mountains to the lower left. The white patches are open pit mines. The Santa Cruz River, outlined by cultivated land, runs along the left edge of the picture. The site of Kitt Peak Observatory is in the lower center.

S—65—34678

This view of southern Arizona overlaps the one in the preceding photograph. Tucson is at lower left. The Santa Cruz River bisects the picture. The broad, light area to the right of the river is a pediment, an erosional surface veneered with stream gravels, typical of deserts. The small dark patches within this area are lava flows of Quaternary age.

S—65—34679

Southern Arizona east of Tucson.   The dark sickle-shaped area at lower left is the
Rincon Mountain Range.

S—65—34680

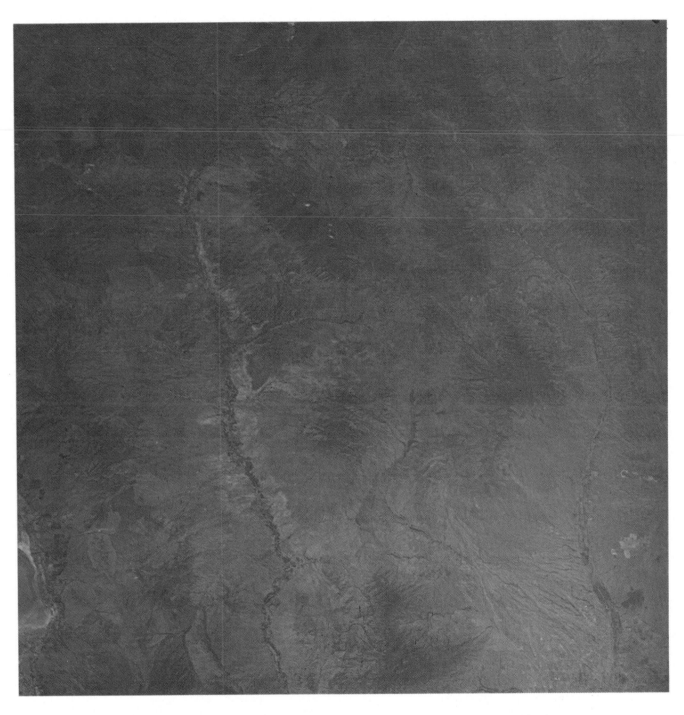

Another view of southeastern Arizona, showing the San Pedro Valley, dotted by farms, at left center. The Willcox Dry Lake is visible in the lower left corner. S—65—34681

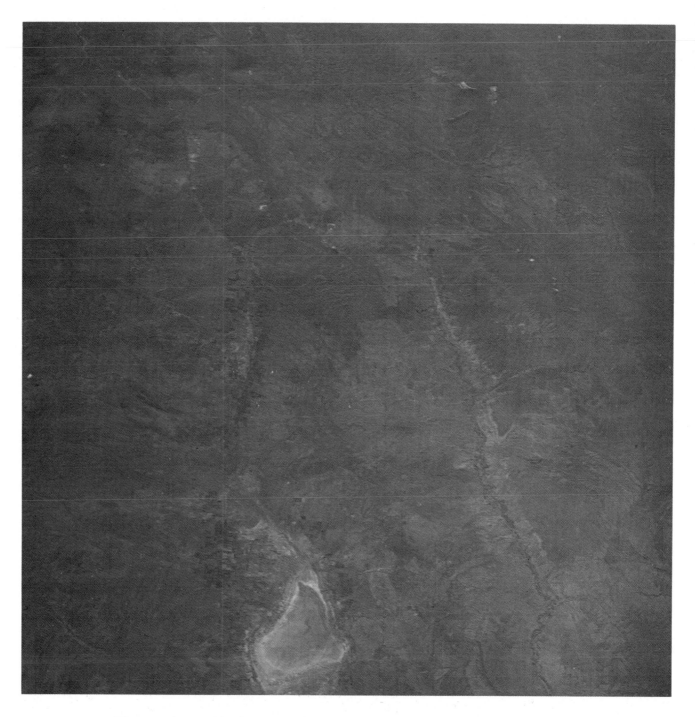

The prominent white feature at the bottom of this photograph is the Willcox Dry Lake in southeast Arizona. The San Pedro Valley is to the left and the Mule Mountains are in the upper center. The mines of Bisbee, Arizona, are visible south of the Mule Mountains.

S—65—34682

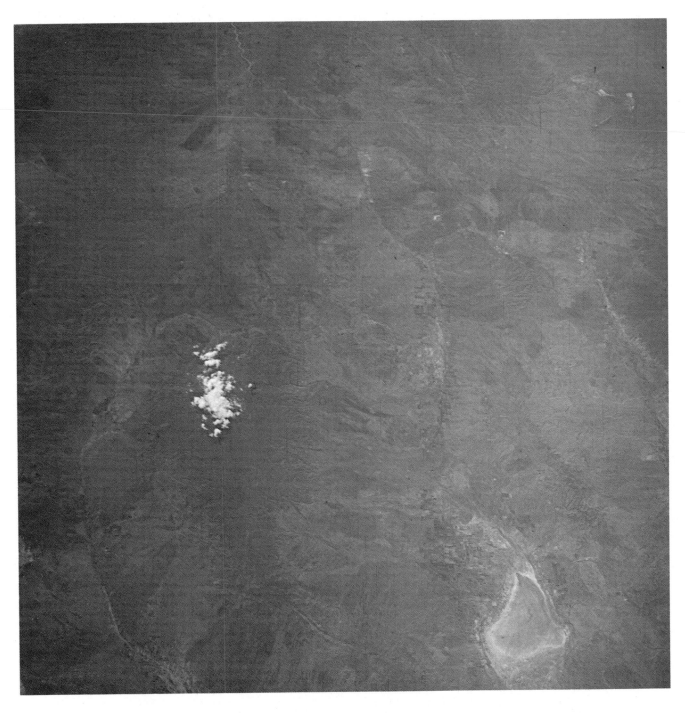

The Willcox Dry Lake (lower right) in Arizona with Sulpher Springs below it. The cloud-covered mountains are the Chiricahuas. The New Mexico-Arizona border is to the left.

S—65—34683

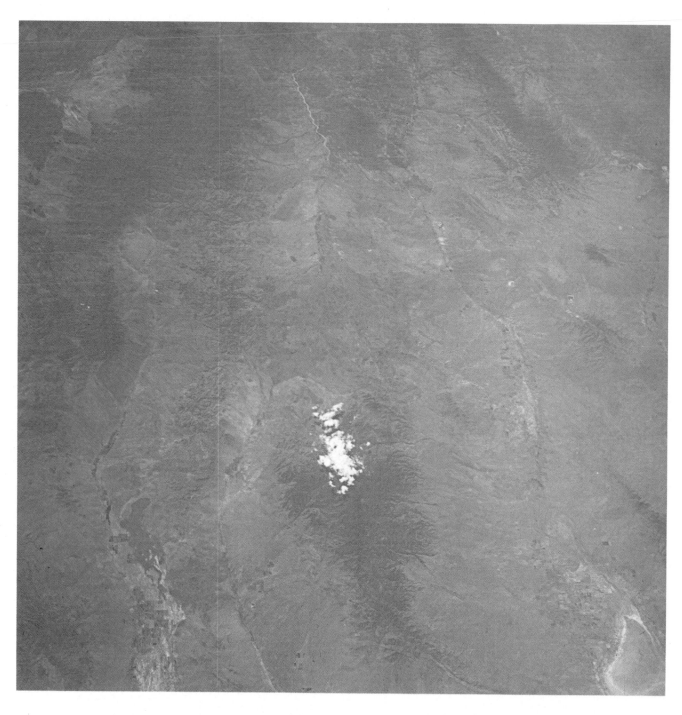

This photo largely overlaps the preceding one.   The Chiricahua Mountains, under
cloud cover, are at the bottom.

70

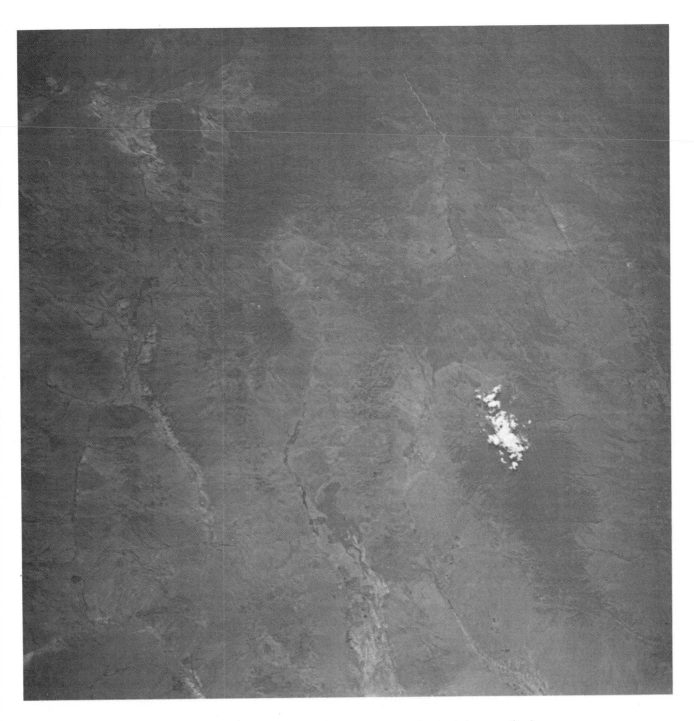

The dark area at lower right is the Chiricahua Mountains in Arizona. In the center of the photograph, running north-south, are the Peloncillo Mountains. To the left of center are the Animas Mountains, including the 8,519-foot high Animas Peak. The Alamo Hueco Mountains are at upper left.

S—65—34685

This photograph covers the entire New Mexican Panhandle, as well as parts of northwest Chihuahua and northeast Sonora in Mexico (top of photo). The view is to the southwest.

72

The light-colored linear range at the bottom center of the photograph is the Cedar Mountains in southwest New Mexico. The dark circular hills to the left of this range are the Sierra Carizarilla, a relatively unknown volcanic field of Quaternary age located in Mexico. This picture shows the transition from folded mountains typical of the Sierra Madre Oriental (dark sinuous ridges at upper left) to the block-faulted mountains such as the Cedar Range of the Basin and Range Province. S—65—34687

73

The Florida Mountains in southern New Mexico are at the lower left. The elliptical surfaces surrounding them are pediments. Most of the ranges in this area are folded Cretaceous sedimentary rock or Tertiary or Quaternary volcanic rock. Beginning with this picture the pronounced southward tilt of this series of photographs becomes apparent.

S—65—34688

74

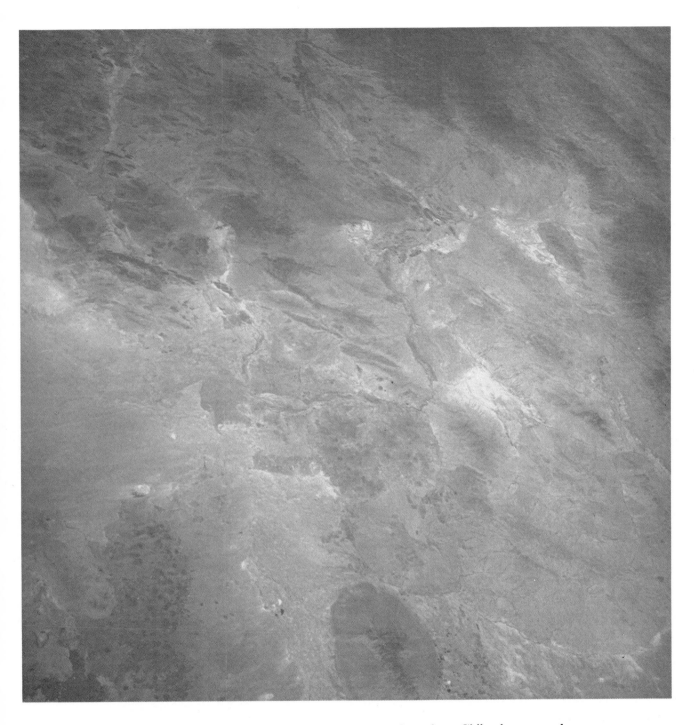

This photograph of south-central New Mexico and northern Chihuahua was taken as the spacecraft was at perigee of approximately 100 nautical miles. At lower left are Quaternary volcanoes of the West Potrillo Mountains. The black rimmed crater in the lower left corner is Kilborne Hole, a maar (explosive volcano) now extinct. The large array of black hills in the center is the Sierra Carizarilla in Chihuahua, Mexico.

S—65—34689

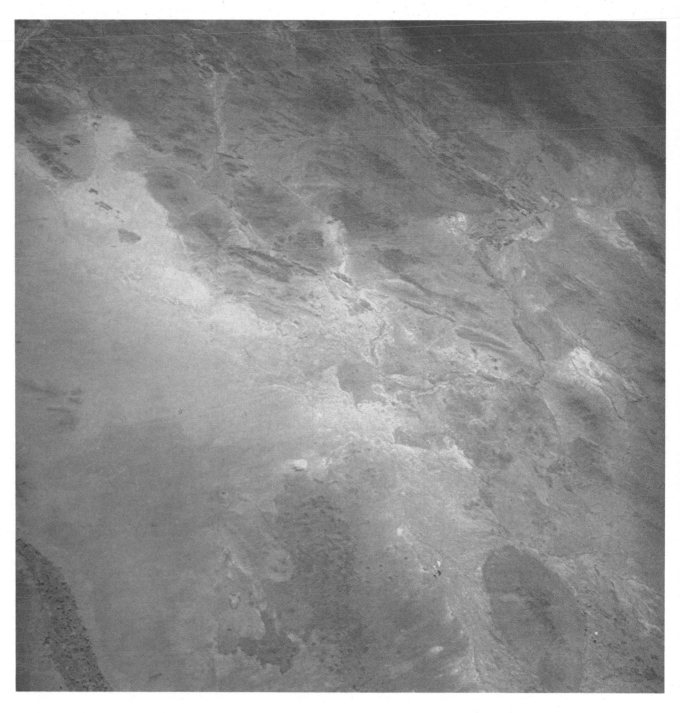

South-central New Mexico and northern Chihuahua, Mexico. The dark hills at bottom center are the West Potrillo Mountains with volcanoes and lava flows of Quaternary age. The Rio Grande is seen in the lower left corner.   S—65—34690

76

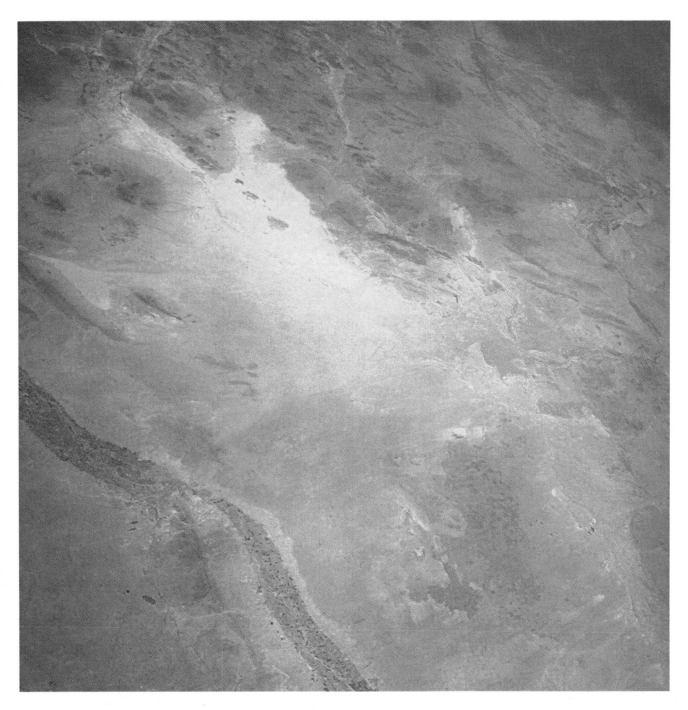

Another view of south-central New Mexico, with the West Potrillo Mountains (bottom right). El Paso and Juarez are located at the bend in the Rio Grande where the area of cultivated land increases (lower left). The Franklin Mountains below El Paso are folded Paleozoic sedimentary and igneous rock. The linear ranges in Mexico (left, above the river) consist chiefly of folded Cretaceous sedimentary rock.

S—65—34691

Chihuahua, Mexico, the valley of the Rio Grande, and south-central New Mexico with the Juarez-El Paso metropolitan area (below center). The Tulsa Rosa Valley is to the lower left of El Paso. The dark areas in the far left corner of the picture are the Hueco Mountains, underlain by upper Paleozoic limestone and other sedimentary rock. The Sierra de San Luis are seen at top right.   S—65—34692

Parts of New Mexico, Texas, and Chihuahua, Mexico, are included in this photograph. The Rio Grande bisects the picture, occupying the Hueco Basin and following the trend of the folded mountains comprising the northwestern part of the Sierra Madre Oriental and the Quitman, Van Horn, and Chinati Ranges in Transpecos Texas.

S-65-34693

South-central New Mexico, northern Chihuahua, Mexico, and west Texas, overlapping the previous frame.   The Diablo Plateau, top center, is underlain by upper Paleozoic sedimentary rock, chiefly sandstones and limestones.   The Cornudas Mountains, small igneous intrusions of Tertiary age, are seen at the bottom of the photo.   S—65—34694

A view to the south with the Cornudas Mountains at bottom center. The fore-shortening to the bottom of the picture is a result of camera tilt, which also accounts for the dark color. The white area in the lower left corner is the Salt Basin of west Texas and southern New Mexico. S—65—34695

The area shown encompasses parts of southern New Mexico, western Texas, and northeastern Chihuahua, Mexico. The Salt Basin is at bottom center and contains playas. The Delaware Mountains are the dark linear range just northeast of the basin. Guadalupe Peak is visible at bottom center. S—65—34696

Southeast New Mexico and west Texas with Chihuahua, Mexico, in the background.
The Guadalupe Mountains, at lower right, are composed of folded and faulted upper
Paleozoic sedimentary rock.   The dark northwest-trending range in the center of the
photograph, bounding the Salt Basin, is Sierra Diablo.   S—65—34697

An oblique view to the southwest of New Mexico and Texas. The Rio Grande and the Sierra Madre Oriental are seen at the top of the photo. Red Bluff Lake, formed by a dam on the Pecos River, is at lower right. The dark range at left center is the Davis Mountains, a large volcanic field.

S—65—34698

84

A second view of the Davis Mountains (left of center) and Red Bluff Lake (lower right) near the New Mexico-Texas border. The area above and to the right of the lake is underlain chiefly by gently dipping upper Paleozoic rock.   S-65-34699

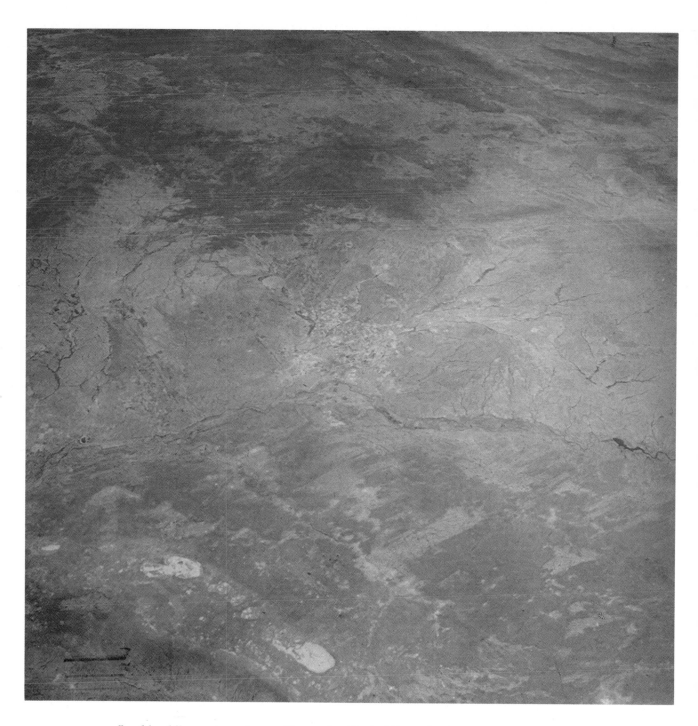

In this oblique view of west Texas, the Davis Mountains are seen at top center. Below them the Toyah Basin is outlined by the patchwork pattern typical of farm land. The white arcuate area to the lower left is a sand dune field. The Mescalero Escarpment at bottom center forms the western boundary of the Staked Plains.

S—65—34700

The rectangular grid array of dots along the bottom edge of this photograph are oil wells in the Permian Basin of west Texas. Smoke from a carbon black plant west of Odessa is visible as a small black smudge at lower left. The linear ridges to the upper left are the Glass Mountains, underlain by Upper Pennsylvanian sedimentary rock. Above and to the left of these ridges are the folded Paleozoic rock of the Marathon Basin, considered to be structurally an extension of the Appalachian Mountain Range.   S-65-34701

This photograph gives a clear view of Midland and Odessa in Texas (bottom and lower center, respectively) and the highways and railroads connecting the two cities. The dark patch at lower left is damp soil reflecting the path of heavy rain the previous day. The rectangular pattern and dots in the lower right corner are oil and gas wells of the Permian Basin.

S—65—34702

An oblique view to the southwest, with the Edwards Plateau area of west Texas to the lower left. A dendritic drainage pattern is accentuated by vegetation and valleys in this semi-arid region. The Stockton Plateau is at upper left. Both plateaus are underlain chiefly by flat-lying Cretaceous sedimentary rock.   S–65–34703

The area of Texas covered in this photograph almost completely overlaps the previous frame. Reservoirs are visible in the lower right. The Concho River drainage system is to the lower left.

S—65—34704

The Edwards Plateau region of west Texas. The dark area to the lower left is a continuation of rain-darkened ground shown in the preceding photographs.

S—65—34705

Another view of the Edwards Plateau in west Texas, moving toward San Angelo.

S–65–34706

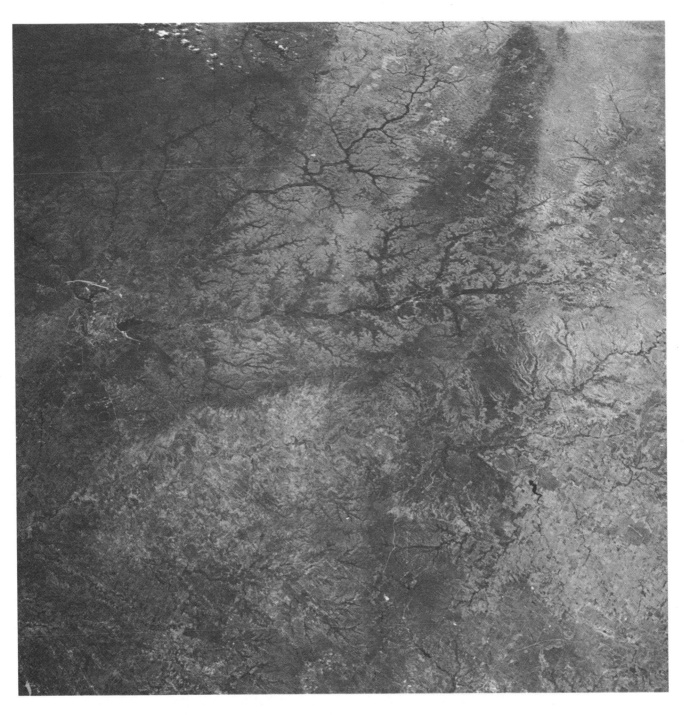

The city of San Angelo, Texas, is seen on the left. A flood control project (white line) at the junction of the North, Middle, and South Concho Rivers will form the San Angelo Reservoir. The circle shown below the city is a tire-testing track.

S—65—34707

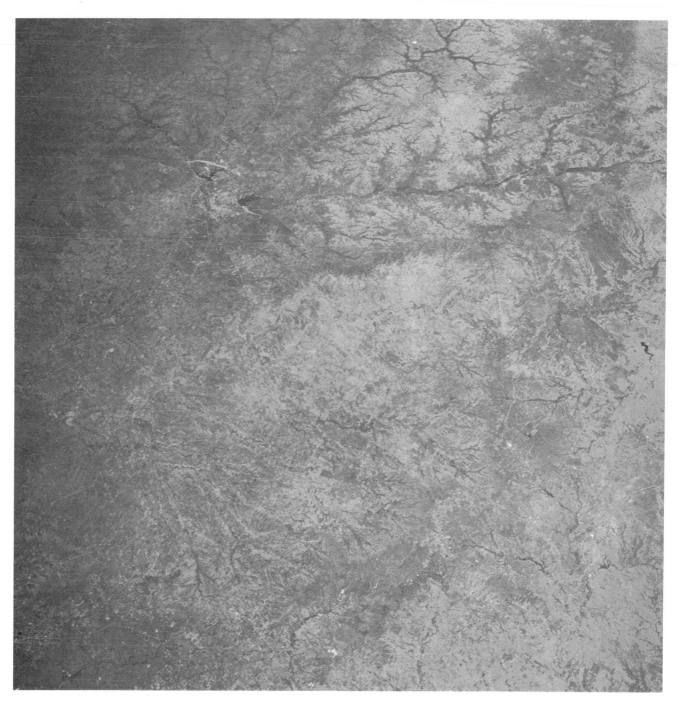

A second view of San Angelo, Texas, with numerous highways visible. The Concho River system, which joins at San Angelo, branches off in the upper half of the picture.

S—65—34708

94

Abilene, Texas, is seen in the lower right corner of this photograph, the last of a continuous series of 39 stereoscopic frames taken during a 4-minute time period. Further coverage of the southwestern United States was not possible because of intervening clouds, visible to the left.

S-65-34709

Layers of cumuloform clouds cover parts of western Florida, southern Alabama, and southwestern Georgia. The occasional banded structure of the higher cloud level is seen clearly. Part of the Jim Woodruff Reservoir is visible left of center. s—65—34712

This photograph of central Florida, with Cape Kennedy in the foreground, shows the development of convective clouds during the day. The alignment of the cumulus cloud rows in an east-west direction and the lack of extensive cloud development along the Atlantic coastline suggest that the low-level winds are easterly. The Lake Okeechobee area to the left is cloud-free because the underlying surface is relatively cool.

S—65—34717

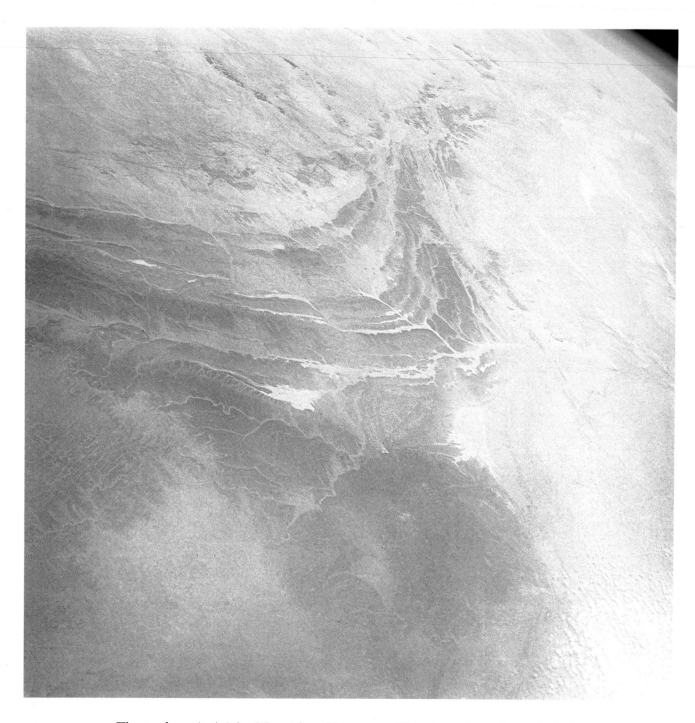

The southern Anti Atlas Mountains of Morocco. The photo shows the south limb of the Tindouf Basin, a large synclinal structure, overlain by sedimentary rock of the Hamada du Dra (foreground). The streamlike patterns are sandy, dry river beds.

S—65—34810

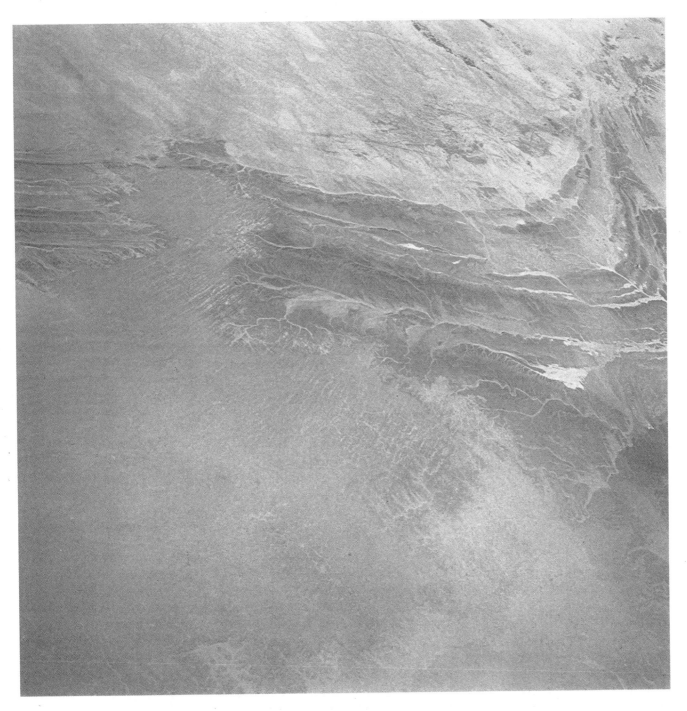

Hamada du Dra in Morocco and southwest Algeria. The linear pattern on the left
is probably the topographical expression of fractures.   S–65–34809

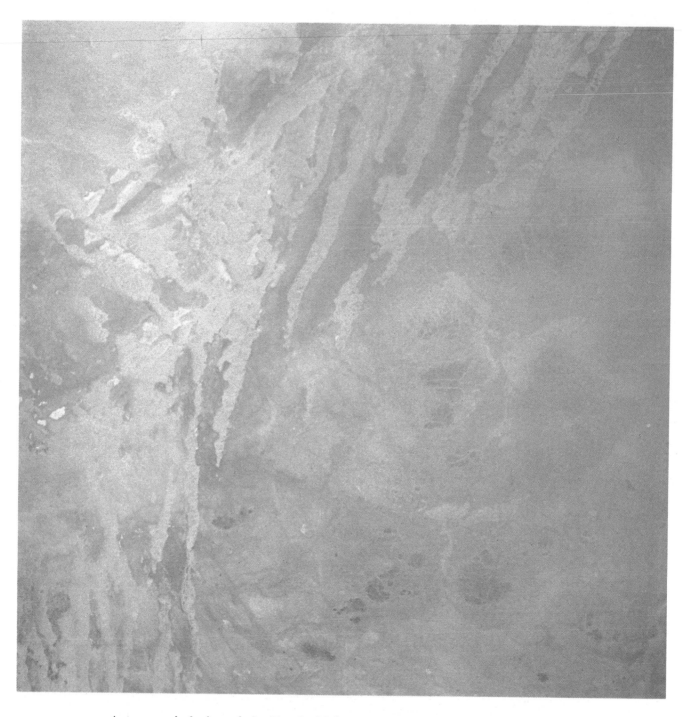

A near-vertical view of the Erg Iguidi in southwest Algeria, showing sand dune chains overlying Precambrian igneous and metamorphic rock. The dark areas are chiefly rhyolitic intrusives; the white areas are salt flats (playas). S—65—34807

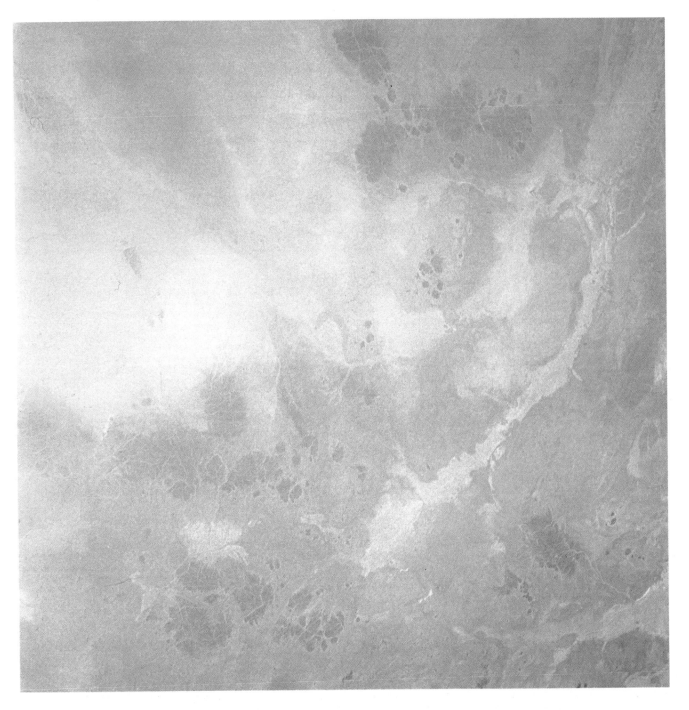

Northern Mauritania and southwestern Algeria in the El Eglab-El Hank region, an area underlain by Precambrian igneous and metamorphic rock. The picture is obscured by sunlight striking debris on the spacecraft window.   S-65-34806

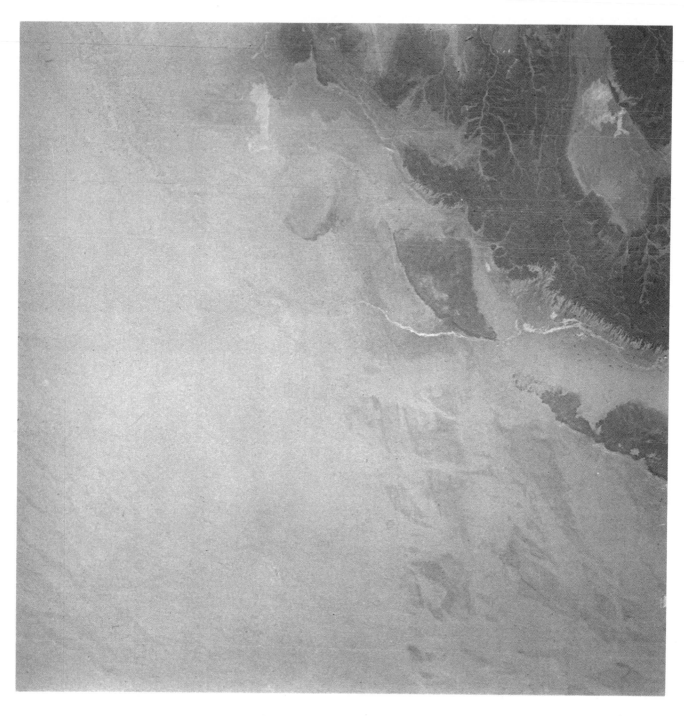

This view is to the northeast over the Assedjrad Escarpment in south central Algeria. The town of Ouallene is near the center of the picture. The dark areas at the upper right are cliffs and mountains of lower Paleozoic sedimentary rock.   S—65—34803

102

Another frame of the Assedjrad Escarpment in south central Algeria, taken a few seconds after the preceding one.   S–65–34802

103

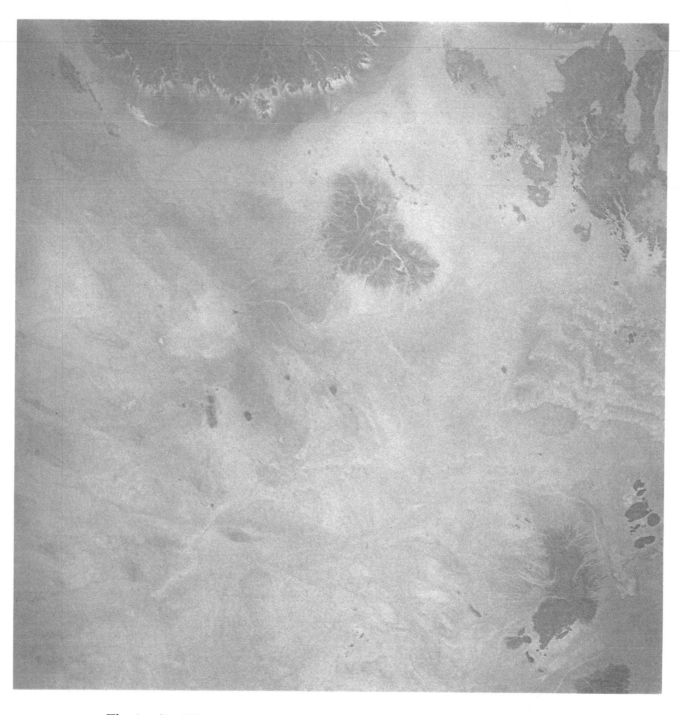

The Assedjrad Escarpment and the Erg Afarag in south central Algeria. The area overlaps that shown in the preceding photograph.   S–65–34801

104

The Ahaggar in south central Algeria, the major massif of the Sahara Desert, is underlain by intensely fractured Precambrian gneisses and schists, and by Quaternary volcanics.   S–65–34799

105

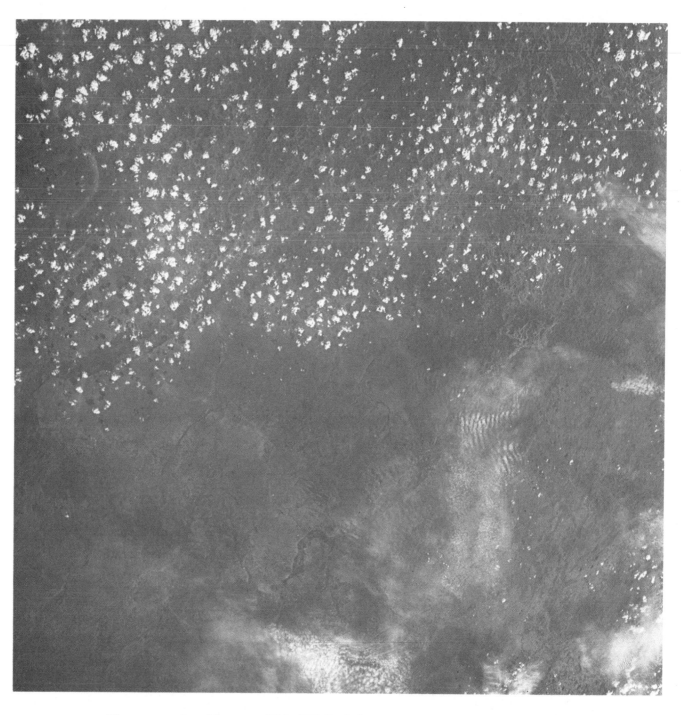

The eastern edge of the upper White Nile Basin in eastern Sudan and western Ethiopia. The dark regions under the dotted clouds are swampy areas. S-65-34798

106

The large narrow body of water in the middle of this photograph is Lake Rudolph, which borders the southeast edge of Sudan, the southwest edge of Ethiopia, and extends into northwest Kenya. S—65—34796

The Atlantic coastline southwest of Charleston, South Carolina, is visible in the upper right corner. Developing cumulus cloud lines are oriented southeast-northwest over eastern Georgia and southern South Carolina. They are about 1½ miles apart near the center of the picture.

S—65—34791

GEMINI V

On August 21, 1965, Gemini V was launched from Cape Kennedy at 1400 G.m.t. The flight, which ended August 29, took 190 hours and 55 minutes. During the 120 orbits Astronauts L. Gordon Cooper and Charles Conrad, Jr. took 250 photographs of the earth and clouds. On the following pages 145 of them are reproduced. The camera was a NASA-modified hand-held Hasselblad, Model 500C with a Zeiss Planar 80-mm. lens. Three of the films used were Ektachrome MS (S.O.–217); the fourth roll was Anscochrome D–50. Apogee was 215 miles and perigee 100 miles.

Stratocumulus clouds form a pattern of rows and individual cells in this view of the Pacific Ocean off the southern California coast. The shoreline of Baja California is near the horizon. The break in the cloud cover on the right marks the location of Guadalupe Island.

S—65—45674

111

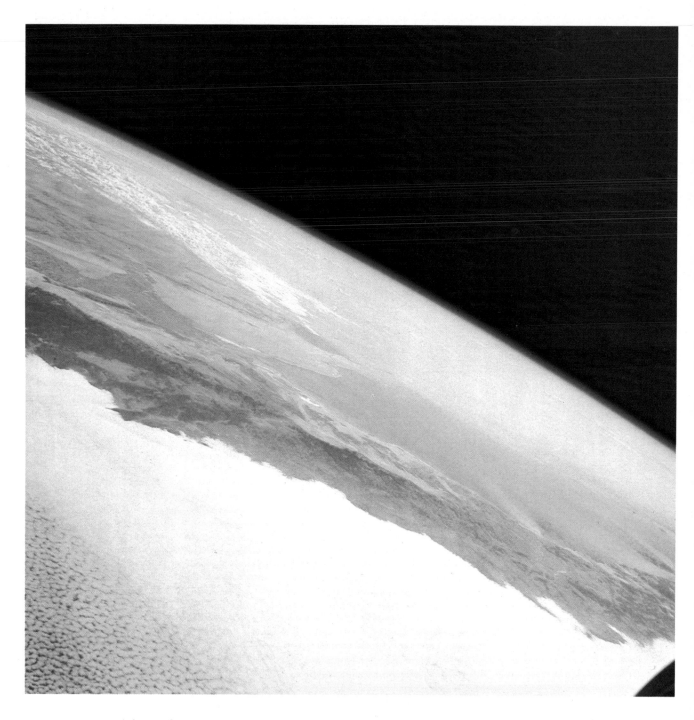

A layer of stratocumulus clouds lies along the Pacific coast of Baja California. Across the Gulf of California, a thick haze covers much of northwestern Mexico. The band of convective clouds seen at top left stretch from Sonora, Mexico, into southwestern United States. At center left, in Baja California, the aligned valleys follow the Agua Blanca fault zone and the fault boundaries of the Sierra de Juarez. S—65—45676

The view looks eastward across central Alabama, Georgia, and South Carolina. The Atlantic coastline is marked by an abrupt end in the convective cloud pattern near the horizon. In the upper portion of the picture, well-defined cloud streets depict the airflow. This band structure is disrupted by the development of cumulus congestus and cumulonimbus (center and lower right). A major thunderstorm complex can be seen in the lower right corner.   S—65—45679

113

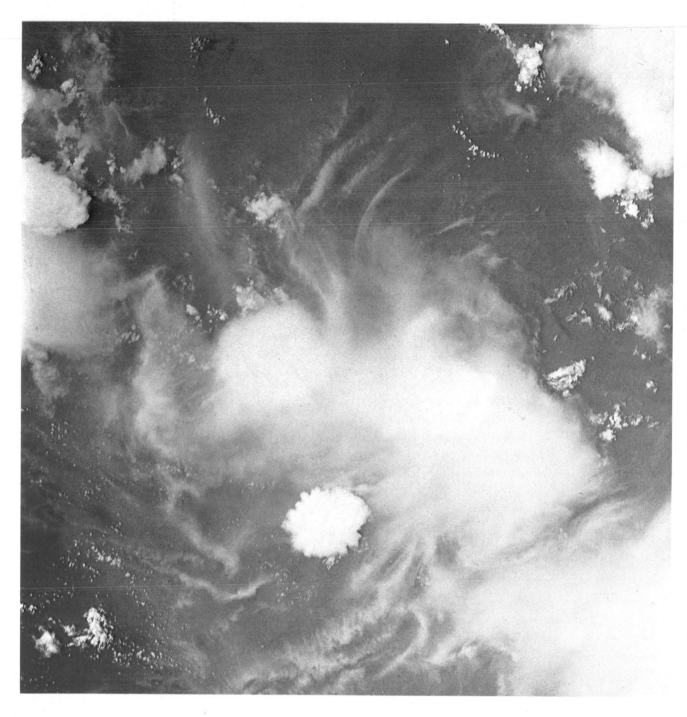

Thunderstorm activity southeast of Bermuda over the western Atlantic Ocean. Two cumulonimbus clouds are visible through the cirrus area in the center of the picture, as a third one develops nearby.

S—65—45681

114

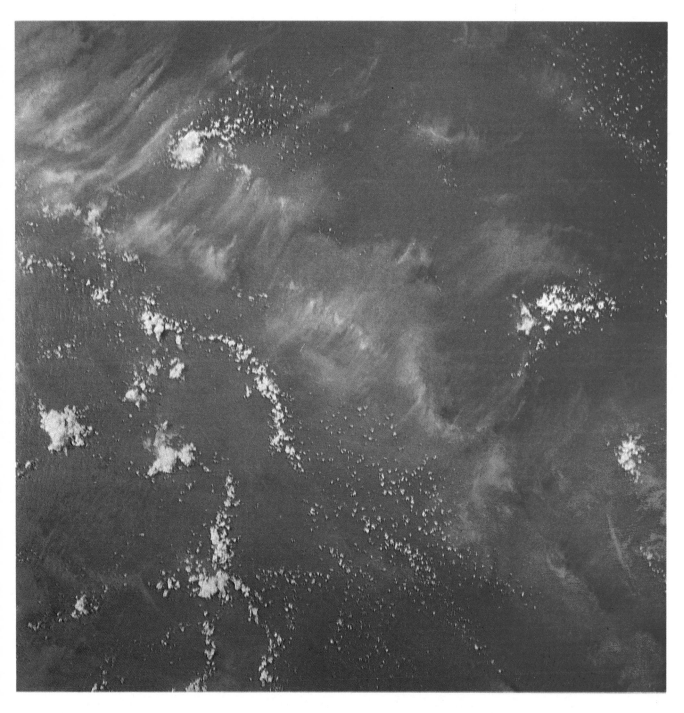

A band of cirrus clouds extends diagonally across this picture of the western Atlantic Ocean, southeast of Bermuda. Composed of ice crystals, such clouds may be found as high as 12 miles in tropical regions. Also present are cumulus clouds, composed of water droplets suspended at heights up to several miles. Sea swells are noticeable in an area of sun glitter (left).   S-65-45682

Trade wind cumuli are arranged in polygon-shaped cells, rows, and forked lines in this photograph east of the Lesser Antilles in the Atlantic.   S—65—45686

Tropical convective clouds covering the Atlantic Ocean off the coast of French Guiana. The cumulus towers inject water vapor into the upper atmosphere where cirrus clouds of ice crystals form from the vapor.   S—65—45687

This southwesterly view of the Atlantic coastline of South America extends from Cape Raso in northeast Brazil on the left to northeast Surinam on the right. Clouds producing afternoon showers dot the land area.   S—65—45688

The edges of these clouds over the central North Pacific near Wake Island are illuminated by early-morning sunlight. The turretlike tops of some of the clouds to the right indicate that thunderstorms and rainshowers are occurring.　S–65–45691

A view of the Pacific Ocean north of the Hawaiian Islands. The wake of a ship is visible in the top center of the photograph. Astronauts Cooper and Conrad sighted the wake and noted it in their log book before taking the photograph.   S—65—45695

The Pacific Coast, with the Los Angeles Basin obscured by smog (upper center) and a clear view of Santa Barbara (upper left). The cellular pattern of the stratocumulus cloud cover over the cool, offshore waters is indicative of the inversion layer of warm air, several thousand feet above the ground, which covers the basin a large part of the year.　　　　　　　　　　　　　　　　　　　　　　　　　S-65-45696

Guadalupe Island in the Pacific Ocean seen through an opening in stratocumulus cloud cover. Punta Eugenia, at upper left, is free of clouds while several thunderstorms tower over the southern end of Baja California near the horizon. The cloud patterns around Guadalupe Island reveal the nature of the airflow in its vicinity.

S—65—45697

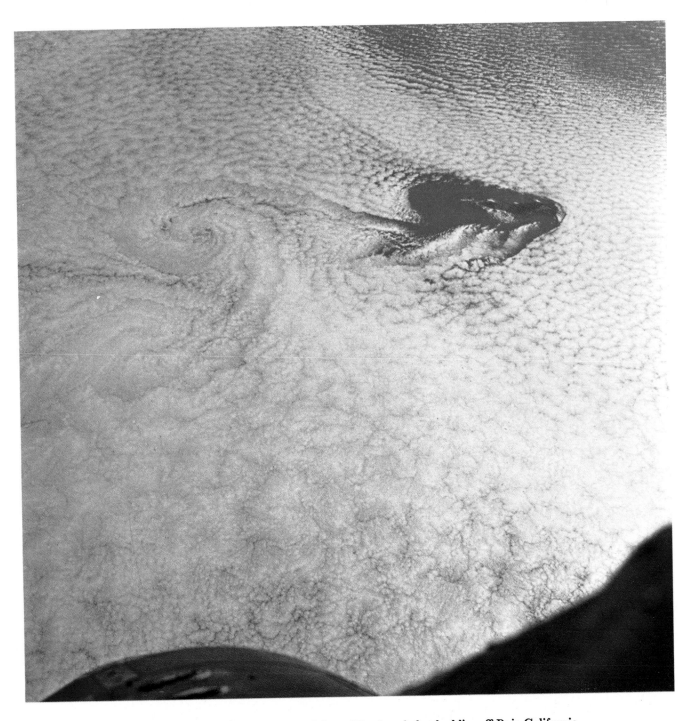

Another view, looking west, of Guadalupe Island and cloud eddies off Baja California. A V-shaped line resembling a shock wave is seen at the northern end of the island. Farther south, several eddies have formed spirals rotating in opposite directions.

S—65—45698

123

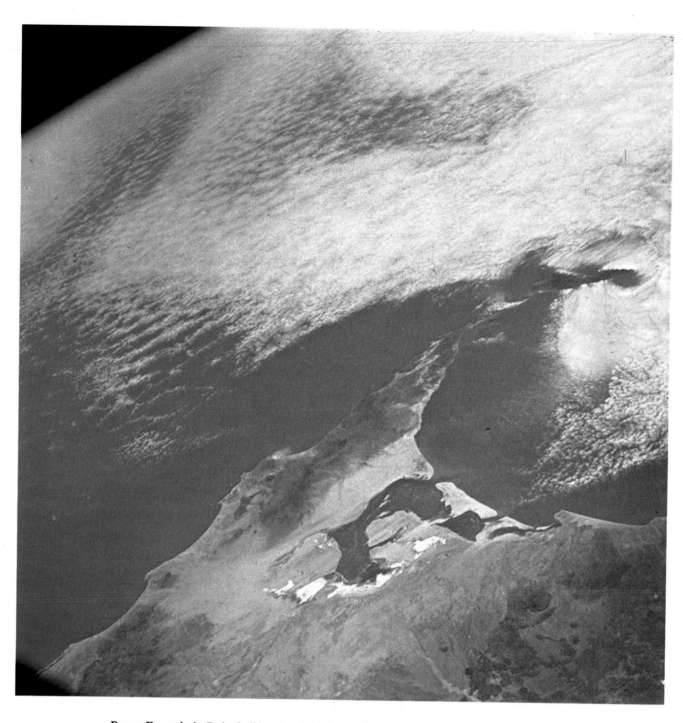

Punta Eugenia in Baja California with Isla Cedros visible under cloud cover at center right. Sierra Vizcaino, the mountain range south of Punta Eugenia (center) is underlain by Mesozoic metamorphic rock and upper Cretaceous sediments. The Vizcaino Desert lies in the embayed area. The dark area seen at bottom right is underlain by Eocene sedimentary and Mesozoic igneous rock. S—65—45699

A view across the Gulf of Mexico, showing Baja California and Angel de la Guarda Island to the left. Both areas are underlain by Mesozoic igneous rock, chiefly granitic batholiths. On the lower right, Cape Lobos in Sonora, Mexico, is partially obscured by the spacecraft. S—65—45700

The coast of Sonora and Tiburon Island, Mexico. The coastal area seen on the right
is underlain by Cenozoic instrusive and extrusive igneous rock. Tiburon is composed
of Cenozoic volcanic rock. Part of Angel de la Guarda Island and Baja California
are visible at top left.

S—65—45701

Seen in this photograph, from left to right, are the Pacific Ocean, Baja California, the islands of Angel de la Guarda and Tiburon in the Gulf of California, and the Sonora coast in Mexico. The Baja California area at lower left is composed of middle Cenozoic volcanic rock; the area to the north is composed of Mesozoic instrusive rock.

S—65—45702

This oblique view of the head of the Gulf of California extends to the Mexico-United States border area with Sonora to the right. At upper center, the dark circle is Cerro del Pinacate, a large volcanic field. The Imperial Valley of California and the Salton Sea are visible above and to the left. The islands in the Gulf are Tiburon and Angel de la Guarda.

S–65–45703

A view along the east coast of the Yucatan Peninsula. The alignment of the cumulus clouds indicates a low-level air flow from the Caribbean Sea. Scattered cumulonimbus clouds are injecting cirrus clouds into the upper region of the troposphere. A section of the main highway west of Chetumal in Quintana Roo, Mexico, is visible near the lower right. Shoal water surrounding many of the offshore islands can be seen clearly.

S—65—45704

The Caribbean coastline of Honduras and Nicaragua looking southeast. Rio Coco, with its oxbow bends, runs through the center of the picture to Cape Gracias a Dios and forms the boundary between the two countries. Rio Patuca can be seen in the lower right corner. Small, cumulus clouds are prevalent at a lower level of the atmosphere.

S—65—45705

Included in this view of the Himalaya Mountains are parts of Nepal, Tibet, Sikkim, and Bhutan. The Kanchenjunga Massif, 28,208 feet above sea level, is in the center of the photograph near the Nepal-Sikkim border. The city of Darjeeling and the Tista River are near the bottom right corner. S—65—45709

131

The Great Himalaya Range is in the foreground of this view of Bhutan and Tibet. Part of the Brahmaputra River is visible near the center. The lakes in the background include Kyaring, Natzsong, and Addan.

S—65—45710

The Nyenchen Thanglha Mountain Range of Tibet crosses the center of the picture.
Nam Tsho (lake) lies immediately above the range.   Below, across the lower portion
of the photograph, is the Brahmaputra River.   The lakes and highlands of northern
Tibet form the background.   S—65—45711

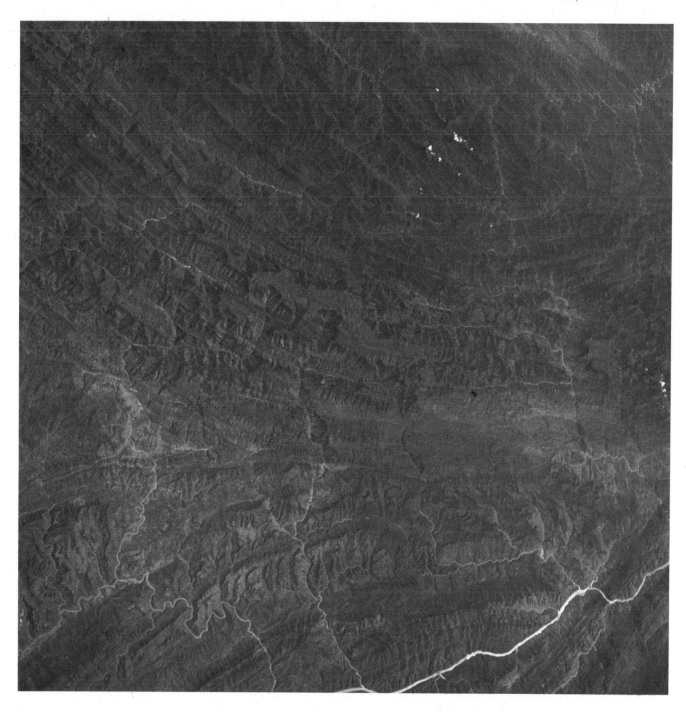

This vertical view covers parts of Szechwan, Hupeh, and Shensi Provinces in mainland China. The Yangtze River is visible to the bottom right of the photograph.
The city of Fengchieh is on the far lower right at the confluence of the Yangtze and
one of its tributaries. Folded sedimentary rock predominates in the area.

S—65—45713

134

Shensi Province in mainland China with the Wei (Yellow) River at upper left and the city of Hsian near the center top of the photograph. The Han River system is in the center and lower right.   S–65–45714

This view of Japan looks across the Eastern Channel of the Korea Straits.   Honshu
Island is to the right, Kyushu Island to the left, and Tsushima Island in the upper left
corner.   In the foreground is the Gulf of Suo Nada.   S–65–45715

An oblique view of seif dunes in the Empty Quarter area of Saudi Arabia.

S—65—45716

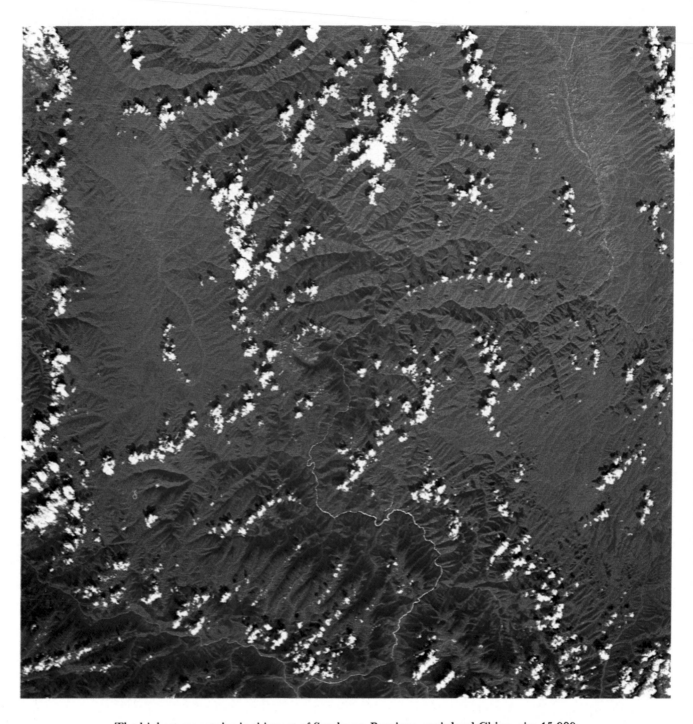

The highest mountains in this part of Szechwan Province, mainland China, rise 15,000 feet above sea level.   The cultivated region in the upper right portion of the picture is Ch'iao-ko-a-ma.   Prominent in the lower center is the Tachin River, which leads into the Min River.

S—65—45717

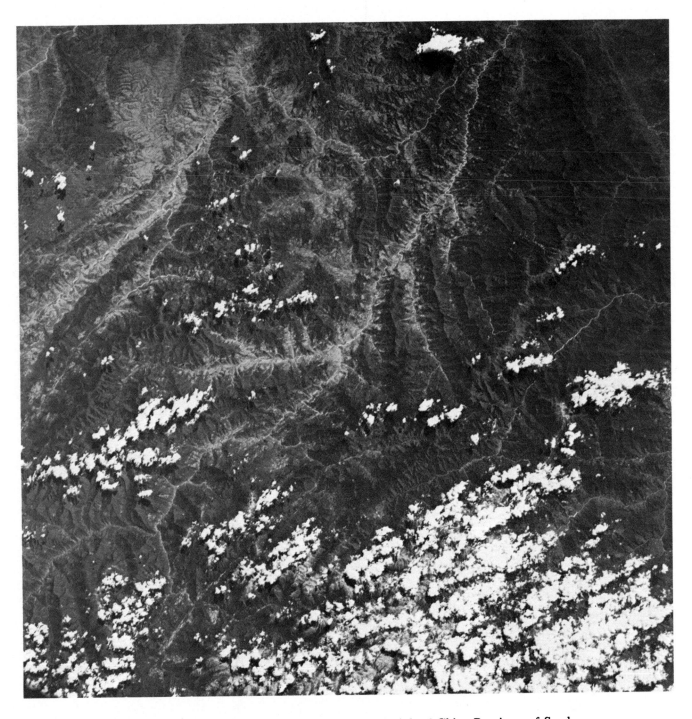

The Pailung Chiang (or Chialing) River in the mainland China Provinces of Szechwan and Kansu winds from left center edge to upper right, where it is joined by the Paishui Chiang. The Yung Feng Shan Mountains are covered by the clouds at lower right. The city of Wutu is in the light-colored valley at upper left. S—65—45718

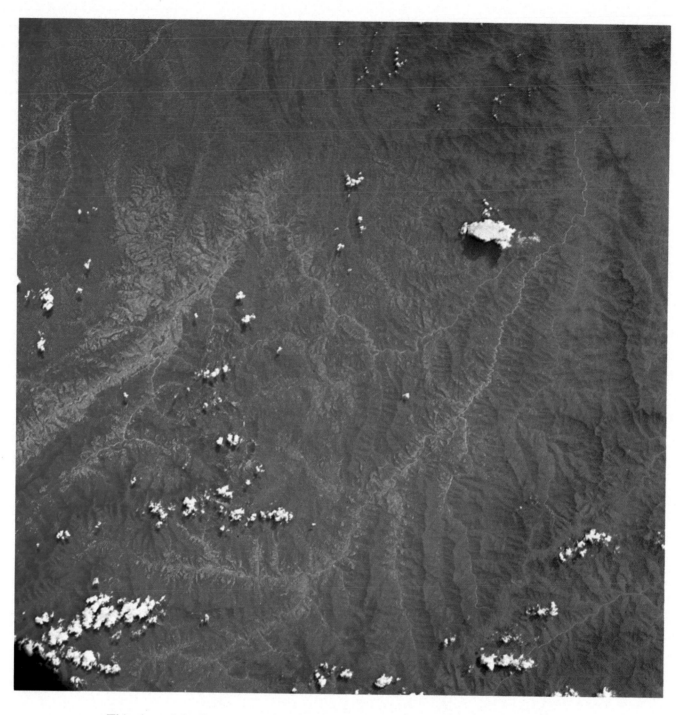

This view of the Szechwan and Kansu Provinces in mainland China largely overlaps the preceding photograph. The Pailung Chiang River is seen from lower left to upper right.

S—65—45719

140

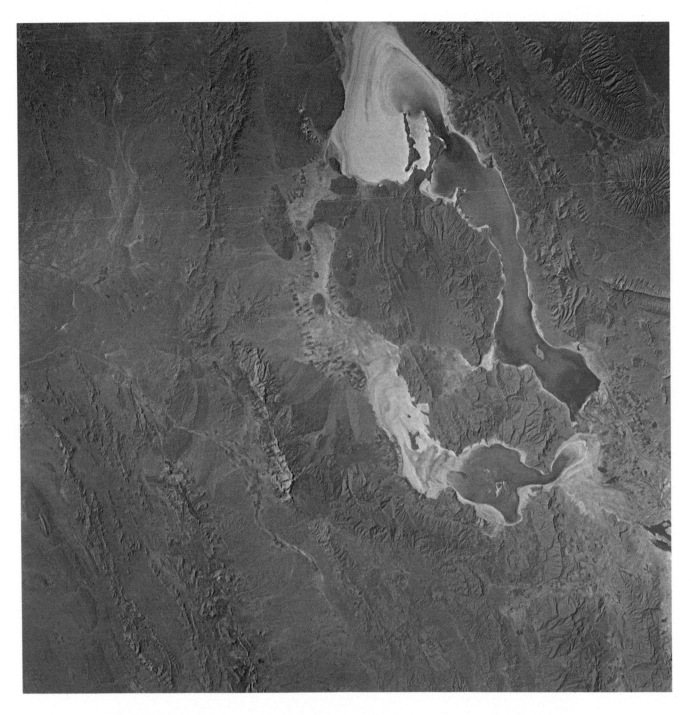

The Zagros Mountains in southern Iran, east of Shiraz. Tashk and Bakhtigam salt lakes are clearly delineated. The Persepolis ruins are visible in the lower right corner. Linear ridges consist of folded sedimentary rock; dark areas at top center are igneous rock.

S—65—45720

141

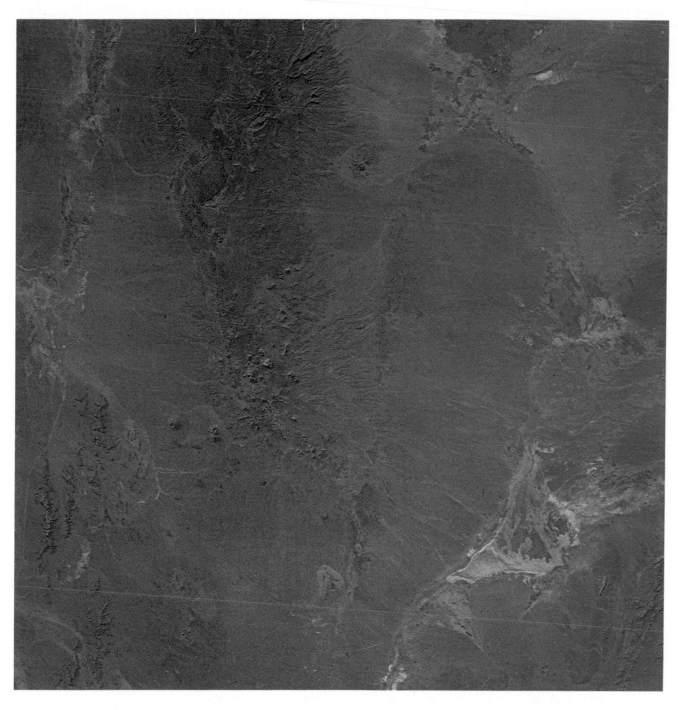

The town of Saidabad (Sirjan) in southern Iran (right center) with the Aiyub Hills
in the background.   The linear ridges to the left are folded sedimentary rock.

S—65—45721

142

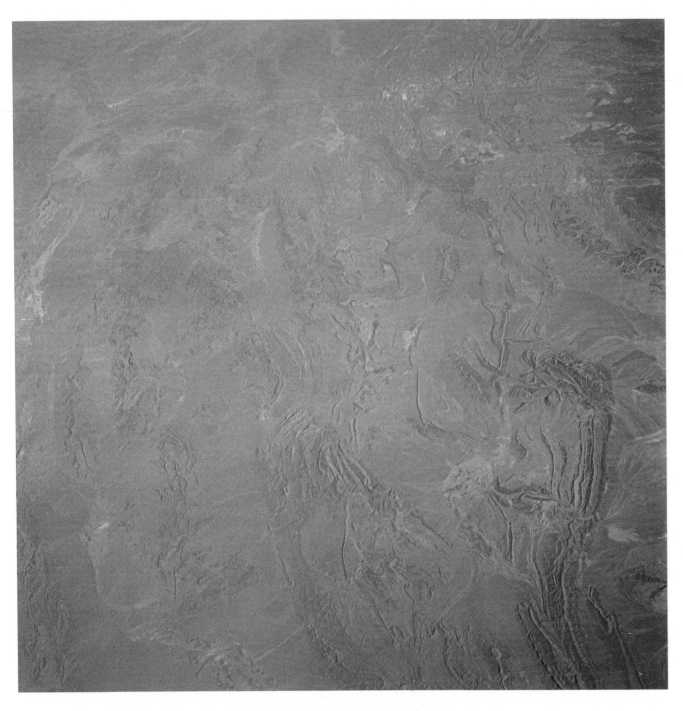

South-central Iran, northwest of Kerman.   Plunging anticlines and synclines are seen
at lower right.   The linear scarp at bottom center is a trace of a fault.   s—65—45722

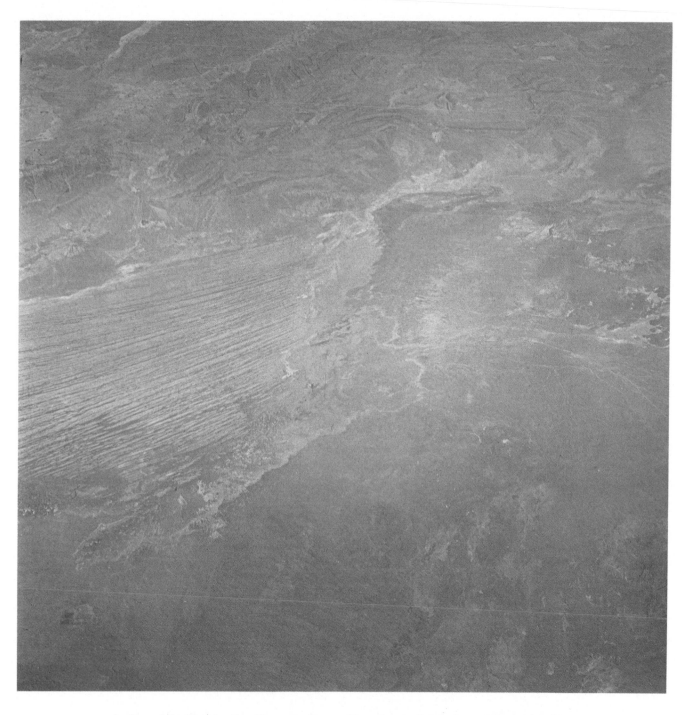

A view of the Dasht-e-Lut Desert in Iran.   Namakzar salt lake is at right center, just beyond the sand dunes.   This photograph overlaps the preceding one.   S—65—45723

Hunan and Hupeh Provinces in mainland China. The Yangtze River and Lake Tungt'ing are seen at lower left. The Hsiang River is on the right.   S—56—45725

The Libyan Desert, north of Al Kufrah, looking southwest.   The dark areas above the
seif dunes are igneous rock.   S—65—45726

146

This photograph shows part of the Libyan Desert, an area of extensive sand dunes.

S—65—45727

The Iran-Afghanistan frontier area, west of Farah.　　　S-65-45728

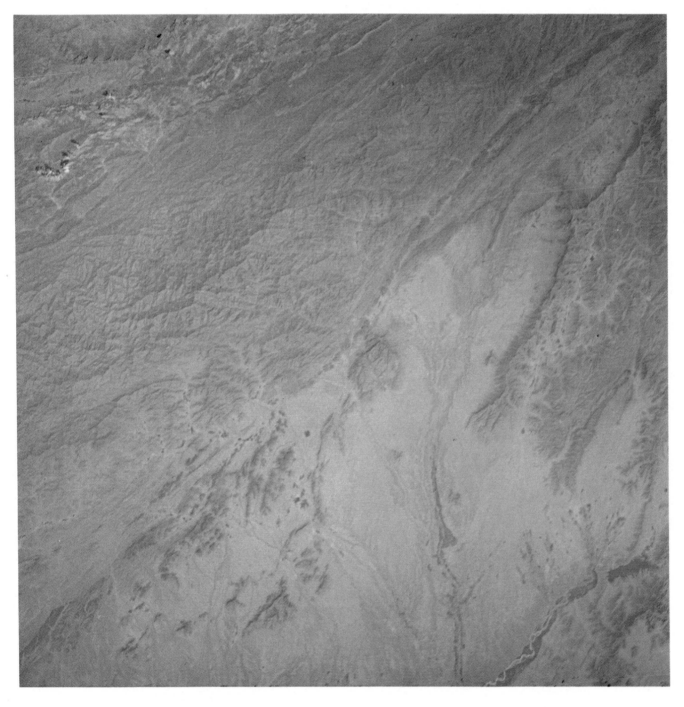

Central Afghanistan, northwest of Kandahar. The Kajakai Reservoir on the Helmand River is seen at lower right. The linear ridges in the upper left corner consist of folded sedimentary rock.   S—65—45729

Another view of central Afghanistan, overlapping the previous frame. Areas of cultivated land are seen along the river beds. The Kajakai Reservoir on the Helmand River is on the far left. S—65—45730

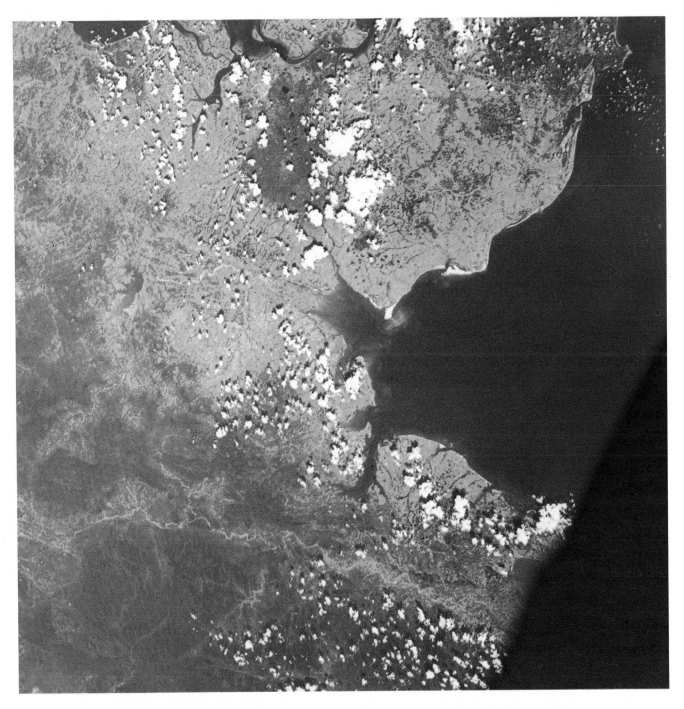

The coast of mainland China in Kwangtung and Kwangsi Provinces.   The Gulf of
Tonkin is on the right.   Above it lies the Leichou Peninsula.   S—65—45731

A view of the north end of Luzon Island in the Philippines, showing Cape Bolinao jutting out into the South China Sea (left). Lingayen Gulf is above the cape. Aubarede Point on Luzon's east coast is visible at upper right.　　　s–65–45732

152

Southern Luzon Island in the Philippines is seen at left center. Cumulus clouds obscure from view mountain peaks 6,000 to 8,000 feet high. Burias Island is in the lower left corner. At the top, across Lagonoy Gulf, is Catanduanes Island. A dense cirrus cloud shield covers Masbate at lower right.　　　　S-65-45733

Erg Chech, a large sandy desert in southern Algeria. The photograph was taken northeast of Grizim.

S–65–45734

154

Fuerteventura Island in the Canary Islands partially covered with clouds aligned in a north-south direction. Below the stratocumulus clouds in the background lies the west coast of Morocco and Spanish Sahara.　　　　S–65–45735

A clear view of the Nile Delta and the city of Alexandria. Wadi el Natrun, a series of salt lakes below sea level, stand out in the desert area at lower center. The Rosetta branch of the Nile River is seen in the lower right corner.   S−65−45736

156

View of the Straits of Gibraltar looking into the Mediterranean. Spain is to the left
and the Riff Atlas Mountains of Morocco to the right.   S–65–45737

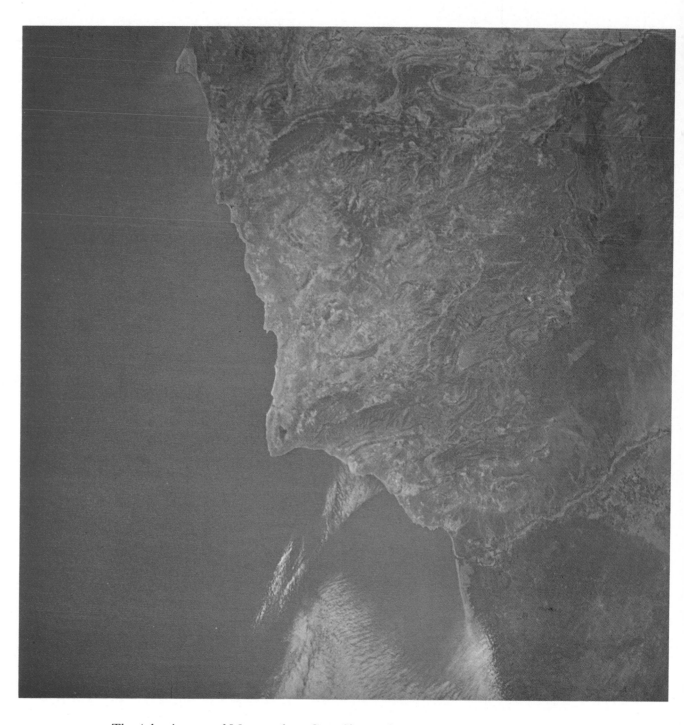

The Atlantic coast of Morocco from Cape Sim, at the top, to south of Agadir. Cape Rhir is in the lower center of the picture. The High Atlas Mountains, of folded sedimentary rock, are to the upper right. Below them is the Oued Sous (river).

S—65—45739

158

Chihuahua, Mexico, with the Sierra de Babicora in the center and the Sierra Madre Occidental Mountain Range, composed chiefly of volcanic rock, to the left. The Santa Maria River bisects the picture. Sierra de las Tunas and the Santa Clara River are to the right.

S–65–45741

Overlapping the preceding one, this photograph of central Chihuahua shows the Sierra del Nido (center), the Santa Clara River (left), and Laguna de Encinillas (right of center).

S–65–45742

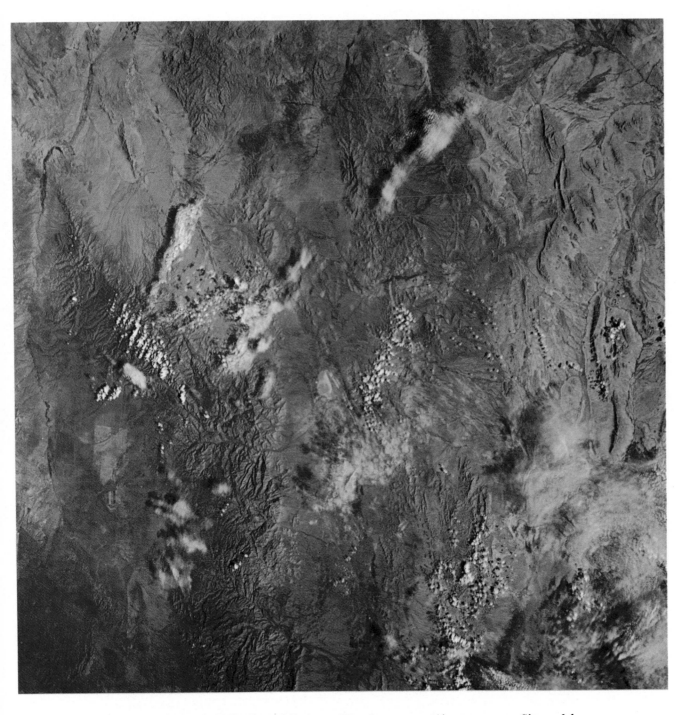

Another view of Chihuahua, Mexico. The three mountain ranges are Sierra del Nido (left), Sierra Magdalena (top right) and Sierra Cascaramusas (right). Laguna de Encinillas is in the center of the photograph.   S—65—45743

161

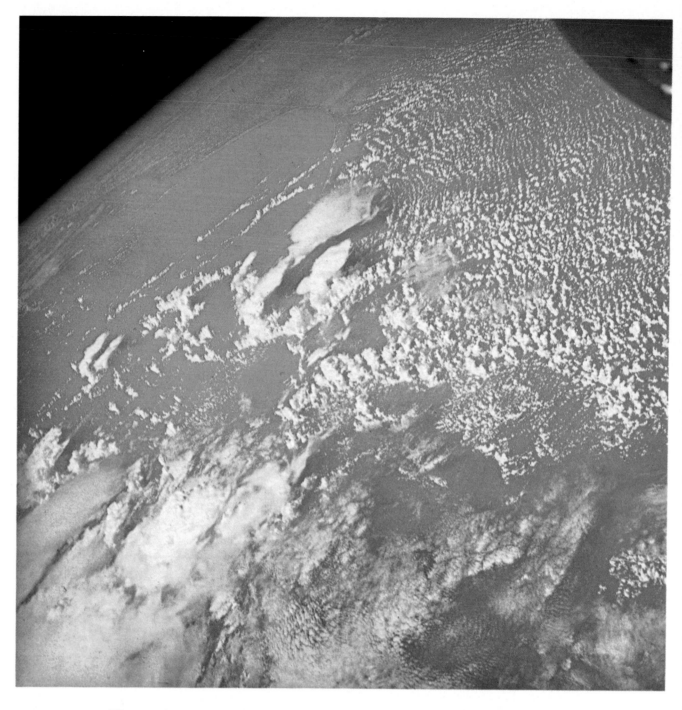

View southwestward across Texas and the Gulf of Mexico into Tamaulipas, Mexico. Cloud lines form an arc around thunderstorms near Houston in the center of the picture. Small cloud streets at left center indicate convergence toward towering cumuli building near the Texas-Louisiana border. Altocumulus clouds over western Louisiana at lower right are merging eastward toward the cumulonimbus, overlain with much cirrus cloudiness, in the lower left corner.

S–65–45745

Isolated thunderstorms near the horizon tower in the vicinity of Cuba (left) in this view of Florida. An easterly breeze suppresses cloud development along the coast. Curvature in the cloud lines is evident near Cape Kennedy where development is reaching cumulonimbus stage. The lines across central Florida show the transition in the wind flow from easterly on the Atlantic to southeasterly on the gulf coast. The complex flow pattern is typical for a large peninsula, where sea breezes along both coastlines can influence major mesoscale circulations.   S—65—45746

The Imperial Valley of California, with Arizona in the background and the United States-Mexico border to the right. The Joshua Tree National Monument can be seen left of the Salton Sea. Farms are in the foreground.   S—65—45747

A second photograph of California's Imperial Valley giving a clear view of the Salton Sea. No agreement exists concerning the cause of the gyre seen in the center of the sea.
S-65-45748

The Gila River Valley between Yuma and Phoenix, Arizona. The Mohawk and Growler Mountains are in the foreground and the Gila Bend Mountains at upper right. This picture shows typical physiography of the Basin and Range Province with linear fault block mountains, chiefly composed of igneous rock, and sediment-filled valleys.

S—65—45749

166

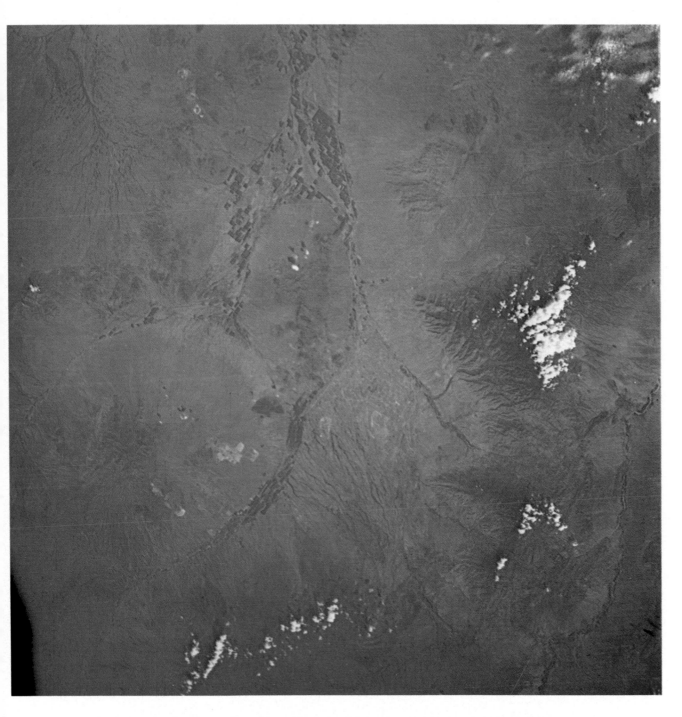

Tucson on the Santa Cruz River lies near the center of this photograph of Arizona. The Saguaro National Monument is toward the lower right. The Tucson Mountains, at left center, are surrounded by a pediment with a few Quaternary lava flows visible. Open pit copper mines can be seen on the pediment. S–65–45750

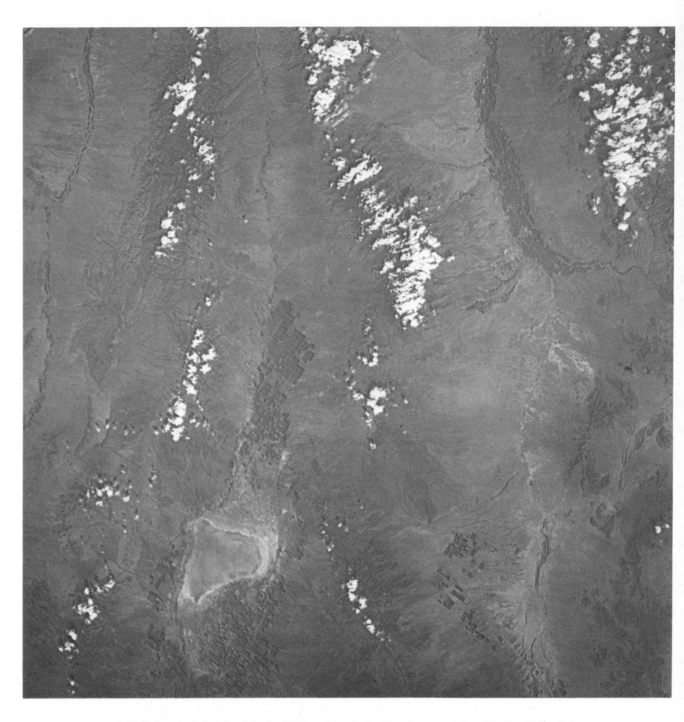

Southeastern Arizona with the Willcox Dry Lake clearly seen at lower left. From left to right along the upper portion of the picture are the San Pedro River, the Galiuro Mountains, and the Gila River. The Gila Mountains are covered by clouds (upper right corner).
S—65—45751

168

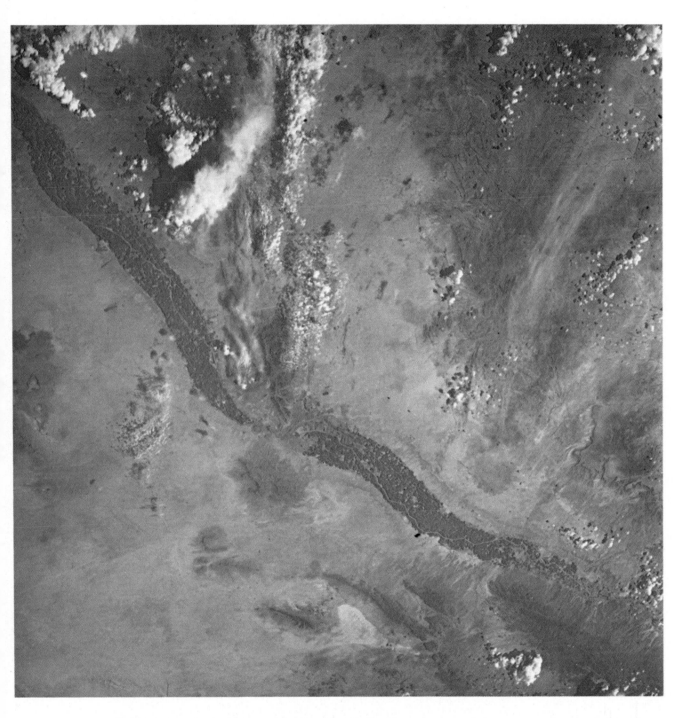

The Rio Grande boundary area between Chihuahua, Mexico (bottom), and the United States (top). El Paso and Ciudad Juarez are near the center of the picture. Kilborne Hole volcano and lava flows of the Potrillo Mountains are visible on the far left.   S—65—45752

Cumulus clouds cover most of the land in this photograph of the Atlantic coast of Florida. The cumulus congestus near Cape Kennedy is developing to the thunderstorm stage. The anvil-topped towers of other thunderstorms are seen over the Miami area and the Bahama Islands (upper left).   S—65—45753

A second picture of Florida taken immediately after the preceding one. Both were
taken one revolution after the photo on page 163. S–65–45754

This picture of the Florida peninsula, looking north, was taken on the next revolution, 1½ hours later than the photo on page 170. The cumulus congestus clouds southwest of Cape Kennedy have matured into thunderstorms as indicated by the presence of cirrus clouds being blown westward by the high-altitude winds. The Tamiami Trail, which crosses the Everglades, is visible at the bottom of the picture. s-65-45756

The east coast of Florida from St. Augustine to Florida Bay. Miami is just below the center of the picture. North and South Bimini Islands can be seen at the lower right edge. The cloud mass at the lower left is a complex of thunderstorms. The long lines of cirrus entering from the right side may have originated in the thunderstorms over the Bahamas shown in photo on page 170. S—65—45758

A view of Andros Island, on the edge of the Tongue of the Ocean, in the Bahamas. The shoal areas surrounding Andros and the northwest edge of the Tongue of the Ocean are seen in the lower portion of the photograph.　　　S-65-45759

The Great Bahama Bank and the Tongue of the Ocean. The deep blue area in the center is Exuma Sound with depths up to 7,000 feet. Above it is Cat Island; below, Great Exuma Island. A part of Long Island is visible at the far right. The water in the Tongue of the Ocean is over 1 mile deep, while depths on the Banks vary from 6 to 30 feet. Lower left shows bottom topography (sand bores). S—65—45760

Baja California, Mexico, from Punta San Marcial (bottom right) to Punta Arena on the Gulf of California. The Pacific Ocean is in the upper right corner. Off the coast near Bahia de La Paz are the islands of San Jose (center) and Espiritu Santo (upper right).

S–65–45764

176

Turbidity caused by offshore currents and sediment movement is shown in this photograph of Laguna de Terminos and Campeche Bay on the Yucatan Peninsula, Mexico.
A current from the northeast carries the turbid waters westward along the coast and
as far as 3 miles out into the bay.   The cumulus cloud pattern is typical of a tropical
region.   Rio Usumacinta, laden with sediment, is visible in the lower left corner.

S—65—45765

177

A view of the mouth of the silt-laden Yangtze River on the coast of mainland China, with Shanghai in the lower center of the picture. The river flow pattern and disposition rate seen here can be traced for over 75 miles as the river effluent mixes with the China Sea.

S—65—45768

The southern part of Honshu Island in Japan. Seen at upper left is the port of Nagoya on Ise Wan (bay). Greater Osaka, with a population of 9 million, is at the far left. Kii Suido (straits) and the eastern tip of Shikoku Island are in the lower left corner.

S—65—45769

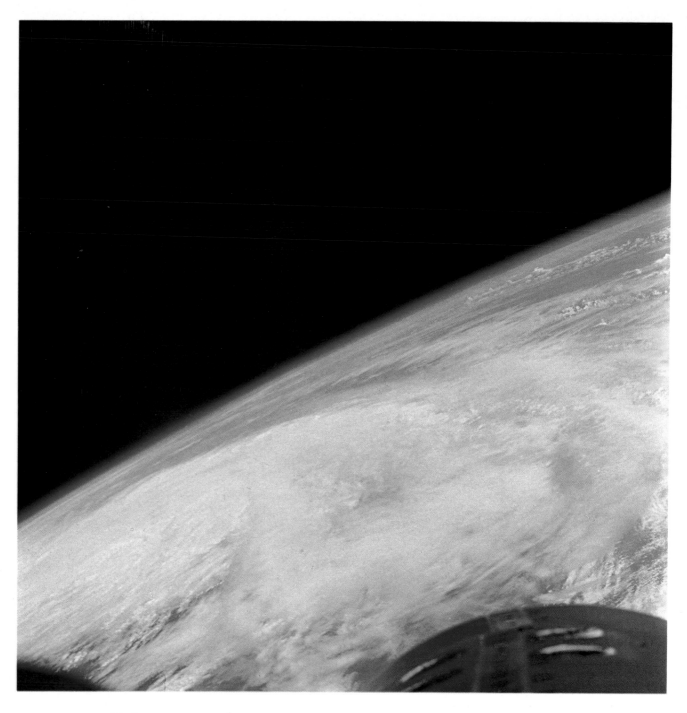

Typhoon Lucy photographed south of Japan. Extensive cirrus cloudiness covers much of the storm, but some curvature can be seen in the cloud bands, which tend to spiral toward the storm's center.

S—65—45770

This is another view of Typhoon Lucy south of Japan. Some cirrus cloud bands in the lower right corner are oriented radially with the storm's center. All tropical cyclones derive their energy from the latent heat of condensation. Forming in ocean areas having a high surface temperature, usually above 26° C., they die out rapidly on land where surface friction is higher.   S—65—45771

Eastern Afghanistan and northern Pakistan looking northward into mainland China and the U.S.S.R. The Kabul River is in the foreground; the Kunar River, with headwaters in the Hindu Kush Mountains, at right center. The Panjshir River is visible on the far left.

S—65—45773

182

Central Taiwan covered by cumulus clouds. At upper left the cloud streets are aligned north-south over the Pacific Ocean. Some, at upper left, have grown to the cumulonimbus stage. At higher levels the anvil-like tops of cirrus show a northerly wind direction. The rivers in the T'aichung area discharge silt-laden water into the Formosa Straits (foreground), where it is carried northward along the shore.

S—65—45777

The Nile Delta in the United Arab Republic. Branching off north of Cairo (lower center) are the Rosetta Nile (left) and the Damietta Nile.   S—65—45778

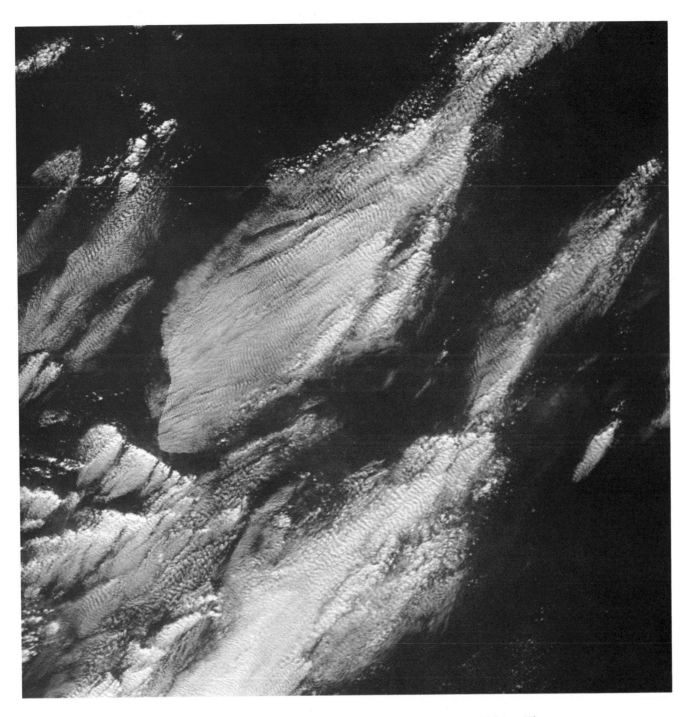

Band-structured clouds over the Gulf of Guinea off the coast of Africa. The cause of the sharp cloud edge at left center of the picture is unknown.   S—65—45781

Convective clouds in various stages of development cover Florida and the Southeast in this view looking north. A line showing enhanced cloud growth appears to run from Jacksonville southward across the State to the Cape Sable area. Three thunderstorms in various stages of development are seen at lower left in the Key West region.

S—65—45783

186

Convective-type clouds dominate this area of central Cuba and several patches of cirrus clouds have been generated by thunderstorms west of Andros Island (upper right) and along the southern coastal region of Cuba. Open, polygon-shaped cloud cells are prominent over the sea north of Cuba. The cell walls, composed of many cumulus elements, may be regions of ascending air while the cloud-free interior may be regions of descending air.

S—65—45785

The cirrus cloud eddy in the foreground is located near Navojoa in Sonora, Mexico. It has a diameter of about 40 miles. The view looks across northwest Mexico from the Gulf of California in the foreground to Texas and New Mexico near the horizon. Numerous thunderstorms, each identified by its cirrus cloud top, are scattered throughout the cloudy region.

S—65—45787

188

Tropical storm Doreen photographed over the Pacific Ocean between Hawaii and Mexico.

S—65—45790

The coast of Peru near Trujillo, looking south. The cloud-covered Andes Mountain chain stretches south along the left side. Paracus Peninsula is at the top of the coastline, about 100 miles south of Lima. The basin of the Ucayali River, a north-flowing tributary of the Amazon, is the blue area in the upper left.   S—65—45791

The border area of Peru and Bolivia with Lake Titicaca and La Paz in center and foreground. Lake Poopo is partially visible at the top of the photograph. Two dry salt lakes, Salar de Corpasa and Salar de Uyuni, are seen in the upper right corner. The snow-covered peaks of the Cordillera Real are to the left. S—65—45792

Another view of Lake Titicaca, which lies 12,506 feet above sea level and is the largest navigable lake in the world at such an altitude. The photograph encompasses parts of Bolivia, Peru, and Chile.

S–65–45794

192

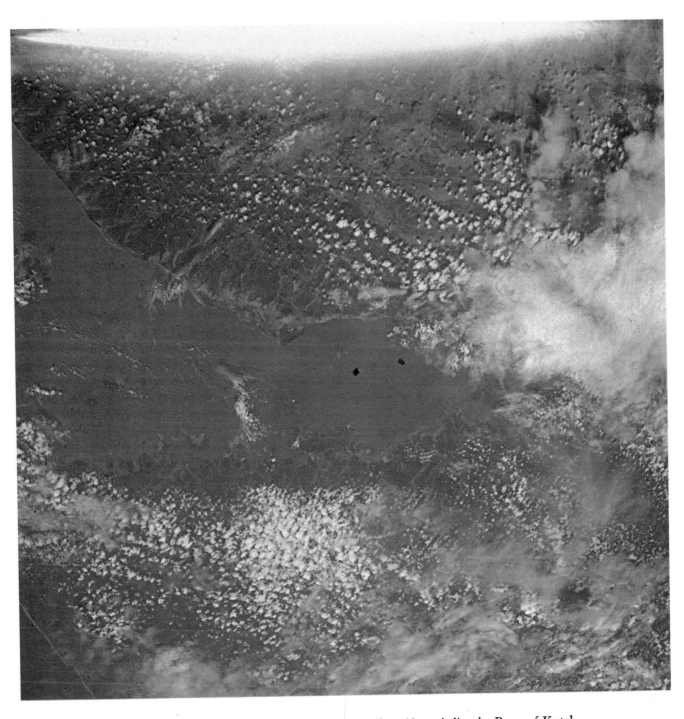

The Gulf of Kutch on the western coast of India. Above it lies the Rann of Kutch, a swampy area; below is the Kathiawar Peninsula. The city of Jamnagar is located on the Gulf at lower center.　　　　　　　　S–65–45603

The island-studded sea south of Singapore is seen through a thin layer of cirrus clouds. The Lingga Islands are in the center and Bintan Island is on the far right. A large mushroom-shaped thunderstorm has built up south of the Inderagiri River Delta on the Island of Sumatra.

A view of the northern coast of Algeria, looking across the Mediterranean and the Balearic Islands toward Spain, which is visible on the horizon. The city of Algiers is near the center of the picture. Two dry lakes, Rharbi and Chergui, are in the foreground.   S—65—45605

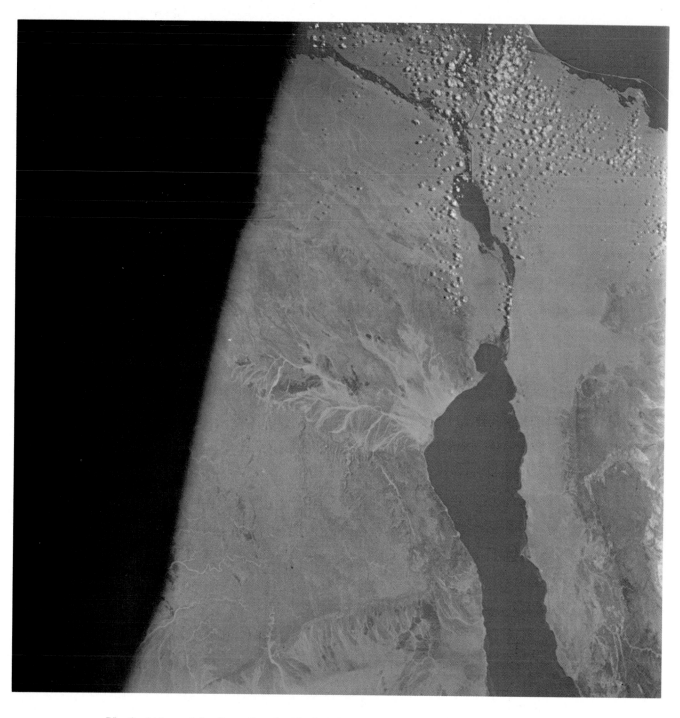

Vertical view of the Suez Canal with the Sinai Peninsula to the right. A part of the Mediterranean Sea is visible in the upper right corner.   S-65-45607

The northern end of the Red Sea dominates this view of the United Arab Republic.
The Sinai Peninsula is in the upper left corner and the tip of Saudi Arabia at
upper right.

S–65–45608

197

Four sources of air pollution can be seen in this picture of the Gulf Coast and Mobile Bay, Alabama. A smoke plume bends southeast near Mobile (lower left). Two other plumes being carried by northwest surface winds, appear north of the city. Another is found north of Pensacola, Florida (top). The long line of cumulus clouds running diagonally across the photograph parallels the southwesterly wind flow near 10,000 feet.

S—65—45609

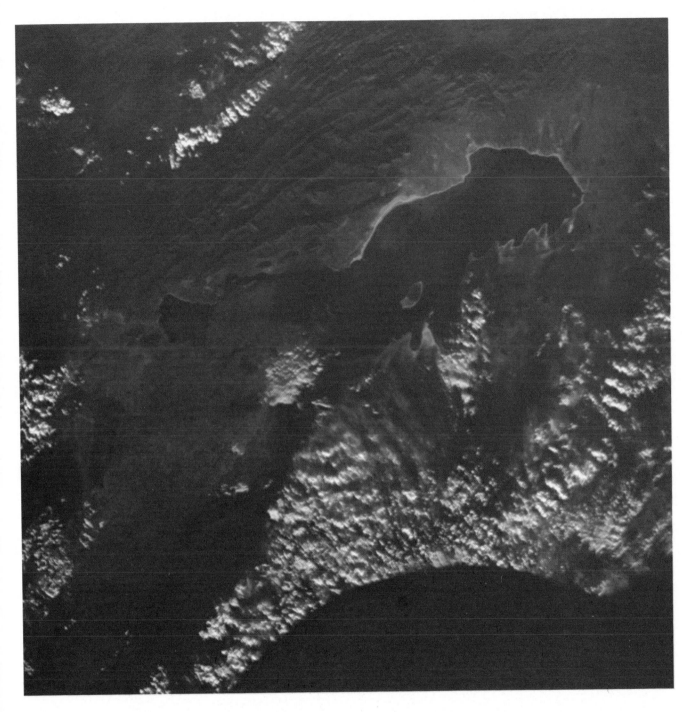

A near-vertical view of Lake Poopo in northwest Bolivia.　　　S—65—45613

The island of Hawaii with its volcanic peaks of Mauna Loa and Mauna Kea is veiled
by graphic clouds. Partly hidden by clouds on the right are the Islands of Maui,
Kahoolawe, Lanai, Molokai, and Oahu.

S—65—45616

Southeast Iraq and southwest Iran with Sadiyah Lake and the Tigris River in the foreground. The Kabir Range and Zagros Mountains are seen at upper right.

S—65—45617

Northern Afghanistan near the U.S.S.R. border. The Hari River is in the foreground; the Murghab River and Turkistan Range, at left center. The Amu Dar'ya River and the Zeravshanskiy range in the U.S.S.R. are near the horizon. A large dust storm can be seen clearly to the upper left of the photograph.   S—65—45618

Another view of Afghanistan, southwest of Kabul. The Band-i-Amir River is in the
top center of the photograph. The Koh-i-Baba Range is at upper right. S-65-45620

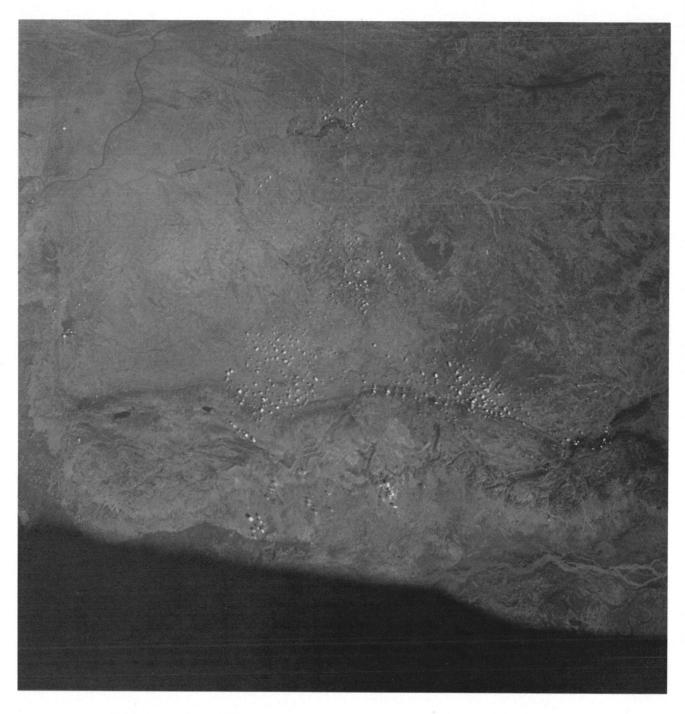

Pakistan, southwest of Rawalpindi. The Indus River is in the upper left corner and the Jhelum River at bottom right.

S—65—45621

A view of western Tibet with Lake Nganglaring in the upper left corner.   s-65-45624

The Kwangtung Province of mainland China, southwest of Canton. Hong Kong is at upper left. The photo shows water-borne sediments from the Chu (Pearl) River being carried into the South China Sea along the coast.   S—65—45625

206

A photograph of contrasts, showing the Western Desert in the United Arab Republic
and the city of Asyut in the fertile Nile River Valley (upper right).   S—65—45626

Central Cuba, looking southward to the Caribbean Sea. The Great Bahama Bank is in the foreground. The dark blue running across the center of the photograph is the Old Bahama Channel, where depths reach more than 4,000 feet. S−65−45628

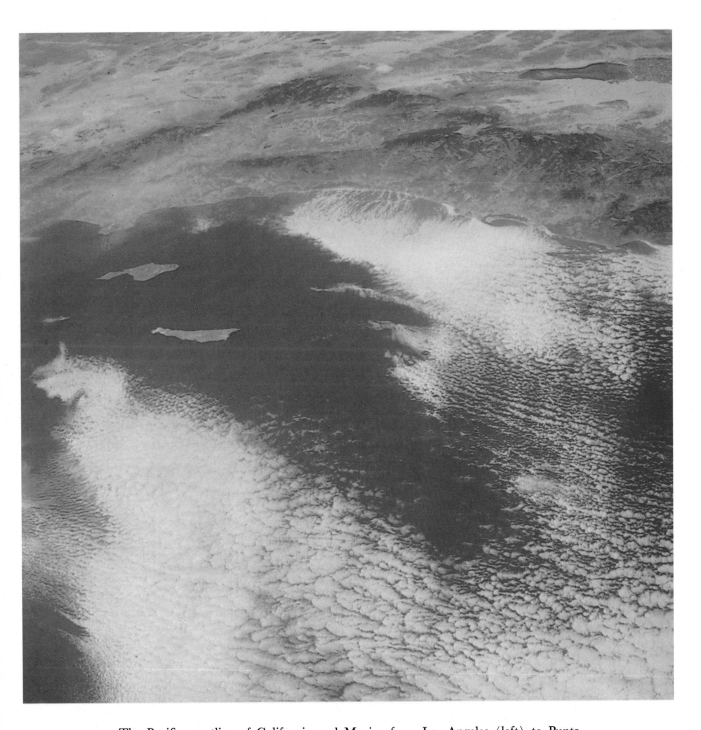

The Pacific coastline of California and Mexico from Los Angeles (left) to Punta Salsipuedes. The islands to the left are San Clemente and Santa Catalina. The Salton Sea in the Imperial Valley of California is visible in the upper right corner.

S—65—45631

Honshu, the largest of the four major islands of Japan, with the Sea of Japan in the background. The port of Nagoya is located at the upper right edge of Ise Wan (bay) on the Pacific. Osaka is situated to the far left on Osaka Wan. S–65–45641

A near-vertical view of the northwestern tip of Nepal and southern Tibet.   The peak just above the center of the picture, Gurla Mandhata, lies 25,335 feet above sea level. Glaciers are visible to the right of this area.   Rakas and Manasarowar lakes are hidden by clouds to the left.   Karnali River is visible in the upper left part of the photograph.   S—65—45644

Tibet in the area between Kebyang and the headwaters of the Brahamaputra River.
Tarok Tsho (lake) is at top center of the photograph. S—65—45645

The border area of Kashmir and mainland China. Tsho (lake) Ngompa leads from left center into Nyak Tsho near the center. The lake near the upper left edge is Sarigh-yilganing Kol in Kashmir. Dyap Tsho is surrounded by the Chang Chenmo Mountains at upper left. In the left foreground is Shaldat Tsho, amid mountains of the Kailas Range.

S–65–45649

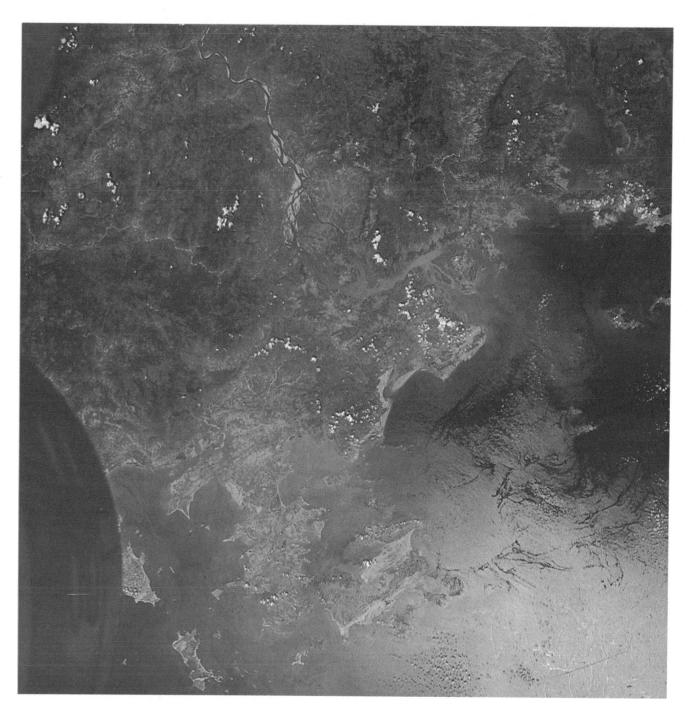

A view of the mainland China coast in Fukien Province. The Futun Min River is in the upper center. The city of Fouchou is located at the mouth of the river, seen in the upper part of the photo. The sun glitter at lower right shows surface detail on the waters of the Formosa Straits.

S—65—45650

Cape York Peninsula in Queensland, Australia. The Gulf of Carpenteria is to the lower left. The Great Barrier Reef appears as a thin white line running diagonally across the picture. New Guinea, in the upper left corner, is covered by clouds.

S-65-45652

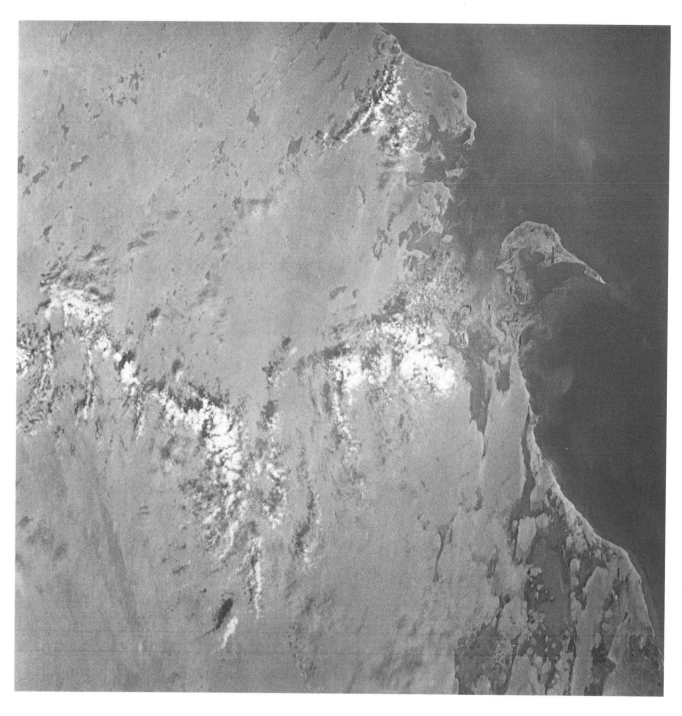

One of the world's major oil producing areas, the El Hasa coast in eastern Saudi Arabia north of Bahrain Island. The Persian Gulf is at upper right.   s-65-45662

The northwestern African coast near Agadir, Morocco, showing Cape Rhir and the Oued Sous (river). Part of the Anti Atlas Mountains are seen on the right. The intense, localized specular reflection over the water in the center indicates a smooth sea surface and little or no wind. The usual summer Azores anticyclone existed at the time the photograph was taken.

S—65—45664

This view, south of the preceding one, shows the coast of Morocco and Spanish Ifni. The Anti Atlas Mountains, consisting of complex folded sedimentary rock, appear on the right. The clockwise cloud spiral may represent a mesoscale lee eddy induced by the air flow around Cape Rhir (out of view to the north). The Atlas Mountains, with peaks above 10,000 feet, extend to within 100 miles of the Cape and may have some influence on the air flow.

S–65–45665

Morocco and Algeria looking to the east. The ridges of the Anti Atlas Mountains
are on the left border; the Hamada du Dra (plateau) in the center. S—65—45666

Four of the Cape Verde Islands off Africa's west coast are visible through the strato-cumulus clouds in this view toward the south. The islands, from lower to upper right, are Sal, Boa Vista, Maio, and Sao Tiago. The long line of clouds with clear spaces on both sides, south-southwest of Sal and Boa Vista, is probably the result of air flowing past the 1,300-foot islands under fairly stable conditions in the lower atmosphere.

S—65—45668

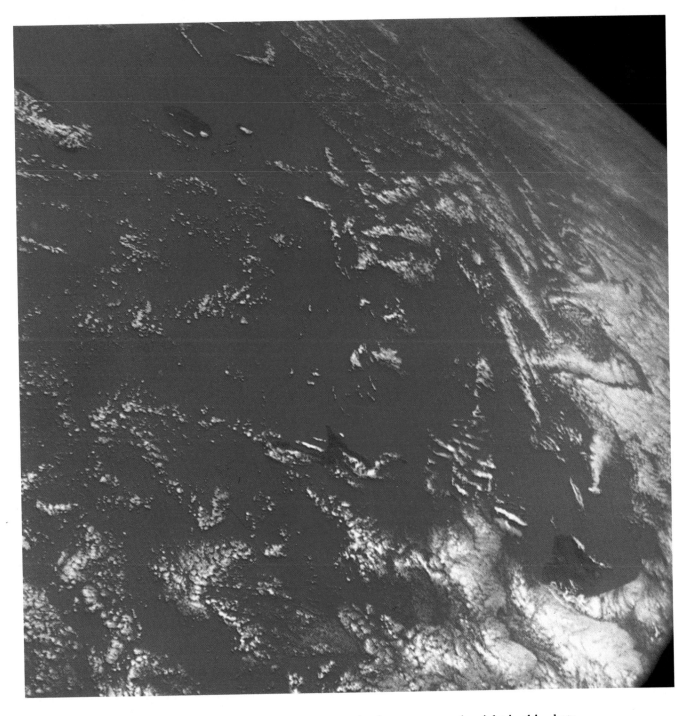

Several large eddies in the stratocumulus clouds are seen on the right in this photograph of the Cape Verde Islands. The islands from the lower center to the right are Sao Nicolau, Santa Luzin, Sao Vicente, and Santo Antao. In the upper left corner, from right to left, are the islands of Brava, Fogo, and Sao Tiago. s—65—45669

223

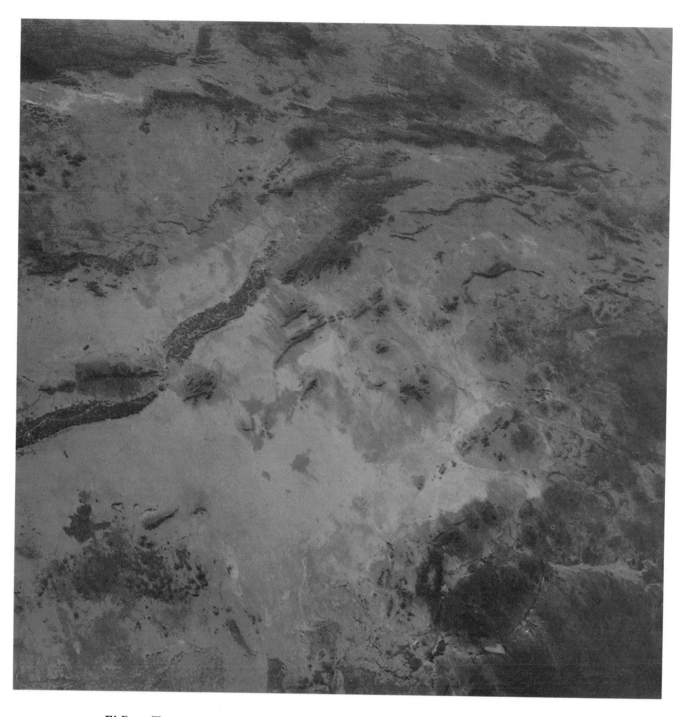

El Paso, Texas, and Ciudad Juarez, Mexico, on the Rio Grande (left). The Mexican State of Chihuahua is located to the right. The Potrillo Mountains are at lower left.

S—65—45670

224

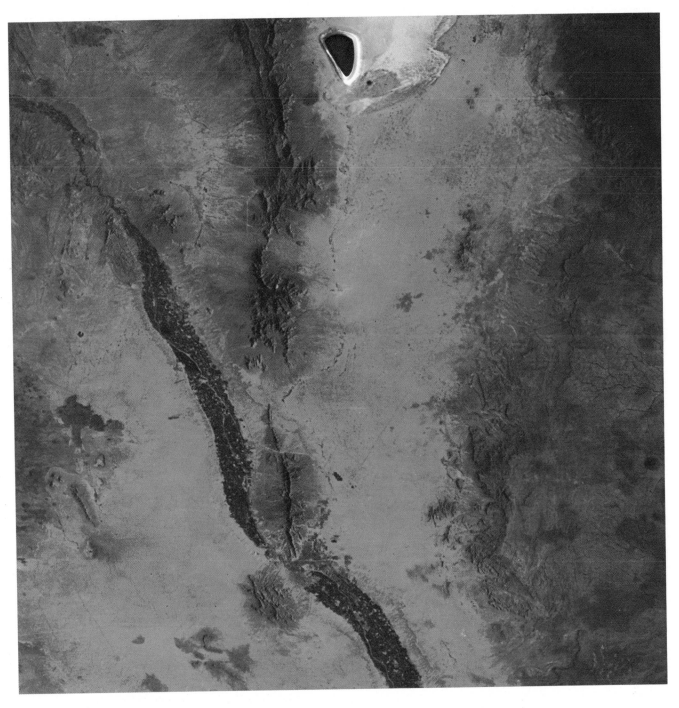

A near-vertical view of the El Paso-Juarez metropolitan area. The valley of the Rio Grande cuts across the picture from upper left to bottom center. The Franklin and Organ Mountains are seen in the center. Near the imperfection in the film, at top center, is the White Sands National Monument.   S–65–45671

Tropical storm near Ponape Island in the Pacific Ocean. Considerable detail in the cloud structure is shown near the storm's perimeter. The spiral bands are composed of cumulus congestus and cumulonimbus clouds which transport vast amounts of water vapor from the ocean's surface to higher altitudes. Squall lines are found frequently in these bands.

S—65—45548

A near-vertical view of Rongelap Atoll in the Marshall Islands of the Pacific. Rongerik Atoll is at the upper edge and Ailinginae Atoll in the foreground. This type of photograph can be used to evaluate the adequacy of existing nautical charts in isolated or remote areas.   S—65—45550

227

A view of eastern Afghanistan and northern Pakistan with the Kabul River in the foreground. The city of Jalalabad is at the river junction in the lower center. The dark range near the bottom is the Safed Koh (mountains). The Kunar River, under clouds at right, has its headwaters in the Hindu Kush Mountains in the far right center. The Pyandzh River lies in the background. Visible at upper right is the Takla Makan (desert) in Sinkiang Province of mainland China.

S—65—45552

228

This tropical storm was photographed south of the Philippine Islands. Large areas of convective activity are visible through the cirrus cloud cover. The storm center appears to be located at upper left.

S—65—45553

The view looks across the Mediterranean Sea into Turkey. Cyprus is at lower left. The Toros Daglari Mountains run parallel to the Turkish coast. Tuz Golu, a large salt lake, is seen at upper center.

S—65—45556

230

The coastal area of Northern Territory, Australia, along the Gulf of Carpenteria.
The Barkly Tableland is in the upper portion of the photograph. Brush fires at
lower left are probably caused by lightning. The McArthur River is seen at lower
right.

S—65—45558

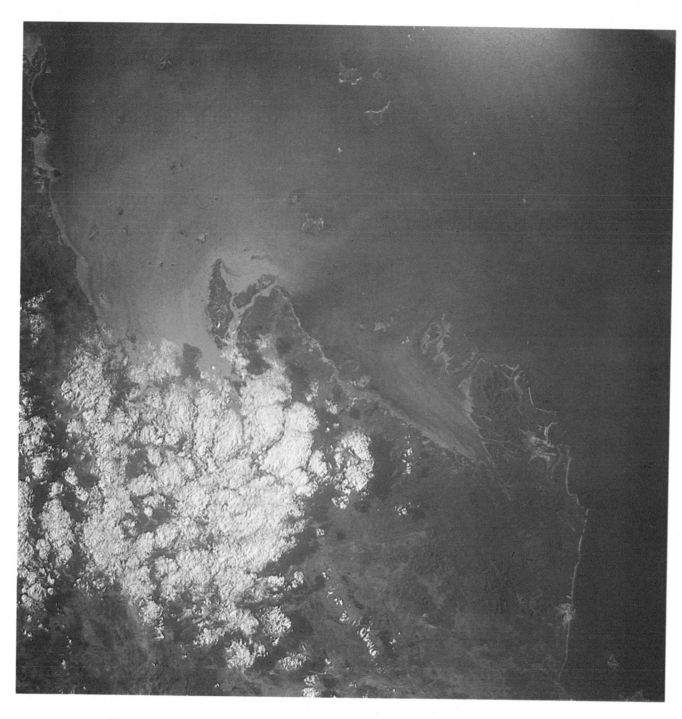

This view of Australia with the Coral Sea to the right shows the eastern coastline of Queensland, north of Rockhampton. Shoalwater Bay is in the center and Broad Sound to the left. The Northumberland Islands are at top center.   S—65—45559

Capricorn and Bunker Islands are visible in this photograph of the Coral Sea and the Australian coast east of Rockhampton, Queensland. The islands, located on the Great Barrier Reef, are coral reefs awash. Only North West Island at the top is above sea level.

S—65—45560

The Atlas Mountains in eastern Morocco east of Marrakech. The mountains are composed of folded Paleozoic sedimentary rock with numerous anticlines and synclines visible. Peaks at lower right are approximately 12,000 feet high.   S—65—45561

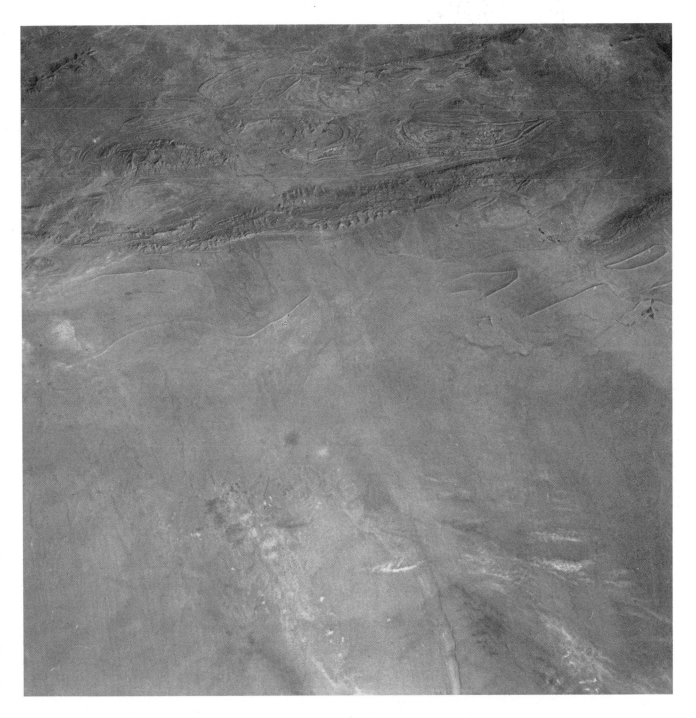

Northern Algeria. The intensely folded sedimentary rock of the Atlas Saharien Mountains can be seen clearly in the upper half of the photograph. The town of Laghouat is on the far right.   S—65—45562

The Tripolitania area of northern Libya on the Mediterranean Sea. The harbor
and breakwater of the port of Tripoli is in the center. The Jabal Nafusah Mountains
are at lower right.   S—65—45563

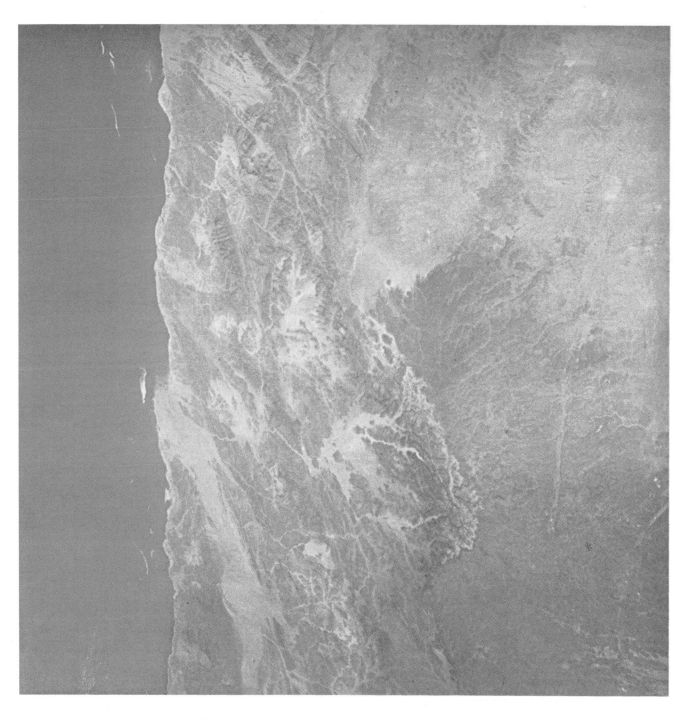

A view of the Saudi Arabian coast on the Red Sea, just below the Gulf of Aqaba.
A number of small offshore islands are visible along the coastline. The Al Hijaz
Desert and associated igneous outcrops appear as dark areas.   S—65—45564

237

The interior of Saudi Arabia west of the city of Ar Riyad. The Wadi ar Rimah is in the lower left. The photo shows contrast between dark areas of igneous rock and light sandy areas.   S—65—45565

238

Another view of the Saudi Arabian interior, near Ar Riyad and Al Kharj. The dry
streams (wadi) run southeastward toward the Empty Quarter.   S–65–45566

The Northern Territory of Australia near the MacDonnell Range. White meandering lines are dry rivers. An unnamed dry lake is located in the lower left corner just below the Stuart Bluff Range. The Reynolds Range is in the center. The Hanson River is to the right; at upper left, the Lander River. Linear ridges on the left are folded sedimentary rock.   s—65—45567

Northern Territory, Australia, in the vicinity of Alice Springs. The Kirchaneff Range is at lower left. Above it, the MacDonnell Range cuts across the lower half of the photograph, exhibiting an appalachian-type structure. The circle on the lower left is Gosses Bluff, a cryptoexplosion structure of possible impact origin. The long dark ellipse at lower right is the Waterhouse Range.　　S—65—45568

The Nubian Desert in southern United Arab Republic and northern Sudan. The dark areas are igneous rock; the prominent circular features are ancient craters.

S—65—45569

242

Parts of Tanzania, Zambia, Malawi, and Mozambique in southeastern Africa are visible in this photograph. Lake Nyasa to the left is part of the Great Rift Valley. Forest fires in Zambia are seen at upper left. S-65-45572

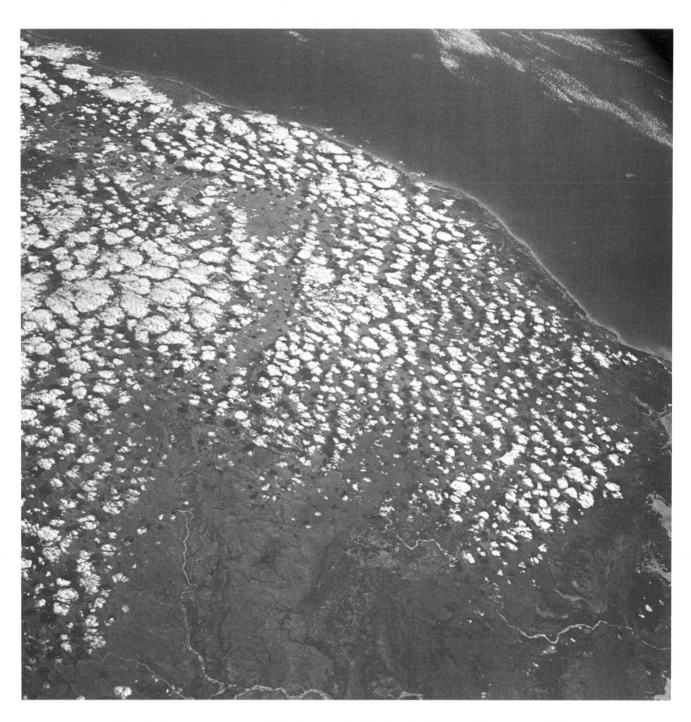

Clouds dot the west coast of Madagascar in this view looking southwest toward the Mozambique Channel. The Mahavavy River is in the lower right corner. The Ikopa River is at bottom left.

S—65—45574

244

Cells of stratocumulus clouds are located southeast of Madagascar in the Indian Ocean. Similar cell-like structures are seen frequently off the southwest coast of the United States.   S—65—45575

Southeast of Madagascar in the Indian Ocean, an eddy has formed in the stratocumulus clouds.   These eddies appear at times along the perimeter of adjacent cloud
cells.   S—65—45576

The Skeleton Coast along South-West Africa with Cape Cross at the far left edge.
The photo shows part of the Namib Desert, which is underlain by Precambrian igneous
and metamorphic rock. The circular structure in the upper left corner is the Messum
intrusive. The Erongo Mountains are at upper right.   S—65—45578

Another view of the South-West African coast. Walvis Bay is the northernmost of the three capes shown here. Longitudinal sand dunes in the lower half of the picture are bounded by the Kuiseb River. The capes are formed from sand blown into the ocean and carried northward by the Benguela current.　S—65—45579

South-West Africa in the vicinity of Windhoek, Damaraland.   The linear pattern at
upper left is the result of erosion along fracture systems in the Precambrian rock.

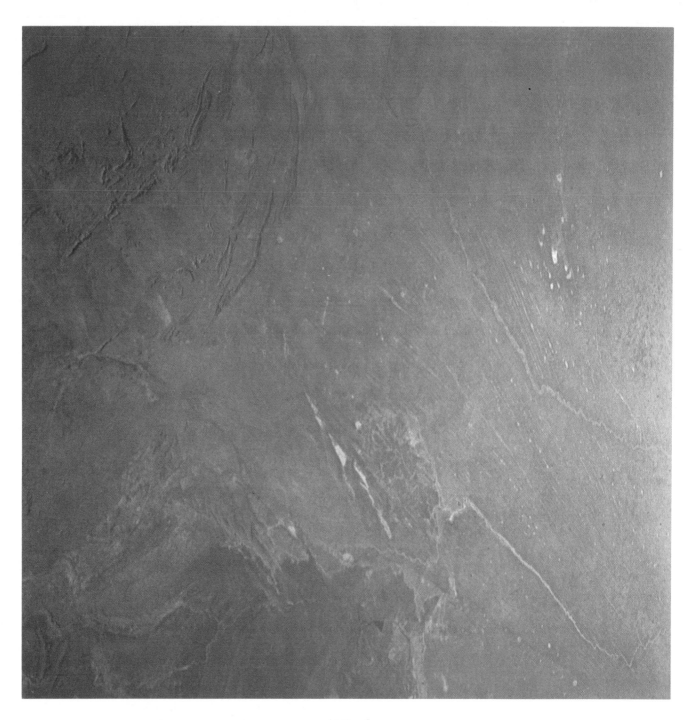

Damaraland in South-West Africa just west of the area shown in the preceding photograph. The linear ridges are folded sedimentary and metasedimentary upper Precambrian rock. White areas in the center and at upper right are salt pans.

S—65—45581

250

View of Mexico, showing the city of Chihuahua (left center), Laguna Bustillos (far right) and the Sierra Madre Occidental Mountains (upper left), composed of middle Cenozoic volcanic rock. The linear ridges in the foreground are folded sedimentary rock, chiefly of Cretaceous age.

S—65—45582

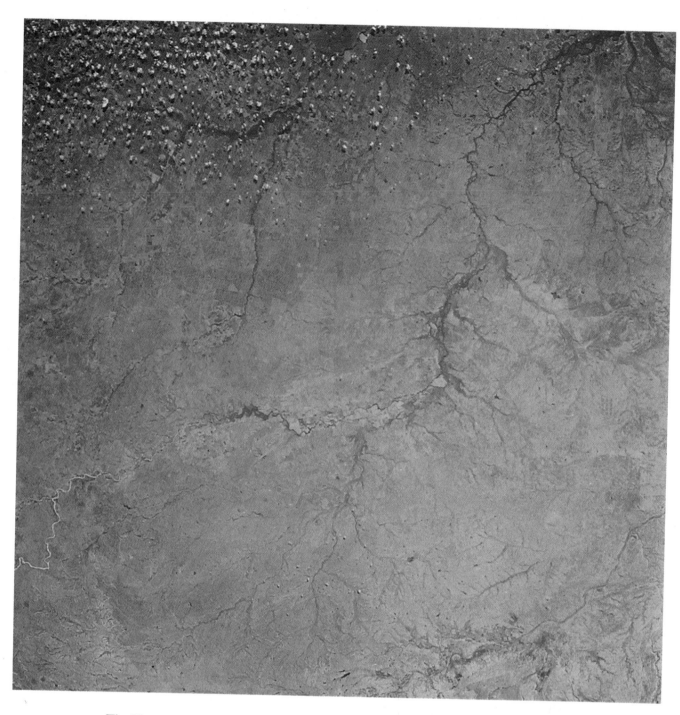

The Nueces Plains of southern Texas and the Mexican State of Coahuila. The Rio Grande is in the lower right corner at Eagle Pass. The Nueces River runs from the lower left to the upper right of the photograph. The small square patches at far right are targets laid out for a visual acuity experiment performed on this and later flights. The patches are 12 squares of plowed soil 2,000 feet by 2,000 feet arranged in a matrix of four squares deep and three squares wide.

S–65–45583

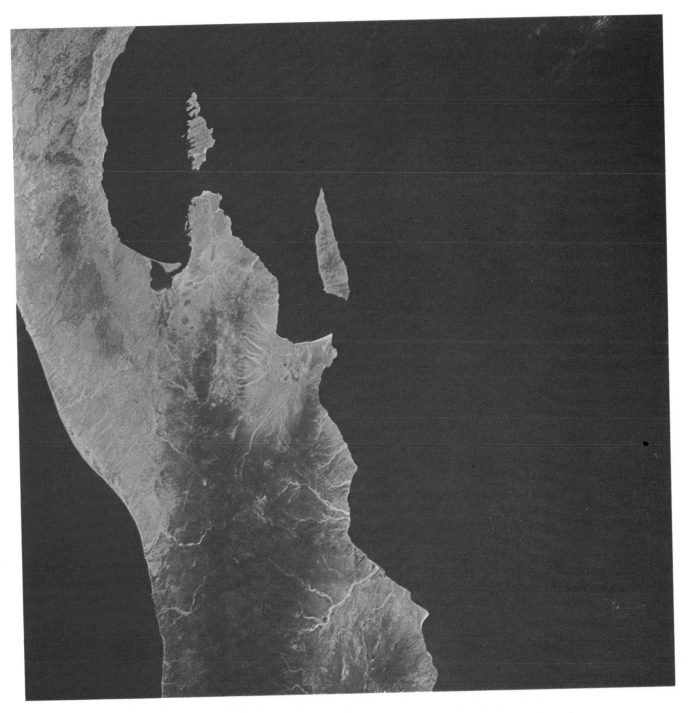

The Mexican Territory of Baja California Sur on the southern part of the peninsula.
The islands in the Gulf of California are Espiritu Santo and Cerralvo. A major
fault runs south from Bahia de La Paz (upper left) to the Pacific coast. Dark areas
in the foreground are mountains underlain by Cretaceous granitic batholiths.

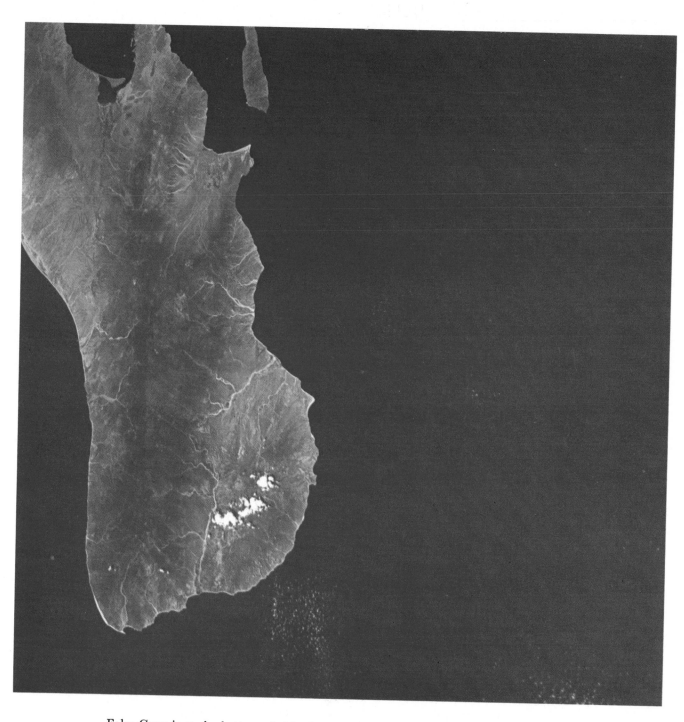

False Cape is at the bottom of this photograph of the southernmost tip of the Baja
California Peninsula.   Bahia de La Paz is in the upper left corner.   The north-south
trending valley may be fault-controlled.

S—65—45586

254

Border area of South Africa and South-West Africa, showing Bushmanland and the
Orange River, which forms part of the border. The river mouth on the Atlantic is
at upper left. The area is underlain chiefly by metamorphic and igneous Proterozoic
rock of the Gariep system.

S—65—45600

255

INDEX

Geographic areas represented in this volume are indexed below by page number. Photographs taken of cloud formations have been listed separately.

APPENDIX

The tabulation below lists every photograph taken on three Gemini flights, in orbital sequence. It also gives the magazine and frame number of the film; the color or black and white print number; the orbit; Greenwich mean time at which the photograph was taken; and geographic location. An asterisk by the frame number denotes a photograph included in this volume. Information about obtaining photographs is discussed in the Introduction.

GEMINI III

Frame	NASA/MSC color No.	NASA/MSC B. & W. No.	Orbit	G.m.t.	Location
MAGAZINE NO. 1				MARCH 23, 1965	
1	S–65–18737....	S–65–18577.....	1	1556	Mexico (Tamaulipas-Nuevo Leon); Texas.
2	S–65–18738....	S–65–18571.....	2	1602	Clouds; Atlantic Ocean, Bermuda.
3	S–65–18739....	S–65–18572.....	2	1602	Clouds; Atlantic Ocean, near Bermuda.
*4	S–65–18740....	S–65–18573.....	2	1726	Baja California, Mexico; California.
*5	S–65–18741....	S–65–18575.....	2	1726	Baja California and Sonora, Mexico; California; Arizona
6	S–65–18742....	S–65–18574.....	2	1727	Do.
7	S–65–18743....	S–65–18570.....	2	1727	Do.
8	S–65–18744....	S–65–18569.....	3	1804	Clouds over coast of southeastern Africa.
9	S–65–18745....	.S–65–18508.....	3	1804	Do.
10	S–65–18746....	S–65–18567.....	3	1804	Do.
11	S–65–18747....	S–65–18566.....	3	1804	Do.
12	S–65–18748....	S–65–18564.....	3	1805	Do.
13	S–65–18749....	S–65–18582.....	3	1805	Do.
14	S–65–18750....	S–65–18581.....	3	1805	Do.
15	S–65–18751....	S–65–18580.....	3	1805	Do.
*16	S–65–18752....	S–65–18579.....	3	1807	Clouds over Madagascar.
17	S–65–18753....	S–65–18578.....	3	1807	Do.
18	S–65–18754....	S–65–18588.....	3	1807	Do.
19	S–65–18755....	S–65–18587.....	3	1807	Do.
20	S–65–18756....	S–65–18586.....	3	1807	Do.
21	S–65–18757....	S–65–18585.....	3	1809	Clouds over Indian Ocean.
22	S–65–18758....	S–65–18584.....	3	1809	Do.
23	S–65–18759....	S–65–18583.....	3	1809	Do.
24	S–65–18760....	S–65–18576.....	3	1809	Do.
25	S–65–18761....	S–65–18565.....	3	1814	Limb sunset over Indian Ocean.

GEMINI IV

Frame	NASA/MSC color No.	NASA/MSC B. & W. No.	Orbit	G.m.t.	Location
MAGAZINE NO. 16				JUNE 3, 1965	
1	S–65–34630....	S–65–32932.....	1	1643	Eastern Pacific Ocean.
2	S–65–34631....	S–65–32933.....	1	1643	Do.
3	S–65–34632....	S–65–32934.....	1	1646	Sonora and Chihuahua, Mexico.
*4	S–65–34633....	S–65–32935.....	1	1646	Do.
5	S–65–30431....	S–65–32928.....	3	1945	EVA, (extravehicular activity), northeast of Hawaii.
6	S–65–34634....	S–65–32929.....	3	1947	EVA, off coast of California.
7	S–65–30427....	S–65–32930.....	3	1949	Do.
8	S–65–30430....	S–65–32931.....	3	1952	EVA, over southern California.
9	S–65–30433....	S–65–32924.....	3	1954	EVA, over New Mexico.
10	....	....	3	1954	Do.
11	S–65–30428....	S–65–32926.....	3	......	EVA, over El Paso, Texas.
12	S–65–34636....	S–65–32927.....	3	......	EVA, closeup.
13	S–65–34637....	S–65–32920.....	3	......	Do.
14	S–65–34638....	S–65–32921.....	3	......	Do.
15	S–65–34639....	S–65–32922.....	3	1956	EVA, over Texas.
16	S–65–34640....	S–65–32923.....	3	......	Do.
17	S–65–34641....	S–65–32916.....	3	1958	EVA, over Texas coast.
18	S–65–30429....	S–65–32917.....	3	1959	EVA, over Gulf of Mexico.
19	S–65–30432....	S–65–32918.....	3	1959	Do.
20	S–65–34642....	S–65–32919.....	3	2000	Do.

Frame	NASA/MSC color No.	NASA/MSC B. & W. No.	Orbit	G.m.t.	Location
21	S-65-34643	S-65-32912	4	2128	Northern Sonora, Mexico; southern Arizona.
22	S-65-34848	S-65-32913	.....	......	Limb.
23	S-65-34644	S-65-32914	.....	......	Clouds.
24	S-65-34645	S-65-32915	.....	......	Do.
25	....	....	.....	......	Blank.
26	....	....	.....	......	Blank.
27	S-65-34646	S-65-32958	.....	......	Clouds.
*28	S-65-34647	S-65-32959	8	0317	Cold front southeast of Japan.

JUNE 4, 1965

Frame	NASA/MSC color No.	NASA/MSC B. & W. No.	Orbit	G.m.t.	Location
29	S-65-34648	S-65-32960	8	0317	Cold front southeast of Japan.
30	S-65-34649	S-65-32961	8	0318	Do.
31	....	....	.....	......	Blank.
*32	S-65-34650	S-65-32954	8	0319	Cloud front southeast of Japan.
*33	S-65-34651	S-65-32955	8	0325	Pacific Ocean east of Wake Island.
*34	S-65-34652	S-65-32956	8	0326	Do.
35	S-65-34653	S-65-32957	8	0326	Do.
36	S-65-34654	S-65-32950	8	0326	Do.
37	S-65-34655	S-65-32951	8	0333	Pacific Ocean southwest of Hawaii.
*38	S-65-34656	S-65-32952	9	0430	South Arabia; Gulf of Aden; Yemen.
*39	S-65-34657	S-65-32953	9	0430	South Arabia; Gulf of Aden; Somali Republic.
*40	S-65-34658	S-65-32946	9	0431	South Arabia; Gulf of Aden; Wadi Hadramawt.
*41	S-65-34659	S-65-32947	9	0431	South Arabia; Gulf of Aden; Ras Asir.
*42	S-65-34660	S-65-32948	9	0434	Southern Saudi Arabia; Muscat and Oman.
*43	S-65-34661	S-65-32949	9	0435	Sultanate of Muscat and Oman; Ras Al Hadd.
44	S-65-34662	S-65-32942	9	0512	Pacific Ocean southeast of Canton Island.
*45	S-65-34663	S-65-32943	10	0602	Sahara Desert; northern Sudan.
*46	S-65-34664	S-65-32944	10	0603	United Arab Republic; Red Sea; Foul Bay; Eastern Desert.
*47	S-65-34665	S-65-32945	10	0606	United Arab Republic; Saudi Arabia north of Medina.
48	S-65-34667	S-65-32939	10	0606	Central Saudi Arabia; Qatar Peninsula; Bahrain Island.
*49	S-65-34666	S-65-32940	10	0608	Persian Gulf; Iran coast; Qatar Peninsula.
*50	S-65-34668	S-65-32941	11	0734	Nile Delta; El Faiyum Depression.
51	....	....	.....	......	
52	S-65-34669	S-65-32937	12	0854	Atlantic Ocean.
*53	S-65-34670	S-65-32938	12	0901	Richat Structure; Mauritania.

End of roll.

MAGAZINE NO. 7

Frame	NASA/MSC color No.	NASA/MSC B. & W. No.	Orbit	G.m.t.	Location
*1	S-65-34776	S-65-32752	12	0910	Nile Delta; Suez Canal; Sinai Peninsula.
2	S-65-34775	S-65-32751	13	1150	Pacific Ocean southwest of Panama.
3	S-65-34774	S-65-34750	13	1150	Do.
*4	S-65-34773	S-65-32749	13	1151	Do.
5	S-65-34772	S-65-32756	.....	......	Limb.
*6	S-65-34771	S-65-32755	.....	......	Do.
7	....	....	.....	......	Blank.
8	....	....	.....	......	Blank.
9	S-65-34770	S-65-32760	.....	......	Limb (not apparent on photo).
10	S-65-34769	S-65-32759	.....	......	Limb.
11	S-65-34768	S-65-32758	18	1834	Southeast Atlantic Ocean off Congo coast.
12	S-65-34767	S-65-32757	18	1834	Do.
*13	S-65-34766	S-65-32764	18–19	1943	Florida Keys; Cape Sable; Everglades National Park.
14	S-65-34764	S-65-32763	19	1944	Florida Straits; Grand Bahama Bank.
*15	S-65-34763	S-65-32762	19	1944	Andros Island, Bahamas.
*16	S-65-34762	S-65-32761	19	1945	Great Exuma Island, Bahamas.
*17	S-65-34761	S-65-32765	19	1945	Acklins and Crooked Island, Bahamas.
18	S-65-34760	S-65-32766	.....	......	Clouds.
19	....	....	.....	......	Blank.
20	S-65-34759	S-65-32767	.....	......	Clouds.
21	S-65-34758	S-65-32768	20	2224	Pacific Ocean north of Marcus Island.
22	S-65-34757	S-65-32769	20	2225	Do.
23	S-65-34756	S-65-32770	20	2225	Do.
24	S-65-34755	S-65-32771	20	2226	Do.
*25	S-65-34754	S-65-32772	20	2226	Do.
*26	S-65-34753	S-65-32773	20	2227	Do.
*27	S-65-34752	S-65-32774	20	2227	Do.
*28	S-65-34751	S-65-32775	20	2228	Do.
*29	S-65-34750	S-65-32776	20	2228	Do.
*30	S-65-34749	S-65-32777	20	2247	Coast of Mexico (Jalisco-Colima).
31	S-65-34748	S-65-32778	20	2247	Coast of Mexico (Manzanillo to Acapulco).
*32	S-65-34747	S-65-32779	20	2249	Coast of Central America and Mexico.

JUNE 5, 1965

Frame	NASA/MSC color No.	NASA/MSC B. & W. No.	Orbit	G.m.t.	Location
33	S-65-34746....	S-65-32780.....	21	0012	Pacific Ocean east of Hawaii.
34	S-65-34745....	S-65-32781.....	21	0013	Pacific Ocean southeast of Hawaii.
35	S-65-34744....	S-65-32782.....	21	0013	Do.
*36	S-65-34743....	S-65-32783.....	21	0014	Do.
37	S-65-34742....	S-65-32784.....	21	0015	Do.
38	S-65-34741....	S-65-32785.....	21	0015	Do.
39	S-65-34740....	S-65-32786.....	21	0016	Do.
40	S-65-34738....	S-65-32787.....	21	0017	Pacific Ocean off Mexico; storm Victoria.
41	S-65-34736....	S-65-32788.....	21	0018	Do.
42	S-65-34739....	S-65-32789.....	21	0019	Pacific Ocean west of Galapagos Islands.
43	S-65-34735....	S-65-32790.....	21	0019	Do.
*44	S-65-34737....	S-65-32791.....	21	0020	Do.
45	....	....	.....	....	Blank.
46	S-65-34734....	S-65-32792.....	.....	....	Clouds.
47	S-65-34733....	S-65-32793.....	.....	....	Do.
48	S-65-34732....	S-65-32794.....	23	0252	Himalaya Mountains, Tibet; Burma.
49	S-65-34731....	S-65-32795.....	23	0259	Typhoon Carla off Japan.
50	S-65-34730....	S-65-32796....	23	0309	Pacific Ocean east of Wake Island.
51	S-65-34729....	S-65-32797.....	23	0310	Do.
52	S-65-34728....	S-65-32798.....	23	0311	Do.
53	S-65-34727....	S-65-32799.....	23	0412	Do.
*54	S-65-34726....	S-65-32800.....	24	0413	Southwest Saudi Arabia; Yeman.
55	S-65-34847....	S-65-32801.....	24	0414	Southwest Saudi Arabia, seif dunes.
*56	S-65-34765....	S-65-32802.....	24	0415	Do.

End of roll.

MAGAZINE NO. 6

Frame	NASA/MSC color No.	NASA/MSC B. & W. No.	Orbit	G.m.t.	Location
*1	S-65-34778....	S-65-32814.....	25	0524	Chad and Libya; Plateau D'Erdebe area.
*2	S-65-34779....	S-65-32813.....	25	0544	Nile River; Sudan; Wadi Halfa area.
*3	S-65-34780....	S-65-32812.....	25	0544	Nile River; United Arab Republic; Sudan.
*4	S-65-34781....	S-65-32811.....	25	0545	Southeast United Arab Republic; Eastern Desert.
*5	S-65-34782....	S-65-32810.....	25	0545	Do.
*6	S-65-34783....	S-65-32809.....	25	0545	Southeast United Arab Republic; Red Sea.
*7	S-65-34784....	S-65-32808.....	25	0546	Southeast United Arab Republic; Red Sea; Ras Banas.
8	S-65-34785....	S-65-32807.....	25	0548	Saudi Arabia and Iraq.
*9	S-65-34786....	S-65-32806.....	25	......	Mainland China, Hunan Province; Hsiang River.
*10	S-65-34787....	S-65-32805.....	25	......	Mainland China, Southeast Hunan Province.
11	....	....	.....	......	Blank.
12	....	....	.....	......	Blank.

End of roll (camera magazine jammed).

MAGAZINE NO. 8

Frame	NASA/MSC color No.	NASA/MSC B. & W. No.	Orbit	G.m.t.	Location
*1	S-65-34671....	S-65-32908.....	32	1741	Baja California, Mexico; Todos Santos Bay.
*2	S-65-34672....	S-65-32909.....	32	1741	Northern Baja California; Colorado River.
*3	S-65-34673....	S-65-32910.....	32	1741	Baja California; mouth of Colorado River; Sonora Desert.
*4	S-65-34674....	S-65-32911.....	32	1741	Sonora Desert; mouth of Colorado River.
*5	S-65-34675....	S-65-32904.....	32	1742	Cerro del Pinacate; Sonora, Mexico.
*6	S-65-34676....	S-65-32905.....	32	1742	Do.
*7	S-65-34677....	S-65-32906.....	32	1742	Sonora, Mexico; Arizona.
*8	S-65-34678....	S-65-32907.....	32	1742	Kitt Peak Observatory, Arizona.
*9	S-65-34679....	S-65-32900.....	32	1742	Southern Arizona.
*10	S-65-34680....	S-65-32901.....	32	1742	Do.
*11	S-65-34681....	S-65-32902.....	32	1742	San Pedro Valley, Arizona.
*12	S-65-34682....	S-65-32903.....	32	1742	Willcox Dry Lake, southeast Arizona.
*13	S-65-34683....	S-65-32896.....	32	1743	Willcox Dry Lake, Chiracahua Mountains, Arizona.
*14	S-65-34684....	S-65-32897.....	32	1743	Arizona; New Mexico.
*15	S-65-34685....	S-65-32898.....	32	1743	Do.
*16	S-65-34686....	S-65-32899.....	32	1743	Southwestern New Mexico; northern Chihuahua.
*17	S-65-34687....	S-65-32892.....	32	1743	Do.
*18	S-65-34688....	S-65-32893.....	32	1743	Southern New Mexico; northern Chihuahua.
*19	S-65-34689....	S-65-32894.....	32	1743	South central New Mexico; northern Chihuahua.
*20	S-65-34690....	S-65-32895.....	32	1743	South New Mexico; Chihuahua.
*21	S-65-34691....	S-65-32888.....	32	1743	South New Mexico; El Paso, Texas; Chihuahua.
*22	S-65-34692....	S-65-32889.....	32	1744	South New Mexico; west Texas; Chihuahua.
*23	S-65-34693....	S-65-32890.....	32	1744	Do.
*24	S-65-34694....	S-65-32891.....	32	1744	Do.
*25	S-65-34695....	S-65-32884.....	32	1744	Do.
*26	S-65-34696....	S-65-32885.....	32	1744	New Mexico; Texas; Chihuahua.
*27	S-65-34697....	S-65-32886.....	32	1744	Texas, Rio Grande and Pecos River Valley.
*28	S-65-34698....	S-65-32887.....	32	1744	

Frame	NASA/MSC color No.	NASA/MSC B. & W. No.	Orbit	G.m.t.	Location
*29	S-65-34699	S-65-32880	32	1744	Texas, Red Bluff Lake.
*30	S-65-34700	S-65-32881	32	1744	Texas, Toyah Basin.
*31	S-65-34701	S-65-32882	32	1745	West Texas, Permian Basin.
*32	S-65-34702	S-65-32883	32	1745	Texas, Midland-Odessa area.
*33	S-65-34703	S-65-32876	32	1745	Do.
*34	S-65-34704	S-65-32877	32	1745	Do.
*35	S-65-34705	S-65-32878	32	1745	Texas, Edwards Plateau.
*36	S-65-34706	S-65-32879	32	1745	Do.
*37	S-65-34707	S-65-32872	32	1745	San Angelo, Texas.
*38	S-65-34708	S-65-32873	32	1745	Texas, San Angelo-Sweetwater area.
*39	S-65-34709	S-65-32874	32	1745	Texas, Abilene.
40	S-65-34710	S-65-32875	32	1748	West Florida; south Alabama.
41	S-65-34711	S-65-32868	32	1748	Do.
*42	S-65-34712	S-65-32869	32	1748	West Florida; Alabama; Georgia.
43	S-65-34713	S-65-32870	32	1749	West Florida; Gulf of Mexico.
44	S-65-34714	S-65-32871	32–33	1749	Northeast Florida, Jacksonville.
45	S-65-34715	S-65-32864	33	1750	Central Florida, Cape Kennedy.
46	S-65-34716	S-65-32865	33	1750	Do.
*47	S-65-34717	S-65-32866	33	1750	Do.
48	S-65-34718	S-65-32867	33	1750	North Florida along Gulf Coast.
49	S-65-34719	S-65-32860	33	1751	Do.
50	S-65-34720	S-65-32861	33	1751	South Florida; Bahamas; Cuba.
51	S-65-34721	S-65-32862	33	1751	North Florida along Gulf Coast.
52	S-65-34722	S-65-32863	33	1752	South tip of Florida; Bahamas; Cuba.
53	S-65-34723	S-65-32857	33	1752	Bahamas; Cuba.
54	S-65-34724	S-65-32858	33	1752	Do.
55	S-65-34725	S-65-32859	33	1752	Atlantic Ocean east of Bahamas.

End of roll.

MAGAZINE NO. 9 — JUNE 6, 1965

Frame	NASA/MSC color No.	NASA/MSC B. & W. No.	Orbit	G.m.t.	Location
1	S-65-34827	S-65-32854	40	0526	Kuwait; Iraq; Iran.
2	S-65-34826	S-65-32855	40		Underexposed.
3					Blank.
4	S-65-34825	S-65-32856	40		Overexposed.
5	S-65-34824	S-65-32850	40		Limb.
6	S-65-34823	S-65-32851	40		Do.
7	S-65-34822	S-65-32852	40		Tibet, northeast of Lhasa.
8	S-65-34821	S-65-32853	40		Clouds.
9					Blank.
10	S-65-34820	S-65-32846	41		Clouds.
11	S-65-34819	S-65-32847	41		Underexposed.
12	S-65-34818	S-65-32848	41		Libyan Desert of Chad, Sudan, and Libya.
13	S-65-34817	S-65-32849			Limb.
14	S-65-34816	S-65-32842			Do.
15	S-65-34815	S-65-32843			Do.
16	S-65-34814	S-65-32844			Limb and sunrise.
17	S-65-34813	S-65-32845	44	1124	Off west coast of North Africa.
18	S-65-34812	S-65-32838	44	1124	Do.
19	S-65-34811	S-65-32839	44	1124	Do.
*20	S-65-34810	S-65-32840	44	1127	Morocco; Hamada du Dra area.
*21	S-65-34809	S-65-32841	44	1127	Morocco; Algeria; Hamada du Dra area.
22	S-65-34808	S-65-32834	44	1127	Do.
*23	S-65-34807	S-65-32835	44	1128	Southwest Algeria; Sahara Desert.
*24	S-65-34806	S-65-32837	44	1128	Southwest Algeria; Northern Mauritania.
25	S-65-34805	S-65-32838	44	1128	Central Algeria; Sahara Desert.
26	S-65-34804	S-65-32831	44	1128	Central Algeria; Grand Erg Occidental.
*27	S-65-34803	S-65-32832	44	1128	Central Algeria; Assedjrad Escarpment.
*28	S-65-34802	S-65-32833	44	1128	Eastern Algeria; Grand Erg Oriental.
*29	S-65-34801	S-65-32834	44	1130	South central Algeria; Erg Afarag.
30	S-65-34800	S-65-32826	44	1130	South central Algeria; Sahara Desert.
*31	S-65-34799	S-65-32827	44	1130	South central Algeria; Ahaggar massif.
32	S-65-34798	S-65-32828	45	1311	South Sudan; Equatorial Province.
33	S-65-34797	S-65-32829	45	1313	Sudan; Ethopia; Kenya; Lake Rudolph.
*34	S-65-34796	S-65-32822	45	1313	Do.
35	S-65-34795	S-65-32823	45	1315	Somali Republic coast north of Mogadishu.
36	S-65-34794	S-65-32824	45		Clouds.
37	S-65-34793	S-65-32825	45		Do.
38	S-65-34792	S-65-32818	45	1415	North Florida; south Georgia.
*39	S-65-34791	S-65-32819	45	1416	Georgia; South Carolina coast.
40	S-65-34790	S-65-32820	46	1417	Do.
41	S-65-34789	S-65-32821	46	1418	Carolina coast; Cape Lookout Cape Fear.
42	S-65-36153	S-65-32816	46	1434	Richat Structure; Mauritania (overexposed).
43	S-65-36154	S-65-32817	46	1434	Do.

End of roll.

GEMINI V

Frame	NASA/MSC color No.	NASA/MSC B. & W. No.	Orbit	G.m.t.	Location

MAGAZINE NO. 3

AUGUST 21, 1965

Frame	NASA/MSC color No.	NASA/MSC B. & W. No.	Orbit	G.m.t.	Location
1	S–65–45672....	....	1	.....	Radar Evaluation Pod.
2	S–65–45673....	....	1	.....	Do.
*3	S–65–45674....	S–65–45432.....	2	1702	Clouds off coast of Baja California.
4	S–65–45675....	S–65–45433.....	2	1703	Clouds off coast of Baja California; Isla Cedros.
*5	S–65–45676....	S–65–45434.....	2	1703	Baja California, Mexico; Gulf of California.
6	S–65–45677....	S–65–45435.....	2	1705	Clouds; New Mexico.
7	S–65–45678....	S–65–45436.....	2	1711	Clouds; Gulf Coast area.
*8	S–65–45679....	S–65–45437.....	2	1711	Do.
9	S–65–45680....	S–65–45438.....	2	1712	Florida.
*10	S–65–45681....	S–65–45439.....	3	1717	Thunderstorms southeast of Bermuda.
*11	S–65–45682....	S–65–45440.....	3	1718	Clouds southeast of Bermuda.
12	S–65–45683....	S–65–45441.....	.....	.....	Astronaut C. Conrad (inside spacecraft).
13	S–65–45684....	S–65–45442.....	.....	.....	Overexposed.
14	S–65–45685....	S–65–45443.....	4	1851	East end of Hispaniola (Dominican Republic).
*15	S–65–45686....	S–65–45444.....	4	1855	Clouds over Atlantic east of Lesser Antilles.
*16	S–65–45687....	S–65–45445.....	4	1856	Clouds off coast of French Guiana.
*17	S–65–45688....	S–65–45446.....	4	1856	French Guiana.
18	S–65–45689....	S–65–45447.....	4	1857	Brazil; French Guiana.
19	S–65–45690....	S–65–45448.....	4	1908	Limb off west coast of Africa.
*20	S–65–45691....	S–65–45449.....	4	1954	Clouds near Wake Island.
21	S–65–45692....	S–65–45450.....	4	1954	Do.
22	S–65–45693....	S–65–45451.....	4	1955	Do.
23	S–65–45694....	S–65–45452.....	4	2004	Do.
*24	S–65–45695....	S–65–45453.....	4	2005	Pacific Ocean north of Hawaii; wake of ship.
*25	S–65–45696....	S–65–45454.....	4	2012	Coast of California; San Luis Obispo.
*26	S–65–45697....	S–65–45455.....	4	2014	Clouds near Baja California, Mexico; Guadalupe Island.
*27	S–65–45698....	S–65–45456.....	4	2014	Do.
*28	S–65–45699....	S–65–45457.....	4	2015	Baja California, Mexico; Point Eugenia.
*29	S–65–45700....	S–65–45458.....	4	2015	Gulf of California; Angel de la Guarda Island.
*30	S–65–45701....	S–65–45459.....	4	2015	Gulf of California; Sonora Coast; Tiburon Island.
*31	S–65–45702....	S–65–45460.....	4	2015	Do.
*32	S–65–45703....	S–65–45461.....	4	2016	Baja California and Sonora, Mexico.
*33	S–65–45704....	S–65–45462.....	4	2021	Yucatan Peninsula; Gulf of Honduras.
*34	S–65–45705....	S–65–45463.....	4	2022	Honduras-Nicaragua; Cape Gracias a Dios.

AUGUST 22, 1965

Frame	NASA/MSC color No.	NASA/MSC B. & W. No.	Orbit	G.m.t.	Location
35	S–65–45706....	S–65–45464.....	6	0047	Limb; sunrise south of India.
36	S–65–45707....	S–65–45465.....	6	0055	North end of Luzon, Philippines.
37	S–65–45708....	S–65–45466.....	6	0055	Do.
*38	S–65–45709....	S–65–45467.....	8	0157	Himalaya Mountains; Tibet; Nepal; Bhutan; Sikkim.
*39	S–65–45710....	S–65–45468.....	8	0158	Himalaya Mountains; Tibet; Bhutan.
*40	S–65–45711....	S–65–45469.....	8	0158	Tibet; Nam Tsho (lake) in center.
41	S–65–45712....	S–65–45470.....	8	0159	Tibet; Tsinghai Province.
*42	S–65–45713....	S–65–45471.....	8	0200	Mainland China, Szechwan, Shensi, and Hupeh Provinces.
*43	S–65–45714....	S–65–45472.....	8	0203	Mainland China, Shensi Province near Hsian.
*44	S–65–45715....	S–65–45473.....	8	0208	Japan, Honshu and Kyushu Islands.
*45	S–65–45716....	S–65–45474.....	9	0330	Saudi Arabia, Empty Quarter, seif dunes.
*46	S–65–45717....	S–65–45475.....	9	0441	Mainland China, Szechwan Province.
*47	S–65–45718....	S–65–45476.....	9	0441	Do.
*48	S–65–45719....	S–65–45477.....	9	0441	Do.
*49	S–65–45720....	S–65–45478.....	10	0459	Iran, east of Shiraz; Persepolis ruins.
*50	S–65–45721....	S–65–45479.....	10	0459	Iran, east of Shiraz, near Saidabad.
*51	S–65–45722....	S–65–45480.....	10	0500	Iran, north of Kerman.
*52	S–65–45723....	S–65–45481.....	10	0501	Iran, Dasht-e-Lut Desert.
53	S–65–45724....	S–65–45482.....	10	0506	Tibet; clouds.
*54	S–65–45725....	S–65–45483.....	10	0512	Mainland China, Hupah and Hunan Provinces.
*55	S–65–45726....	S–65–45484.....	11	0628	Libyan Desert.
*56	S–65–45727....	S–65–45485.....	11	0628	Do.
*57	S–65–45728....	S–65–45486.....	11	0635	Afghanistan-Iran frontier area.
*58	S–65–45729....	S–65–45487.....	11	0636	Afghanistan, Kajaki Reservoir.
*59	S–65–45730....	S–65–45488.....	11	0647	Do.
*60	S–65–45731....	S–65–45489.....	11	0649	Mainland China, Kwangtung-Kwangsi Provinces.
*61	S–65–45732....	S–65–45490.....	11	0651	Luzon Island, Philippines; Lingayen Gulf.
*62	S–65–45733....	S–65–45491.....	12	0756	Southern Luzon Island.
*63	S–65–45734....	S–65–45492.....	12	0758	Southern Algeria, Erg Chech.

End of roll.

Frame	NASA/MSC color No.	NASA/MSC B. & W. No.	Orbit	G.m.t.	Location
MAGAZINE NO. 1					
*1	S-65-45735	S-65-45370	13	0927	Canary Islands; Fuerteventura Island.
*2	S-65-45736	S-65-45371	13	0937	Alexandria; Nile Delta.
*3	S-65-45737	S-65-45372	14	1103	Straits of Gibralter; Morocco; Spain.
4	S-65-45738	S-65-45373	14	1106	Coast of Libya; Tunisia.
*5	S-65-45739	S-65-45374	15	1238	Morocco; Ras Rhir; Agadir.
6	S-65-45740	S-65-45375	15	1238	Do.
*7	S-65-45741	S-65-45376	16	1525	Chihuahua, Mexico.
*8	S-65-45742	S-65-45377	16	1525	Chihuahua, Mexico; Laguna de Encinillas.
*9	S-65-45743	S-65-45378	16	1526	Do.
10	S-65-45744	S-65-45379	16	1526	Chihuahua, Mexico.
*11	S-65-45745	S-65-45380	16	1527	Gulf of Mexico; Texas; Tamulipas.
*12	S-65-45746	S-65-45381	17	1531	Florida.
*13	S-65-45747	S-65-45382	17	1659	California; Salton Sea; Imperial Valley.
*14	S-65-45748	S-65-45383	17	1659	Do.
*15	S-65-45749	S-65-45384	17	1700	Arizona; Gila River Valley.
*16	S-65-45750	S-65-45385	17	1701	Arizona; Tucson vicinity.
*17	S-65-45751	S-65-45386	17	1701	Arizona; Mew Mexico; Willcox Dry Lake.
*18	S-65-45752	S-65-45387	17	1702	Texas; New Mexico; Chihuahua, Mexico.
*19	S-65-45753	S-65-45388	18	1707	Clouds over Florida.
*20	S-65-45754	S-65-45389	18	1707	Do.
21	S-65-45755	S-65-45390	18	1712	Clouds, southeast of Bermuda.
*22	S-65-45756	S-65-45391	18	1838	Florida, Cape Kennedy.
23	S-65-45757	S-65-45392	18	1838	Miami and eastern Florida.
*24	S-65-45758	S-65-45393	19	1838	St. Augustine and Miami, Florida.
*25	S-65-45759	S-65-45394	19	1839	Andros Island, Bahamas.
*26	S-65-45760	S-65-45395	19	1839	Great Bahama Bank; Tongue of the Ocean.
27	S-65-45761	S-65-45396	19	1839	Bahama Islands, Crooked, Acklins, and Long Islands.
28	S-65-45762	S-65-45397	19	1840	Bahama Islands, Grand Turk; Caicos group.
29	S-65-45763	S-65-45398	19	2004	Baja California, Mexico.
*30	S-65-45764	S-65-45399	19	2004	Do.
*31	S-65-45765	S-65-45400	19	2009	Campeche, Mexico; Laguna de Terminos.
32	S-65-45766	S-65-45401	19	2009	British Honduras; Gulf of Honduras.
33	S-65-45767	S-65-45402	20	2016	Clouds over Caribbean Sea.

AUGUST 23, 1965

Frame	NASA/MSC color No.	NASA/MSC B. & W. No.	Orbit	G.m.t.	Location
*34	S-65-45768	S-65-45403	23	0158	Mainland China, mouth of Yangtze River.
*35	S-65-45769	S-65-45404	23	0159	Japan, Honshu Island.
*36	S-65-45770	S-65-45405	23	0201	Typhoon Lucy near Japan.
*37	S-65-45771	S-65-45406	23	0201	Do.
38	S-65-45772	S-65-45407	25	0449	Afghanistan; Pakistan.
*39	S-65-45773	S-65-45408	25	0449	Do.
40	S-65-45774	S-65-45409	25	0458	Mainland China; Tibet Highlands.
41	S-65-45775	S-65-45410	25	0458	Mainland China; Tibet Highlands; Himalayas.
42	S-65-45776	S-65-45411	25	0458	Do.
*43	S-65-45777	S-65-45412	25	0505	Taiwan; Formosa Straits.
*44	S-65-45778	S-65-45413	28	0929	United Arab Republic; Nile Delta; Cairo.
45	S-65-45779	S-65-45414	32	1543	Clouds over Gulf of Guinea.
46	S-65-45780	S-65-45415	32	1543	Do.
*47	S-65-45781	S-65-45416	32	1543	Do.
48	S-65-45782	S-65-45417	33	1822	Texas, between Laredo and Uvalde.
*49	S-65-45783	S-65-45418	33	1826	Florida, Jacksonville to Key West.
50	S-65-45784	S-65-45419	34	1827	Cuba, Camaguey Province.
*51	S-65-45785	S-65-45420	34	1827	Do.
52	S-65-45786	S-65-45421	34	1828	Cuba, Oriente Province.
*53	S-65-45787	S-65-45422	34	1958	Sonora, Mexico; Gulf of California.
54	S-65-45788	S-65-45423	34	2001	Gulf of Mexico; Texas; Tamaulipas, Mexico.
55	S-65-45789	S-65-45424	35	2133	Tropical storm Doreen in Pacific.
*56	S-65-45790	S-65-45425	35	2133	Do.
*57	S-65-45791	S-65-45426	35	2147	Coast of Peru; Paracus Peninsula.
*58	S-65-45792	S-65-45427	36	2150	Bolivia-Peru; Lake Titicaca.
59	S-65-45793	S-65-45428	36	2150	Do.
*60	S-65-45794	S-65-45429	36	2150	Do.

AUGUST 24, 1965

Frame	NASA/MSC color No.	NASA/MSC B. & W. No.	Orbit	G.m.t.	Location
61	S-65-45795	S-65-45430	41	0625	Iran; Iraq.
62	S-65-45796	S-65-45431	41	0625	Clouds over Mainland China.

End of roll.

Frame	NASA/MSC color No.	NASA/MSC B. & W. No.	Orbit	G.m.t.	Location
MAGAZINE NO. 4					
*1	S-65-45603....	S-65-45301.....	42	0749	India; Gulf of Kutch; City of Jamnagar.
*2	S-65-45604....	S-65-45302.....	42	0758	Sumatra; Lingga and Bintan Islands.
*3	S-65-45605....	S-65-45303.....	43	0913	Algeria; Mediterranean Sea; Balearic Islands.
4	S-65-45606....	S-65-45304.....	43	0920	United Arab Republic; Nile Delta; Suez Canal.
*5	S-65-45607....	S-65-45305.....	43	0920	United Arab Republic; Nile Delta.
*6	S-65-45608....	S-65-45306.....	43	0921	United Arab Republic; Red Sea; Saudi Arabia.
*7	S-65-45609....	S-65-45307.....	45	1336	Pensacola-Mobile area.
8	S-65-45610....	S-65-45308.....	.....	......	Inside Gemini V spacecraft.
9	S-65-45611....	S-65-45309.....	.....	......	Out of focus.
10	S-65-45612....	S-65-45310.....	46	2135	Bolivia; Lake Poopo.
*11	S-65-45613....	S-65-45311.....	46	2135	Do.
12	S-65-45614....	S-65-45312.....	51	2243	Clouds.
13	S-65-45615....	S-65-45313.....	51	2248	Clouds over the Hawaiian Islands.
*14	S-65-45616....	S-65-45314.....	51	2248	Hawaiian Islands.
AUGUST 25, 1965					
*15	S-65-45617....	S-65-45315.....	55	0431	Iran; Iraq; Valley of Tigris River.
*16	S-65-45618....	S-65-45316.....	55	0433	Northern Afghanistan (dust storm).
17	S-65-45619....	S-65-45317.....	55	0433	Do.
*18	S-65-45620....	S-65-45318.....	55	0434	Afghanistan; Band-i-Amir River.
*19	S-65-45621....	S-65-45319.....	55	0436	Pakistan, south of Rawalpindi.
20	S-65-45622....	S-65-45320.....	55	0437	India; Tibet; Himalaya Mountains.
21	S-65-45623....	S-65-45321.....	55	0439	Tibet, southwest of Lhasa; Himalaya Mountains.
*22	S-65-45624....	S-65-45322.....	55	0439	Do.
*23	S-65-45625....	S-65-45323.....	55	0446	Mainland China, Kwangtung Province; Hong Kong.
*24	S-65-45626....	S-65-45324.....	58	0918	United Arab Republic; Nile Valley.
25	S-65-45627....	S-65-45325.....	62	1637	Florida.
*26	S-65-45628....	S-65-45326.....	63	1639	Cuba, Camaguey Province; Caribbean Sea.
27	S-65-45629....	S-65-45327.....	63	1639	Bahamas, Great Exuma and Long Islands.
28	S-65-45630....	S-65-45328.....	63	1640	Cuba, Oriente Province; Jamaica; Hispaniola.
*29	S-65-45631....	S-65-45329.....	63	1803	California, Los Angeles; Salton Sea.
30	S-65-45632....	S-65-45330.....	63	1811	Mexico; Yucatan; Gulf of Mexico.
31	S-65-45633....	S-65-45331.....	63	1812	Mexico; Yucatan; British Honduras.
32	S-65-45634....	S-65-45332.....	63	1814	Honduras; Nicaragua; Caribbean coast.
33	S-65-45635....	S-65-45333.....	65	2056	Inside spacecraft (out of focus).
34	S-65-45636....	S-65-45334.....	65	2109	Out of focus—storm.
35	S-65-45637....	S-65-45335.....	65	2110	Do.
36	S-65-45638....	S-65-45336.....	66	2130	Out of focus.
37	S-65-45639....	S-65-45337.....	66	2130	Double exposure.
38	S-65-45640....	S-65-45338.....	66	2225	Japan, Kyushu and Honshu Islands.
*39	S-65-45641....	S-65-45339....	67	2359	Japan, Ise Wan; Port of Nagoya.
40	S-65-45642....	S-65-45340.....	67	2359	Do.
AUGUST 26, 1965					
41	S-65-45643....	S-65-45341.....	68	0121	India; Tibet; Zaskar Range; northeast of Dehra-Dun.
*42	S-65-45644....	S-65-45342.....	68	0121	India; Tibet; Nepal.
*43	S-65-45645....	S-65-45343.....	68	0122	Tibet; headwaters of Brahmaputra River.
44	S-65-45646....	S-65-45344.....	68	0122	Tibet; Nepal.
*45	S-65-45647....	S-65-45345.....	69	0249	Iran; Dasht-e-Lut Desert; Kerman City.
*46	S-65-45648....	S-65-45346.....	69	0250	Mainland China; India; Kashmir; Pakistan.
*47	S-65-45649....	S-65-45347.....	69	0250	Tibet and Kashmir; Chang Chenmo Range.
*48	S-65-45650....	S-65-45348.....	69	0303	Mainland China coast, Fukien Province; Futun-Min River.
49	S-65-45651....	S-65-45349.....	70	0435	Northeast New Guinea; Bismarck Sea.
*50	S-65-45652....	S-65-45350.....	71	0624	Cape York Peninsula, Australia.
51	S-65-45653....	S-65-45351....	71	0624	Do.
52	S-65-45654....	S-65-45352.....	71	0625	Do.
53	S-65-45655....	S-65-45353.....	71	0625	Do.
54	S-65-45656....	S-65-45354.....	71	0626	Do.
55	S-65-45657....	S-65-45355.....	71	0626	Do.
56	S-65-45658....	S-65-45356.....	71	0626	Do.
57	S-65-45659....	S-65-45357.....	.....	......	Underexposed—Sunset on clouds.
58	S-65-45660....	S-65-45358.....	.....	......	Do.
59	S-65-45661....	S-65-45359.....	72	0729	Crete; Turkey; Greece.
*60	S-65-45662....	S-65-45360.....	72	0731	Saudi Arabia; Persian Gulf.
61	S-65-45663....	S-65-45361.....	72	0757	Underexposed.
*62	S-65-45664....	S-65-45362.....	74	1025	Morocco; Cape Rhir; Agadir.
*63	S-65-45665....	S-65-45363....	74	1025	Morocco south of Agadir; Spanish Ifni.
*64	S-65-45666....	S-65-45364.....	74	1027	Sahara Desert; border of Morocco and Algeria.

Frame	NASA/MSC color No.	NASA/MSC B. & W. No.	Orbit	G.m.t.	Location
65	S-65-45667....	S-65-45365....	74	1027	Algeria; Sahara Desert.
*66	S-65-45668....	S-65-45366....	76	1334	Cape Verde Islands.
*67	S-65-45669....	S-65-45367....	76	1334	Do.
*68	S-65-45670....	S-65-45368....	77	1614	Rio Grande; El Paso, Texas; Juarez, Mexico.
*69	S-65-45671....	S-65-45369....	77	1614	Do.

End of roll.

MAGAZINE NO. 2

1	S-65-45547....	S-65-45493....	81	2234	Clouds near Hawaii.

AUGUST 27, 1965

Frame	color No.	B. & W. No.	Orbit	G.m.t.	Location
*2	S-65-45548....	S-65-45493....	83	0125	Tropical storm near Ponape Island.
3	S-65-45549....	S-65-45494....	83	0131	Bikini Atoll in the Marshall Islands.
*4	S-65-45550....	S-65-45496....	83	0131	Rongelap Atoll in the Marshall Islands.
5	S-65-45551....	....	83	0148	Urine Drop.
*6	S-65-45552....	S-65-45497....	84	0220	Afghanistan; Pakistan.
*7	S-65-45553....	S-65-45498....	85	0418	Storm south of Philippine Islands.
8	S-65-45554....	S-65-45499....	85	0525	Crete; Rhodes; Turkey; Greece.
9	S-65-45555....	S-65-45500....	86	0526	Cyprus; Turkey in background.
*10	S-65-45556....	S-65-45501....	86	0526	Cyprus; Turkey; Syria.
11	S-65-45557....	S-65-45502....	86	0612	Northern Territory, Australia; Gulf of Carpenteria.
*12	S-65-45558....	S-65-45503....	86	0612	Queensland, Australia; Gulf of Carpenteria.
*13	S-65-45559....	S-65-45504....	86	0614	Queensland, Australia; Shoalwater Bay.
*14	S-65-45560....	S-65-45505....	86	0615	Queensland, Australia; Capricorn Island.
*15	S-65-45561....	S-65-45506....	87	0654	Morocco; Atlas Mountains.
*16	S-65-45562....	S-65-45507....	87	0656	Northern Algeria.
*17	S-65-45563....	S-65-45508....	87	0658	Libya; Tripoli.
*18	S-65-45564....	S-65-45509....	87	0710	Red Sea; Saudi Arabia.
*19	S-65-45565....	S-65-45510....	87	0710	Saudi Arabia interior.
*20	S-65-45566....	S-65-45511....	87	0711	Do.
*21	S-65-45567....	S-65-45512....	87	0745	Northern Territory; Australia; McDonnell Range.
*22	S-65-45568....	S-65-45513....	87	0747	Do.
*23	S-65-45569....	S-65-45514....	88	0852	Sahara Desert; Chad; Sudan; United Arab Republic.
24	S-65-45570....	S-65-45515....	90	1204	Tanzania; Lake Tanganyika.
25	S-65-45571....	S-65-45516....	90	1205	Tanzania; Zambia; Lake Tanganyika.
*26	S-65-45572....	S-65-45517....	90	1205	Tanzania; Zambia; Malawi.
27	S-65-45573....	S-65-45518....	90	1207	Mozambique coast.
*28	S-65-45574....	S-65-45519....	90	1210	Madagascar west coast.
*29	S-65-45575....	S-65-45520....	90	1215	Clouds southeast of Madagascar.
*30	S-65-45576....	S-65-45521....	90	1215	Do.
31	S-65-45577....	S-65-45522....	90	1310	Jacksonville, Florida; Georgia.
*32	S-65-45578....	S-65-45523....	92	1510	South-West Africa; Cape Cross.
*33	S-65-45579....	S-65-45524....	92	1510	South-West Africa; Walvis Bay.
*34	S-65-45580....	S-65-45525....	92	1511	South-West Africa; Windhoek area.
*35	S-65-45581....	S-65-45526....	92	1511	Do.
*36	S-65-45582....	S-65-45527....	92	1551	Mexico, Chihuahua; Sonora.
*37	S-65-45583....	S-65-45528....	92	1553	Texas; Laredo-Uvalde area.
38	S-65-45584....	S-65-45529....	92	1554	Texas; Gulf Coast.
*39	S-65-45585....	S-65-45530....	93	1743	Baja California, Mexico; Gulf of California.
*40	S-65-45586....	S-65-45531....	93	1743	Baja California, Mexico.
41	S-65-45587....	S-65-45532....	93	1749	Zodiacal light study.
42	S-65-45588....	....	....	......	Overexposed.
43	S-65-45589....	....	....	......	Do.
44	S-65-45590....	....	....	......	Do.
45	S-65-45591....	....	....	......	Do.
46	S-65-45592....	....	....	......	Do.

AUGUST 28, 1965

Frame	color No.	B. & W. No.	Orbit	G.m.t.	Location
47	S-65-45593....	S-65-45537....	106	1300	Angola; Tandave River.
48	S-65-45594....	S-65-45538....	106	1300	Angola; Cuito River.
49	S-65-45595....	S-65-45539....	106	1300	Angola; western Zambia.
50	S-65-45596....	S-65-45540....	106	1301	Do.
51	S-65-45597....	S-65-45541....	106	1301	Western Zambia; Southern Rhodesia.
52	S-65-45598....	S-65-45542....	106	1301	Zambia; Rhodesia; Mozambique.
53	S-65-45599....	S-65-45543....	106	1404	Cape Kennedy, Florida.
*54	S-65-45600....	S-65-45544....	107	1432	South Africa; South-West Africa.
55	S-65-45601....	S-65-45545....	107	1434	South Africa.
56	S-65-45602....	S-65-45546....	....	......	Sky study; moon.

End of roll.

☆ U.S. GOVERNMENT PRINTING OFFICE: 1966 O—232-352

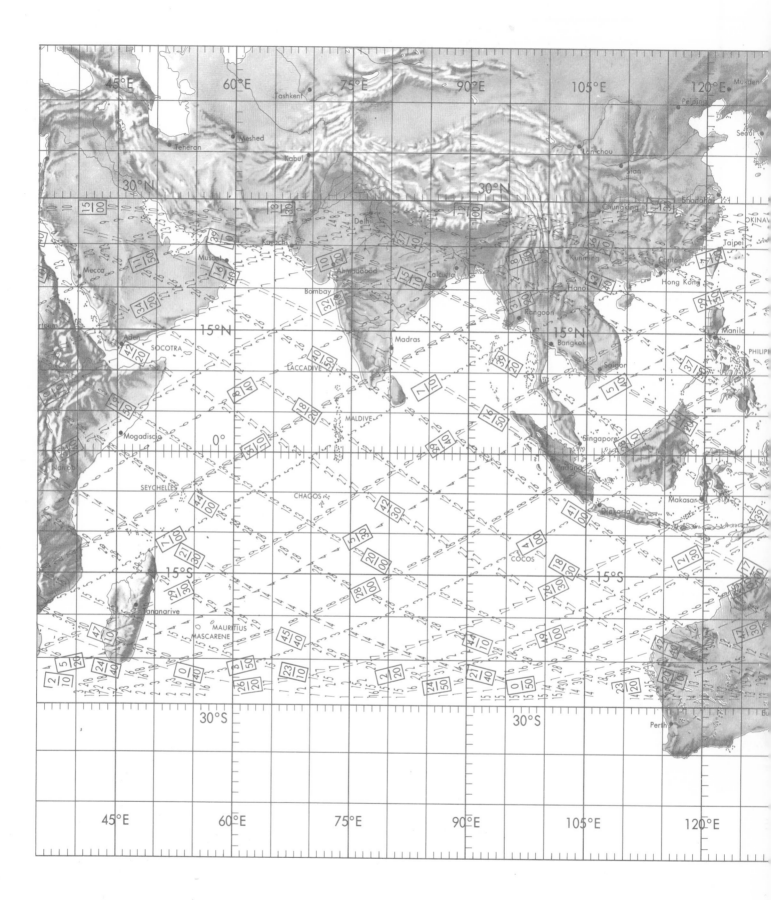